GESTION FINANCIÈRE À LONG TERME

PRESSES DE L'UNIVERSITÉ DU QUÉBEC
Le Delta I, 2875, boulevard Laurier, bureau 450
Québec (Québec) G1V 2M2
Téléphone : (418) 657-4399 • Télécopieur : (418) 657-2096
Courriel : puq@puq.ca • Internet : www.puq.ca

Diffusion / Distribution :

CANADA et autres pays

Distribution de livres Univers s.e.n.c.
845, rue Marie-Victorin, Saint-Nicolas (Québec) G7A 3S8
Téléphone : (418) 831-7474 / 1-800-859-7474 • Télécopieur : (418) 831-4021

FRANCE
AFPU-Diffusion
Sodis

BELGIQUE
Patrimoine SPRL
168, rue du Noyer
1030 Bruxelles
Belgique

SUISSE
Servidis SA
5, rue des Chaudronniers,
CH-1211 Genève 3
Suisse

FAOUZI RASSI

GESTION FINANCIÈRE À LONG TERME

INVESTISSEMENTS ET FINANCEMENT

2007

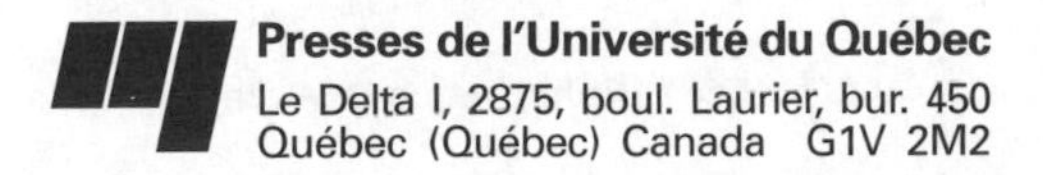

Catalogage avant publication de Bibliothèque et Archives nationales du Québec et Bibliothèque et Archives Canada

Rassi, Faouzi F., 1936-

Gestion financière à long terme : investissements et financement

ISBN 978-2-7605-1487-4

1. Entreprises - Finances. 2. Analyse financière. 3. Investissements. 4. Instruments financiers. 5. Gestion du risque. 6. Entreprises - Finances - Problèmes et exercices. I. Titre.

HG4026.R37 2007 658.15 C2007-941091-X

Nous reconnaissons l'aide financière du gouvernement du Canada par l'entremise du Programme d'aide au développement de l'industrie de l'édition (PADIE) pour nos activités d'édition.

La publication de cet ouvrage a été rendue possible grâce à l'aide financière de la Société de développement des entreprises culturelles (SODEC).

Mise en pages : INFO 1000 MOTS

Couverture – Conception : RICHARD HODGSON
Œuvre : PETRUS CHRISTUS (1410-1475)
Saint Éloi orfèvre dans son atelier,
1449, huile sur bois, 98 cm × 85 cm.

1 2 3 4 5 6 7 8 9 PUQ 2007 9 8 7 6 5 4 3 2 **1**

Dépôt légal – 3e trimestre 2007
Bibliothèque et Archives nationales du Québec / Bibliothèque et Archives Canada
Imprimé au Canada

À la mémoire de

Christiane Schaulin Rassi

Remerciements

Je tiens à remercier vivement ma fille Nicole Rassi pour l'excellent travail accompli en matière de révision de ce texte. Mes remerciements vont aussi à Francine Brault et Kathleen Schumph, ainsi qu'au personnel de secrétariat du Département des sciences comptables à l'Université du Québec à Montréal, pour leur contribution très appréciée en matière de dactylographie et de présentation de ce livre. Mes remerciements vont encore à Abdel Bakiri dont le précieux soutien informatique a été grandement apprécié, et à Eïd Pandeli pour ses fort utiles travaux de documentation.

Je prie mon épouse, Souad Chammas, qui a été bien patiente tout au long de la préparation de ce texte, d'accepter le témoignage de ma vive reconnaissance.

Table des matières

Introduction 1

PARTIE 1
LES NOTIONS DE BASE 5

CHAPITRE 1 **La finance: évolution, objectif, fonction et cadre juridique** 7

1.1. Les grandes étapes de la finance 8

1.2. L'objectif de la finance 10

1.3. Notions, concepts et calculs de base 11
1.3.1. La notion de flux monétaire 11
1.3.2. Le coût du capital: conception 11
1.3.3. Le coût du capital: calcul 12
1.3.4. La notion d'équilibre financier 12

1.4. La fonction de la finance 13

1.5. Le cadre juridique 13

CHAPITRE 2 **Fondements de la détermination des taux d'intérêt en cas d'avenir certain** 15

2.1. Les axiomes de comportement 16
2.1.1. L'axiome de comparaison et de préférence 16
2.2.2. L'axiome de transitivité ou de cohérence 17
2.2.3. L'axiome de non-satiété 17
2.2.4. L'axiome de convexité 17

2.2. L'optimisation de l'utilité du consommateur dans le cas de deux biens 20

2.3. L'optimisation de l'utilité du consommateur : le cas général de *n* biens 27

2.4. L'analyse de l'optimum de la consommation et de l'investissement dans le cadre de la certitude, en l'absence de marchés de capitaux 28
2.4.1. La courbe d'indifférence 29
2.4.2. Les possibilités d'investissement 30
2.4.3. L'optimum de consommation et d'investissement 34

2.5. Allocation des ressources financières dans le cadre de la certitude et de marchés parfaits, mais en l'absence d'investissements productifs 37
2.5.1. L'analyse de l'allocation des ressources financières pour une seule période 37
2.5.2. L'analyse de l'allocation des ressources financières dans le cas de deux périodes 43
2.5.3. L'analyse de l'allocation des ressources dans le cadre de *n* périodes 45
2.5.4. Théorie et illustration de l'allocation optimale de la consommation sur deux périodes (toujours dans le cadre d'un marché parfait, mais en l'absence de possibilités d'investissement) 46
2.5.5. L'analyse de l'allocation optimale de la consommation sur *n* périodes 51

2.6. L'allocation des ressources financières dans le cadre de la certitude et de marchés parfaits, et en présence d'investissements productifs (théorème de la séparation) 52

Résumé 59

CHAPITRE 3 **Risques et décisions optimales** 65

3.1. Critère de choix dans un univers incertain 66
3.1.1. L'axiome de forte indépendance ou de substituabilité 67
3.1.2. L'axiome de mesurabilité ou de « monotonicité » ou de continuité 67
3.1.3. L'axiome de classements composés 68

3.2. L'interprétation de la fonction d'utilité de la richesse dans un univers incertain 70

3.3. La théorie du portefeuille et le choix des investissements dans un univers incertain (le théorème de la séparation) 73
3.3.1. La « frontière efficiente » 76
3.3.2. Les possibilités de prêts et d'emprunts à un taux exempt de risque 78
3.3.3. Le théorème de la séparation 81

3.4. L'équilibre sur le marché des capitaux et la détermination des taux d'intérêt 81

Résumé 84

CHAPITRE 4 **Modèles d'évaluation du rendement, du risque et d'un actif** 89

4.1. La notion de taux de rendement 90

4.2. La détermination du taux de rendement à l'échéance d'une obligation et du prix 94
4.2.1. Le taux de rendement d'une obligation 94
4.2.2. Le prix d'une obligation 95

4.3. La détermination du taux de rendement d'une action ordinaire selon le modèle de Gordon 95
4.3.1. Le prix d'une action ordinaire ou la valeur actuelle des flux monétaires de dividendes futurs et du prix de vente 96
4.3.2. Cas du dividende constant par période (croissance zéro) jusqu'à l'infini 97
4.3.3. Cas du dividende à taux de croissance constant g jusqu'à l'infini 99
4.3.4. Cas du taux de croissance du dividende à deux étages 100

4.4. La détermination du taux de rendement espéré exigé par les actionnaires à l'aide du modèle d'évaluation des actifs financiers (MEDAF) 102

Résumé 104

CHAPITRE 5 **L'analyse d'un portefeuille d'actifs risqués et l'équilibre risque-rendement** 113

5.1. Considérations générales 113

5.2. L'entreprise face au risque 115

5.3. L'analyse du risque d'un projet 116
5.3.1. Le risque et l'incertitude 116
5.3.2. Les caractéristiques d'un investissement risqué 117
5.3.3. Le concept d'espérance mathématique 121
5.3.4. Le concept de la variance 122

5.4. Les mesures nécessaires à l'analyse du risque dans le cadre de projets multiples 124
5.4.1. Autres concepts et mesures du risque 124
5.4.2. La covariance 125
5.4.3. Le coefficient de corrélation 127
5.4.4. Le coefficient de variation 132

5.5. Le risque du portefeuille et les conséquences de la diversification 134
5.5.1. Le risque du portefeuille 134
5.5.2. Le taux de rendement espéré du portefeuille 134
5.5.3. La diversification 135

5.6. Le modèle du marché 140
5.6.1. Le risque du marché 140
5.6.2. Le modèle du marché et la ligne caractéristique (LC) 141

5.7. Frontière efficace et choix de portefeuille selon la combinaison risque-rendement de l'investisseur 145

5.8. Le choix du portefeuille en présence d'un actif sans risque 145

5.9. Le modèle d'évaluation des actifs financiers (MEDAF) 149

5.10. Le modèle de l'arbitrage (APT) 152

Résumé 154

PARTIE 2
LE CHOIX ET LA GESTION DES INVESTISSEMENTS

LE CHOIX ET LA GESTION DES INVESTISSEMENTS 171

CHAPITRE 6 **L'analyse des méthodes d'évaluation des projets d'investissement dans le cas de la certitude** 173

6.1. Les concepts fondamentaux de l'analyse financière 174

6.2. Exemple d'estimation des flux financiers d'un nouveau projet d'investissement 176

6.3. Amortissement et économies d'impôt 177

6.4. L'évaluation des projets d'investissements par la méthode de la valeur actuelle nette 180

6.5. La méthode de l'indice de rentabilité (IR) ou ratio coût-bénéfice 182

6.6. La méthode d'évaluation de l'annuité équivalente (AE) de la valeur actuelle nette 183

6.7. La méthode d'évaluation du taux de rendement interne 184

6.8. La méthode du délai de récupération (DR) 186

6.9. La méthode du taux de rendement comptable (TRC) 189

Résumé 191

CHAPITRE 7 **L'analyse des conflits entre les méthodes de la valeur actuelle nette et du taux de rendement interne dans le cas de la certitude** 199

7.1. Rappel de concepts fondamentaux et de relations importantes 199

7.2. Les raisons de conflits entre les méthodes de la valeur actuelle nette et du taux de rendement interne 200

7.3. Les projets ou investissements de taille inégale 201

7.4. La différence d'échelonnement des flux monétaires dans le temps 205

7.5. Les projets à durées de vie inégales 210

7.6. Quelques précautions en matière de choix des investissements 212

Résumé 213

CHAPITRE 8 **La fiscalité canadienne des projets d'investissement: l'inflation, le rationnement du capital** 221

8.1. Notions fondamentales de fiscalité des investissements 221

8.2. La fiscalité canadienne des projets d'investissement 224
8.2.1. Le calcul des sorties de fonds initiales 225
8.2.2. Le calcul des flux monétaires nets additionnels générés par l'exploitation du nouveau projet 226
8.2.3. La détermination des entrées de fonds occasionnées par l'amortissement fiscal 227
8.2.4. Les sorties de fonds évitées 231
8.2.5. Les sorties de fonds en cours de projet 232
8.2.6. Les entrées de fonds à la fin de la vie du projet 233
8.2.7 Le traitement fiscal des dispositions d'actifs à la fin de la vie de l'investissement 234

8.3. Inflation et analyse des projets: taux d'intérêt réel et taux nominal 237
8.3.1. Un exemple numérique simple 238
8.3.2. Un exemple numérique intégrant la détermination, en présence d'inflation, de la valeur actuelle nette d'un projet d'investissement à long terme 239

8.4. Le rationnement du capital 243
8.4.1. Les projets 1 et 7 sont complémentaires, c'est-à-dire qu'ils doivent être adoptés simultanément 244
8.4.2. Les projets 3 et 4 sont mutuellement exclusifs 244

Résumé 246

PARTIE 3
L'ANALYSE DES INVESTISSEMENTS DANS UN CONTEXTE D'INCERTITUDE 253

CHAPITRE 9 **L'analyse du risque et le choix des investissements – I** 255

9.1. Les méthodes indirectes d'ajustement au risque 256
9.1.1. Le taux d'actualisation ajusté au risque (TAAR) 256
9.1.2. La méthode de l'équivalence de certitude 264
9.1.3. La comparaison des méthodes du taux d'actualisation ajusté au risque et de l'équivalence de certitude 267

9.2. La méthode directe d'analyse et d'ajustement au risque par les distributions de probabilités 269
9.2.1. Les flux monétaires successifs sont totalement indépendants 270
9.2.2. Les flux monétaires successifs d'un projet sont parfaitement corrélés 271
9.2.3. Les flux monétaires successifs d'un projet sont imparfaitement corrélés 271
9.2.4. Pour un même projet, certains flux monétaires sont directement et étroitement dépendants ou corrélés, tandis que d'autres sont indépendants dans le temps (modèle de F. S. Hillier) 272

9.3. L'analyse de sensibilité 282

Résumé 285

CHAPITRE 10 **L'analyse du risque et le choix des investissements – II** 297

10.1. Les modèles de simulation 298

10.2. L'arbre de décision 306

10.3. La théorie de l'utilité et la décision d'investir 311

Résumé 314

PARTIE 4
DÉCISIONS DE FINANCEMENT À LONG TERME 319

CHAPITRE 11 **Droits de souscription, bons de souscription et titres convertibles** 321

11.1. Les droits de souscription 322
11.1.1. Caractéristiques générales 322
11.1.2. Exemple d'émission de droits de souscription et de détermination des conditions d'une offre de droits 323
11.1.3. L'impact d'une émission de droits de souscription sur la position financière de l'actionnaire ordinaire 326

11.2. Les bons de souscription (*warrants*) 328
11.2.1. Caractéristiques générales 328
11.2.2. Objectifs de l'offre de bons de souscription 328
11.2.3. La valeur théorique d'un bon de souscription 329

11.2.4. La répartition du prix d'émission d'une obligation de 1 000$ de valeur nominale entre sa valeur intrinsèque et celle du bon de souscription qui y est attaché............. 331
11.2.5. Les facteurs qui affectent le prix d'un bon de souscription... 332
11.2.6. La comparaison entre un bon de souscription et une option d'achat normalisée 333
11.2.7. Le bon de souscription comme mode de financement 335

11.3. Les titres convertibles.. 335
11.3.1. Caractéristiques générales............................ 335
11.3.2. Les objectifs de l'émission de titres convertibles 337
11.3.3. Les différentes valeurs d'une obligation convertible 338
11.3.4. Les primes de l'obligation convertible 341
11.3.5. Les clauses protectrices des titres convertibles contre la dilution 341
11.3.6. La comparaison entre les bons de souscription et les titres convertibles 342
11.3.7. La comparaison entre les bons de souscription et les droits de souscription 343

Résumé.. 344

CHAPITRE 12 **Location ou achat-emprunt – refinancement**.................. 357

12.1. Location ou achat-emprunt.. 358
12.1.1. Les avantages de la location 358
12.1.2. Le taux d'actualisation.................................. 359
12.1.3. Les différentes sortes de contrats de location............... 360
12.1.4. L'évaluation d'un contrat de location et d'un contrat d'achat-emprunt 361
12.1.5. La valeur actuelle du coût net de location (VACNL) 362
12.1.6. La valeur actuelle du coût net de l'achat (VACNA) financé par emprunt.. 364
12.1.7. L'aspect fiscal de la location 368
12.1.8. Les inconvénients de la location.......................... 368

12.2. Le refinancement 369
12.2.1. La marche à suivre du refinancement d'une dette à long terme... 369
12.2.2. Un exemple de refinancement d'une émission d'obligations 370
12.2.3. Un exemple de refinancement d'une émission d'actions privilégiées 372

CHAPITRE 13 **Le coût du capital** 383

13.1. L'origine de la notion de coût de capital: le secteur réglementé 384

13.2. L'utilisation du concept de coût du capital par le secteur privé 385
13.2.1. Première précaution: les cinq hypothèses restrictives 385
13.2.2. Deuxième précaution: le calcul précis du coût du capital..... 386
13.2.3. Troisième précaution: la prise en considération d'une structure optimale de capital 387

13.3. Le coût des différentes sources de capital à long terme, compte tenu des frais d'émission et de souscription et après impôt... 389
13.3.1. Le coût d'une nouvelle émission d'actions ordinaires 389
13.3.2. Le coût des bénéfices non répartis 392
13.3.3. Le coût de la dette à long terme 393
13.3.4. Le coût des actions privilégiées........ 395
13.3.5. Le coût des provisions pour amortissement et pour d'autres rubriques du passif 396
13.3.6. Le coût des contrats de location à long terme (kl) 397

13.4. Quelques remarques d'importance........ 398
13.4.1. Le coût de financement du capital 398
13.4.2. Le calcul du coût du capital........ 398
13.4.3. La structure de capital optimale d'une entreprise 400
13.4.4. La formule du coût moyen pondéré du capital 401
13.4.5. La fréquence du calcul du coût moyen pondéré du capital.... 401

13.5. Un exemple simple et concret de coût du capital pour une firme 402

13.6. Un exemple de détermination approximative de la structure de capital optimale 405

13.7. Les conséquences du non-ajustement du coût moyen pondéré du capital au risque d'un nouveau projet 407

13.8. Synthèse du coût du capital 409

Résumé 410

CHAPITRE 14 **La structure du capital** 425

14.1. Les théories de la structure du capital précédant celle de Modigliani et Miller (MM) 426
14.1.1. La théorie de la valeur basée sur le bénéfice net d'exploitation........ 427
14.1.2. L'approche traditionnelle 428

14.2. Les relations entre la structure d'endettement et le taux de rendement de l'avoir des actionnaires 431

14.3. La détermination de la valeur de l'entreprise 434

14.4. La contribution de Modigliani et Miller (MM) à la théorie de la structure du capital 436
14.4.1. Les propositions de MM en l'absence d'impôt (1958) 436
14.4.2. La contribution de MM, compte tenu de l'impôt sur le bénéfice des corporations (1963) 443

14.5. Les critiques adressées à la théorie de MM 451

14.6. Prise en considération de différents coûts ignorés par MM 452

14.7. Décision de la firme et structure du capital (la relation BPA – BAII) 454

14.8. Le risque d'exploitation et le risque financier 458
14.8.1. Le risque d'exploitation (ou risque opérationnel) et l'effet de levier d'exploitation 458
14.8.2. Le risque financier et l'effet de levier financier 461
14.8.3. L'effet de levier combiné 463

14.9. La décomposition du risque systématique global (β) en risque d'exploitation (β*) et en risque financier 464
14.9.1. La mesure du risque de l'avoir des actionnaires (actions ordinaires) 466
14.9.2. La politique de l'endettement ou du financement 468

Résumé 469

CHAPITRE 15 **La politique de dividende** 477

15.1. Les composantes du rendement de l'action ordinaire 478

15.2. La politique de dividende : théories 479

15.3. Variables pouvant influer sur la politique de dividende 480

15.4. La politique de dividende résiduel 481

Résumé 484

Bibliographie 489

PARTIE 5
LES PRODUITS DÉRIVÉS TRANSIGÉS EN BOURSE ET HORS COTE 491

CHAPITRE 16 **Les instruments financiers modernes de protection contre le risque de taux d'intérêt transigés en Bourse** 493

16.1. Position du problème 494

16.2. L'objectif et la caractéristique fondamentale de la couverture contre le risque 495

16.3. Quelques exemples de couverture par les marchés à terme de taux d'intérêt 496
16.3.1. Les opérations de couverture par anticipation (*long hedge*) 496
16.3.2. Les opérations de protection à découvert (*short hedge*) 498
16.3.3. La protection contre le risque de taux d'intérêt à l'aide d'une couverture croisée 499
16.3.4. Remarque importante 499

16.4. Les différentes catégories de risque de trésorerie 500
16.4.1. Le risque de taux d'intérêt 500
16.4.2. Le risque de capital ou risque-prix 500
16.4.3. Le risque de change 501
16.4.4. Le risque-prix ou risque de négociation des marchandises 502

16.5. Les instruments de mesure du risque 502
16.5.1. La durée 502
16.5.2. L'analyse de l'écart de sensibilité aux variations des taux d'intérêt 507

Résumé 508

CHAPITRE 17 **Les instruments financiers modernes hors cote de protection contre le risque de taux d'intérêt** 519

17.1. La couverture par les *swaps* ou échanges de taux d'intérêt sur les marchés hors cote 520
17.1.1. L'économie du *swap* 520
17.1.2. Un exemple simplifié de *swap* de taux d'intérêt 522

17.2. Les contrats à terme de taux d'intérêt de gré à gré (*forward rate agreements* ou FRA) 524
17.2.1. Objectif 524
17.2.2. Les conditions d'un FRA entre une entreprise (acheteuse du FRA) et une banque (vendeuse du FRA) 525
17.2.3. Exemple 526

17.2.4. Remarque 527

17.3. Les *caps* ou plafonds de taux d'intérêt 528

17.4. Les *swaptions* 531

Résumé 531

CHAPITRE 18 **Les relations de l'équilibre du marché international des capitaux** 541

18.1. La théorie monétaire de l'inflation 542

18.2. L'effet Fisher intérieur 543

18.3. La parité des taux d'intérêt 545

18.3.1. L'utilisation de la parité des taux d'intérêt par les banques pour fixer les taux de change à terme 548

18.4. La parité des pouvoirs d'achat 550

18.5. La parité des taux de change à terme et au comptant futur 551

18.6. La relation internationale de Fisher 552

18.7. L'appréciation des relations de l'équilibre du marché international des capitaux 552

18.8. Les systèmes de taux de change 554

18.8.1. Le système de l'étalon-or 554

18.8.2. Le système de l'étalon change-or ou de Bretton Woods (1944-1970) 555

18.8.3. Le système des taux de change flexibles 557

Résumé 557

Annexes 565

Introduction

La publication d'un texte sur la gestion financière à long terme comprend l'analyse de la rentabilité des investissements en contexte certain et en univers risqué de même que la prise en compte de leur financement selon différentes modalités reliées aux émissions traditionnelles d'actions ordinaires, d'obligations et d'actions privilégiées.

Le choix des investissements est, dans une première étape, étudié dans un contexte de certitude afin de faciliter la compréhension des outils essentiels à l'analyse des projets de dépenses en capital. Ensuite, les décisions d'investissement sont traitées en considérant l'imperfection des marchés afin d'intégrer le risque résultant en bonne partie de l'évolution du cycle économique. Les flux monétaires nets futurs d'un projet d'investissement peuvent fluctuer en raison des variations imprévues de l'activité économique générale et de leurs conséquences sur les ventes et sur la rentabilité de l'entreprise.

S'y ajoutent les développements récents de la pensée économique et financière sur le coût de capital et sur la structure du capital qui sont indispensables à une meilleure compréhension de la gestion financière à long terme dans un ensemble cohérent.

On conçoit aussi, de façon de plus en plus évidente, la contribution essentielle des produits dérivés à la réduction du risque du marché (soit le risque de taux d'intérêt, le risque de change et le risque du prix des marchandises ou des titres). Les marchés à terme de taux d'intérêt, ceux des options et des swaps (échanges) de taux d'intérêt et de devises protègent les résultats de l'exploitation de l'entreprise ainsi que sa valeur nette des effets défavorables d'un environnement économique national et international incertain.

Ce texte a été préparé avec l'objectif de mettre en évidence les interrelations entre les différents sujets traités. Il est utile de présenter aussi clairement que possible la logique qui sous-tend les relations financières fondamentales et de les illustrer par des exemples, problèmes et cas accompagnés par la suggestion de solutions.

La finance corporative est basée sur une démarche rigoureuse avec le but d'une évaluation de la richesse créée par un projet d'investissement, que ce soit par la maximisation des flux monétaires nets générés par l'actif ou par la minimisation des coûts, dont essentiellement les coûts de financement.

PRÉSENTATION DE L'OUVRAGE

La première partie traite des notions de base et se subdivise en trois composantes :

- La première consiste à présenter à grands traits l'objectif, l'évolution et les fonctions de la finance (chapitre 1).
- La seconde subdivision traite de la formation des taux d'intérêt dans un contexte certain et ensuite dans un univers risqué (chapitres 2 et 3).
- La troisième composante introduit le calcul de la valeur des actifs financiers (obligations, actions privilégiées, actions ordinaires et hypothèque conventionnelle) et expose les notions de base concernant le traitement du risque ainsi que la relation fondamentale risque-rendement (le modèle d'évaluation des actifs financiers) qui constitue la pierre angulaire de la détermination des taux de rendement exigés par le marché sur les actifs risqués (chapitres 4 et 5).

La seconde section traite principalement des décisions concernant le choix et la gestion des investissements en univers certain. Les chapitres 6, 7 et 8 touchent à la gestion des actifs immobilisés et à celle du budget d'investissement. Ensuite sont traitées les différentes méthodes d'analyse et de sélection des investissements dans un contexte de certitude. Les causes des contradictions entre les résultats et les choix proposés par l'application de ces méthodes modernes d'évaluation des projets sont expliquées, ainsi que les solutions envisagées pour résoudre ces conflits. Enfin, l'impact de la fiscalité canadienne sur la rentabilité des projets d'investissement est traité de façon détaillée étant donné son importance considérable sur l'ensemble des flux monétaires nets obtenus par l'adoption d'un nouveau projet d'investissement.

Vient ensuite l'analyse des investissements dans un contexte d'incertitude. Les chapitres 9 et 10 sont consacrés à cette troisième partie. La sélection des projets d'investissement s'effectue en fonction des critères de rendement et de risque. Nous avons déjà étudié auparavant comment évaluer le taux de rendement des projets; dans la deuxième partie, nous analysons le concept de risque et les façons de le mesurer. Sont également présentées les principales méthodes destinées à incorporer le risque à l'analyse des projets.

Cette partie permet au lecteur d'approfondir le concept de risque sous-jacent à toute prise de décision financière de l'entreprise; elle expose en détail les procédures pour mesurer l'étendue du risque et l'intégrer à l'analyse financière et à la prise de décision, accompagnées d'exemples et de cas afin d'illustrer l'introduction de la notion de risque dans la décision d'investir.

Puis nous traitons des titres reliés, du refinancement à long terme, de la location versus l'achat financé par emprunt, des décisions concernant le coût du capital, de la structure du capital et de la politique de dividende. Cette partie comprend les chapitres 11 à 15. Elle traite de sujets étroitement liés en mettant l'accent sur les décisions de financement à long terme de l'entreprise.

L'émission de titres reliés soit aux actions ordinaires, soit aux obligations et aux actions privilégiées, a pour objet d'offrir une plus grande flexibilité en matière de financement d'entreprise. Ces titres reliés soit protègent les actionnaires ordinaires actuels contre la dilution des profits résultant d'une nouvelle émission d'actions ordinaires (à l'aide des droits de souscription), soit facilitent l'obtention de l'argent frais nécessaire au financement des investissements par l'émission d'obligations et d'actions privilégiées (à l'aide de bons de souscription ou de titres convertibles).

Les critères qui permettent de choisir entre le financement d'actifs fixes par une location à long terme et celui par un achat assuré par un emprunt à long terme font l'objet d'une analyse détaillée.

Les possibilités de refinancement d'émissions d'obligations et d'actions privilégiées sont explorées et quantifiées dans un contexte de baisse de taux de rendement et de taux d'intérêt.

Le gestionnaire financier trouve un grand intérêt dans le recours au concept de coût du capital. C'est une référence privilégiée en matière de sélection des investissements. Elle apporte un éclaircissement indispensable aux décisions relatives à la structure optimale du capital. Les interrelations entre investissement et financement font ressortir la contribution simultanée de l'actif, du passif et autres sources de financement à la richesse de l'entreprise. C'est à l'aide du coût du capital que le lien entre l'investissement et le financement est assuré.

La détermination du coût du capital (ou coût de financement moyen pondéré) selon une structure optimale de capital permet de maximiser la valeur de l'entreprise et la richesse de l'actionnaire.

La politique de dividende obéit à des considérations de liquidité, de financement, d'investissement et à l'équilibre de la structure de financement.

Enfin, nous traiterons des produits dérivés transigés en Bourse et ceux hors cote ; l'équilibre du marché international des capitaux. Les chapitres 16, 17 et 18 sont consacrés aux instruments financiers modernes de protection contre le risque de taux d'intérêt négociés en Bourse, d'une part, et ceux faisant l'objet de transactions hors cote directement entre certaines institutions financières et leurs clients, d'autre part. L'innovation financière que représentent, entre autres, les produits dérivés se développe rapidement depuis le milieu des années 1970 et s'accélère avec la mondialisation. Les obstacles au commerce international sont réduits progressivement, quoiqu'à des rythmes différents dans le temps. Une bonne partie des obstacles à la libre circulation des biens et des services, du capital et, dans une moindre mesure, de la main-d'œuvre ont été levés depuis les accords du GATT (l'Accord général sur les tarifs et le commerce), après la Seconde Guerre mondiale (1939-1945), et en passant par les accords de 1995 dans le cadre de la nouvelle Organisation mondiale du commerce. Ainsi, la gestion du risque du marché s'étend essentiellement à la protection des agents économiques contre les fluctuations de la valeur des devises sur le plan international, contre les variations de taux d'intérêt et contre les changements de prix des titres et des marchandises. Le contexte actuel économique et commercial est celui d'un marché mondial plus ouvert et plus compétitif, donc plus risqué, grâce aux progrès considérables des télécommunications et de la technologie et à cause de l'augmentation rapide du commerce entre nations.

Les contrats de taux d'intérêt, les contrats d'options, les contrats d'échange de taux d'intérêt (les *swaps*) ainsi que les *caps* ou plafonds de taux d'intérêt sont parmi les instruments financiers les plus utilisés pour gérer et pour minimiser les différentes sortes de risques auxquels sont exposés les investisseurs et les entreprises.

Les étudiantes et les étudiants qui ont déjà suivi un cours de finance et un cours d'économie peuvent, après avoir lu le chapitre 1, passer directement au chapitre 6. Ceux qui désirent cependant se rafraîchir la mémoire quant aux notions de base indispensables à une bonne compréhension du choix des investissements et de leur financement pourront consulter utilement les chapitres 4 et 5. Une bonne compréhension préalable des chapitres 2 à 5 est recommandée pour celles et ceux qui n'ont aucune base économique et financière sans cependant recourir au formalisme mathématique des chapitres 2 et 3.

LES NOTIONS DE BASE

La finance

Évolution, objectif, fonction et cadre juridique

La finance moderne est un champ d'étude très vaste et fort stimulant. La distribution des prix Nobel d'économie et de finance de 1969 à 2005 consacre la pertinence de l'analyse et de l'interprétation de l'œuvre de chacun des lauréats et illustre la place prépondérante de la finance et de l'économie financière dans le monde moderne.

Le chemin parcouru depuis 1950 est considérable et l'ampleur des connaissances acquises en matière d'évaluation des actifs et de prise de décision financière est inestimable dans un contexte où la mondialisation, les produits dérivés, les différentes formes de financement et la variété des méthodes d'information constituent désormais des défis majeurs pour tout gestionnaire financier.

Les théories, les principes et les concepts fondamentaux de la finance exposés dans ce livre s'adressent à des financiers et à des comptables. Des exemples illustrent les relations de la finance avec d'autres disciplines telles que la comptabilité et l'économique. La comptabilité est une source d'information privilégiée pour la finance par la détermination des flux monétaires et l'élaboration des états de revenus et du bilan. Ajoutons que les états financiers prévisionnels construits à l'aide des prévisions de vente et de prix sont d'autant plus pertinents lorsqu'ils sont basés sur les recherches et sur les études de marché. L'économique fournit les outils et les modèles d'analyse marginale qui contribuent à éclairer le décideur en matière d'allocation des fonds.

1.1. LES GRANDES ÉTAPES DE LA FINANCE

La finance d'entreprise consistait, au début du XXe siècle, à trouver des sources de financement. La période qui précéda la grande crise financière de 1929 fut marquée par une création monétaire excessive de la part des banques centrales aux États-Unis et en Europe. Les entreprises ont pu s'endetter de façon fort imprudente. Un bon nombre de ces entreprises ont fait faillite après 1929 en raison d'une structure financière fragile. Le gestionnaire financier par excellence était, à l'époque, celui qui pouvait obtenir le plus de fonds pour financer sa firme, et ce, surtout par endettement.

La crise de 1929 fit évoluer la finance vers l'analyse de l'équilibre entre fonds empruntés et fonds propres. Ensuite, l'analyse des mouvements de fonds et l'adéquation entre sources et utilisations de fonds furent privilégiées. Le risque financier lié au degré d'endettement devrait être confiné dans certaines limites compatibles avec la rentabilité et la survie de l'entreprise. Un lien fut désormais établi entre l'origine des fonds et leur utilisation à l'actif afin d'améliorer la qualité, la gestion et le contrôle des ressources mises à la disposition de l'entreprise.

Le calcul de la valeur de l'entreprise était surtout basé sur la notion de bénéfice net comptable dans la première moitié du XXe siècle. Un grand pas fut franchi par la suite en déterminant la valeur de l'entreprise en fonction des flux monétaires risqués, espérés et actualisés, de l'exploitation. Le concept de flux monétaire, ou flux de trésorerie, constitue la pierre angulaire de l'évaluation des projets d'investissement. Ce concept tient compte du bénéfice net comptable et de la dotation à l'amortissement de chaque exercice financier pour déterminer la rentabilité financière, qui est une mesure plus englobante que la seule rentabilité comptable.

Les années 1950 et 1960 furent caractérisées par une analyse plus approfondie de l'importance d'une structure de capital saine et équilibrée, dans le but d'éviter la faillite et d'améliorer la rentabilité. On assiste aussi au raffinement des recherches portant sur l'étude des conséquences de cette structure de capital sur la valeur de l'entreprise ainsi que l'élaboration des fondements d'une politique de dividende. Le calcul de la valeur des projets d'investissement et de celle de l'entreprise se fonde de plus en plus sur les flux monétaires attendus et sur le risque. La théorie du portefeuille et la notion de diversification expliquent aux experts, stratèges et gestionnaires financiers que le risque individuel d'un actif n'est pas le critère décisif en matière de sélection d'actifs et de gestion de portefeuille. C'est plutôt la contribution additionnelle ou marginale d'un actif au risque total de l'ensemble du portefeuille qui doit dicter le choix d'actifs par les gestionnaires financiers.

Le modèle d'évaluation des actifs financiers (MEDAF) risqués établit, dans les années 1960, une relation entre le taux de rendement espéré d'un actif et son risque du marché ou risque systématique bêta. Le risque systématique est l'une des deux composantes du risque total d'une action ordinaire ou d'un actif. Il établit un lien entre la performance d'une entreprise et la performance globale de l'économie nationale représentée par le comportement d'un indice représentatif. Le coefficient bêta exprime la sensibilité du rendement d'un actif à l'évolution du rendement de l'ensemble de l'économie.

La deuxième composante du risque total d'un actif est le risque spécifique lié à des événements propres à l'entreprise telle une grève prolongée ou la perte d'un client important. Le risque spécifique est minimisé, voire éliminé par la diversification des placements et des investissements. Le marché ne rémunère que le risque systématique qui est incontournable, inévitable, car lié à des événements macroéconomiques généraux (une forte récession, par exemple) que toutes les entreprises subissent à des degrés divers. En effet, les mouvements économiques généraux de l'économie nationale et internationale influent sur l'activité des entreprises, leurs ventes et leurs taux de rentabilité selon, entre autres, le niveau de leur risque systématique.

Les années 1970 ont connu, depuis leur début, la naissance d'un environnement financier global très volatil. Cette période d'incertitude financière et économique fut caractérisée par des taux de variation élevés, de l'inflation et des taux d'intérêt dont les fluctuations étaient prononcées. Les politiques budgétaires et monétaires laxistes d'un grand nombre de pays industrialisés, les difficultés et les déséquilibres des échanges de biens et services avec l'extérieur, ainsi que le choc pétrolier de 1973, furent responsables d'un environnement global instable générateur de risque croissant pour l'entreprise. La théorie et le modèle de l'évaluation des options furent élaborés au début des années 1970. Quoique cette théorie de l'évaluation des options soit surtout connue pour ses applications sur les marchés financiers, elle demeure très utile pour la finance corporative afin d'évaluer la valeur des options dans les cas suivants :

- l'option de retarder l'exécution d'un projet d'investissement de l'entreprise ;
- l'option de prolonger la vie d'un investissement donné ;
- l'option d'abandonner un projet d'investissement ;

- l'option intégrée dans les instruments de financement de l'entreprise tels les bons de souscription, les titres convertibles et les obligations rachetables.

Les marchés des options et les marchés financiers de taux d'intérêt, ou de contrats à terme boursiers, furent créés dans la deuxième moitié des années 1970 aux États-Unis et au Canada. Leur développement fut spectaculaire à partir du début des années 1980 dans la protection contre le risque des actifs et le risque des taux d'intérêt. Ces produits dérivés que sont les options et les contrats à terme (car la valeur de ces titres est dérivée, ou obtenue, de titres sous-jacents comme des actions pour les options, par exemple, et les obligations du gouvernement fédéral pour les contrats à terme de taux d'intérêt) protègent les résultats de l'entreprise ainsi que sa valeur nette contre le risque de taux d'intérêt.

L'ingénierie financière a consisté à utiliser les produits dérivés soit pour protéger l'investisseur contre le risque (la plupart des cas), soit pour accentuer le risque (le cas de la spéculation).

L'accent a été mis dans les années 1990 sur la création et l'accroissement de la valeur de l'entreprise afin de satisfaire des actionnaires de plus en plus exigeants en termes de résultats de placements et d'investissements. La poursuite agressive de l'objectif de réalisation de profits a entraîné l'adoption de risques croissants et, parfois, le recours à des procédés et des pratiques de gestion incompatibles avec les règles les plus élémentaires de l'éthique et celles d'une bonne gouvernance. De nombreux scandales récents ont dévoilé le peu de professionnalisme et de scrupules d'un certain nombre de gestionnaires qui ont conduit leur firme à la faillite et fait subir des pertes d'actifs aux investisseurs (Arthur Andersen et Enron, par exemple). La finance d'entreprise bénéficiera de nouvelles réglementations qui vont rendre les gestionnaires plus attentifs au respect des règles de l'éthique et de la bonne gouvernance en matière de direction de l'entreprise.

1.2. L'OBJECTIF DE LA FINANCE

L'objectif de la finance consiste à faire fructifier les avoirs d'une entreprise ou d'un individu afin de maximiser la richesse et la satisfaction, compte tenu de la relation rendement-risque recherchée par l'agent économique. Certains investisseurs optent pour une forte concentration de leurs fonds dans des actifs fixes, réduisant au minimum les liquidités de l'entreprise. Il en résulte un risque élevé accompagné d'une espérance de rendement élevée. D'autres investisseurs optent plutôt pour une allocation de fonds plus prudente caractérisée par des liquidités abondantes. Le rendement attendu est plus faible de même que le risque de l'entreprise. Toute entreprise fixe son objectif de maximisation de richesse sous la contrainte du risque toléré par ses actionnaires.

Les projets d'investissement sont choisis en fonction de leur contribution à la maximisation de la valeur de l'entreprise. Notons encore que la finance utilise un ensemble de théories et de concepts empruntés à la science économique pour l'éclairer dans le choix des investissements. Elle recourt par exemple à l'analyse marginale, de sorte qu'un projet n'est accepté que dans la mesure où ses bénéfices additionnels ou marginaux excèdent ses coûts marginaux.

1.3. NOTIONS, CONCEPTS ET CALCULS DE BASE

1.3.1. La notion de flux monétaire

Un grand progrès fut accompli avec le calcul de la valeur de l'entreprise selon les flux monétaires risqués, attendus et actualisés, de son exploitation, et non plus en fonction du seul critère du bénéfice net comptable. En outre, l'approche financière moderne tient compte du risque dans la détermination de la valeur de la firme : en effet, les flux monétaires projetés d'un investissement donné sont risqués, car ce sont des flux futurs.

1.3.2. Le coût du capital : conception

Le coût du capital, ou coût du financement, constitue aussi un élément déterminant de l'évaluation de l'entreprise. Le coût du capital est un coût d'option qui traduit le taux de rendement du meilleur choix d'investissement ou de placement, autre que celui du projet analysé par l'entreprise. Nous retrouvons à cet endroit une différence essentielle entre l'approche financière et l'approche comptable. Un exemple permet de saisir le fossé considérable qui sépare la détermination de la rentabilité financière de celle de la rentabilité comptable. Supposons qu'une entreprise soit totalement financée par des fonds propres fournis par le ou les propriétaires. L'état des résultats de l'entreprise n'indique pas, dans un tel cas, l'existence de frais d'intérêt, puisque l'entreprise n'est pas endettée. Les documents comptables n'ayant pas enregistré le coût de financement, le bénéfice comptable est calculé en conséquence, abstraction faite de cette catégorie de coût. Une telle conception de la rentabilité n'est pas justifiée sur les plans économique et financier, car les propriétaires auraient pu investir leurs fonds dans une autre option que celle de l'entreprise, soit dans des obligations à long terme de sociétés ou dans des participations d'autres sociétés, obtenant dans chaque cas une rémunération. C'est pour cette raison que le coût du capital représente le coût du financement de l'entreprise. Il doit être calculé en fonction des différentes modalités de financement, y compris celle où les fonds propres constituent l'unique source de fonds. Le taux de rendement des nouveaux projets doit être au moins égal au coût du capital pour que ceux-ci soient adoptés par l'entreprise.

1.3.3. Le coût du capital: calcul

Le coût du capital s'obtient par le calcul du coût moyen pondéré des différentes sources de financement de l'entreprise. L'exemple suivant montre comment le coût du capital est déterminé. Supposons qu'une entreprise soit financée à raison de deux M$ par des dettes à long terme portant un intérêt de 12 % par an et à raison de trois M$ par des fonds propres. Les actionnaires de la société, tenant compte du risque de l'entreprise, exigent un taux de rendement de 18 % sur le montant de leur contribution à son financement. Supposons aussi que le taux d'impôt sur les bénéfices de la société s'élève à 40 %. L'ensemble de ces données nous permet de calculer le coût moyen pondéré du capital après impôt:

$$\left(\frac{2\,000\,000}{2\,000\,000+3\,000\,000}\right)\cdot 0{,}12\,(1-0{,}40)$$
$$+\left(\frac{3\,000\,000}{2\,000\,000+3\,000\,000}\right)\cdot 0{,}18=0{,}0288+0{,}108=0{,}1368$$

Le coût moyen pondéré du capital après impôt, ou coût du capital, est de 13,68 % et représente le coût moyen du financement de l'entreprise.

1.3.4. La notion d'équilibre financier

L'équilibre financier fondamental de la firme est assuré lorsque le taux de rendement de son actif est au moins égal à son coût d'option, ou coût du capital. Ce coût de financement couvre les exigences de rendement des différents bailleurs de fonds tels les créanciers obligataires, les actionnaires privilégiés et les actionnaires ordinaires. Supposons que le taux de rendement de l'actif ou des investissements de l'entreprise soit inférieur au coût du capital; les paiements d'intérêt sur la dette continuent à rémunérer les créanciers obligataires et hypothécaires; ce sont les actionnaires ordinaires qui ne reçoivent plus la rémunération attendue et ne sont donc plus portés à financer l'entreprise. Notons que les créanciers obligataires deviennent encore moins favorables à un tel financement. La situation financière pourrait sérieusement se détériorer si le taux de rendement de l'actif restait, pour un temps assez long, inférieur au coût du financement. En effet, les paiements d'intérêt sur la dette continuent à grever la substance de la firme quand les résultats de son exploitation sont insuffisants et la conduisent finalement à la faillite.

1.4. LA FONCTION DE LA FINANCE

Trois sortes de décisions caractérisent la fonction de la finance et contribuent à réaliser l'objectif de maximisation de la richesse. La décision la plus importante est celle portant sur l'investissement ou l'emploi des fonds. En général, c'est la décision d'investir qui contribue le plus à créer de la valeur et des richesses à l'entreprise. La décision de financer et la décision de distribuer des dividendes constituent les deux autres catégories de décisions qui influent sur la valeur de l'action ordinaire.

La décision d'investir est au cœur du choix des investissements risqués. Le taux de rendement d'un investissement est comparé au coût du financement ou coût du capital, qui doit être déterminé de façon très exacte puisqu'il constitue la référence principale pour décider de l'allocation des fonds, c'est-à-dire d'accepter ou de rejeter les nouveaux projets d'investissement.

La décision de financer a pour objet d'assurer que la combinaison des fonds propres et des fonds empruntés est telle que le coût du capital est le plus faible possible. En effet, un coût de financement, qui atteint un niveau minimum, maximise la valeur de l'entreprise ou le prix de son action, toutes choses égales par ailleurs. La décision de financer les investissements détermine la structure de capital de l'entreprise.

La décision de distribuer des dividendes est liée en partie au coût d'option des bénéfices non répartis. Elle doit être définie en fonction de la décision de financer, car les dividendes sont considérés comme des ressources abandonnées comme moyen de financement des investissements de l'entreprise.

1.5. LE CADRE JURIDIQUE

La forme légale des entreprises canadiennes se présente généralement sous l'une des trois modalités suivantes:

- L'entreprise personnelle à propriétaire unique, qui est adoptée par les petites entreprises dont le propriétaire est responsable, de façon illimitée, des dettes comme il bénéficie de tous les profits nets d'impôt. L'impôt sur les bénéfices s'applique de la même façon que pour les revenus personnels du propriétaire. Si le propriétaire unique de ce type d'entreprise désire accroître de façon sensible ses activités, il pourra utiliser la forme juridique de sociétés de personnes ou aussi celle de compagnie.

- La société de personnes convient à une société d'experts-conseils en ingénierie, par exemple, ou à une firme d'avocats. La responsabilité de chaque sociétaire est illimitée, sauf dispositions contraires. Une variante de la société de personnes est la société en commandite, où la responsabilité de certains partenaires peut être limitée à leur contribution au capital, mais au moins l'un d'eux doit être responsable de façon illimitée à l'égard des créanciers de la société.

  Une société de personnes peut accéder plus facilement qu'une société à propriétaire unique aux moyens de financement disponibles sur le marché, comme elle peut bénéficier d'une croissance plus rapide de ses installations et de ses activités. Ce genre de société ne se distingue pas, habituellement, par la continuité et la structure nécessaire pour survivre à ses associés. La société commerciale, ou compagnie, répond mieux à ce genre de préoccupation.

- La compagnie est une catégorie de société dont les actionnaires ou propriétaires ont une responsabilité limitée à leur mise de fonds. La personnalité juridique de la compagnie est indépendante de celle de ses actionnaires. Elle permet de réunir des capitaux considérables et de progresser rapidement, ainsi que d'assurer plus facilement le transfert de propriété, comparativement aux sociétés de personnes.

Fondements de la détermination des taux d'intérêt en cas d'avenir certain [1]

L'objectif de ce chapitre consiste à développer les grandes lignes de la théorie financière de l'allocation des ressources dans le temps, ainsi que les fondements essentiels sur lesquels elle est construite. L'individu est censé préférer consommer plus que moins et réaliser la valeur actuelle la plus élevée possible avec ses ressources ou sa richesse. Les marchés de capitaux jugés parfaits, dans un premier temps, jouent un rôle prépondérant, en vertu des mécanismes financiers qui facilitent l'échange de ressources dans le temps, entre agents économiques, de la manière la plus efficace possible. L'investissement productif permet aux individus de tirer avantage d'une transformation des ressources physiques par l'entreprise, en contribuant encore mieux à la maximisation de leur utilité. Les optima de production et de consommation définissent les conditions de l'équilibre

1. F. Rassi (1987). « Fondements de la détermination des taux d'intérêt », dans G. Mercier et F. Rassi, *Marché obligataire et taux d'intérêt,* Québec, Presses de l'Université Laval, p. 5-48.

du consommateur, mettent en évidence le taux d'intérêt d'équilibre sur les marchés parfaits et permettent d'énoncer pourquoi les décisions d'investissement et de consommation sont indépendantes.

Il s'agit de traiter du problème de l'optimisation de la consommation, avec le consommateur comme agent économique principal, de qui relèvent les décisions de produire des revenus, de dépenser et de consommer. Les décisions touchant à l'aptitude de gagner des revenus, ainsi que celles qui concernent les dépenses destinées à l'acquisition de biens et de services, se font sous le signe de l'optimisation, chez un consommateur rationnel. La maximisation de la satisfaction d'un individu est analysée en fonction de ses goûts et de ses préférences. Les fondements d'un comportement rationnel peuvent être définis en simplifiant la réalité, tout en privilégiant, cependant, l'analyse des caractéristiques les plus importantes du choix du consommateur. La rationalité signifie, en matière de préférence pour la consommation, que chaque individu préfère, toutes choses égales par ailleurs, consommer plus que moins à n'importe quel moment de l'horizon considéré. L'explication de quatre axiomes de comportement permet de mieux comprendre les problèmes de l'optimisation et de la détermination de l'équilibre, compte tenu des préférences et de la rationalité de l'individu.

2.1. LES AXIOMES DE COMPORTEMENT

2.1.1. L'axiome de comparaison et de préférence

Cet axiome élimine l'impossibilité de comparer des lots de biens tels que Y et Z. De même que l'individu ne peut accorder son choix partiellement à chacun des deux lots Y et Z dans le temps (par exemple, il ne peut préférer Y les trois quarts du temps et Z le quart de temps restant), il préfère Y à Z, ou vice-versa, durant toute la période considérée, ou encore est indifférent vis-à-vis des deux lots.

De façon plus précise, lorsqu'il s'agit de comparer deux ensembles de biens, le consommateur est capable de déterminer :

- s'il préfère Y à Z,
- s'il préfère Z à Y,
- s'il n'a pas de préférence.

Il s'agit, certes, d'une présentation idéale, mais qui met l'accent sur une des caractéristiques dominantes du comportement du consommateur, à savoir que deux situations ou possibilités sont toujours comparables et qu'il y a soit préférence de l'individu pour l'une ou l'autre, soit indifférence. Le consommateur est donc en mesure d'exprimer clairement ses préférences à l'égard de différentes possibilités.

2.2.2. L'axiome de transitivité ou de cohérence

Les relations de préférence et d'indifférence impliquent la cohérence ou la transitivité. Si le consommateur préfère un lot de biens A (par exemple, une certaine quantité de pommes et de poires) à un ensemble de biens B (une certaine quantité de pêches et de raisins ou encore une combinaison de quantités de pommes et de poires différente de celle de l'ensemble A) et l'ensemble B à un ensemble C (par exemple, des mandarines et des cerises), il doit préférer le lot A au lot C. De même, si le consommateur n'a pas de préférence, entre les lots A et B, d'une part, et entre B et C, d'autre part, il ne peut non plus en avoir entre les lots A et C.

Si les axiomes de comparaison et de transitivité sont respectés, il est possible de classer, par ordre de préférence, les différents lots de biens offerts au consommateur. Ce classement est connu sous l'expression « fonction de préférence ». Il se caractérise par la cohérence, qui est l'un des attributs essentiels de la rationalité du choix du consommateur. Ce dernier va tenter de maximiser la satisfaction tirée de la consommation de biens disponibles sur le marché.

2.2.3. L'axiome de non-satiété

Le consommateur préfère toujours avoir davantage d'un bien donné plutôt que moins et, au pire, est indifférent à un accroissement de la consommation de ce bien. Toute portion d'une courbe d'indifférence entre deux biens ayant une pente positive se trouve ainsi exclue de l'analyse.

2.2.4. L'axiome de convexité

Une courbe est convexe si toute tangente, en l'un quelconque de ses points, se situe entièrement au-dessous de cette courbe. Présentée de façon différente, cette propriété de convexité suppose que, en considérant la portion *mn* de la courbe U_1, dans la figure 2.1, et en traçant la droite reliant les deux points *m* et *n*, tout point du segment de droite *mn* se situe au-dessus de la portion mn de la courbe U_1 ou, à la limite, en *m* ou *n*.

Supposons deux boîtes *m* et *n*, telles que chacune contient une variété de produits et telles que $U(m) = U(n)$ et que 1 est une combinaison de boîtes *m* et *n*, dans les proportions α et $1 - \alpha$. Ainsi :

$$1 = \alpha \times m + (1 - \alpha) \times n, 0 \le \alpha \le 1$$

selon l'axiome de convexité :

$$U_{(1)} > U_{(m)} = U_{(n)}$$

Notons que le symbole U représente l'utilité ou la satisfaction retirée de la consommation. L'individu n'a pas de préférence entre les deux boîtes *m* et *n*, à partir desquelles est établie ou construite une nouvelle boîte 1 formée de produits dont la quantité, pour chacun, est une moyenne pondérée selon les proportions respectives α et $(1 - \alpha)$ de celles qui figurent dans les boîtes *m* et *n*, de manière à ce que les pondérations ou proportions de chaque produit soient positives et que la somme des pondérations soit égale à l'unité. Il résulte de l'axiome de convexité que l'individu préfère toujours la combinaison constituée par la boîte 1 à celle que représente l'une ou l'autre boîte, *m* ou *n*, considérée de façon exclusive. L'hypothèse de la convexité stipule que ce sont les segments strictement convexes d'une courbe d'indifférence qui sont retenus dans l'analyse du comportement d'un consommateur rationnel. Les courbes d'indifférence sont supposées convexes, par rapport à l'origine des axes, en raison du « principe de la diversité dans la consommation ».

Figure 2.1

Formes convexes et concaves de courbes d'indifférence

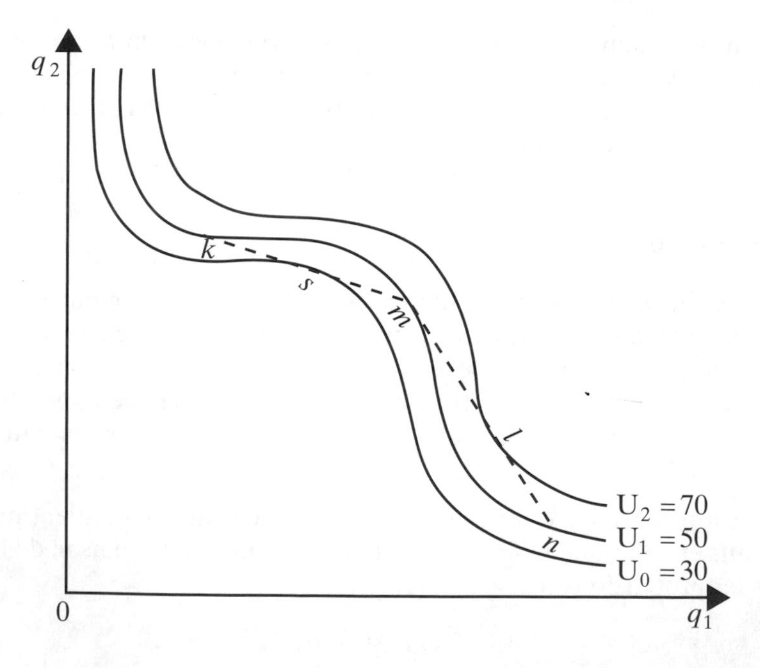

Si l'on considère la figure 2.1, on constate qu'en traçant une ligne droite entre les points *k* et *m*, appartenant à la même courbe d'indifférence $U_1 = 50$, on trouve une combinaison s sur cette ligne *km* telle que $s = m \times \alpha + (1 - \alpha) \times k$

(pour $0 \leq \alpha \leq 1$) qui est moins attrayante que *m* et *k*. En effet, *s* se situe sur une courbe d'indifférence U_0 plus basse que U_1 et la portion *km* de cette courbe d'indifférence ne satisfait pas à l'hypothèse de convexité. Une ligne droite reliant les points *m* et *n* indique, par contre, que les différents points situés entre *m* et *n* sur cette droite appartiennent à des courbes d'indifférence plus élevées; la portion *mn* de la courbe d'indifférence est donc convexe.

Les courbes d'indifférence étudiées dans le cadre de l'analyse financière ont la forme indiquée à la figure 2.2. Elles ont une pente négative qui mesure en chacun de ses points le taux marginal de substitution entre les deux biens considérés Q_1 et Q_2. En se déplaçant de la gauche vers la droite, sur une même courbe d'indifférence, le taux marginal de substitution s'accroît en valeur algébrique et diminue en valeur absolue. Nous indiquerons les quantités du bien Q_1 par q_1, et celles du bien Q_2 par q_2.

Figure 2.2

Carte d'indifférence formée de plusieurs courbes d'indifférence

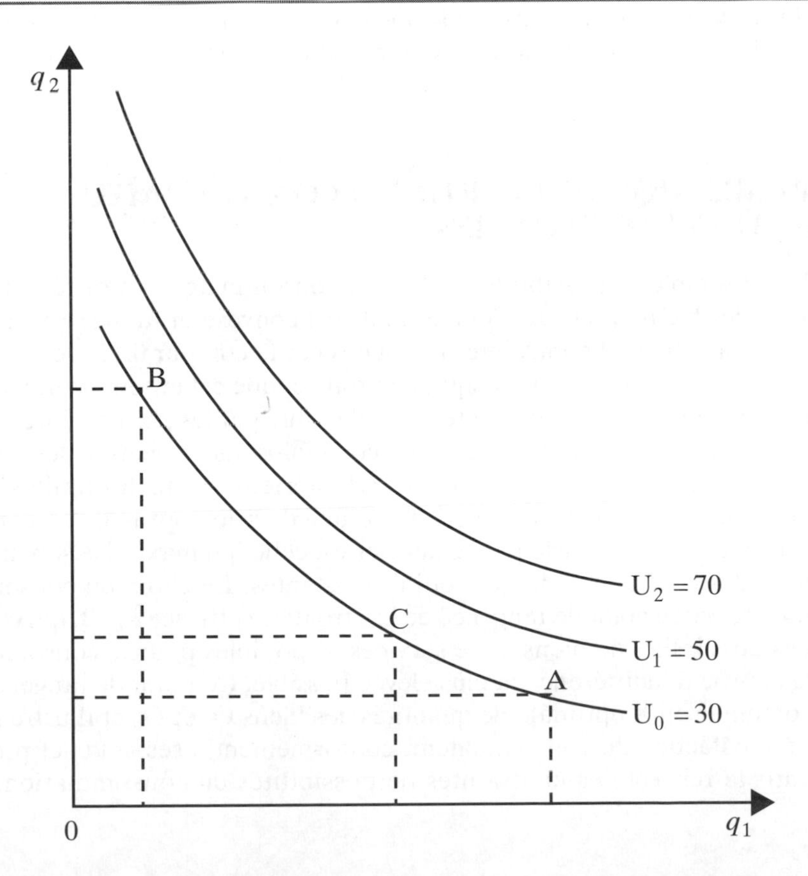

L'utilité ou la satisfaction augmente lorsque l'individu se déplace vers la droite et vers le haut en passant d'une courbe d'indifférence à une autre, plus éloignée de l'origine. Les courbes d'indifférence sont parallèles, car elles ne pourraient pas se croiser sans violer l'axiome de transitivité ou de cohérence.

L'axiome de convexité est aussi fondé sur la logique. Supposons qu'un individu se trouve sur la courbe d'indifférence $U_1 = 30$ de la figure 2.2 et qu'il puisse choisir entre différentes combinaisons de quantités des biens Q_1 et Q_2. Si sa position initiale est au point A de la courbe $U_0 = 30$, la consommation du bien Q_1 (par exemple, de la nourriture) est très élevée et celle du bien Q_2 (par exemple, des distractions), faible. Il est logique de penser que l'individu abandonnerait au point A de larges quantités de nourriture pour un peu de distraction. En partant du point A et en se dirigeant vers la gauche, nous pouvons trouver sur la même courbe d'indifférence un point C, tel que les quantités de nourriture auraient substantiellement diminué pour une augmentation modeste du niveau de distraction. Si la courbe d'indifférence $U_0 = 30$ est relativement peu inclinée et presque horizontale dans la région du point A, nous pouvons dire, en vertu de l'explication fournie, qu'elle sera plus raide aux alentours du point B et que l'individu serait alors moins disposé à abandonner de la nourriture pour obtenir davantage de distractions. La forme convexe de la courbe d'indifférence semble ainsi conforme aux préférences du consommateur.

2.2. L'OPTIMISATION DE L'UTILITÉ DU CONSOMMATEUR DANS LE CAS DE DEUX BIENS

Un ensemble de possibilités s'offre au consommateur en différentes combinaisons des biens Q_1 et Q_2. Cet ensemble est convexe et limité, c'est-à-dire soumis aux restrictions et contraintes indiquées par le contour 0AB de la figure 2.3. Un ensemble est convexe si, lorsqu'une droite coupe cet ensemble, tous les points de cette droite compris dans l'intervalle délimité par les points d'intersection sont à l'intérieur de l'ensemble. Ce sont les combinaisons de biens ou les boîtes comprenant des quantités q_1 et q_2, situées à l'intérieur ou sur les limites de 0AB, qui peuvent être retenues dans l'analyse d'une décision optimale du consommateur. La combinaison choisie par ce dernier est celle qui maximise son utilité, compte tenu des contraintes de possibilités existantes. Le choix du consommateur est illustré par le point de tangence de la « frontière efficace » AB, qui couvre la zone des possibilités de biens et de services disponibles pour le consommateur et de la courbe d'indifférence la plus élevée possible. Ce point de tangence indique la combinaison X optimale de quantités des biens Q_1 et Q_2 et illustre le maximum de satisfaction du consommateur, conformément à ses goûts et préférences, et dans le respect des contraintes de possibilités de consommation. Les quatre axiomes de comportement du consommateur rationnel, ainsi que l'hypothèse de convexité de l'ensemble des possibilités, garantissent l'existence d'un point optimal et impliquent que ce dernier soit unique.

Notons que les axiomes de préférence et de transitivité présentent l'avantage de ranger ou de classer tous les ensembles de produits par ordre croissant de préférence. Le consommateur rationnel tend à obtenir la satisfaction la plus grande possible, c'est-à-dire à maximiser la valeur d'une fonction d'utilité, en choisissant la combinaison des produits disponibles qui permet d'atteindre cet objectif. La fonction d'utilité du consommateur est la suivante :

$$U_T = f(q_1, q_2) \quad (2.1)$$

Figure 2.3

Optimum du consommateur et contraintes de possibilités de consommation

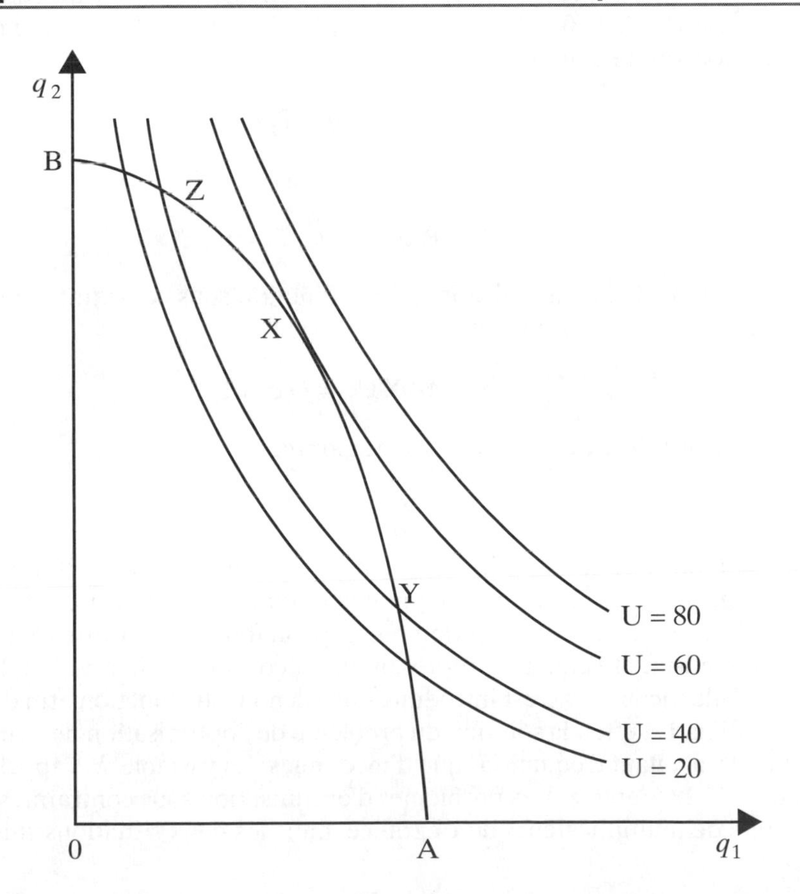

La forme multiplicative est une forme particulière de fonction d'utilité que nous utiliserons dans ce chapitre :

$$U_T = q_1 \times q_2$$

Notons que :

$$\delta U_T / \delta q_1 = U_m(Q_1) = q_2$$

où :

$$U_m(Q_1) = \text{utilité marginale du bien } Q_1.$$

Désignons par « valeur utile » l'unité de mesure de l'utilité, de manière à quantifier la satisfaction.

Si le consommateur dispose pour une période donnée d'un revenu Y et que P_1 et P_2 soient les prix respectifs des biens Q_1 et Q_2 durant cette période, la maximisation de la fonction d'utilité totale $U_T = f(q_1, q_2)$ s'effectue dans le cadre d'une contrainte de revenus :

$$Y = P_1 q_1 + P_2 q_2 \tag{2.2}$$

où :

$$P_1 q_1 + P_2 q_2 - Y = 0$$

Il s'agit donc de la maximisation d'une fonction sous contrainte, dont la présentation formelle est la suivante :

$$\text{MAX } U_T = f(q_1, q_2) \tag{2.3}$$

sous la contrainte de revenus ou de ressources :

$$Y = P_1 q_1 + P_2 q_2 \tag{2.4}$$

La combinaison de quantités de biens, qui assure la maximisation de l'utilité, s'obtient par la confection d'une nouvelle fonction construite à partir des relations (2.3) et (2.4). Cette fonction regroupe la fonction d'utilité totale, qu'il s'agit de maximiser, et l'équation représentant la contrainte de revenus. Une variable artificielle inconnue λ est introduite dans la nouvelle fonction afin de déterminer la solution. En effet, la solution du problème de l'optimisation ne peut être établie que s'il y a autant d'équations que d'inconnues. La variable λ s'appelle « multiplicateur de Lagrange ». Les problèmes d'optimisation sous contraintes sont résolus à l'aide de multiplicateurs de Lagrange, dans les deux situations suivantes :

- l'existence d'une ou plusieurs contraintes dont la nature peut être complexe,
- l'existence de relations de contraintes complexes.

L'introduction de contraintes dans la fonction à maximiser, à l'aide du ou des multiplicateurs de Lagrange, s'effectue de manière à laisser inchangée la valeur de cette fonction :

$$\begin{aligned} L &= f(q_1, q_2) - \lambda(P_1 q_1 + P_2 q_2 - Y) \\ &= q_1 \times q_2 - (P_1 q_1 + P_2 q_2 - Y) \end{aligned} \tag{2.5}$$

L'obtention d'un maximum pour la fonction L se fait par le respect des deux conditions suivantes :

1. Que les dérivées premières de L, par rapport aux variables q_1 et q_2, et au coefficient λ, soient égales à zéro. Ce sont des conditions de premier ordre dites nécessaires. Ces conditions ne sont cependant pas suffisantes.
2. Que soient satisfaites les conditions de second ordre, c'est-à-dire celles qui déterminent si une fonction atteint une valeur maximale ou une valeur minimale. Si les dérivées secondes de L par rapport aux variables q_1, q_2 et λ sont négatives, on se trouve en présence d'un maximum, tandis que l'on obtient un point minimum quand les dérivées secondes sont positives. On suppose, comme on l'a déjà mentionné, que les conditions de second ordre sont satisfaites, c'est-à-dire que les dérivées secondes sont négatives, puisque nous tentons de déterminer le maximum de la fonction.

Calculons les trois dérivées premières partielles de L, par rapport aux trois variables indiquées, et posons que chacune est égale à zéro, afin de résoudre l'ensemble des équations simultanées ainsi obtenues et de manière à déterminer les valeurs optimales de Q_1 et Q_2.

$$\delta L / \delta q_1 = q_2 - \lambda P_1 = 0 \tag{2.6}$$

$$\delta L / \delta q_2 = q_1 - \lambda P_2 = 0 \tag{2.7}$$

d'où :

$$\frac{q_2}{q_1} = \frac{P_1}{P_2}$$

En se basant sur les relations (2.6) et (2.7), on établit les relations suivantes :

$$\lambda = \frac{q_2}{P_1} = \frac{U_m(Q_1)}{P_1} \tag{2.8}$$

et :

$$\lambda = \frac{q_1}{P_2} = \frac{U_m(Q_2)}{P_2} \tag{2.9}$$

Enfin :

$$\delta L / \delta\lambda = -P_1 \times q_1 - P_2 \times q_2 + Y = 0 \tag{2.10}$$

où le symbole U_m représente l'utilité marginale.

Les équations (2.6), (2.7) et (2.10) permettent de trouver les valeurs respectives de q_1, q_2 et λ, et d'établir la condition essentielle de l'optimum, à savoir que le rapport des utilités marginales de deux biens est égal au rapport de leur prix. En effet :

$$\frac{\delta U_T(q_1, q_2) / \delta q_1}{\delta U_T(q_1, q_2) / \delta q_2} = \frac{q_2}{q_1} = \frac{P_1}{P_2} \tag{2.11}$$

Cette relation permet d'établir que la condition essentielle de l'optimum du consommateur, dans le cas de deux produits, réside dans le fait que le rapport de l'utilité marginale de q_1 sur son prix P_1 est égal au rapport de l'utilité marginale de q_2 sur son prix P_2 :

$$\frac{\delta U_T(q_1, q_2) / \delta q_1}{P_1} = \frac{\delta U_T(q_1, q_2) / \delta q_2}{P_2}$$

c'est-à-dire :

$$\frac{U_m Q_1}{P_1} = \frac{U_m Q_2}{P_2} \tag{2.12}$$

où :

U_m = utilité marginale d'un bien.

La condition fondamentale de l'équilibre du consommateur est assurée lorsque l'utilité marginale par dollar est la même pour chacun des biens et services consommés. En vertu des relations (2.8) et (2.9) on a :

$$\frac{U_m Q_1}{P_1} = \frac{U_m Q_2}{P_2} = \lambda$$

λ mesure donc l'utilité marginale par dollar.

Prenons un exemple. Soit :

$$U_T = f(q_1, q_2) = q_1 \times q_2 \tag{2.13}$$

et :

$$P_1 = 4\$; P_2 = 8\$; Y = 240\$ \text{ pour la période considérée.}$$

On demande d'établir les valeurs des biens Q_1 et Q_2 ou les quantités q_1 et q_2 qui maximisent l'utilité totale du consommateur.

Il s'agit donc de résoudre :

$$\text{MAX } U_T = q_1 \times q_2$$

sous la contrainte de revenu ou de ressources :

$$4q_1 + 8q_2 = 240\$ \tag{2.14}$$

Nous savons que la première condition de l'optimum, qui est une condition nécessaire, s'obtient en élaborant une fonction de Lagrange L, qu'il faudra dériver par rapport, respectivement, aux variables q_1, q_2 et λ, et en rendant chacune des trois équations ainsi établies égale à zéro.

La fonction de Lagrange est la suivante :

$$L = q_1 \times q_2 - \lambda(4q_1 + 8q_2 - 240) \tag{2.15}$$

Les dérivées partielles sont les suivantes :

$$\delta L / \delta q_1 = q_2 - 4\lambda = 0 \tag{2.16}$$

$$\delta L / \delta q_2 = q_1 - 8\lambda = 0 \tag{2.17}$$

En faisant le rapport des utilités marginales des deux biens on obtient :

$$\frac{q_2}{q_1} = \frac{4}{8} = \frac{P_1}{P_2}$$

et :

$$q_2 = 0,5q_1$$

Enfin :

$$P_0 = \frac{D_1}{r - g} \tag{2.18}$$

En remplaçant q_2, calculé plus haut, par sa valeur, on détermine la valeur de q_1, c'est-à-dire la quantité q_1 dans l'équation (2.18):

$$4q_1 + 8(0,5q_1) - 240 = 0$$
$$8q_1 = 240$$
$$q_1 = 30$$

la valeur de q_2 s'établit à:

$$q_2 = 0,5q_1 = 0,5 \times 30 = 15$$

L'équation (2.17) permet de calculer la valeur de λ:

$$q_1 - 8\lambda = 0$$

Figure 2.4

L'équilibre du consommateur au point L

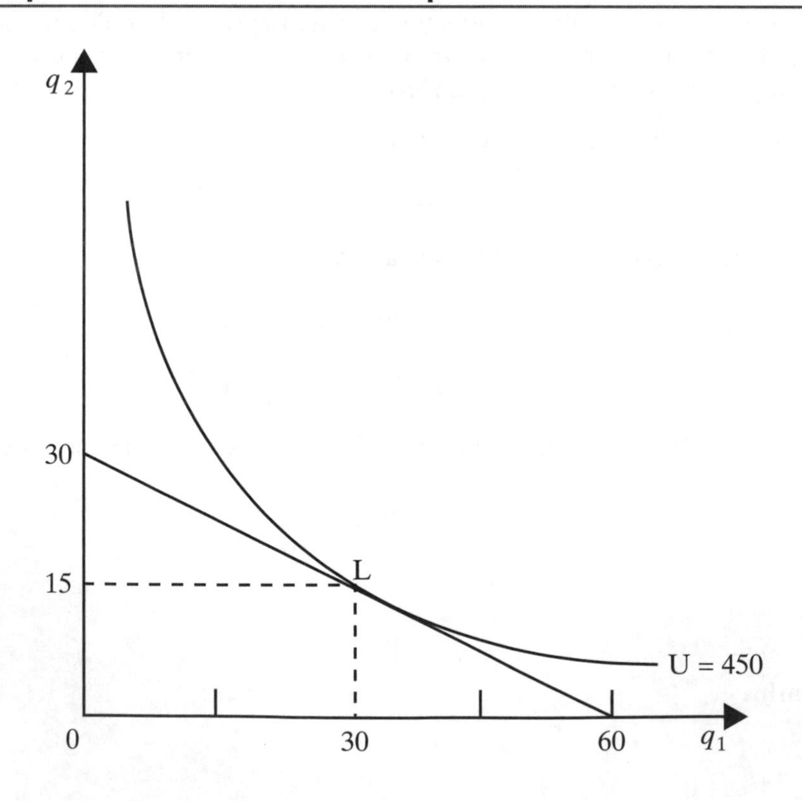

et :

$$\lambda = \frac{30}{8} = 3,75$$

En conclusion :

- la valeur maximale de l'utilité totale est de :

$$U_T = q_1 \times q_2 = 30 \times 15 = 450 \text{ valeurs utiles,}$$

- l'utilité marginale de l'argent est de 3,75, c'est-à-dire que, si le revenu du consommateur s'accroît de 1 $, l'utilité totale peut augmenter de 3,75 valeurs utiles. En d'autres termes, λ mesure l'utilité marginale du revenu ou même de l'épargne.

La figure 2.4 ci-dessus permet de représenter graphiquement la solution du problème d'optimisation de l'utilité du consommateur au point L.

2.3. L'OPTIMISATION DE L'UTILITÉ DU CONSOMMATEUR : LE CAS GÉNÉRAL DE *n* BIENS

Il s'agit de maximiser :

$$U_T = f(q_1, q_2 \ldots q_n)$$

sous la contrainte de ressources ou de revenu Y, les prix étant donnés :

$$Y = P_1 q_1 + P_2 q_2 + \ldots + P_n q_n = \sum_{i=1}^{n} P_i q_i$$

où :

$$Y - \sum_{i=1}^{n} P_i q_i = 0 \tag{2.19}$$

La fonction de Lagrange facilite la solution de ce problème d'optimisation :

$$L = f(q_1, q_2, \ldots q_n) - \lambda(P_1 q_1 + P_2 q_2 + \ldots + P_n q_n - Y) \ .$$

Les dérivées partielles de L, par rapport aux variables $q_1, q_2 \dots q_n$ et λ, sont rendues égales à zéro avec pour résultat un système de $n + 1$ équations. Les conditions de premier ordre étant établies, il devient possible de calculer les valeurs de $q_1, q_2 \dots q_n$ et λ qui maximisent l'utilité totale, sous réserve que les conditions de second ordre soient satisfaites.

Les équations (2.6) à (2.11) permettent d'établir, dans le cas de la généralisation à n biens, la relation suivante :

$$\frac{U_m(Q_1)}{P_1} = \frac{U_m(Q_2)}{P_2} = \frac{U_m(Q_3)}{P_3} = \dots = \frac{U_m(Q_n)}{P_n} \quad (2.20)$$

Comme λ mesure l'utilité marginale de l'épargne, on peut poser :

$$U_m \text{ de l'épargne} = \lambda = \frac{U_m(Q_1)}{P_1} = \frac{U_m(Q_2)}{P_2} = \frac{U_m(Q_3)}{P_3} = \dots = \frac{U_m(Q_n)}{P_n} \quad (2.21)$$

où :

$P_1, P_2, P_3, \dots P_n$ sont les prix respectifs des biens $Q_1, Q_2, Q_3, \dots Q_n$.

2.4. L'ANALYSE DE L'OPTIMUM DE LA CONSOMMATION ET DE L'INVESTISSEMENT DANS LE CADRE DE LA CERTITUDE, EN L'ABSENCE DE MARCHÉS DE CAPITAUX

Les marchés de capitaux apportent une contribution majeure à l'efficacité globale de l'allocation des ressources dans le temps. Cette efficacité ressort d'autant plus clairement que l'utilité totale est d'abord analysée et exprimée en fonction de la consommation immédiate et de celle de fin de période, en l'absence de marchés de capitaux. Nous analyserons ensuite, toujours en l'absence de marchés de capitaux, l'ensemble des possibilités d'investissement qui se présentent à l'agent économique, en supposant qu'il n'y ait ni coûts de transaction ni impôts, et que l'horizon considéré soit d'une seule période. Les agents économiques ont une dotation initiale formée du revenu Y_0 au temps $t = 0$, c'est-à-dire au début de cette période, et du revenu Y_1 disponible à la fin de la période. Chaque individu préfère plus de consommation ou de richesse que moins, ce qui dénote une utilité marginale de la consommation toujours positive. Chaque individu doit établir le niveau de sa consommation immédiate C_0 ainsi que l'investissement à entreprendre, afin de s'assurer d'un niveau de consommation C_1 à la fin de la période considérée.

2.4.1. La courbe d'indifférence

La figure 2.5 indique la consommation C1 en fonction de C_0. On trace plusieurs courbes d'indifférence parallèles les unes aux autres, reflétant un même niveau de satisfaction, chacune en chacun de ses points, tels les points K et L de la courbe d'indifférence U_2. Plus les courbes d'indifférence se situent vers le haut et à droite, plus le niveau de satisfaction enregistré par le consommateur est grand.

Tout consommateur qui aurait la courbe d'indifférence U_2 comme expression de son utilité serait indifférent, entre le point K (qui représente la combinaison de consommation C'_0 et C'_1) et le point L (qui représente la combinaison de consommation C''_0 et C''_1). Le point L indique plus de consommation aujourd'hui et moins à la fin de la période, tandis que c'est l'inverse pour le point K.

La pente de la droite tangente à la courbe d'indifférence U_2 en un de ses points mesure le taux marginal de substitution (TMS) entre C''_1 et C''_0 en ce point. Il s'agit d'un compromis établi entre la consommation présente et la consommation future. Traçons la tangente au point L de la courbe d'indifférence U_2. Le taux marginal de substitution au point L est défini par la mesure de la pente de la tangente à la courbe U_2, en ce point L, et permet d'établir le taux de préférence subjectif d'un agent économique à l'égard du temps. Il s'agit d'un taux d'échange subjectif r_s qui préside à la substitution entre lots ou ensembles de consommation dans le temps, tel que l'utilité du consommateur demeure inchangée.

Ce taux de préférence subjectif r_s est une sorte de taux d'intérêt qui arbitre les échanges entre paquets de consommation en différents points d'une courbe d'indifférence. Il varie d'un point à l'autre de la courbe d'indifférence, puisque la pente de la tangente à cette courbe, ou taux marginal de substitution (TMS), diffère en chacun de ses points. Ainsi, le TMS au point K est plus grand que le TMS au point L, indiquant que le consommateur échangerait plus de quantités de C_1 pour une unité de C_0, au point K, qu'il ne le ferait au point L. L'expression du TMS en un point quelconque de la courbe d'indifférence est :

$$\text{TMS} = -(1 + r_s) \tag{2.22}$$

Le signe négatif traduit la pente négative de la courbe d'indifférence.

On peut aussi exprimer le TMS de la façon suivante :

$$\text{TMS} = -\frac{\Delta C_1}{\Delta C_0} \tag{2.23}$$

Figure 2.5

Courbe d'indifférence et taux subjectif de préférence temporelle

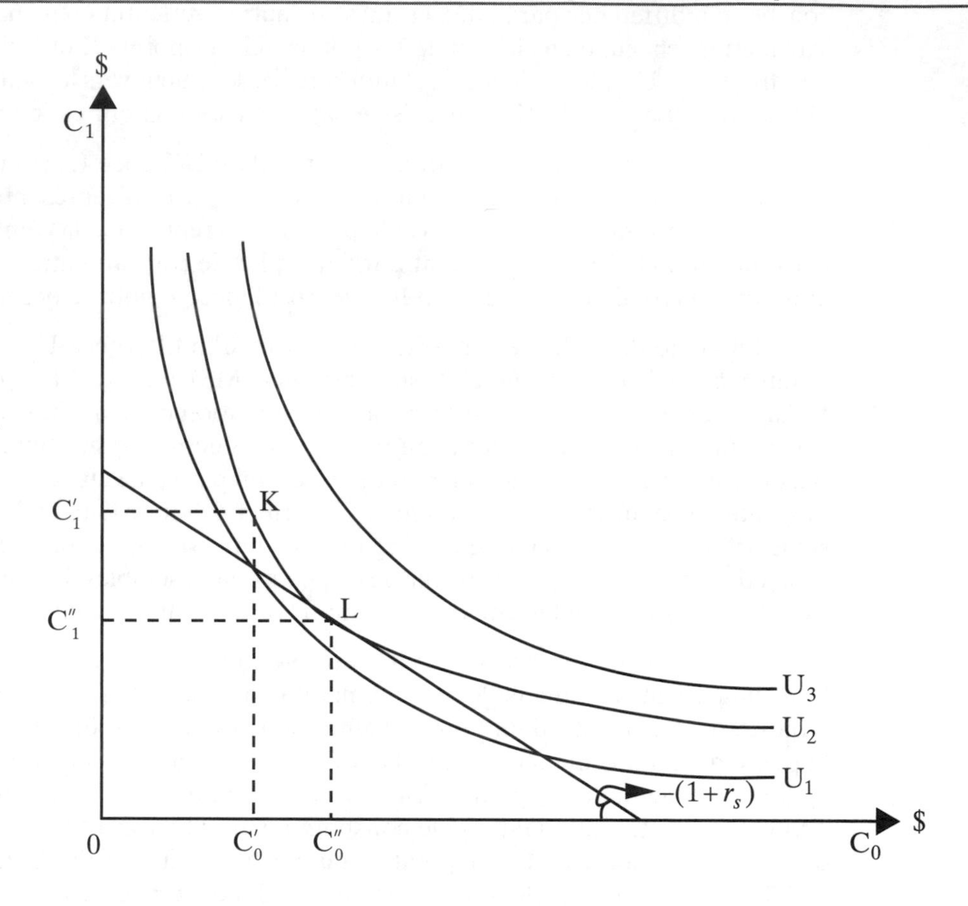

2.4.2. Les possibilités d'investissement

Nous allons montrer comment l'investissement permet de modifier la répartition de la consommation dans le temps. Les possibilités d'investir transforment une unité actuelle d'épargne en plus d'une unité future de consommation, par les opérations de production. Les projets d'investissement sont classés par ordre de rendement décroissant, tel que l'indique la figure 2.6. En l'absence de rationnement de capital, l'agent économique investira dans toute possibilité dont le taux de rendement r_i est supérieur à son taux subjectif de préférence à l'égard du temps r_s. Prenons le cas d'un agent économique dont la valeur actuelle de dotation initiale est de $W_0 = 2\,500\$$, à répartir entre la consommation de la période et

Figure 2.6

Ensemble des possibilités d'investissement offertes à un individu

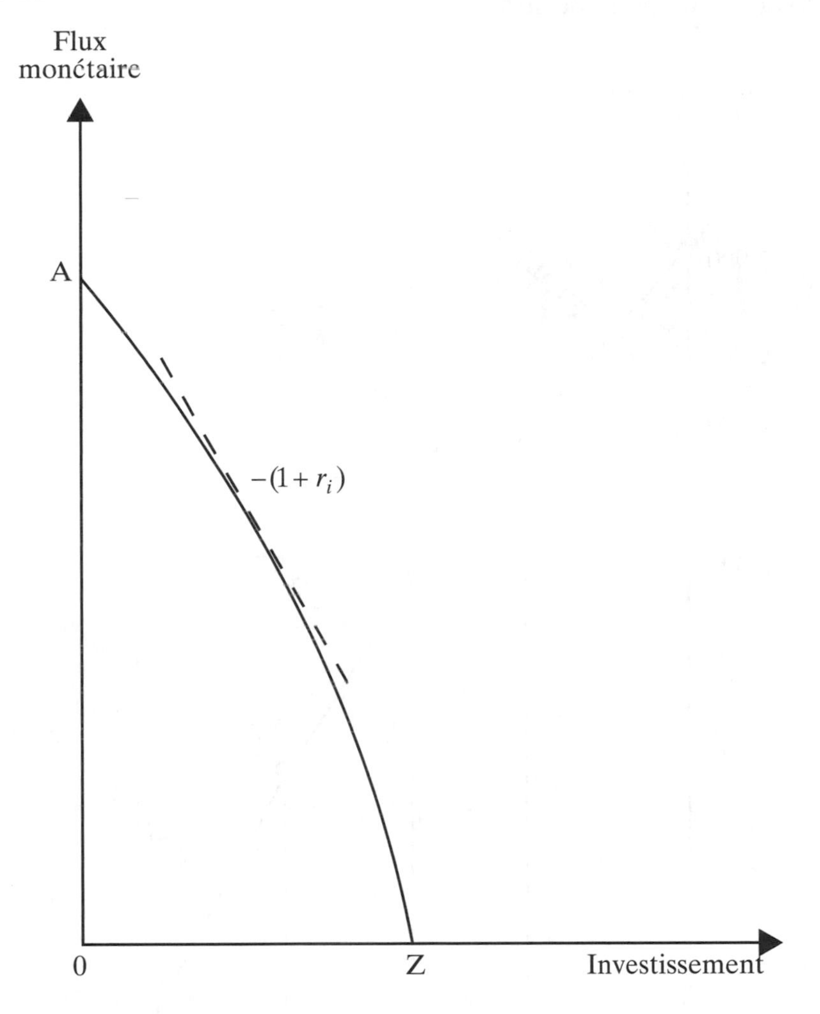

l'investissement productif. Les projets d'investissement sont classés par ordre de rendement décroissant en se déplaçant du point A vers le point Z, dans la figure 2.7, où les possibilités d'investissements productifs ont été transposées dans l'espace des ressources et de la consommation. Le taux de rendement sur l'investissement se calcule aisément, en supposant que :

- la durée de l'investissement est égale à un an ;
- l'investissement est réalisé en début d'année ;
- les flux monétaires nets sont reçus en fin d'année.

Figure 2.7

Ensemble des possibilités d'investissement productif transposé sur deux périodes

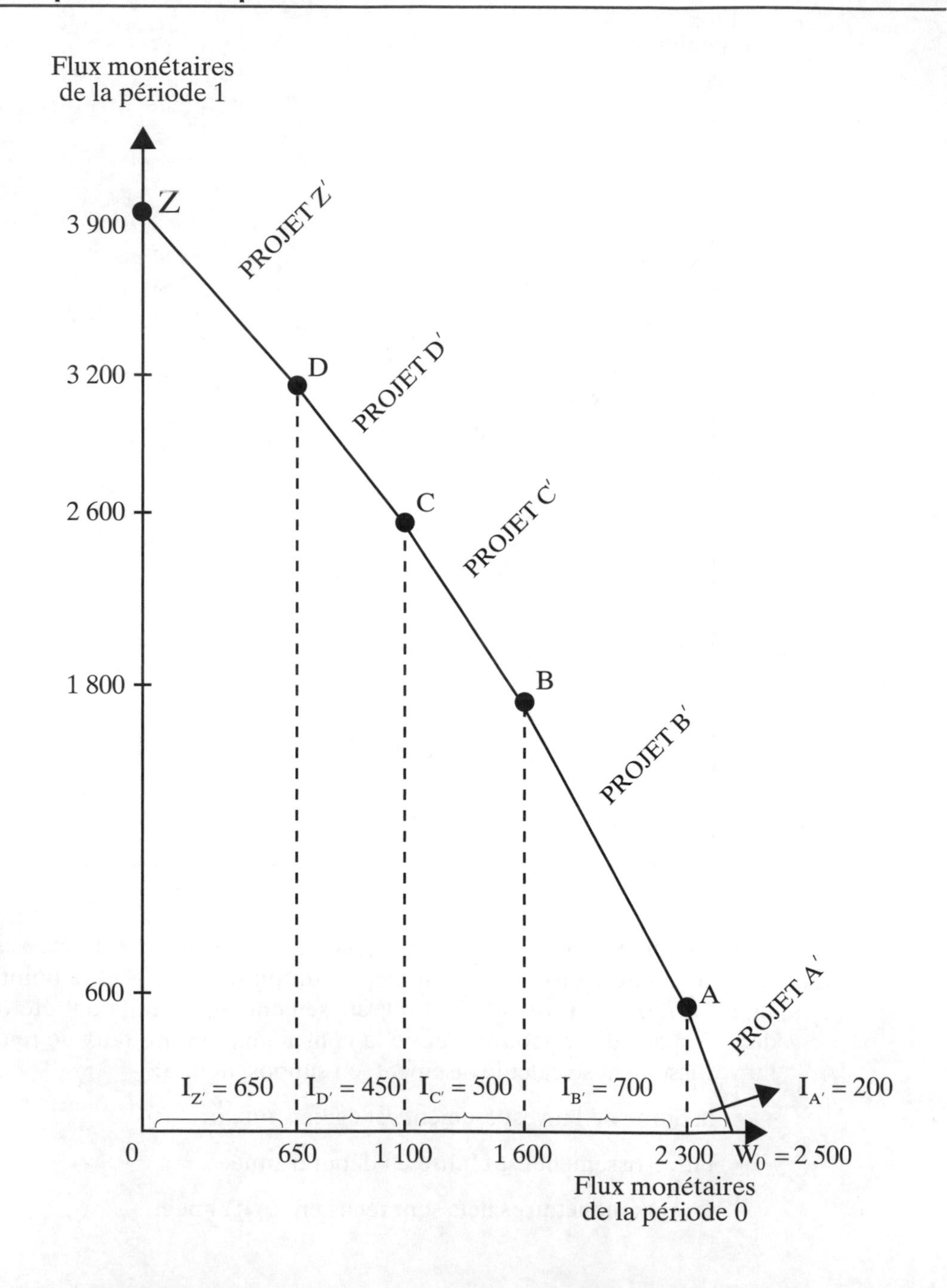

Le taux de rendement sur l'investissement est alors égal au rapport du flux monétaire net à l'investissement initial moins l'unité. Illustrons ce cas par un exemple tiré des chiffres fournis par le tableau 2.1, représentés dans la figure 2.7 et à partir desquels ont été calculés les taux de rendement :

Tableau 2.1

Possibilités d'investissement et taux de rendement

Projet	Dépense initiale d'investissement en début d'année ($)	Flux monétaires nets à la fin de l'année ($)	Rapport moins l'unité	Taux de rendement (%)
A′	200	600	(600 ÷ 200) −1 = 3 −1	200,0
B′	700	1 200	(1 200 ÷ 700) −1 = 1,714 −1	71,4
C′	500	800	(800 ÷ 500) −1 = 1,6 −1	60,0
D′	450	600	(600 ÷ 500) −1 = 1,2 −1	20,0
Z′	650	700	(700 ÷ 650) −1 = 1,077 −1	7,7

Les points W_0, A, B, C, D et Z représentent différentes combinaisons possibles de consommation immédiate et de consommation future, en tenant compte de la valeur actuelle de la dotation initiale W_0 et de cinq possibilités d'investissement A′, B′, C′, D′ et Z′. L'individu peut choisir de consommer la totalité de la valeur actuelle de ses ressources cette année et ne rien consommer l'année prochaine. Cette hypothèse, même si elle est techniquement possible, n'est pas réaliste, car l'agent économique ne serait plus de ce monde s'il s'abstenait de consommer l'an prochain.

L'adoption du seul projet, par un investisseur donné, place ce dernier au point A, qui permet de faire ressortir les deux précisions suivantes :

- une consommation courante de 2 300 $ (soit 2 500 $ moins l'investissement de 200 $ dans le projet) ;
- une consommation future, c'est-à-dire en période 2, de 600 $ qui est assurée par les flux monétaires engendrés par la production résultant du projet A′.

Les cinq projets d'investissement A′, B′, C′, D′ et Z′ disponibles sont censés être indépendants les uns des autres et parfaitement divisibles, ce qui explique la forme continue de la courbe des possibilités de production. La forme de cette courbe serait lisse s'il y avait un très grand nombre de projets d'investissement. Il est donc possible d'atteindre ou de réaliser des combinaisons autres que celles qui sont désignées par les points W_0, A, B, C, D et Z, telle la combinaison illustrée par le point I de la figure 2.7. La pente de cette courbe diminue avec le déplacement de l'investisseur de W_0 à Z, confirmant le classement des projets par ordre de rentabilité décroissante de W_0 à Z. Remarquons la forme concave de la courbe indiquant qu'un nouvel investissement entrepris est un peu moins rentable que le précédent. L'agent économique se trouve ainsi face à deux types de décisions : investir ou consommer.

2.4.3. L'optimum de consommation et d'investissement

L'introduction de plusieurs possibilités d'investissement, traduites par l'ensemble ou la courbe des possibilités de production ABZ de la figure 2.8, permet de compléter les choix de consommation dans le temps par des choix d'investissement. La pente de la droite tangente à la courbe ABZ est aussi un taux marginal de substitution ou, mieux, de transformation. Cette mesure indique le taux auquel la consommation abandonnée aujourd'hui est transformée en consommation future.

C'est le taux marginal de transformation, qui varie d'un point à un autre de la courbe ABZ et qui permet d'indiquer le taux de rendement marginal des possibilités de production existant dans l'économie. Il est utile de noter que le point A de la courbe ABZ se distingue par la pente la plus élevée et représente le taux de rendement marginal de l'investissement le plus élevé qui s'offre à l'individu. En se déplaçant sur la courbe ABZ des possibilités de production ou d'investissement à partir du point A et jusqu'au point Z, on obtient successivement des points qui indiquent respectivement un rendement marginal de l'investissement de moins en moins élevé.

Quels seront le comportement et la décision d'un individu rationnel en matière d'investissement et de consommation, aujourd'hui et demain ? Supposons qu'un individu dispose de la dotation initiale de revenu Y_0, Y_1 et que la courbe d'indifférence correspondante soit U_1 (voir la figure 2.8). Le point P de coordonnées Y_0 et Y_1 est à l'intersection de la courbe d'utilité U_1 et de la courbe des possibilités de production ABZ. La tangente à la courbe d'indifférence au point P indique une pente $-(1 + r_s)$ et renseigne, par conséquent, sur la mesure du taux de préférence subjectif r_s de l'individu en ce point. La tangente au point P de la courbe ABZ a une pente de $-(1 + r_i)$ et permet de chiffrer le taux de rendement marginal de l'investissement r_i au point P. Il est évident que $r_i > r_s$ en ce point et que l'individu trouve sa satisfaction améliorée en restreignant sa consommation immédiate afin d'affecter les ressources ainsi épargnées à la production. Ce faisant, l'individu se déplace sur la courbe des possibilités de production jusqu'au point B, où la courbe d'indifférence U_2 est tangente. L'individu atteint l'équilibre de la production en ce point B, car son taux de préférence subjectif r_s est égal au taux de rendement marginal sur l'investissement r_i. La consommation immédiate devient $0C'_0$ et non plus $0Y_0$. La différence $0C'_0\,Y_0$ ($=0Y_0 - 0C'_0$) sera investie.

Figure 2.8

La courbe des possibilités de production et l'équilibre du consommateur, en l'absence de marchés de capitaux

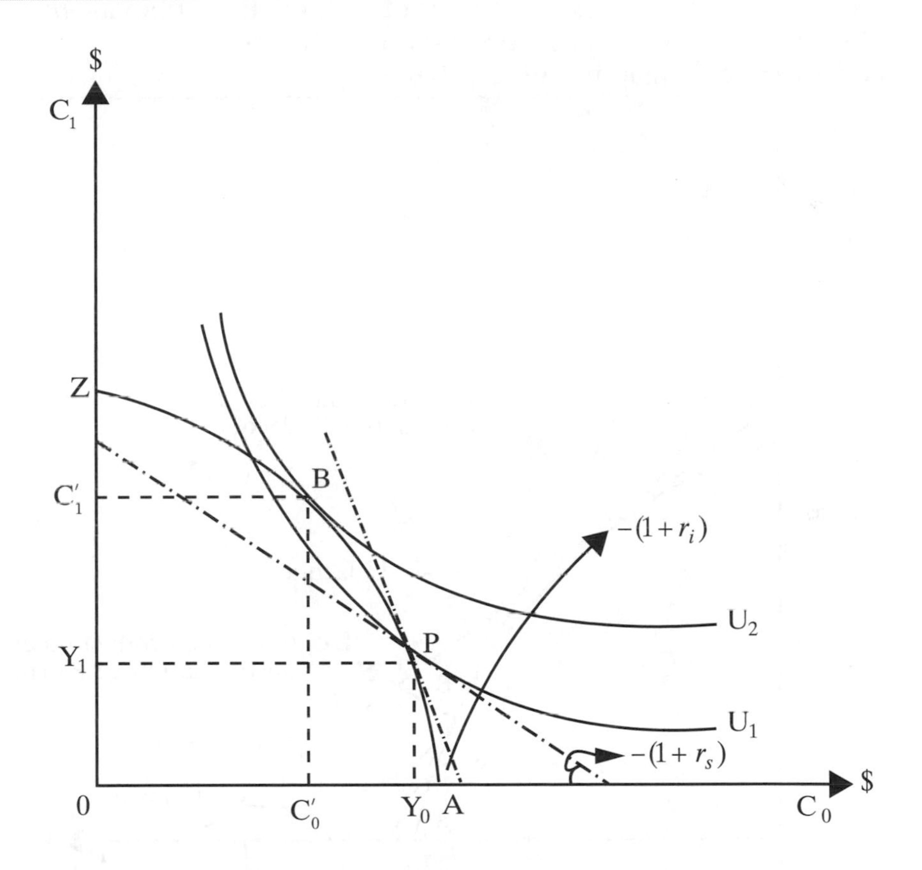

La consommation de fin de période sera $0C'_1$ (plutôt que $0Y_1$, précédemment, qui correspondait au cas où l'individu consommait Y_0 au temps $t = 0$).

Une précision s'impose, étant donné que l'analyse de l'allocation des ressources dans le temps en consommation et investissement a été conduite abstraction faite des marchés de capitaux. En effet, deux individus, Jacques et Pierre, disposant chacun d'une même dotation initiale et des mêmes possibilités d'investissement, peuvent choisir des niveaux d'investissement complètement différents pour la simple raison que leurs courbes d'indifférence ne sont pas identiques. La figure 2.9 indique que Jacques a un taux subjectif de préférence temporelle inférieur à celui de Pierre, car la tangente au point B′ de sa courbe d'indifférence a une pente plus petite (en valeur absolue) que celle de la tangente au point B″ de la courbe d'indifférence de Pierre.

Figure 2.9

Individus à préférences différentes et à choix de combinaisons d'investissement et de consommation différents, en l'absence de marchés de capitaux

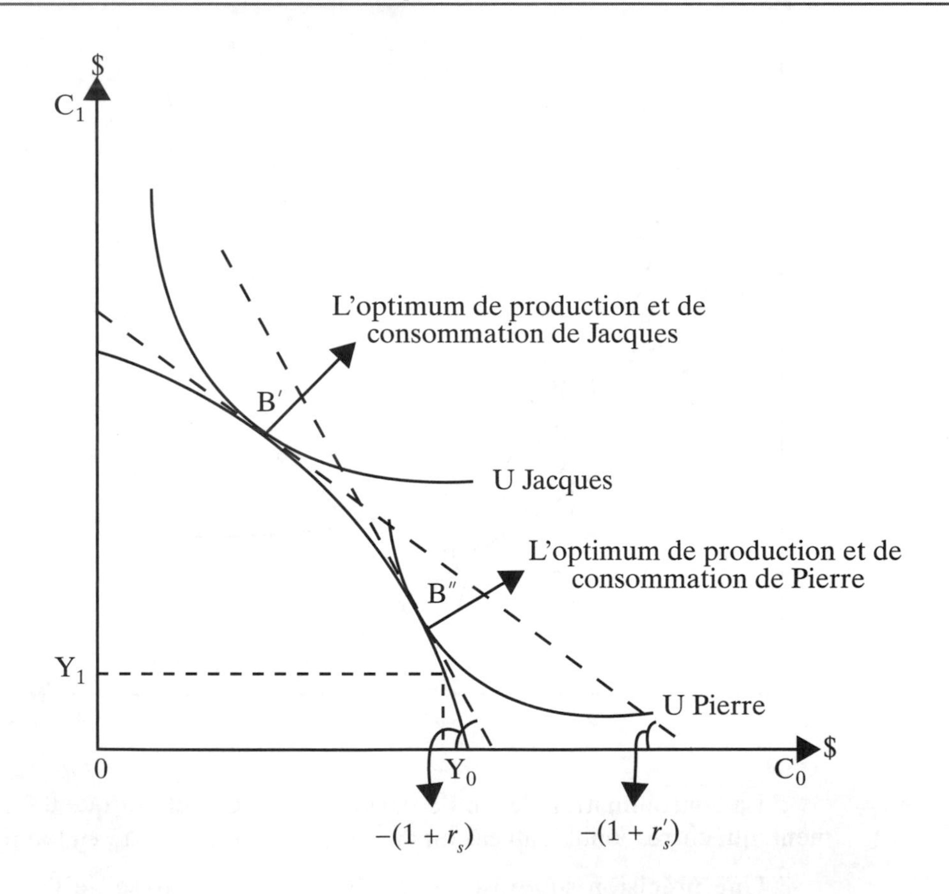

2.5. ALLOCATION DES RESSOURCES FINANCIÈRES DANS LE CADRE DE LA CERTITUDE ET DE MARCHÉS PARFAITS, MAIS EN L'ABSENCE D'INVESTISSEMENTS PRODUCTIFS

L'analyse du problème de la maximisation de l'utilité du consommateur ayant des ressources ou des flux de revenus donnés sur un horizon déterminé est facilitée en retenant les hypothèses de certitude (l'agent économique détient toutes les informations nécessaires pour établir les résultats de toutes ses décisions et actions dans le temps) et de marchés parfaits de capitaux (l'information est disponible gratuitement pour tous, les prix et les taux d'intérêt sont déterminés exclusivement par l'offre et la demande, il n'existe ni coûts de transaction ni impôts, et le taux d'intérêt, exempt de risque, est à la fois le taux de prêt et d'emprunt). Précisons que c'est l'une des caractéristiques principales du consommateur rationnel que de préférer en tout temps plus de consommation ou de richesse que moins.

Les marchés de capitaux accroissent l'efficacité globale de l'économie : *a*) par la transformation des échéances, favorisant ainsi la réalisation d'investissements rentables ; *b*) par la réduction substantielle des coûts de transaction. C'est ce que l'on appelle l'efficacité opérationnelle des marchés des capitaux, qui se traduit, entre autres, par la réduction des écarts de rendement entre taux emprunteur et taux prêteur, sur les marchés réels et imparfaits, comme nous l'expliquerons plus loin. En effet, nous demeurons, pour l'instant, dans l'hypothèse des marchés parfaits.

2.5.1. L'analyse de l'allocation des ressources financières pour une seule période

Les opérations de consommation, d'emprunt et de prêts ont lieu aujourd'hui, au temps $t = 0$, ainsi qu'à la fin de la période retenue, au temps $t = 1$. Considérons, pour simplifier, que la période retenue est l'année et que la valeur des biens consommés s'exprime en dollars. La dotation initiale de l'individu représente la possibilité de consommer, au temps $t = 0$ et au temps $t = 1$, obtenue en vertu d'un contrat ou déterminée par le rapport entre agents économiques. Ainsi, M. Biron peut toucher un acompte de 100 $, sur un travail à exécuter d'ici un an, et obtenir le solde de 200 $ du montant total de 300 $ spécifié au contrat, après avoir accompli la tâche prévue. La représentation graphique suivante (figure 2.10) permet d'illustrer la dotation initiale de M. Biron. Considérons d'abord le cas de l'absence de marchés de capitaux, c'est-à-dire une situation où il est impossible de prêter ou d'emprunter.

Nous savons que la répartition de la consommation de M. Biron dans le temps est fixée par contrat. Cette répartition peut cependant être modifiée dans une certaine mesure. *En l'absence de marchés de capitaux et d'intermédiaire* *financier, cette répartition ne peut se faire qu'en réduisant la consommation de M. Biron au temps $t = 0$, afin de l'augmenter au temps $t = 1$.* Ce transfert suppose qu'il existe une monnaie et (ou) la possibilité de stocker des biens.

L'introduction des marchés de capitaux offre de plus grandes possibilités, car elle permet, en plus, d'échanger des revenus futurs pour une consommation immédiate par le mécanisme de l'emprunt. M. Biron peut maintenant choisir d'avancer ou de retarder sa consommation dans le temps (contrairement au cas de l'absence de marchés de capitaux, où il ne pouvait, s'il le désirait, que retarder sa consommation dans le temps), grâce aux établissements financiers et au marché des capitaux.

Figure 2.10

Dotation initiale (100 $; 200 $) en l'absence de marchés de capitaux

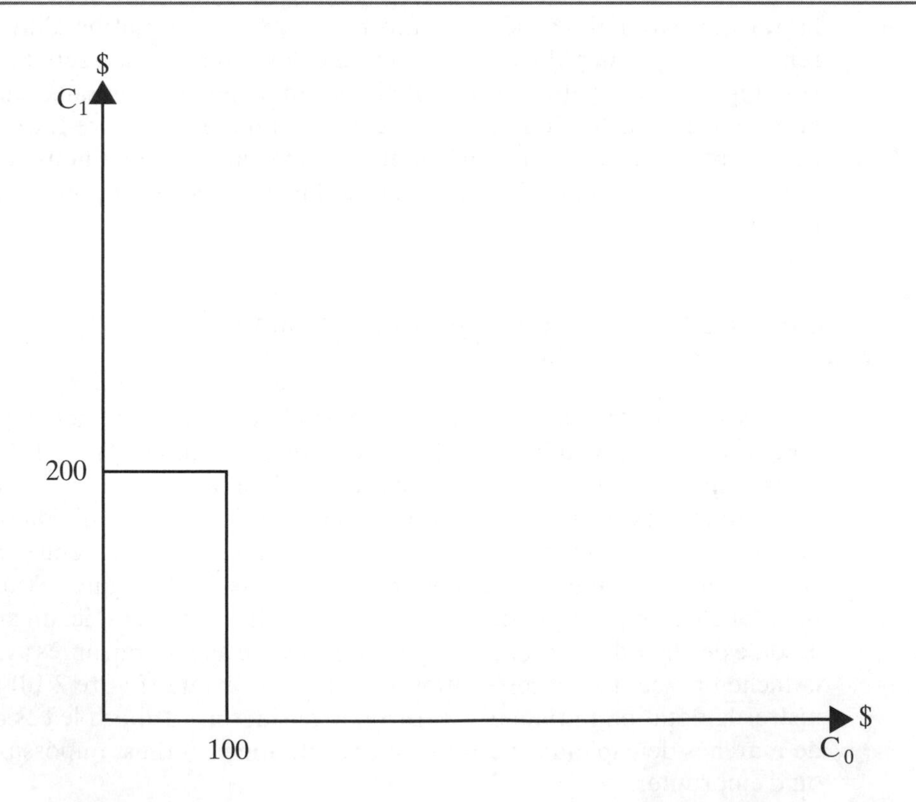

L'individu est alors en mesure de répartir sa consommation selon ses goûts et ses préférences en tenant compte du taux d'intérêt du marché. En effet, le taux d'intérêt exprime les termes selon lesquels l'agent économique peut transférer des ressources financières ou des flux de revenus d'un point à un autre dans le temps. Nous supposerons que le taux d'intérêt auquel on peut prêter et emprunter est de 10 % par année. Chaque dollar prêté aujourd'hui par M. Biron lui assure à la fin de l'année 1,10$ qui sera utilisé pour la consommation. Si M. Biron prêtait les ressources totales dont il dispose aujourd'hui, soit 100$ (hypothèse irréaliste, cependant, car il ne pourrait pas survivre), il recevrait 110$ à la fin de l'année, montant auquel s'ajouterait la somme de 200$. La somme totale affectée à la consommation, dans un an, serait alors de 310$ (= 200$ + 110$) et représenterait la richesse future W_1 de M. Biron. Par contre, si ce dernier empruntait tout son revenu futur de 200$ pour le consommer aujourd'hui (hypothèse irréaliste, car il ne survivrait plus dans un an), il recevrait ce montant escompté au taux de 10 %, c'est-à-dire :

$$\frac{200}{1+0{,}10}=181{,}81\$$$

d'où il découle que la consommation maximale aujourd'hui serait de 281,81$ (= 100 + 181,81), qui mesure la richesse de M. Biron, exprimée en valeur actuelle.

Les différentes possibilités de consommation de M. Biron, dans le temps, sont illustrées par la figure 2.11. Ce sont, d'une part, la dotation initiale de chaque individu et, d'autre part, les taux de prêt et d'emprunt r_m sur le marché, qui déterminent les choix de consommation dans le temps. Quand l'individu se déplace entre les points L et N, il emprunte, tandis que, de L à M, il prête sur les marchés financiers. On peut présenter la relation entre richesse et revenu, ou entre richesse et consommation, de la façon suivante :

a) la richesse peut s'exprimer en valeurs futures :

$$W_1=Y_0\,(1+r_m)+Y_1=100(1+0{,}10)+200=310\$ \tag{2.24}$$

ou encore :

$$W_1=C_0\,(1+r_m)+C_1=100(1+0{,}10)+200=310\$ \tag{2.25}$$

b) la richesse peut aussi s'exprimer en valeurs actuelles :

$$W_0=Y_0+\frac{Y_1}{1+r_m}=100+200(1+0{,}10)^{-1}=281{,}81\$ \tag{2.26}$$

ou encore :

$$W_0=C_0+\frac{C_1}{1+r_m}=100+200(1+0{,}10)^{-1}=281{,}81\$ \tag{2.27}$$

M. Biron peut répartir sa consommation autrement, c'est-à-dire selon les coordonnées C_0' et C_1' du point K situé sur la droite MN.

Figure 2.11

Choix de consommation et possibilités de prêt et d'emprunt au taux du marché r_m

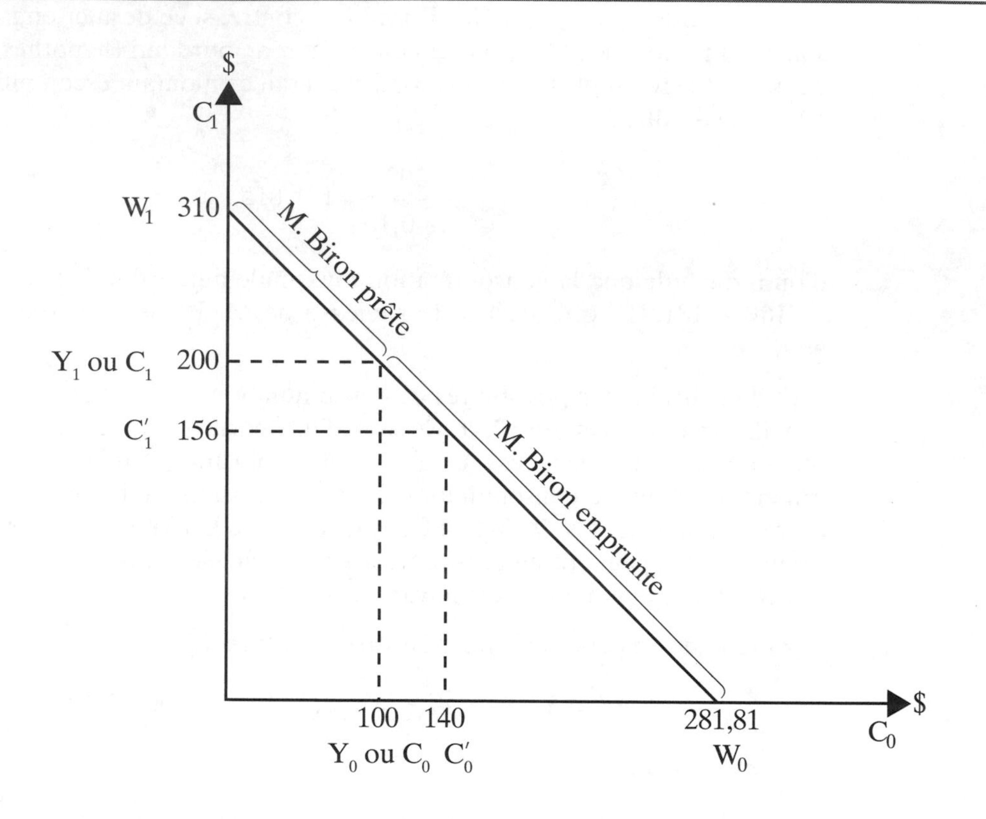

On aura :

$$W_0 = C_0 + C_1(1 + r_m)^{-1} = C_0' + C_1'(1 + r_m)^{-1}$$

et:

$$C_0 + C_1(1+r_m)^{-1} - C_0' + C_1'(1+r_m)^{-1} = 0$$
$$C_0 - C_0' + (1+r_m)^{-1}(C_1 - C_1') = 0$$
$$\Delta C_0 + \frac{\Delta C_1}{1+r_m} = 0$$
$$\frac{\Delta C_1}{1+r_m} = -\Delta C_0$$

enfin:

$$1+r_m = \frac{-\Delta C_1}{\Delta C_0}$$

La droite MN, qui représente C_1 en fonction de C_0, a une pente négative puisqu'un accroissement de C_1 est associé à une diminution de C_0 et vice-versa. À titre d'exemple, si la consommation de fin de période diminue de C_1 à C_1', soit de 200$ à 156$, avec pour conséquence un accroissement de la consommation immédiate de C_0 à C_0', soit de 100$ à 140$, nous constatons que le taux d'intérêt du marché, qui est égal à r_m, s'établit de la façon suivante:

$$(1+r_m) = -\left(\frac{\Delta C_1}{\Delta C_0}\right) = -\left(\frac{-44}{40}\right) = 1,1$$
$$r_m = 1,1 - 1 = 0,1, \text{ soit } 10\,\%.$$

Le taux de transformation entre consommation immédiate et consommation future, tout au long de la contrainte budgétaire MN, est égal à – (1 + r_m). En d'autres termes, la consommation future peut s'accroître de (1 + r_m) pour chaque unité soustraite à la consommation immédiate. Les ressources présentant la même valeur actuelle se situent sur une même droite qui est construite en fonction de deux éléments:

- la dotation initiale de l'individu,
- le taux d'intérêt du marché, qui est le taux de prêt et d'emprunt.

Figure 2.12

Différentes droites de contrainte budgétaire pour un même taux d'intérêt

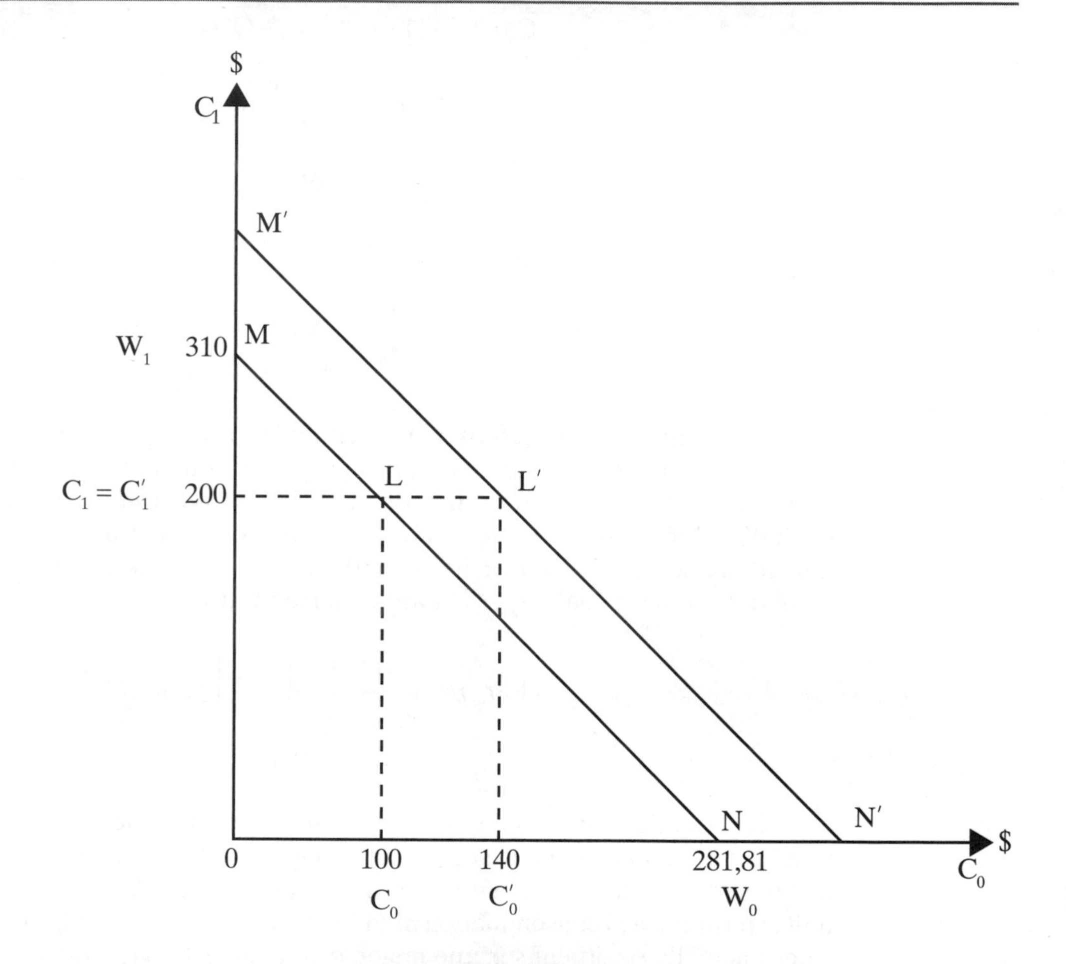

S'il existe plusieurs dotations initiales de ressources, ayant par conséquent différentes valeurs actuelles, on obtient différentes droites, telles que MN et M′N′ (figure 2.12). Les segments 0N et 0N′ sont les valeurs actuelles de 0M et de 0M′, respectivement, et les droites de contrainte budgétaire sont parallèles de pente $-(1 + r_m)$ tant que le taux d'intérêt du marché demeure constant et égal à r_m. Plus les dotations initiales sont élevées, plus la droite de contrainte budgétaire se déplace, parallèlement à elle-même, vers la droite. Pour un taux d'intérêt donné, l'individu préfère les combinaisons de ressources ou les flux de revenus dans le temps dont la valeur actuelle est la plus élevée, puisqu'il s'assure, de cette façon, de la consommation la plus élevée possible pour un taux d'intérêt donné.

2.5.2. L'analyse de l'allocation des ressources financières dans le cas de deux périodes

L'agent économique se distingue par les flux de ressources ou de revenus suivants (voir la figure 2.13):

- au temps $t = 0$, il reçoit Y_0,
- au temps $t = 1$, il reçoit Y_1,
- au temps $t = 2$, il reçoit Y_2.

Les taux d'intérêt qui prévalent sur le marché parfait et auxquels on peut prêter et emprunter sont les suivants:

- un taux de rendement r_{m1}, pour la période 1, qui se situe entre $t = 0$ et $t = 1$,
- un taux de rendement ${}_1r_{m1}$ pour la période 2, qui se situe entre $t = 1$ et $t = 2$.

Précisons que le chiffre qui se situe avant le symbole r_m du taux d'intérêt du marché représente le début de la période durant laquelle ce taux prévaut, tandis que le chiffre situé après indique l'échéance. Par exemple, $r_{m1} = {}_0r_{m1}$ est le taux du marché qui prévaut durant la première période, en d'autres termes, depuis le temps $t = 0$ jusqu'au début de la deuxième période, c'est-à-dire jusqu'au temps $t = 1$, l'échéance étant d'une seule période. M. Biron pourrait se prévaloir de sa richesse totale exprimée en valeur présente, au temps $t = 0$, en ajoutant à son revenu perçu aujourd'hui les revenus futurs du temps $t = 1$ et du temps $t = 2$, escomptés ou exprimés en valeurs actuelles, respectivement aux taux d'intérêt r_{m1} et ${}_1r_{m1}$.

Les segments 0M et 0P indiquent les grandeurs maximales éventuelles de la consommation, respectivement aux temps $t = 1$ et $t = 2$. Les valeurs des différents flux de revenus Y_0, Y_1 et Y_2, aux temps $t = 0$, $t = 1$ et $t = 2$, s'établissent de la façon suivante:

- au temps $t = 0$, la valeur du segment 0N est la valeur actuelle (V_0) de tous les flux de revenus ou de ressources:

$$V_0 = 0N = Y_0 + Y_1 (1 + r_{m1})^{-1} + Y_2 (1 + r_{m1})^{-1} (1 + {}_1r_{m1})^{-1}$$

- au temps $t = 1$, la valeur du segment 0M est de:

$$0M = Y_0 (1 + r_{m1}) + Y_1 + Y_2 (1 + {}_1r_{m1})^{-1}$$

- au temps $t = 2$, la valeur du segment 0P est de:

$$0P = Y_0 (1 + r_{m1})(1 + {}_1r_{m1}) + Y_1 (1 + {}_1r_{m1}) + Y_2$$

Figure 2.13

Plan des possibilités de revenus ou ressources, et de consommation

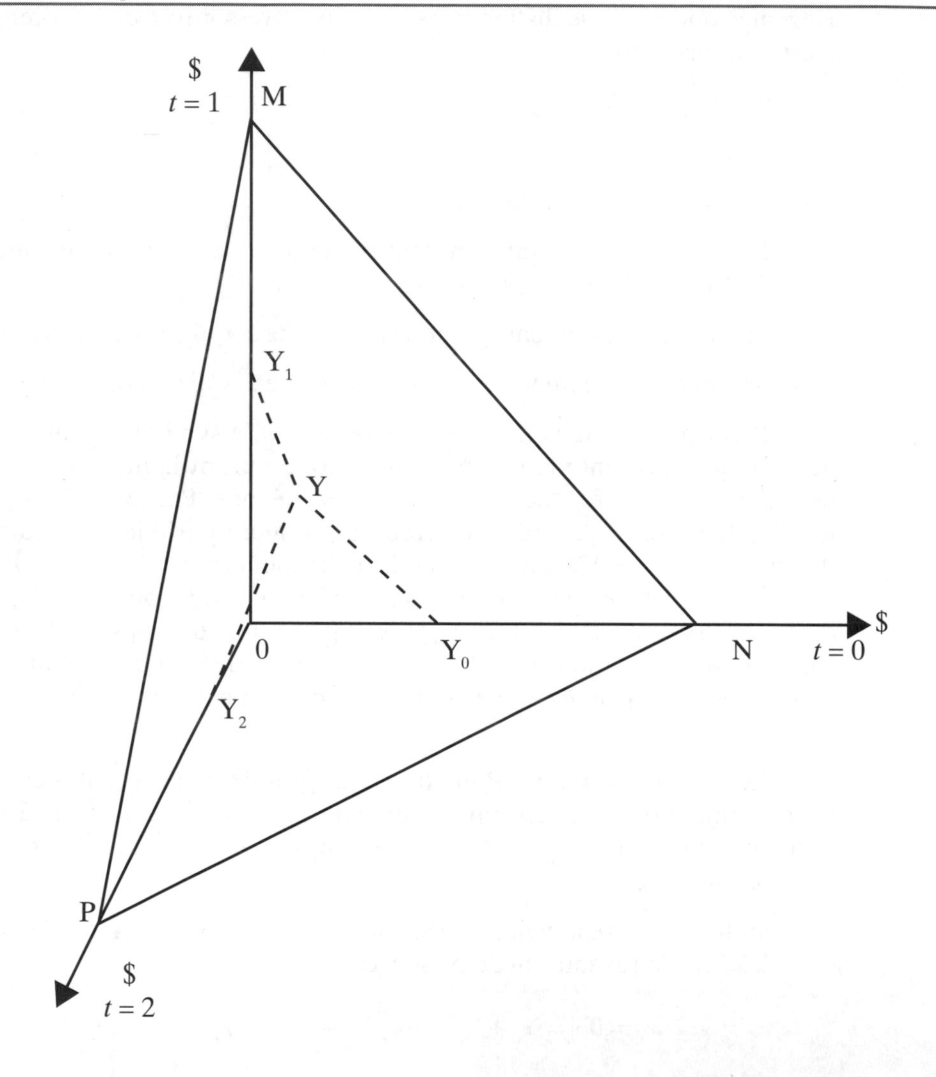

Plus la valeur actuelle V_0, mesurée par le segment 0N, sera élevée, plus la richesse de M. Biron sera grande et sa consommation élevée.

2.5.3. L'analyse de l'allocation des ressources dans le cadre de *n* périodes

Il s'agit d'une généralisation à n périodes de l'analyse de la répartition des ressources sur deux périodes. La valeur actuelle V_0 des flux de revenus de M. Biron est la suivante :

$$\begin{aligned} V_0 = Y_0 + Y_1 (1+r_{m1})^{-1} + Y_2 [(1+r_{m1})^{-1} (1+{}_1r_{m1})^{-1}] \\ + Y_3 [(1+r_{m1})^{-1} (1+{}_1r_{m1})^{-1} (1+{}_2r_{m1})^{-1}] + \ldots \\ + Y_n [(1+r_{m1})^{-1} (1+{}_1r_{m1})^{-1} \ldots (1+{}_{n-1}r_{m1})^{-1}] \end{aligned}$$

ou encore :

$$V_0 = Y_0 + \sum_{t=1}^{n} \frac{Y_t}{\prod_{j=1}^{t} (1+{}_{j-1}r_{m1})} \tag{2.28}$$

où :

$$Y_1 = \text{revenu de la période } t,$$

$${}_{j-1}r_{m1} = \text{taux d'intérêt de la période } j.$$

Notons que le signe Σ est la lettre majuscule grecque « sigma », correspondant à la notion de « somme », et que $\sum_{t=1}^{n}$ est un opérateur indiquant qu'il faut ajouter tous les termes qu'il couvre lorsque *t* évolue de 1 à *n*. Par ailleurs, Π est la lettre majuscule grecque « pi », correspondant à la notion de « produit », et $\prod_{j=1}^{t}$ un opérateur qui montre qu'il faut multiplier tous les termes qu'il couvre lorsque *j* évolue de 1 à *t*.

La formule (2.28) peut aussi être présentée de la façon suivante :

$$V_0 = \sum_{t=0}^{n} \frac{Y_1}{\prod_{j=0}^{t} (1+{}_{j-1}r_{m1})} \tag{2.29}$$

2.5.4. Théorie et illustration de l'allocation optimale de la consommation sur deux périodes (toujours dans le cadre d'un marché parfait, mais en l'absence de possibilités d'investissement)

L'optimum de la consommation sur un horizon de deux périodes, soit 1 et 2, est établi en considérant que l'individu détient au début de la première période une épargne initiale S_1 accumulée antérieurement. Il en sera ainsi au début de la deuxième période avec l'épargne S_2 réalisée en première période. Nous pouvons alors poser, en considérant r_{m1} comme taux d'intérêt du marché, c'est-à-dire le rendement obtenu en plaçant un dollar au début de la période 1, pendant un an, pour en prendre livraison au début de la période 2 :

$$S_2 = [(Y_1 + S_1) - C_1](1 + r_{m1}) \tag{2.30}$$

Les valeurs de la consommation, ainsi que celles des revenus et de l'épargne de l'horizon des deux périodes choisies, peuvent être exprimées en valeurs futures, c'est-à-dire correspondant à la période 2 :

$$C_2 + C_1(1 + r_{m1}) = Y_2 + (Y_1 + S_1)(1 + r_{m1})$$

où :

$$C_2 + C_1(1 + r_{m1}) - Y_2 - (Y_1 + S_1)(1 + r_{m1}) = 0 \tag{2.31}$$

Les valeurs de la consommation, des revenus et de l'épargne peuvent aussi être présentées en valeurs actuelles :

$$\frac{C_2}{1 + r_{m1}} + C_1 - \frac{Y_2}{1 + r_{m1}} - (Y_1 + S_1) = 0 \tag{2.32}$$

Le problème consiste à maximiser l'utilité de la consommation C_1 et C_2 en périodes 1 et 2, respectivement, sous une contrainte de revenus et d'épargne. D'où la présentation du problème d'optimisation sous la forme suivante :

$$\text{MAX } U_T = f(C_1, C_2) \tag{2.33}$$

sous une contrainte de revenus et d'épargne :

$$C_1 + \frac{C_2}{1 + r_{m1}} - (Y_1 + S_1) - \frac{Y_2}{1 + r_{m1}} = 0 \tag{2.34}$$

La fonction de Lagrange permet de résoudre ce problème:

$$L = U(C_1, C_2) - \lambda\left[C_1 + \frac{C_2}{1+r_{m1}} - (Y_1 + S_1) - \frac{Y_2}{1+r_{m1}}\right] \quad (2.35)$$

La maximisation de l'utilité est réalisée lorsque le rapport des utilités marginales de la consommation en période 1 et en période 2 est égal au rapport du prix de l'argent en période 2 sur son prix en période 1, soit:

$$\frac{U_m(C_1)}{U_m(C_2)} = \frac{\delta U(C_1, C_2)}{\delta C_1} \Big/ \frac{\delta U(C_1, C_2)}{\delta C_2} = 1 + r_{m1} \quad (2.36)$$

Un exemple numérique nous aidera à mieux voir. Considérons un individu dont l'objectif est de maximiser son utilité totale aux périodes 1 et 2, à partir des valeurs optimales de la consommation C_1 et C_2 d'un bien dont les prix demeurent constants sur l'horizon choisi. La maximisation de cette utilité est sujette à une contrainte de ressources (revenus + épargne). Le problème est le suivant:

$$\text{MAX } U_T = f(C_1, C_2)$$

sous la contrainte:

$$C_1 + \frac{C_2}{1+r_{m1}} - (Y_1 + S_1) - \frac{Y_2}{1+r_{m1}} = 0$$

et en notant que:

C_1 = la consommation de la période 1,

C_2 = la consommation de la période 2,

S_1 = 260 = l'épargne accumulée et disponible au seuil de la période 1,

r_{m1} = 0,20 = le taux d'intérêt du marché, c'est-à-dire le taux de prêt ou d'emprunt sur un marché de capitaux parfait,

Y_1 = 400 = le revenu de la première période,

Y_2 = 600 = le revenu de la deuxième période.

La solution du problème se trouve dans la détermination des valeurs de C_1 et de C_2 qui maximisent la satisfaction de l'individu. Si l'on suppose que la fonction d'utilité se présente de façon multiplicative, on peut poser:

$$U_T = C_1 \times C_2$$

avec l'objectif:

$$\text{MAX } U_T = C_1 \times C_2$$

sachant que :

$$C_1 + \frac{C_2}{1,20} - (260+400) - \frac{600}{1,20} = 0$$

La fonction de Lagrange permet de résoudre le problème d'optimisation de C_1 et de C_2 :

$$L = C_1 \times C_2 - \lambda(C_1 + \frac{C_2}{1,20} - 1\,160)$$

Nous savons que le maximum de la fonction est obtenu à deux conditions :

- celle de premier ordre, qui consiste à rendre égales à zéro les dérivées premières de L, par rapport aux variables C_1 et C_2 et au coefficient λ, et à résoudre le système d'équations ainsi obtenu,
- celle de second ordre, jugée satisfaite, à savoir que les dérivées secondes sont négatives.

  Le système d'équations est le suivant :

$$\delta L / \delta C_1 = C_2 - \lambda = 0$$

$$\delta L / \delta C_2 = C_1 - \frac{\lambda}{1,20} = 0$$

$$\delta L / \delta \lambda = C_1 - \frac{C_2}{1,20} + 1\,160 = 0$$

Les deux premières équations du système ci-dessus permettent d'établir que :

$$\frac{C_2}{C_1} = 1,20$$

et :

$$C_2 = C_1 \times 1,20$$

Ce qui permet d'obtenir la valeur de C_1 dans la troisième équation en remplaçant C_2 par sa valeur :

$$C_1 + \frac{C_1 \times 1,20}{1,20} - 1\,160 = 0$$

$$2C_1 = 1\,160$$

et :

$$C_1 = 580$$

d'où :

$$C_2 = 580 \times 1{,}20 = 696$$

La valeur maximisée de l'utilité totale se chiffre à :

$$U_T = C_1 \times C_2 = 580 \times 696 = 403\,680 \text{ valeurs utiles.}$$

Le comportement du consommateur lui a permis d'obtenir un niveau de satisfaction plus élevé en épargnant une partie des ressources totales dont il disposait au début de la première période et en les plaçant au taux du marché de 20 %.

En effet, plutôt que de consommer, dans la première période, 660, c'est-à-dire l'épargne accumulée de 260 et le revenu de 400 de cette période, l'individu s'est limité à 580 et a placé la différence de 80 à 20 % pendant un an. Ses ressources totales, au début de la seconde période, s'élèvent par conséquent à :

$$(80 \times 1{,}20) + 600 = 696$$

La maximisation de l'utilité totale de l'individu sur deux périodes se traduit par la consommation de 580 et de 696 respectivement, procurant 403 680 valeurs utiles, comparativement au cas où il n'aurait pas épargné et où l'utilité totale aurait été de 396 000 valeurs utiles :

$$(400 + 260)\,(600) = 396\,000 \text{ valeurs utiles.}$$

La figure 2.14 représente les courbes d'utilité U_1 et U_2 reflétant les deux niveaux de satisfaction mentionnés de 396 000 et de 403 680 valeurs utiles, ainsi que les deux combinaisons de consommation C_1 et C_2 correspondantes ($C_1 = 580$ et $C_2 = 696$), dont l'une est optimale. Le montant de 80, soustrait de la consommation de la première période, apparaît sur l'axe des ressources de la première période, tandis que la somme de 96, à laquelle il donne lieu pour la deuxième période, s'ajoute au revenu de 600 de cette période, pour y assurer une consommation totale de 696.

La contrainte des ressources est représentée par la droite MN. Le segment 0N = 1 160 représente la valeur actuelle des ressources totales ou de la dotation initiale de l'individu, pour les périodes 1 et 2, tandis que le segment 0M = 1 392 traduit la valeur future de cette dotation initiale. Notons que la maximisation de l'utilité est obtenue au point de tangence, au point A de la courbe d'utilité la plus élevée possible U_2, avec la droite du marché MN dont la pente est donnée par l'expression $-(1 + 0{,}2)$.

Figure 2.14

La détermination chiffrée de l'allocation optimale de la consommation sur deux périodes

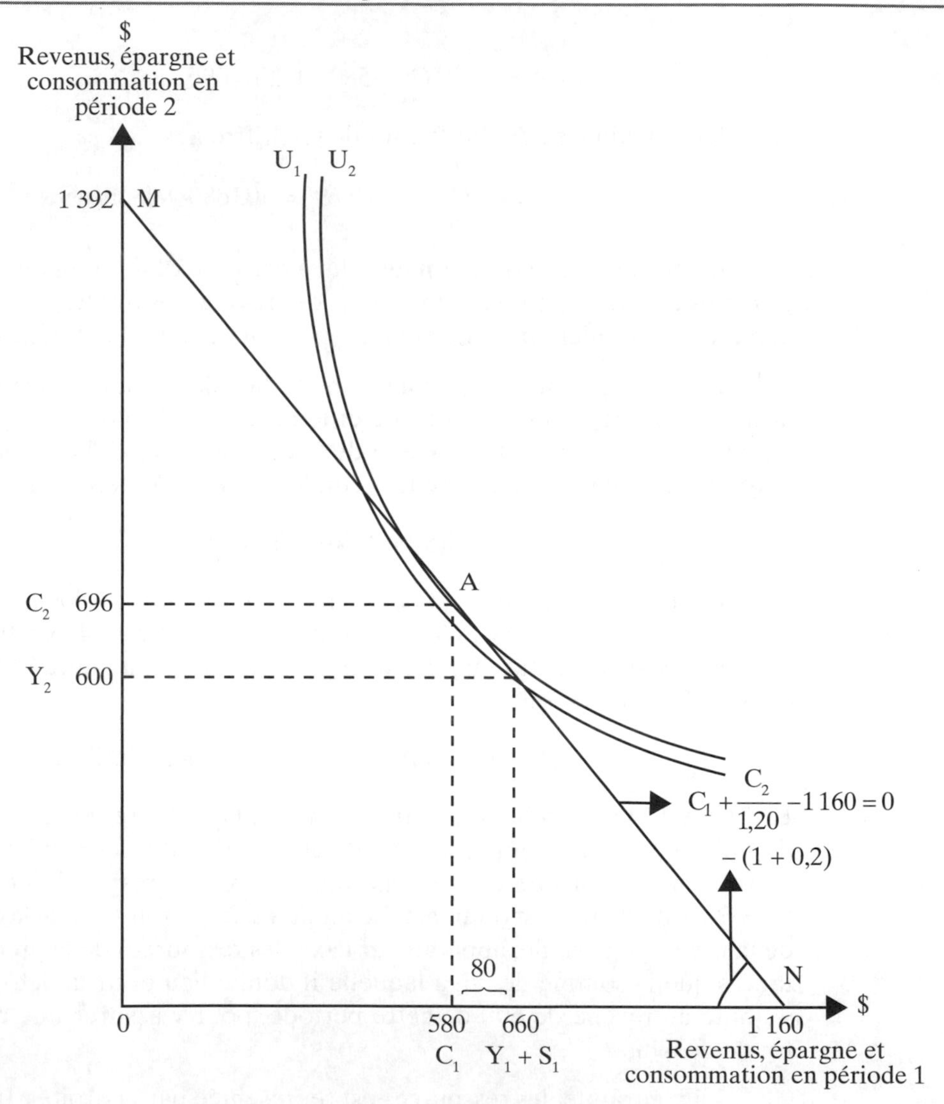

2.5.5. L'analyse de l'allocation optimale de la consommation sur *n* périodes

La généralisation du choix du consommateur sur *n* périodes a pour objet de déterminer la maximisation de la fonction d'utilité totale qui se présente sous la forme :

$$U_1 = f(C_1, C_2, ...C_t, ...C_n) \tag{2.37}$$

sachant que la contrainte des ressources est la suivante :

$$\begin{aligned} & C_1 + \frac{C_2}{1+r_{m1}} + \frac{C_3}{(1+r_{m1})(1+{}_1r_{m1})} + ... + \frac{C_n}{\prod_{t=1}^{n-1}(1+{}_{t-1}r_{m1})} \\ & -(Y_1+S_1) - \frac{Y_2}{1+r_{m1}} + ... + \frac{Y_n}{\prod_{t=1}^{n-1}(1+{}_{t-1}r_{m1})} = 0 \end{aligned} \tag{2.38}$$

Notons que ${}_{t-1}r_{m1}$ est le taux d'intérêt du marché, en vigueur au temps t, appliqué à une somme prêtée pendant un an.

Maintenant que nous sommes familiers avec la démarche conduisant à l'optimisation, il suffit de mentionner qu'on établit d'abord la fonction de Lagrange qu'il s'agit de maximiser, qu'on *rend* ensuite les dérivées partielles de cette fonction égales à zéro (condition de premier ordre), afin de résoudre les équations ainsi obtenues, le tout sous réserve que la condition de second ordre soit satisfaite. La condition de premier ordre nous renseigne sur les caractéristiques de l'optimum. Ce dernier est atteint lorsque le rapport des utilités marginales de consommation, entre deux périodes successives quelconques, est égal à l'unité plus le taux d'intérêt, soit : $1 + r_m$.

La relation, de façon formelle, est la suivante :

$$\frac{U_m(C_t)}{U_m(C_{t-1})} = \frac{\delta U}{\delta C_t} \Big/ \frac{\delta U}{\delta C_{t-1}} = 1 + {}_{t-1}r_{m1} \tag{2.39}$$

2.6. L'ALLOCATION DES RESSOURCES FINANCIÈRES DANS LE CADRE DE LA CERTITUDE ET DE MARCHÉS PARFAITS, ET EN PRÉSENCE D'INVESTISSEMENTS PRODUCTIFS (THÉORÈME DE LA SÉPARATION)

La maximisation de l'utilité de la consommation dans le temps consiste à obtenir la meilleure combinaison de placement et d'investissements productifs et à répartir au mieux la consommation dans le temps. Nous sommes en présence de marchés de capitaux parfaits, où les opérations de prêts et d'emprunts se font au même taux d'intérêt et où l'économie offre plusieurs possibilités de production. L'agent économique bénéficie, de la sorte, à la fois de possibilités d'investissement et de possibilités de prêts et d'emprunts offertes sur le marché des capitaux. La démonstration peut se faire en plusieurs étapes.

L'analyse de l'optimum de production et de consommation est basée, au départ, sur les éléments suivants (voir figure 2.15) :

- la droite W_1W_0,
- la courbe des possibilités de production ABZ,
- les courbes d'indifférence U_1, U_2 et U_3 de l'individu,
- la dotation initiale de l'individu (Y_0, Y_1) au point M, qui est le point d'intersection de la courbe d'indifférence U_1 et de la courbe des possibilités de production ABZ.

L'individu peut se déplacer à partir du point M *sur la courbe des possibilités de production ou sur la droite de contrainte budgétaire,* obtenant dans l'un ou l'autre cas un rendement supérieur à son taux subjectif de préférence temporelle, reflété par la pente de la tangente au point M à la courbe d'indifférence U_1. Comme, au point M, le taux de rendement de la production est plus élevé que le taux de rendement offert par le marché des capitaux, l'individu opte pour l'investissement productif en se déplaçant sur la courbe ABZ des possibilités de production. Ce faisant, l'individu atteint des courbes d'indifférence plus éloignées de l'origine des axes et atteint donc un niveau d'utilité supérieur. Dans une première phase, l'individu se déplace de la courbe U_1 à la courbe U_2, tangente à la courbe des possibilités de production au point N.

Il convient de s'arrêter un moment à ce point N où le taux de rendement marginal de l'investissement (donné par la pente de la tangente à la courbe ABZ au point N) est égal au taux subjectif de préférence temporelle de l'individu (donné par la pente de la tangente à la courbe d'indifférence U_2 au point N). *S'il n'existait pas de marchés de capitaux,* c'est-à-dire si l'individu ne pouvait ni prêter ni emprunter, *son investissement plafonnerait au point* N, tel que nous l'avions déjà étudié dans le cas de l'analyse de l'optimum de la consommation et de l'investissement en l'absence de marchés de capitaux (revoir la figure 2.8, où le point B correspond au point N de la figure 1.15). On peut constater que le surcroît d'investissement entrepris par l'individu lui assure une utilité plus grande, dont le niveau s'élève de U_1 à U_2.

Figure 2.15

Équilibre de la consommation et de l'investissement en présence de marchés de capitaux parfaits

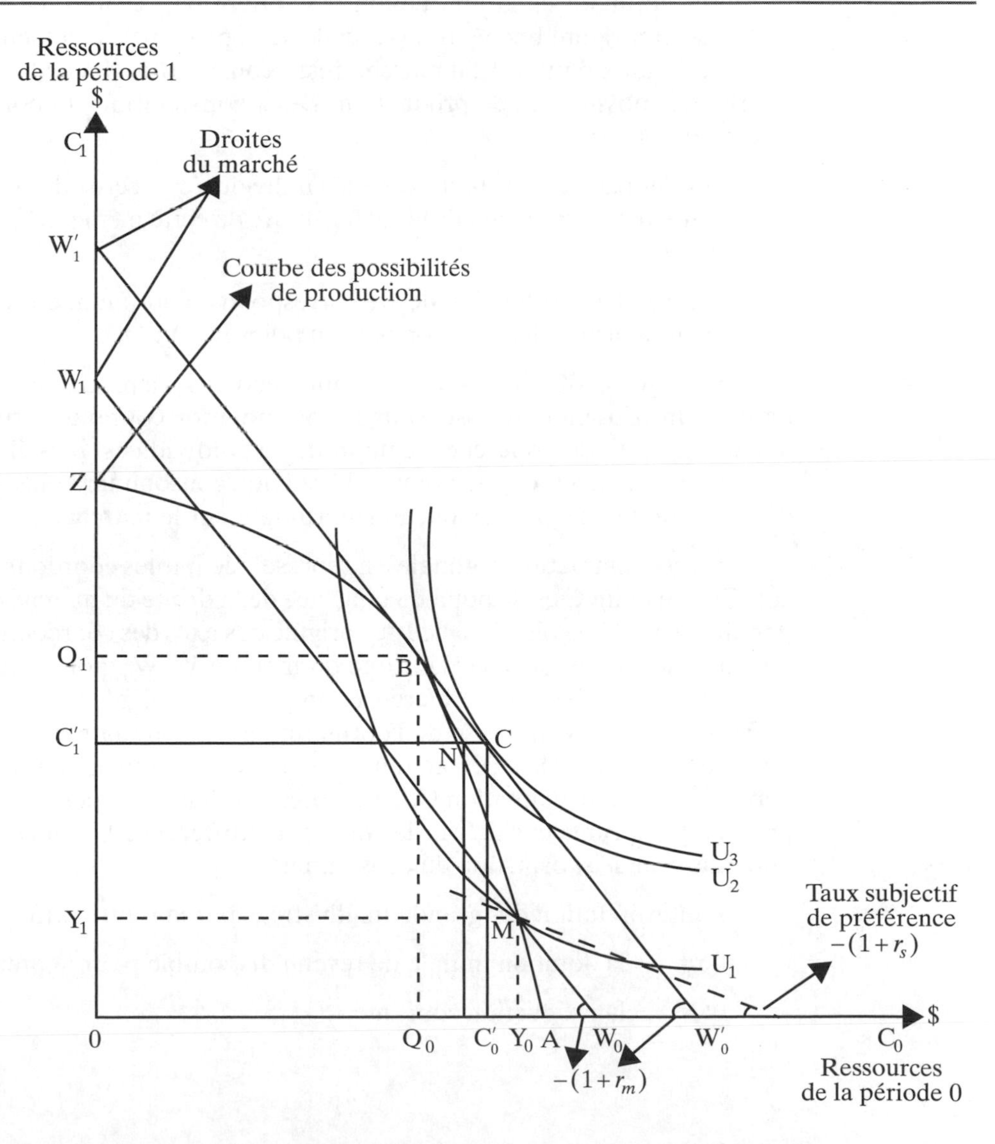

Le taux d'emprunt prévalant sur le marché des capitaux est donné par la pente de la droite de contrainte budgétaire W_1W_0. Ce taux est inférieur au taux de rendement marginal de l'investissement que représente la pente de la tangente à la courbe des possibilités de production au point N. L'individu poursuivra son investissement à partir du point N, en s'engageant dans de nouveaux projets, tant que le taux de rendement marginal de l'investissement excédera le coût du financement.

L'équilibre est atteint au point B, où les deux taux de rendement (taux de rendement marginal sur l'investissement r_i et coût de la dette r_m) sont égaux. Le point optimum de la production B s'obtient par le point de tangence de la droite de contrainte budgétaire (laquelle se déplace parallèlement à elle-même, puisque le taux d'intérêt du marché reste constant, et devient $W'_1W'_0$) et de la courbe des possibilités de production. Deux constatations importantes doivent être relevées :

- la valeur actuelle de la richesse de l'individu s'est accrue de W_0 à W'_0, comme, d'ailleurs, l'expression de la valeur future de cette même richesse a augmenté de W_0 à W'_1 ;
- le niveau de production désiré correspond à l'optimum d'investissement ; il est indiqué par les coordonnées du point B (Q_0, Q_1).

Le segment $0Q_0$ représente le résultat actuel de la production, lequel, cependant, est insuffisant pour assurer une consommation courante optimale. En effet, le taux subjectif de préférence temporelle de l'individu est plus élevé que le taux de rendement du marché au point B. L'individu consommera plus que le montant $0Q_0$ résultant de la production, en empruntant sur le marché.

La consommation optimale est représentée par les coordonnées du point C (C'_0, C'_1). Le point C est le point de tangence de la droite du marché et de la courbe d'indifférence U_2 la plus éloignée de l'origine des axes des coordonnées. L'individu s'est déplacé du point B sur la droite du marché $W'_1W'_0$, pour atteindre le point C, où le taux subjectif de préférence temporelle est égal au taux de rendement du marché. L'individu passe de l'optimum de consommation N, correspondant à l'absence de marchés de capitaux et situé sur la courbe d'indifférence U_2, à l'optimum de consommation C, correspondant à la présence des possibilités de prêts et d'emprunts et situé sur la courbe d'indifférence U_3, qui se distingue par une plus grande satisfaction du consommateur.

L'interprétation des grandeurs illustrées par la figure 2.15 est la suivante :

$0Y_0$ = la dotation initiale de revenu disponible pour la première période,

$0Q_0$ = la production courante,

$0C'_0$ = la consommation courante obtenue à l'aide de la production courante $0Q_0$ et de la somme empruntée $0C'_0$,

Y_0Q_0 = l'investissement réalisé en soustrayant certaines ressources de la dotation initiale de revenu Y_0 de la première période,

$0Y_1$ = la dotation initiale de revenu de la deuxième période,

Y_1Q_1 = le produit ou le résultat, comme production de l'investissement Y_0Q_0. Ce résultat est disponible en deuxième période,

$0C'_1$ = la consommation de la deuxième période,

C'_1Q_1 = la somme affectée au remboursement de l'emprunt $Q_0C'_0$ contracté par l'individu en première période et majoré du taux d'intérêt du marché.

Nous constatons qu'il existe deux décisions indépendantes l'une de l'autre :

- la décision d'investir, fondée sur des critères objectifs du marché, puisque l'optimum de production est défini par l'égalité du taux de rendement marginal de l'investissement r_i et du taux d'intérêt du marché r_m,
- la décision de consommer, basée sur des critères additionnels subjectifs de l'individu, puisque l'optimum de consommation est obtenu par l'égalité du taux subjectif de préférence temporelle de l'individu r_{ls} et du taux d'intérêt du marché r_m.

C'est le théorème de Fisher de la séparation des décisions d'investissement et de consommation. Ce théorème, élaboré dans un cadre théorique simplifié de marchés de capitaux parfaits, est un point de départ fort utile pour mieux comprendre, par la suite, les conditions de réalisation de l'équilibre de l'investissement et de la consommation sur les marchés réels. Notons qu'en ce qui concerne la décision de consommation, l'individu établit son niveau optimal en empruntant ou en prêtant tout au long de la droite du marché.

Dans le cas de marchés parfaits de capitaux, deux individus, Jacques et Pierre, adopteront la même décision concernant l'optimum de production (Q_0, Q_1), représenté par le point B de la figure 2.16, et ce, indépendamment de leurs goûts et préférences personnelles illustrés par leurs courbes d'indifférence respectives (ce qui n'était pas le cas en l'absence de marchés de capitaux, comme on l'a vu à la figure 2.9). *Lorsque Jacques et Pierre règlent de façon satisfaisante, c'est-à-dire optimale, le problème de la production, ils peuvent se consacrer à la détermination de leur consommation optimale respective, selon leurs préférences individuelles.* Le résultat de la production sera utilisé afin de satisfaire au mieux les préférences subjectives temporelles des individus. Ainsi, Jacques choisira le modèle de consommation C'_{0j} C'_{1j}, coordonnées du point C_j de la figure 2.16, et prêtera sur

Figure 2.16

Indépendance ou séparation des décisions d'investissement et de consommation dans le cadre de marchés parfaits

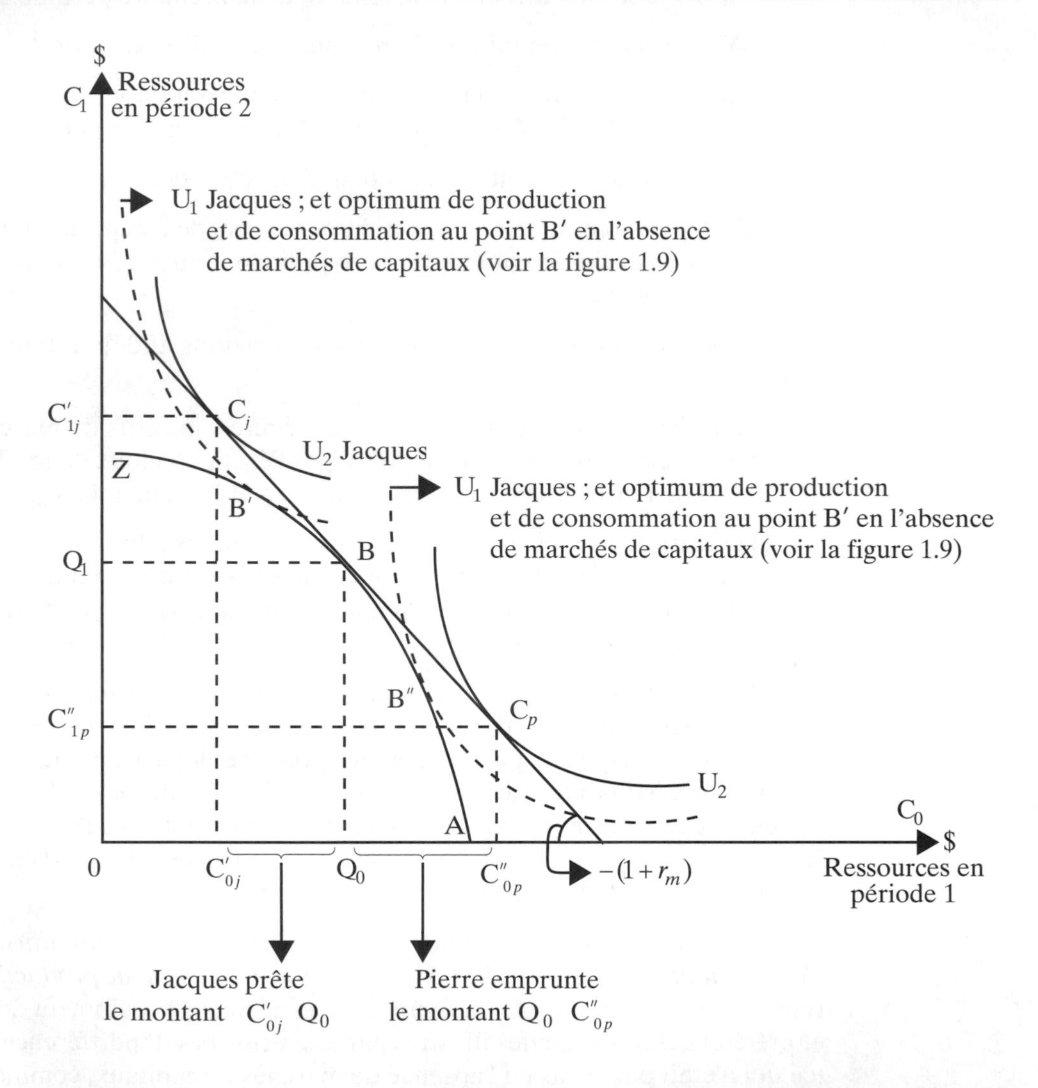

le marché des capitaux $Q_0C'_{0j}$, tandis que Pierre choisira le modèle de consommation C''_{0p} C''_{1p}, coordonnées du point C_p, et empruntera $Q_0C''_{0p}$. Il est évident que Pierre a une préférence marquée pour la consommation immédiate, c'est-à-dire celle de la période actuelle, qui est la première période de l'horizon considéré. Par contre, Jacques favorise nettement la consommation de la prochaine période, qui est la seconde période. *Les préférences temporelles respectives de consommation de Jacques et de Pierre n'affectent en rien les décisions des gestionnaires de la firme qui investit les fonds qui lui sont confiés,* avec pour objectif de répartir les ressources d'investissement sur les deux périodes considérées, de manière à réaliser l'optimum de la production. Ce dernier est atteint indépendamment des décisions de consommation de Jacques et de Pierre. *Ce sont les mécanismes financiers de l'emprunt et du prêt qui permettent au consommateur de fixer son optimum de consommation après avoir fixé l'optimum de la production.*

On peut constater que Pierre et Jacques bénéficient des avantages que présentent les marchés des capitaux, car ils deviennent plus riches et leur utilité respective plus grande, en produisant en B tous deux, plutôt que Pierre en B″ et Jacques en B′, comme on peut le constater sur la figure 2.16 en l'absence des marchés des capitaux. Les courbes d'utilité U_2 indiquant des satisfactions plus grandes par rapport à U_1, chez Jacques et Pierre, respectivement, illustrent bien l'augmentation de l'utilité en présence de marchés de capitaux.

Ainsi peut-on concevoir que, dans le cadre d'un marché parfait, les décisions d'investissement relèveraient des seuls directeurs exécutifs de sociétés auxquels les actionnaires auraient délégué des pouvoirs dans ce sens. Ces actionnaires seraient indifférents aux modalités de financement adoptées par les gestionnaires, que ce soit sous forme d'endettement supplémentaire ou d'accroissement du capital-actions, selon diverses proportions. En effet, si un actionnaire A avait une préférence plus marquée pour une tranche supplémentaire de dividendes, par rapport à celle qui est déjà perçue (pour les fins d'une consommation immédiate plus grande), il lui suffirait d'emprunter ou de réduire ses actifs financiers pour obtenir les fonds nécessaires à la maximisation de sa satisfaction selon ses propres préférences. Les bénéfices non répartis par la firme de l'actionnaire A s'accumulent et fructifient, pour donner un résultat qui se traduit par l'augmentation de la valeur de l'action à terme.

L'hypothèse du marché parfait facilite l'analyse des différentes forces qui opèrent dans un marché réel; elle permet de mieux comprendre l'échange des dollars ou des ressources financières dans le temps. Il est important de noter que, même si les marchés de capitaux réels ne sont pas parfaits, ils tendent, dans certains cas, comme ceux de New York, vers une grande efficience.

Tout marché réel, pour autant qu'il soit quelque peu fonctionnel et organisé, contribue à l'amélioration de la productivité globale de l'économie, en réduisant sensiblement les coûts de transaction, qui seraient, en l'absence d'un tel marché, exorbitants.

C'est la caractéristique essentielle d'« efficience opérationnelle » des marchés, que nous avons déjà expliquée, qu'il s'agisse de marchés financiers ou de marchés de biens. Dans la mesure où les coûts de transaction sont substantiels, en l'absence de ces marchés, les intermédiaires et les marchés financiers peuvent offrir des services d'une grande valeur à l'ensemble des agents économiques. Le taux d'emprunt est alors supérieur au taux de prêt, situation qui ne permet pas une application intégrale du théorème de la séparation de Fisher et en limite la portée sur le plan réel, comme l'indique la figure 2.17. Quoi qu'il en soit, l'importance des marchés des capitaux reste considérable, car ils permettent une meilleure utilisation des ressources par la circulation efficace des fonds entre prêteurs et emprunteurs. Les agents économiques, qui ne disposent que de ressources limitées pour entreprendre les projets d'investissement dont le rendement est supérieur au coût du financement, ont la possibilité d'emprunter des fonds et, par conséquent, d'investir plus qu'ils ne pourraient le faire en l'absence de marchés de capitaux. L'utilisation des ressources d'une économie est ainsi d'autant plus profitable à l'ensemble de ses agents que les fonds sont exploités de la meilleure façon possible.

Figure 2.17

Limites de la séparation, lorsque le taux d'emprunt diffère du taux de prêt, dans le cadre de marchés réels

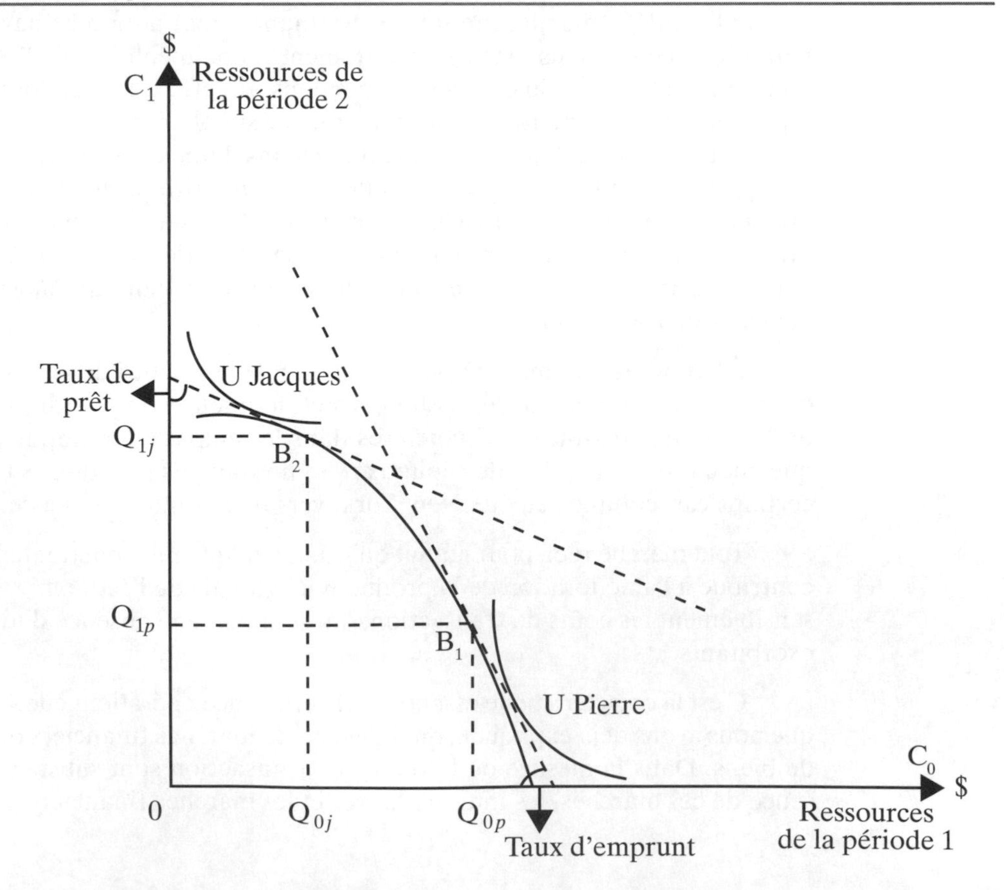

Les individus dont les possibilités de production sont relativement limitées et les ressources abondantes, et ceux qui ont plusieurs possibilités d'investir et insuffisamment de ressources peuvent échanger leurs dollars dans le temps, de sorte que chacun, emprunteur ou prêteur, se retrouve plus riche ou plus satisfait en présence des marchés de capitaux.

RÉSUMÉ

La théorie de l'allocation des ressources financières dans le temps est d'abord analysée en situation de certitude et de marchés de capitaux parfaits. La rationalité du comportement des agents économiques repose sur les axiomes de préférence, de transitivité, de non-satiété et de convexité. L'individu établit les règles de la maximisation de sa satisfaction à partir d'une dotation initiale de ressources. L'efficacité opérationnelle des marchés de capitaux et l'investissement productif permettent d'accroître sa richesse et son utilité. Les individus échangent des ressources sur les marchés des capitaux, de manière à satisfaire leurs exigences en différents points du temps, tandis que les entreprises offrent aux individus, par l'investissement et la production, la possibilité de transformer des ressources physiques actuelles en ressources futures. L'optimum de production et l'optimum de consommation sont assurés par l'égalité des trois taux suivants : le taux de rendement marginal sur l'investissement, le taux d'intérêt du marché et le taux subjectif de préférence temporelle.

Le théorème de la séparation de Fisher met en évidence l'indépendance des décisions relatives à l'investissement, basées sur des critères objectifs du marché, par rapport aux décisions de consommation, dominées par des facteurs subjectifs de préférences et de goûts individuels.

PROBLÈMES

1. Représenter graphiquement le théorème de la séparation de Fisher dans le cas où un individu choisit de prêter sur les marchés financiers. Indiquer les points suivants sur le graphique :

- la dotation initiale W_0,
- la production optimale (P_0, P_1),
- la consommation optimale (C_0*, C_1*) W_0*,
- la valeur actuelle de la richesse finalement atteinte,
- le montant prêté.

■ **Solution suggérée**

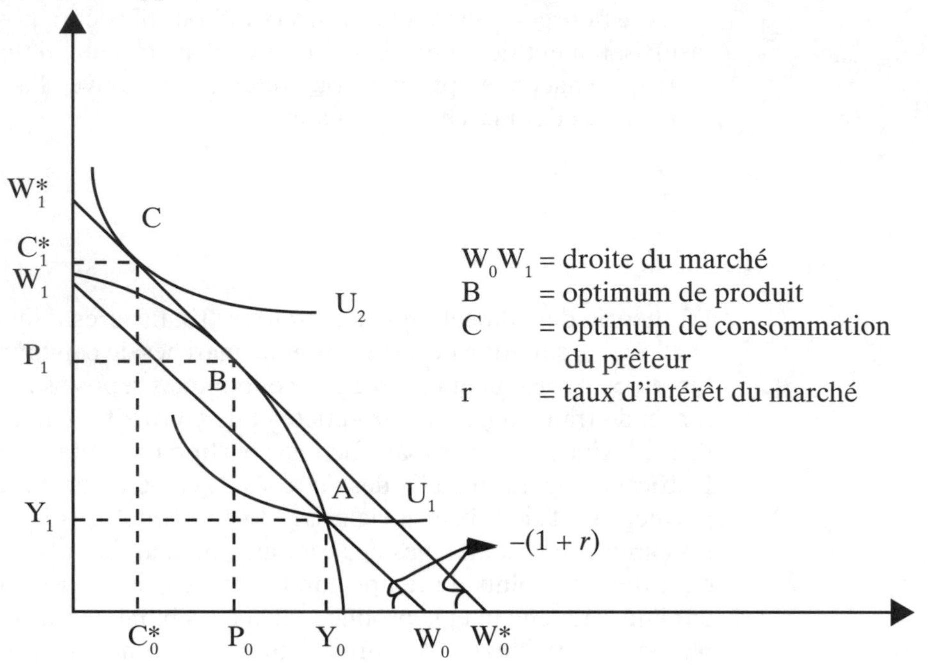

a) $W_0 = Y_0 + \frac{Y_1}{1+r}$

b) P_0 et P_1

c) C_0^*; C_1^*

d) $W_0^* = C_0^* + \frac{C_1^*}{1+r}$

2. Analyser graphiquement l'effet d'une diminution exogène du taux d'intérêt sur:

- l'utilité des emprunteurs et des prêteurs, en expliquant en détail chaque situation possible;
- l'investissement en actifs réels;
- la fortune des agents économiques, qu'ils soient prêteurs ou emprunteurs.

■ Solution suggérée

Une modélisation du taux d'intérêt du marché à la baisse (de r_1 à r_2) fait pivoter la droite du marché qui devient tangente au point B' de la courbe des possibilités de production situé plus haut que le point optimum de production initial B. La droite du marché initialement W_1 W_0 devient W'_1 W'_0 à la suite de la baisse des taux d'intérêt.

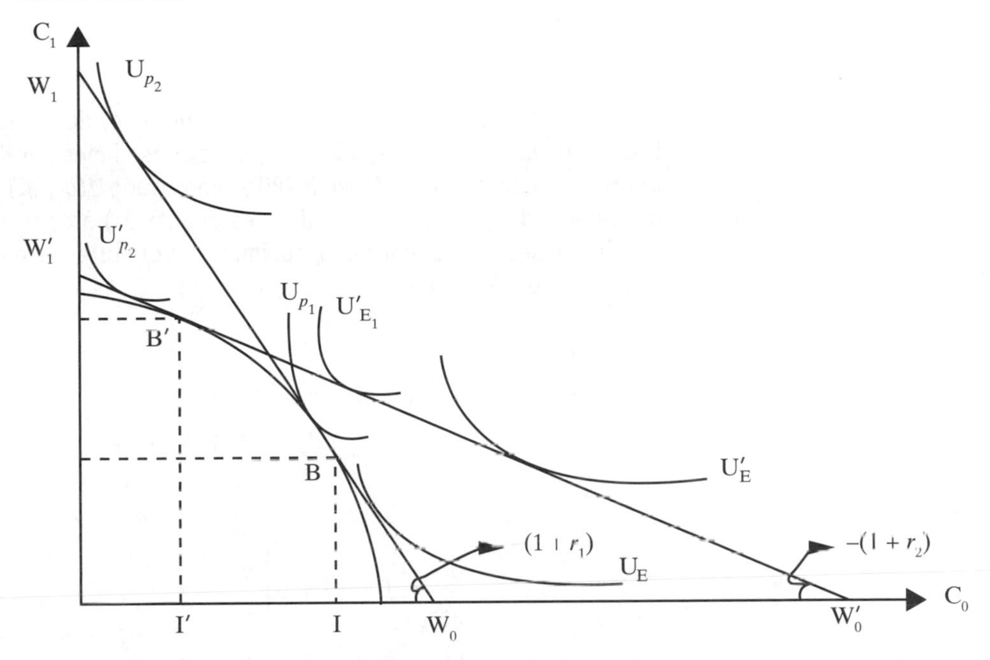

a) Effet sur l'utilité des emprunteurs et des prêteurs :

- *les emprunteurs* choisissent leur consommation, en se situant en dessous du point optimum de production B ; quand *r*, taux d'intérêt du marché baisse, l'utilité des emprunteurs augmente nécessairement de U_E à U'_E, donc pas d'ambiguïté car le résultat est très clair dans ce cas.
- *les prêteurs* : deux cas possibles :
  - certains anciens prêteurs deviennent emprunteurs (à cause de la baisse de *r*) et enregistrent un gain d'utilité, en passant de la courbe U_{p1} à U'_{E1}.
  - les autres prêteurs enregistrent une perte d'utilité de U_{p2} à U'_{p2} car avec le taux *r* qui baisse, ils ont moins de revenus sur leurs placements, et ces ptêteurs n'ont pas emprunté pour consommer.

b) Effet sur la richesse des emprunteurs et des prêteurs :

Puisque prêteurs et emprunteurs ont le même ensemble de possibilités de production et qu'ils choisissent le même optimum d'investissement (B avant la baisse des taux d'intérêt et B′ après), leur richesse présente sera donnée par l'intersection : droite du marché et axe C_0. Initialement, la richesse était de W_0 et après la baisse des taux d'intérêt elle augmente de W_0 à W'_0.

c) Effet sur l'investissement :

L'investissement s'accroît de I à I′.

3. L'on considère que, pendant une période donnée, deux produits Q_1 et Q_2, dont les prix respectifs sont de 3 $ et 6 $, sont consommés par l'individu Pierre, dont le revenu de la période s'élève à 720 $. En posant $U(q_1, q_2) = q_1 \times q_2$, déterminer les valeurs de q_1 et q_2 (c'est-à-dire les quantités) à consommer par Pierre pour atteindre des consommations optimales. Conclure en énonçant la condition principale de l'optimum.

■ **Solution suggérée**

Max. $U = q_1 \times q_2$; l'équation du budget sera :

$$P_1q_1 + P_2q_2 = 720\,\$$$

$$3q_1 + 6q_2 = 720\,\$$$

$$L = q_1 \cdot q_2 - \lambda(3q_1 + 6q_2 - 720)$$

$$\left.\begin{aligned} \frac{\delta L}{\delta Q^1} &= q_2 - 3\lambda = 0 \\ \frac{\delta L}{\delta Q^2} &= q_1 - 6\lambda = 0 \end{aligned}\right\} \frac{q_2}{q_1} = \frac{3}{6} = \frac{1}{2};\ \text{d'où : } 2q_2 = q_1$$

$$\begin{aligned} \frac{\delta L}{\delta} &= -3q_1 - 6q_2 + 720 = 0 \\ &= 3q_1 + 6q_2 - 720 = 0 \\ &= 3q_1 + 6q_2 = 720 \end{aligned}$$

Donc, en remplaçant q_1 par sa valeur, on a :

$$3 \times 2q_2 + 6q_2 = 720 \text{ et } 12q_2 = 720.$$

$$\text{d'où } q_2 = 60 \text{ unités, et } q_1 = 2 \times 60 = 120.$$

Donc, $U = q_1 \cdot q_2 = 120 \times 60 = 7\,200$ valeurs utiles. La condition principale de l'optimum est obtenue, en faisant le rapport des utilités marginales des deux produits :

$$\frac{\delta L}{\delta q_1} \div \frac{\delta L}{\delta q_2} = \frac{q_2}{q_1} = \frac{3}{6} \text{ ou } \frac{P_1}{P_2}$$

À l'optimum, le rapport de l'utilité marginale des deux produits doit être égal au rapport de leur prix.

4. Paul cherche à optimiser sa consommation sur deux périodes concernant un seul produit dont le prix est fixe sur les deux périodes 1 et 2 (d'où $c_1 = pq_1$ et $c_2 = pq_2$), sous une contrainte de ressources. Les données suivantes sont disponibles :

- le taux d'intérêt du marché est de 0,30 (r_1 = 0,30),
- le revenu de Paul, durant la période 1, est de 300 $ et, durant la période 2, de 390 $,
- l'épargne antérieure, c'est-à-dire disponible, pour la période 1, s'élève à 180 $ (S_1 = 180 $).

■ **En posant $U(c_1, c_2) = c_1 \times c_2$:**

a) établir l'expression qui permet de rendre égales la consommation et les ressources exprimées en valeurs actuelles ;

b) déterminer la fonction de Lagrange, qui permet de résoudre le problème de l'optimisation de la consommation sur les deux périodes considérées ;

c) trouver les valeurs de consommation des périodes 1 et 2, qui permettent de maximiser l'utilité de Paul ;

d) énoncer la condition principale de l'optimum.

■ **Solution suggérée**

On donne : $U(c_1 c_2) = c_1 \times c_2$

avec : $r_2 = 0{,}30$
$R_1 = 300$ $
$R_2 = 390$ $
$e_1 = 180$ $

a) Il s'agit de maximiser : $c_1 \times c_2$

Soit Max. $c_1 \times c_2$ sous la contrainte de revenus et d'épargne :

$$c_1 + \frac{c_2}{1 + r_2} - (R_1 + e_1) - \frac{R_2}{1 + r_2} = 0$$

$$c_1 + \frac{c_2}{1{,}30} - 480 - \frac{390}{1{,}30} = 0$$

b) D'où la *fonction de Lagrange* peut être établie:

$$L = c_1 \times c_2 - \lambda\left(c_1 + \frac{c_2}{1,30} - 780\right) = 0$$

c) Valeurs optimales de la consommation:

Le maximum de la fonction est obtenu, sous réserve de la satisfaction des conditions de 2e ordre, en résolvant le système d'équations obtenu, en égalant à zéro les dérivées de la fonction par rapport à chaque variable et au coefficient de Lagrange.

$$\left.\begin{array}{l} \delta L / \delta c_1 = c_2 - \lambda = 0 \\ \delta L / \delta c_2 = c_1 - \dfrac{\lambda}{1,30} = 0 \end{array}\right\} c_2 / c_1 = 1,30 \text{ et } c_2 = 1,30\, c_1$$

$$\delta L / \delta\lambda = c_1 + \frac{c_2}{1,30} - 780 = 0$$

d'où: $c_1 + \dfrac{1,30\, c_1}{1,30} - 780 = 0$; on a remplacé c_2 par sa valeur

et $2c_1 = 780$ et $c_1 = 390$ $

et $c_2 = 1,30 \times 390 = 507$ $

et $U = c_1 \times c_2 = 197\,730$ $

d) La condition principale de l'optimum est obtenue à partir de:

$$\frac{\delta L}{\delta c_1} \bigg/ \frac{\delta L}{\delta c_2} = \frac{c_2}{c_1} = 1 + r_2 \; (\text{ou } 1 + 0,30 = 1,30)$$

L'optimum est obtenu lorsque le rapport des Um (utilités marginales) de la consommation en période 1 et 2 est égal au rapport du prix de l'argent en période 2 sur son prix en période 1.

Risques et décisions optimales[1]

L'objet de ce chapitre consiste à étudier les critères de choix et de décisions, en avenir incertain, à expliquer les fondements de la détermination du portefeuille optimal risqué, ainsi que les règles d'établissement de la combinaison optimale d'actifs risqués et de l'actif non risqué. La portée considérable du théorème de la séparation ainsi que sa contribution à l'explication d'une théorie de l'équilibre du marché et à la compréhension de la formation des prix et des taux d'intérêt sont analysées.

L'analyse des critères de choix de consommation et d'investissement de l'agent économique a déjà été effectuée dans le contexte de la certitude (voir le chapitre 1). L'intérêt d'une telle approche est essentiellement d'ordre théorique et conceptuel, afin de faciliter la compréhension des caractéristiques principales du comportement du consommateur en matière de maximisation de son utilité en présence de marchés parfaits. Le théorème de la séparation de Fisher est une

1. F. Rassi (1987). « Risques et décisions optimales », dans G. Mercier et F. Rassi, *Marché obligataire et taux d'intérêt,* Québec, Presses de l'Université Laval, p. 49-70.

introduction à l'explication des fondements et des conditions du choix de l'individu en matière d'investissement et de consommation. La signification de la démarche d'un agent économique rationnel devient plus complète et correspond mieux à la réalité des marchés des capitaux, si l'on tient compte du facteur risque. En effet, dans le monde réel, les flux monétaires nets des projets d'investissement sont incertains, et il existe plusieurs instruments financiers et plusieurs taux d'intérêt dans une économie donnée, et non pas un seul et unique taux d'intérêt exempt de risque. Le modèle de l'utilité espérée est établi à partir des axiomes de comportement rationnel de l'individu. Il constitue le fondement théorique de l'analyse de l'attitude de l'investisseur face au risque et contribue à l'élaboration de règles relatives au comportement et aux décisions de l'agent économique dans un contexte incertain. Les décisions d'investissements risqués sont étudiées à l'aide de la théorie du portefeuille.

3.1. CRITÈRE DE CHOIX DANS UN UNIVERS INCERTAIN

Le premier chapitre traitait des axiomes de comportement sur lesquels sont fondés les choix du consommateur susceptibles d'assurer l'optimum. Ces choix sont arrêtés à la lumière des goûts et des préférences de l'individu et en supposant un comportement rationnel. Quatre axiomes, soit ceux de préférence (ou de comparabilité), de transitivité (ou de cohérence), de non-satiété (destiné à exclure les portions des courbes d'indifférence dont la pente est positive) et de convexité, se complètent pour permettre l'élaboration d'une théorie de l'équilibre du consommateur dans un univers certain. Ces quatre axiomes sont aussi utiles dans la définition de l'utilité espérée comme critère du choix de l'agent économique dans un contexte risqué. Il est évident que l'incertitude des rendements de la plupart des actifs rend plus difficile la décision d'investir, de même que, dans une certaine mesure, le choix de la consommation devient plus compliqué, puisque les revenus futurs de l'individu sont en partie incertains.

Les axiomes de préférence et de transitivité suffisent, comme dans le cas des modèles de choix en contexte de certitude, à classer par ordre de préférence les différentes éventualités qui s'offrent à l'individu. Des axiomes de comportements additionnels doivent cependant s'ajouter aux précédents, lorsqu'il s'agit de classer des éventualités aléatoires selon le modèle de l'utilité espérée, à savoir :

- l'axiome de forte indépendance ou de « substituabilité »,
- l'axiome de « mesurabilité »,
- l'axiome de classements composés.

3.1.1. L'axiome de forte indépendance ou de substituabilité

Le raisonnement se fait dans l'hypothèse d'un jeu où un individu a une probabilité p de recevoir un résultat Y_1 ainsi qu'une probabilité $(1 - p)$ de recevoir un résultat Y_3. Ce jeu sera décrit par l'expression suivante: $G(Y_1, Y_3 : p)$. Si l'individu n'a pas de préférence entre Y_1 et un autre résultat Y_2, sachant que Y_3 constitue une tout autre éventualité, il n'aura alors pas de préférence entre les deux jeux suivants: $G(Y_1, Y_3 : p)$ et $G(Y_2, Y_3 : p)$ c'est-à-dire entre:

- un premier jeu où la probabilité d'occurrence de Y_1 est de p et celle de Y_3: $(1 - p)$,
- un second jeu où la probabilité de recevoir Y_2 est de p et celle de recevoir Y_3: $(1 - p)$.

La portée essentielle de cet axiome de forte indépendance est la suivante: les préférences des individus à l'égard de résultats liés à des situations risquées ne sont pas influencées par le contexte du risque en tant que tel. Illustrons par l'exemple suivant: supposons que Pierre et Jacques se prêtent à un jeu de pile ou face, où Jacques n'a pas de préférence entre une bouteille de Coca-Cola d'un litre et demi et une bouteille de Pepsi-Cola de même dimension. Supposons aussi que Jacques n'ait pas de préférence entre les deux possibilités suivantes:

- à pile, Pierre offre à Jacques une bouteille de Coca-Cola et, à face, Jacques paye Pierre 1,50$,
- à pile, Pierre offre à Jacques une bouteille de Pepsi-Cola et, à face, Jacques paye Pierre 1,50$.

La signification réelle de l'attitude de Jacques n'est pas l'indifférence pour chacune de ces deux possibilités ou de ces deux jeux, ni la possibilité de ne pas participer à ce genre de jeu. L'essentiel est que l'appréciation relative de Jacques pour le Coca-Cola et le Pepsi-Cola n'est pas influencée par le fait que le résultat soit incertain. Ce qui permet de conclure que le classement de deux possibilités n'est pas affecté, dans le cas où elles sont associées à une troisième possibilité, dans deux jeux (ici pile ou face) où les deux premières possibilités ont la même probabilité d'occurrence.

L'axiome de forte indépendance ou de substituabilité est décrit de la façon suivante: si $Y_1 \sim Y_2$, alors $G(Y_1, Y_3 : p) \sim G(Y_2, Y_3 : p)$. Notons que le symbole $\sim$ signifie « est équivalent à ».

3.1.2. L'axiome de mesurabilité ou de « monotonicité » ou de continuité

Si les résultats éventuels Y_1, Y_2 et Y_3, se présentent de l'une ou l'autre des façons suivantes:

$$Y_1 > Y_2 \geq Y_3$$

ou :

$$Y_1 \geq Y_2 > Y_3$$

on dira qu'il y a une seule et unique probabilité p, telle que le décideur n'ait pas de préférence entre Y_2 et un jeu comprenant Y_1, avec une probabilité p, et Y_3, avec une probabilité de $(1 - p)$. En d'autres termes, il existe une valeur de p, et une seule, telle que :

$$Y_2 \sim G(Y_1\ Y_3 : p)$$

L'axiome de mesurabilité complète celui de forte indépendance. Notons que le symbole > ne correspond pas à la relation d'inégalité en mathématique. Il désigne tout simplement un ordre de préférence. L'individu peut préférer deux puissantes motocyclettes à une petite voiture. Si l'on a : $Y_1 \geq Y_2$, cela correspond à Y_1 « est préférable ou, tout au moins, équivalent à » Y_2.

Un équivalent certain peut être établi pour chaque jeu. Considérons le cas où le décideur préfère le résultat Y_1 à Y_2 et qu'il préfère Y_2 à Y_3. Une loterie peut être établie de manière à ce que l'individu n'ait pas de préférence entre une combinaison de Y_1 et Y_3 et le résultat certain Y_2. En d'autres termes, il est toujours possible de trouver une probabilité p telle que l'individu n'ait aucune préférence entre le fait de recevoir avec certitude Y_2, d'une part, ou d'obtenir Y_1 avec une probabilité de p et Y_3 avec une probabilité de $(1 - p)$, d'autre part.

L'axiome de mesurabilité ou de continuité stipule que si, par exemple, Jacques préfère 20 $ à 15 $ et 15 $ à 5 $, il existe une probabilité p telle que :

$$G\ (20, 5 : p) \sim 15$$

où :

$$G\ (Y_1, Y_3 : p) \sim Y_2$$

3.1.3. L'axiome de classements composés

Si les résultats Y_1, Y_2, Y_3 et Y_4 s'ordonnent de la façon suivante, pour le décideur :

$$Y_1 \geq Y_2 \geq Y_3$$
$$Y_1 \geq Y_4 \geq Y_3$$
$$Y_2 \sim G\ (Y_1, Y_3 : p_1)$$
$$Y_4 \sim G\ (Y_1, Y_3 : p_2)$$

on peut poser que :

$$\text{lorsque } p_1 > p_2, \ Y_2 > Y_4,$$
$$\text{lorsque } p_1 = p_2, \ Y_2 \sim Y_4.$$

Prenons un exemple où les résultats suivants sont considérés :

$$Y_1 = 80, \qquad Y_2 = 48 \qquad \text{et} \qquad Y_3 = 30.$$

Supposons que 48 soit équivalent au jeu suivant et que l'on puisse poser :

$$48 \sim G\ (80, 30 : 0{,}4)$$

que l'on peut aussi exprimer de la façon suivante :

$$48 \sim G\ (80, 0{,}4 ; 30, 0{,}6)$$

Introduisons le résultat Y_4, en le supposant équivalent au jeu suivant, présenté ainsi :

$$Y_4 \sim G\ (80, 30 : 0{,}3)$$

que l'on peut aussi présenter sous la forme suivante :

$$Y_4 \sim G\ (80, 0{,}3 ; 30, 0{,}7)$$

Comme p_1 (=0,4) est plus grand que p_2 (=0,3), Y_2 doit être préféré à Y_4. Puisque $p_1 > p_2$, cela implique que $Y_2 > Y_4$; en effet, puisque 0,4 > 0,3, il s'ensuivra que Y_2 est plus grand que Y_4.

Il est évident que, dans le cas où p_2 serait égal à p_1, c'est-à-dire à 0,4, Y_4 serait nécessairement équivalent à Y_2, c'est-à-dire à 48.

Cet axiome prolonge l'axiome de mesurabilité ou de continuité et illustre le classement des résultats éventuels.

La conformité du comportement des individus aux axiomes de préférence, de transitivité, d'indépendance, de mesurabilité et de classements composés rend possible l'utilisation du concept de la maximisation de l'utilité espérée comme instrument de détermination de l'optimum d'investissement en situation de risque. Les individus sont rationnels et les choix qu'ils arrêtent, parmi des milliers de possibilités, le sont aussi. Ils préfèrent détenir plus de richesse que moins (d'où il découle que l'utilité marginale de la richesse est toujours positive). Tous ces éléments permettent de déterminer une fonction d'utilité dans un univers incertain, ainsi que d'élaborer une théorie de l'utilité dans une telle perspective. Nous ne retiendrons de la fonction d'utilité que deux propriétés essentielles :

a) *un certain ordre de préférence* (et aussi d'indifférence, éventuellement) *est assuré ou préservé par la fonction d'utilité.* En d'autres termes, si l'utilité de Y_1 est supérieure à celle de Y_2, on aura :

$$U(Y_1) > U(Y_2)$$

c'est-à-dire que le résultat Y_1 est préféré à Y_2, $Y_1 > Y_2$. Il est évident que, si $U(Y_1) = U(Y_2)$, il s'ensuit que $Y_1 \sim Y_2$;

b) *les résultats aléatoires sont classés selon le critère de l'utilité espérée.* En d'autres termes :

$$U\left[G(Y_1, Y_2 : p)\right] = pU(Y_1) + (1-p)U(Y_2)$$

Nous ne procéderons pas à la construction de la fonction d'utilité dans un univers incertain. Le lecteur pourra se reporter à plusieurs ouvrages, dont ceux de T.E. Copeland et J.F. Weston [2], de R. Zisswiller [3], de E.F. Fama et M.H. Miller [4], de H. Levy et M. Sarnat [5], de W.F. Sharpe [6], de M. Friedman et L.J. Savage [7], et de C.W. Haley et L.D. Schall [8].

3.2. L'INTERPRÉTATION DE LA FONCTION D'UTILITÉ DE LA RICHESSE DANS UN UNIVERS INCERTAIN

Les choix des investissements par les agents économiques rationnels sont effectués en maximisant leur utilité espérée selon la théorie élaborée par Von Neumann et Morgenstern, plutôt qu'en maximisant le rendement espéré.

---

2. Copeland, T.E. et J.F. Weston (1984). *Financial Theory and Corporate Policy,* New York, Addison Wesley, p. 80-85.
3. Zisswiller, R. (1976). *Micro-économie et analyses financières,* Paris, Dalloz, p. 55-57.
4. Fama, E.F. et M.H. Miller (1972). *The Theory of Finance,* New York, Holt, Rinehart and Winston, p. 195-207.
5. Levy, H. et M. Sarnat (1984). *Portfolio and Investment Selection: Theory and Practice*, New York, Prentice Hall, p. 120-156.
6. Sharpe, W.F. (1970). *Portfolio Theory and Capital Markets,* New York, McGraw Hill Inc., p. 187-201.
7. Friedman, M. et L.J. Savage (1948). « The Utility Analysis of Choices Involving Risk », *The Journal of Political Economy,* août, p. 279-304.
8. Hakey, C.W. et L.D. Schall (1979). *The Theory of Financial Decisions,* New York, McGraw Hill, p. 97-108.

Notons que, dans un autre ordre d'idées, la courbe d'utilité (représentée dans un espace d'utilité en fonction de la richesse) doit avoir une pente positive à tous les niveaux de la richesse pour que l'utilité marginale de la richesse soit toujours positive. Cela découle de l'axiome de non-satiété, à savoir que les fonctions d'utilité doivent être croissantes et monotones par rapport à la richesse, axiome qui n'est pas nécessaire à la démonstration de Von Neumann et Morgenstern. On constate cependant *trois sortes de courbes d'utilité:*

- La *courbe concave* correspond à une *attitude d'aversion de l'individu pour le risque;* la figure 3.1 indique une *utilité marginale positive mais décroissant avec la richesse.* Une perte de richesse de 10 000 $, par exemple, entraîne une diminution du niveau de l'utilité globale de l'individu supérieure à l'augmentation d'utilité qu'engendre un gain de 10 000 $. En somme, le « plaisir » qui correspond à l'utilité et la « peine » qui caractérise la « désutilité » ne sont pas symétriques. L'individu dont la fonction d'utilité est concave se distingue par une espérance de gain toujours supérieure à l'équivalent certain associé à une distribution de probabilité. En d'autres termes, chaque individu qui a une aversion pour le risque réclame une espérance de gain supérieure à l'équivalent certain pour compenser et dominer son aversion,
- La *courbe convexe* dénote un *goût* de l'individu *pour le risque*; la figure 3.2 traduit une *utilité marginale croissant avec l'augmentation de la richesse* de l'individu. Un gain ou accroissement de richesse de 10 000 $ procure une augmentation du niveau de l'utilité globale supérieure à la diminution d'utilité résultant d'une perte de 10 000 $. L'individu dont la fonction d'utilité est convexe se caractérise par une espérance de gain toujours inférieure à l'équivalent certain de la situation aléatoire.
- *Une droite* reflète une fonction linéaire d'utilité, c'est-à-dire une *attitude d'indifférence* de l'individu *face au risque.* La figure 3.3 montre que l'utilité marginale de la richesse est constante, à quelque niveau que ce soit de la richesse. Un gain de 10 000 $ accroît l'utilité globale d'un niveau strictement égal à la diminution d'utilité engendrée par une perte de 10 000 $.

La fonction d'utilité de l'individu est linéaire lorsque, face à une décision aléatoire, il prend des décisions indépendamment du risque. La fonction d'utilité a la forme suivante :

$$U = a + b\,W$$

où :

$$b > 0$$

Figure 3.1

La fonction d'utilité : cas de l'aversion pour le risque (le cas général)

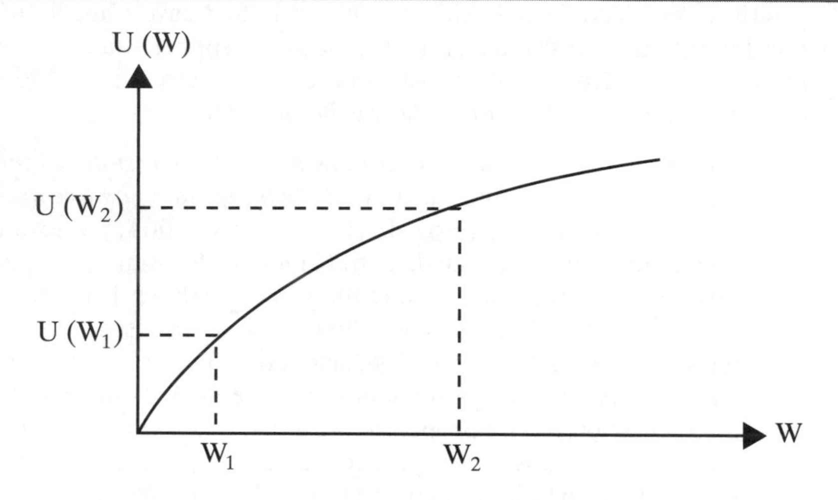

Figure 3.2

La fonction d'utilité : cas du goût pour le risque (le joueur)

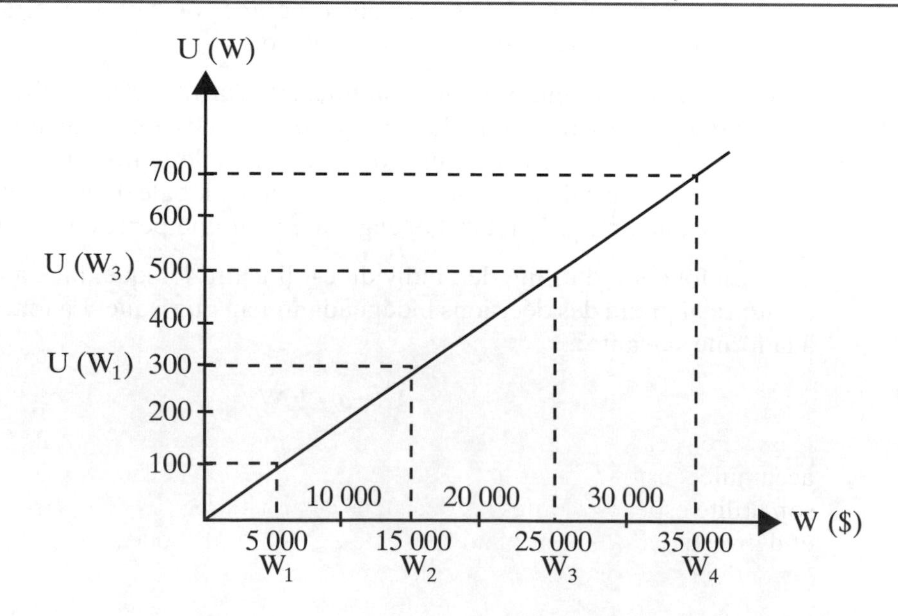

Figure 3.3

La fonction d'utilité : cas d'indifférence au risque

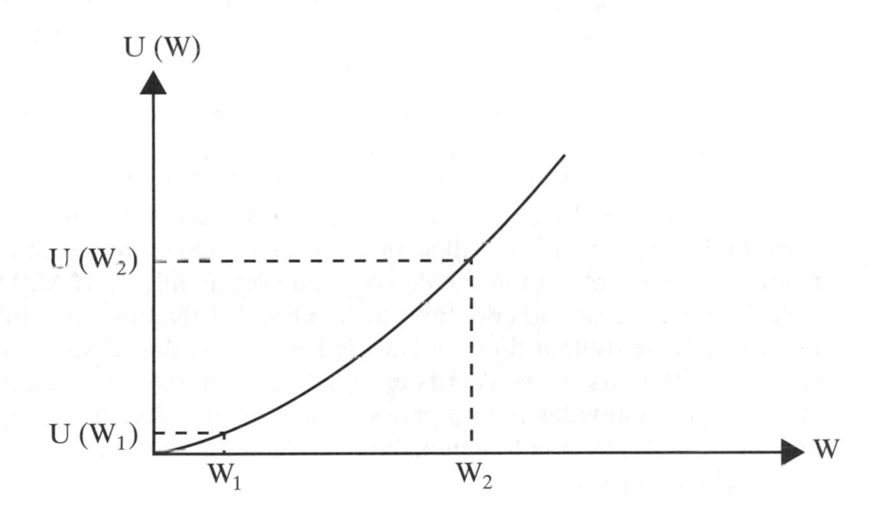

Notons, enfin, que l'individu ayant de l'aversion pour le risque exige une prime de risque, pour participer à un jeu dont la *valeur espérée nette* du résultat est nulle, tandis que celui qui a du goût pour le risque, tel le joueur, consent à participer à ce jeu en payant une prime. L'investisseur dont la fonction d'utilité est linéaire, étant indifférent au risque, participera au jeu dont la valeur espérée nette du résultat est nulle, sans exiger ni payer de prime.

3.3. LA THÉORIE DU PORTEFEUILLE ET LE CHOIX DES INVESTISSEMENTS DANS UN UNIVERS INCERTAIN (LE THÉORÈME DE LA SÉPARATION)

Le contexte de l'incertitude se distingue par des instruments financiers multiples auxquels correspondent des taux de rendement différents. Les agents économiques apprécient les rendements attendus sur les instruments financiers mais ont de l'aversion pour les variations des rendements, c'est-à-dire pour le risque tel que le mesure l'écart type. L'objectif de l'individu, une fois son épargne ou sa richesse accumulée, est d'utiliser les ressources dont il dispose de manière à maximiser son utilité espérée. Toutes les décisions de consommation, d'épargne, d'emprunt et d'investissement sont planifiées et exécutées dans le but ultime de maximiser l'utilité totale espérée. Les ressources sont affectées à des investissements financiers de façon continue, que ce soit parce que l'agent économique a accumulé de l'épargne ou parce qu'il a emprunté, ou à cause d'une combinaison de ces deux opérations; soit, aussi, à l'occasion d'une simple modification des actifs financiers d'un portefeuille sans que sa dimension totale varie. C'est à cet endroit qu'apparaît un des avantages principaux des marchés financiers, à savoir la souplesse du fonctionnement des marchés secondaires et des maisons de courtage concernant les opérations d'achat et de vente de titres.

Les décisions des agents économiques en matière d'acquisition et de détention d'actifs financiers, ainsi que leurs décisions en matière d'émission d'engagements financiers, déterminent les taux d'intérêt. D'où l'importance de savoir selon quels critères l'agent économique arrête ses choix d'actifs financiers, afin de résoudre le problème de l'allocation des ressources entre une multitude d'instruments financiers. La théorie du choix du portefeuille de H.M. Markowitz et celle de la fixation des prix des titres (ou modèle d'évaluation des actifs financiers) de W.F. Sharpe traitent du problème de l'allocation des ressources financières selon les différents types d'actifs existant sur le marché. Les choix des agents économiques (individus et entreprises) en matière d'actifs financiers, abstraction faite de la monnaie, sont fonction, dans ces deux théories, du taux de rendement espéré et du risque.

Dans le cas d'un seul et unique actif, dont la distribution de probabilité des taux de rendement est connue, on peut établir les deux paramètres suivants:

- valeur espérée (valeur centrale de la distribution des rendements),
- écart type (mesure de dispersion des rendements autour de la valeur espérée).

La moyenne, ou valeur espérée des taux de rendement possibles, s'obtient de la façon suivante:

$$\mathrm{E}(r) = \sum_{x=1}^{n} r_x \times p_x$$

où:

$\mathrm{E}(r)$ est la valeur espérée des taux de rendement,
r_x est le rendement d'une possibilité x,
p_x est la probabilité de réalisation de ce rendement r_x.

L'écart type autour de la valeur espérée se calcule de la façon suivante:

$$\sigma = \sqrt{\sum_{x=1}^{n} \left[r_x - \mathrm{E}(r)\right]^2 \times p_x}$$

Dans le cas général où le portefeuille d'un agent économique est formé de deux ou plusieurs actifs financiers, la valeur espérée du rendement du portefeuille s'obtient par la somme de la valeur espérée du rendement de chacun de ses actifs financiers. Supposons que le portefeuille soit composé de deux actifs financiers X et Y, formant respectivement les proportions a et $(1 - a)$ de la totalité de l'investissement financier. La valeur espérée du rendement du portefeuille se calcule de la façon suivante :

$$E(r_p) = E(r_s) \times a + E(r_y) \times (1 - a)$$

Le calcul de l'écart type de ce portefeuille exige l'introduction d'un concept additionnel, qui est la covariance, afin de mesurer la façon dont les taux de rendement des deux titres X et Y évoluent l'un par rapport à l'autre dans le temps. La covariance mesure les liaisons entre les déviations de rendement de X et Y, par rapport à leurs valeurs espérées.

La covariance s'obtient à partir de l'expression du coefficient de corrélation r_{xy} :

$$r_{xy} = \frac{\mathrm{COV}_{xy}}{\sigma_x \times \sigma_y}$$

d'où :

$$\mathrm{COV}_{xy} = r_{xy} \times \sigma_x \times \sigma_y$$

Si $r_{xy} = +1$, les deux ensembles de rendement de X et de Y évoluent dans la même direction (augmentent ou diminuent) et dans les mêmes proportions. Dans ce cas de corrélation parfaitement positive, la diversification ne réduit en rien le risque du portefeuille.

Si $r_{xy} = 0$, les deux actifs financiers sont indépendants.

Si $r_{xy} = -1$, les deux ensembles de rendement évoluent de façon complètement opposée et dans les mêmes proportions. La diversification réduit d'autant plus le risque du portefeuille que la corrélation négative est forte. La réduction du risque sera la plus élevée possible dans le cas où $r_{xy} = -1$.

L'écart type du portefeuille se calcule de la façon suivant :

$$\sigma_p = \sqrt{(a)^2 (\sigma_x)^2 + (1-a)^2 (\sigma_y)^2 + 2(a)(1-a)(r_{xy})(\sigma_x)(\sigma_y)}$$

ou, en remplaçant (r_{xy}) (σ_x) (σ_y) par COV_{xy} :

$$\sigma_p = \sqrt{(a)^2 (\sigma_x)^2 + (1-a)^2 (\sigma_y)^2 + 2(a)(1-a)(\mathrm{COV}_{xy})}$$

Dans la mesure où $r_{xy} < -1$, la variabilité des résultats et le risque du portefeuille peuvent être réduits. La réduction du risque par la diversification du portefeuille est d'autant plus forte que le coefficient de corrélation r_{xy} est inférieur à + 1 et se rapproche de – 1. La corrélation entre titres risqués est habituellement inférieure à 1 mais supérieure à 0, c'est-à-dire que la plupart des titres ont une corrélation positive. Les rendements de l'ensemble des titres évoluent généralement dans la même direction que la situation économique générale, quoique dans des proportions différentes. Voilà pourquoi il n'est pas fréquent de trouver des titres dont les rendements sont corrélés de façon négative.

3.3.1. La « frontière efficiente »

L'analyse précédente vaut aussi pour le cas où le portefeuille est formé de plus de deux titres risqués, soit de *n* titres assurant une plus grande et meilleure diversification.

La question essentielle qui se pose à l'investisseur est la suivante : quels titres doivent être détenus en portefeuille et dans quelles proportions ? La diversification a pour objet d'assurer la meilleure combinaison possible d'espérance de rendement et d'écart type. *L'avantage qu'elle peut offrir est celui d'une réduction substantielle du risque, sans affecter outre mesure le rendement espéré du portefeuille.*

Comme les individus tentent d'obtenir de leur portefeuille de titres une maximisation de l'utilité espérée, leurs préférences personnelles figurent parmi les principaux critères de décision.

La carte d'indifférence de l'individu est formée d'un ensemble de courbes d'indifférence, dont U_1, U_2 et U_3 situées dans l'espace de l'espérance de rendement et de l'écart type, c'est-à-dire dans le même espace que celui de la « frontière efficiente » formée de portefeuilles risqués (figures 3.4 et 3.5).

Figure 3.4

Carte d'indifférence de l'individu (l'utilité croît de U_1 à U_3)

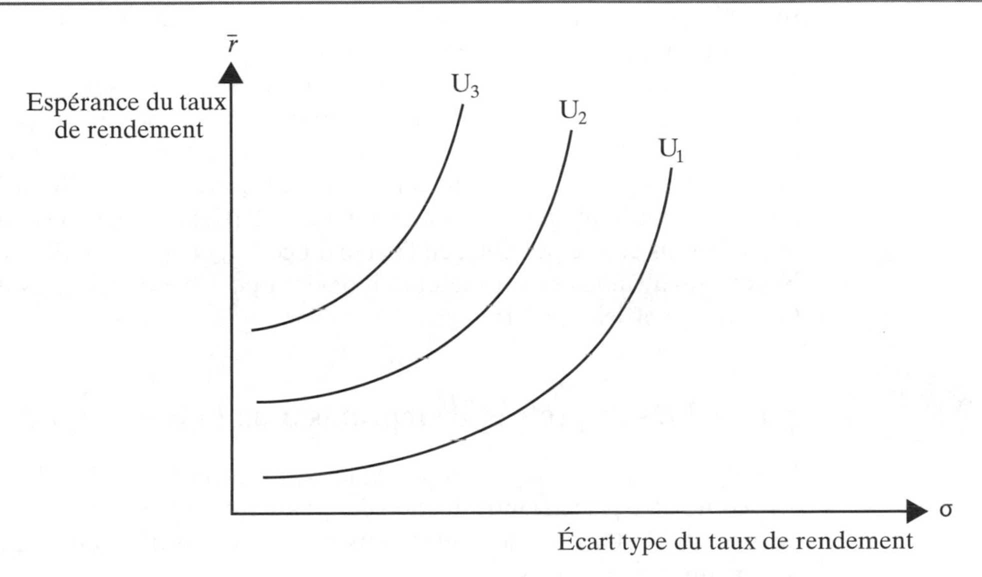

Figure 3.5

La frontière efficiente AB

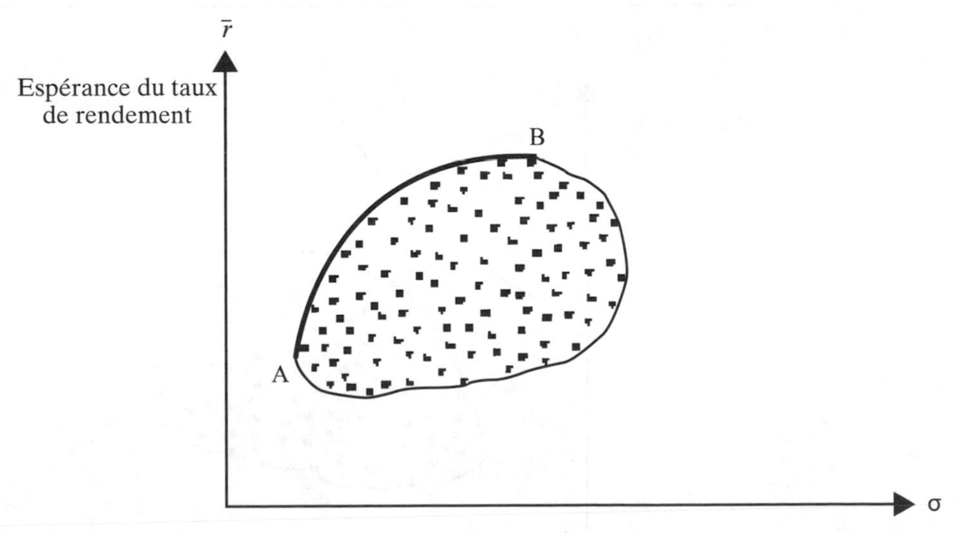

Cette frontière AB se distingue par des portefeuilles supérieurs à tous les autres portefeuilles risqués existant sur le marché. En d'autres termes, sont situés sur la frontière efficiente les portefeuilles qui assurent le meilleur rendement possible pour un risque donné ou le moindre risque possible pour un rendement donné. Les autres combinaisons de titres deviennent moins favorables à l'investisseur, car elles se distinguent soit par un rendement inférieur au rendement maximum possible pour un risque donné, soit par un risque supérieur au risque minimum correspondant à un rendement donné. Si l'on fait abstraction du taux exempt de risque, l'objectif de maximisation de l'utilité de l'individu est atteint et représenté par le point de tangence P (figure 3.6) de la courbe d'indifférence la plus élevée possible, en l'occurrence U_2, et de la frontière efficiente AB. Notons qu'à l'aide des ordinateurs il devient possible d'établir assez rapidement la frontière efficiente AB.

3.3.2. Les possibilités de prêts et d'emprunts à un taux exempt de risque

L'analyse précédente, consacrée à la maximisation de l'utilité de l'individu, doit être complétée par : a) l'introduction des possibilités d'investir dans un actif exempt de risque, c'est-à-dire de prêter sans risque ; b) l'introduction des possibilités d'emprunter pour investir.

Figure 3.6

Détermination du portefeuille optimal en l'absence d'un actif non risqué

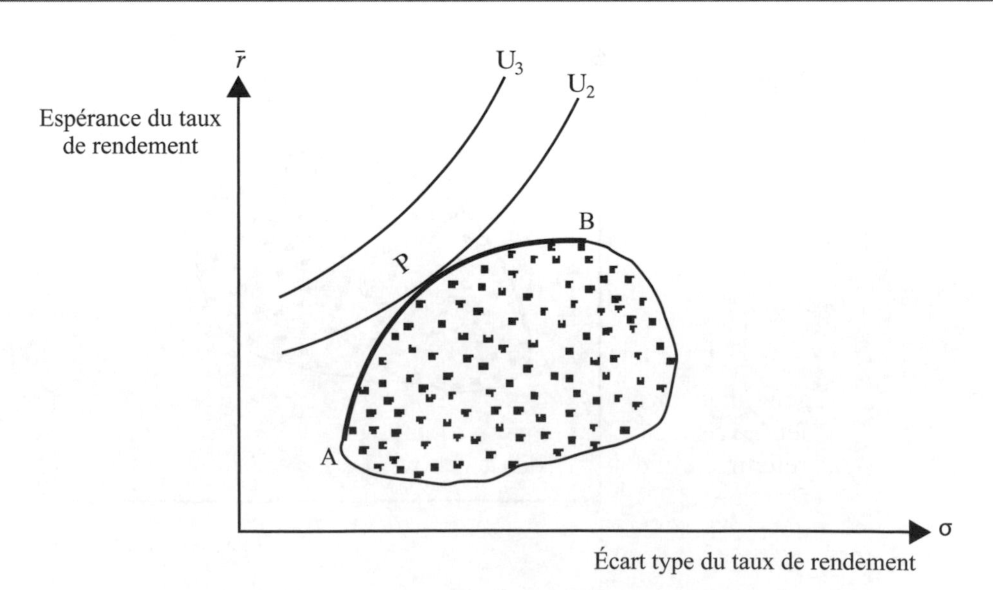

Les portefeuilles sont alors constitués soit exclusivement d'actifs risqués (cas déjà étudié), soit exclusivement de titres non risqués (les bons du Trésor du gouvernement du Canada, par exemple), ou encore d'une combinaison de titres risqués et de titres non risqués. Les choix de portefeuille sont basés sur des règles différentes, avec l'introduction d'un titre exempt de risque offrant un taux de rendement r_f, qui est représenté par le point r_f de la figure 3.7, auquel correspond un risque nul.

Figure 3.7

Détermination du portefeuille optimal en présence d'un actif non risqué

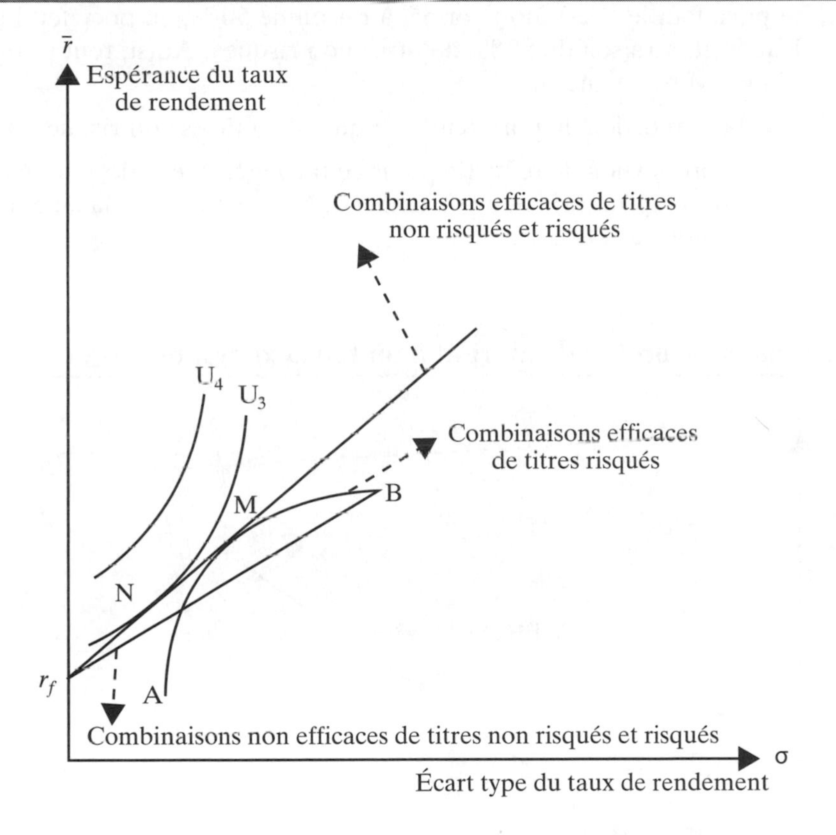

La nouvelle frontière efficiente devient la droite r_fM, qui relie le point r_f, représentant le taux de rendement exempt de risque, au point M, représentant le portefeuille risqué optimal ou portefeuille du marché ; c'est le seul portefeuille risqué à retenir, car il domine tous les autres. La droite r_fM est la tangente au point M, à la frontière efficiente AB des titres risqués. Cette droite représente les combinaisons efficaces de titres non risqués et de titres risqués. Toute combinaison de titres non risqués et de portefeuilles de titres risqués ne représente pas nécessairement une combinaison efficace de titres risqués et non risqués. Ainsi, toute combinaison choisie, par exemple, sur un des points situés sur la droite r_fB, est inefficace, car chaque point de cette droite est dominé par une combinaison procurant soit le même risque, mais avec un rendement supérieur, soit le même rendement, mais avec un risque inférieur. Les combinaisons efficaces sont situées sur la droite r_fM (et sur son prolongement au-delà du point M).

Le portefeuille optimal d'un investisseur donné est déterminé par le point de tangence de la droite r_fM et de sa courbe d'indifférence la plus élevée possible (U_3, en l'occurrence) au point N (figure 3.7).

Supposons que le point N se situe à mi-chemin entre les points r_f et M. Le portefeuille N est alors formé, à raison de 50 %, du portefeuille M de titres risqués et, à raison de 50 %, de titres non risqués. Ainsi, tout point situé sur la droite r_fM renseigne sur :

- la proportion du portefeuille risqué M en titres non risqués,
- la proportion de prêts (le point de tangence N est alors situé entre r_f et M) ou d'emprunts (le point de tangence N′ est situé au-delà du point M), tel que le montre la figure 3.8.

Figure 3.8

Possibilités de prêt et d'emprunt à un taux exempt de risque

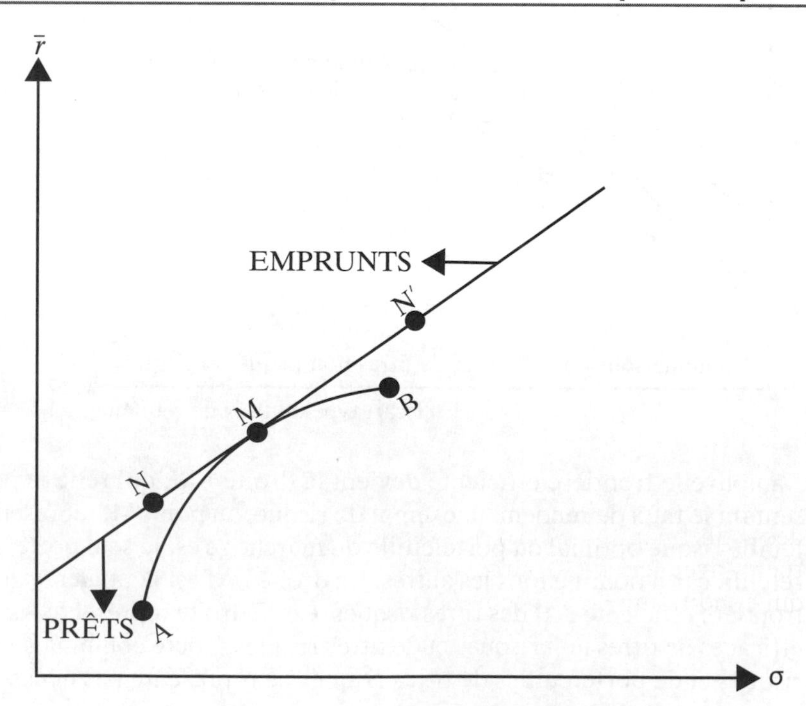

L'attitude de l'investisseur envers le risque et le rendement détermine la combinaison optimale de titres risqués et non risqués.

La maximisation de l'utilité, pour l'individu qui a une forte aversion pour le risque, se traduit par une combinaison optimale où les titres non risqués auront une part largement prépondérante. La maximisation de l'utilité, pour l'individu qui a une faible aversion pour le risque, se concrétise en affectant ses ressources de façon plus ou moins complète au portefeuille M risqué optimal du marché. Si l'aversion de l'individu pour le risque est encore plus faible, l'individu empruntera pour investir, dans le portefeuille M risqué optimal du marché, plus que ses ressources propres initiales ne le lui permettent. *Il est important de retenir qu'il existe un seul et unique portefeuille risqué optimal* M *sur le marché, déterminé selon des règles ou critères objectifs de risque et de rendement. Chaque investisseur désire détenir le portefeuille* M *dans une certaine proportion (à l'exception de ceux dont l'aversion pour le risque est tellement grande qu'ils ne détiendront que l'actif non risqué), car on suppose que l'ensemble des individus ont des prévisions homogènes, quant au risque et au taux de rendement des titres existant sur le marché, et qu'ils peuvent, sans aucune restriction, emprunter et prêter au taux* r_f.

3.3.3. Le théorème de la séparation

Si l'investisseur peut prêter et emprunter à un même taux d'intérêt exempt de risque et que le portefeuille optimal M de titres risqués est défini, on peut énoncer le théorème de la séparation, qui a une grande signification.

Le problème du choix du portefeuille optimal risqué du marché est indépendant ou séparé du problème du choix de la combinaison optimale de titres risqués et non risqués par l'investisseur. Le portefeuille du marché est construit selon des critères objectifs, tandis que la combinaison optimale de l'investisseur dépend aussi de facteurs subjectifs, tels que son goût ou son aversion pour le risque.

3.4. L'ÉQUILIBRE SUR LE MARCHÉ DES CAPITAUX ET LA DÉTERMINATION DES TAUX D'INTÉRÊT

Les perceptions de l'avenir, dans un monde réel, diffèrent d'un agent économique à l'autre. Ces agents ne prévoient pas de la même manière le risque, le rendement des actifs financiers et la covariance entre ces rendements. Leurs prévisions constituent, avec leurs ressources et leurs fonctions d'utilité, les facteurs principaux qui conditionnent leurs comportements, en matière d'achat et de vente de titres financiers, et, par conséquent, contribuent de façon essentielle à la fixation des prix d'équilibre sur le marché, ainsi qu'à la détermination des taux d'intérêt.

La valeur ou l'utilité des ressources à recevoir, à un moment précis de l'avenir, est censée dépendre conjointement de la valeur de l'argent dans le temps et de la situation dans laquelle se trouve l'individu lors de la réception des dollars futurs (il est riche ou moyennement aisé ; il a une ou six personnes à sa charge ; il a la sécurité d'emploi ou son emploi est menacé), ainsi que de sa perception et de sa préférence individuelle envers le risque.

Nous avons déjà établi, dans les parties 2 et 3 du chapitre 2, la condition fondamentale de la maximisation de l'utilité, à savoir que l'équilibre du consommateur est atteint lorsque l'utilité marginale par dollar est la même pour chacun des biens ou services consommés (formules (2.11), (2.12) et (2.21)). Notons à nouveau la relation d'équilibre du cas général de n biens selon la formule (2.21) du chapitre 2 :

$$U_m \text{ de l'épargne} = \lambda = \frac{U_m(Q_1)}{P_1} = \frac{U_m(Q_2)}{P_2} = \ldots = \frac{U_m(Q_n)}{P_n}$$

Rappelons que λ = utilité marginale de l'épargne ou de l'argent, et que la formule (2.21) résume les conditions de l'équilibre du côté de la consommation. Nous allons supposer le maintien de cet équilibre, afin de simplifier et de faciliter l'analyse qui suit.

Nous savons que l'agent économique maximise son utilité totale sous des contraintes de ressources d'épargne et de revenus. Confronté à une variété d'actifs financiers et d'actifs réels, l'individu déterminera son utilité maximale en se déplaçant d'un actif dont le ratio $\frac{U_m}{P}$ (utilité marginale par dollar) est faible à un actif dont le ratio est plus élevé, pour atteindre, à l'équilibre, une même valeur d'utilité marginale par dollar pour chaque actif en portefeuille.

L'utilité marginale par dollar de chacun des actifs détenus par l'individu est alors égale à une constante λ, qui est l'utilité marginale de l'argent, de l'épargne ou du revenu :

$$\underset{\text{(ou de l'argent)}}{U_m \text{ de l'épargne}} = \lambda = \frac{U_m AF_1}{PAF_1} = \frac{U_m AF_2}{PAF_2} = \ldots = \frac{U_m AF_n}{PAF_n} =$$

$$\frac{U_m AR_1}{PAR_1} = \frac{U_m AR_2}{PAR_2} = \ldots = \frac{U_m AR_n}{PAR_n}$$

où :

λ = utilité marginale de l'argent ou de l'épargne,

$U_mAF_1, U_mAF_2, \ldots U_mAF_n$ = utilité marginale des actifs financiers $F_1, F_2, \ldots F_n$,

$PAF_1, PAF_2, \ldots PAF_n$ = prix de l'actif financier $F_1, F_2, \ldots F_n$,

$U_mAR_1, U_mAR_2, \ldots U_mAR_n$ = utilité marginale des actifs réels $R_1, R_2, \ldots R_n$,

$PAR_1, PAR_2, \ldots PAR_n$ = prix de l'actif réel $R_1, R_2, \ldots R_n$.

L'équilibre doit être établi entre consommation et détention d'actifs financiers et réels, afin de maximiser l'utilité. La condition de l'équilibre se trouve dans l'égalité de l'utilité marginale provenant d'un dollar affecté à la consommation actuelle et de l'utilité marginale que procure la détention de chaque actif.

Pour compléter, il faut ajouter que ce sont les choix des agents économiques, en matière de détention d'actifs et d'émission de dettes, qui contribuent à la détermination des taux d'intérêt. Comme l'émission d'une dette engendre le paiement d'un intérêt, il faudrait considérer qu'une utilité négative caractérise, toutes choses égales par ailleurs, l'émission d'un engagement financier.

L'individu qui désire investir s'endette pour acquérir des actifs financiers ou réels. La rationalité de son comportement le conduit à s'endetter tant que l'utilité marginale obtenue par les actifs ainsi achetés est plus élevée que l'expression en valeur absolue de l'utilité marginale négative de la dette. L'équilibre est réalisé du côté des relations entre détention d'actifs et émission de dettes lorsque :

- l'utilité marginale par dollar de chaque dette est la même,
- l'utilité marginale par dollar de chaque dette, considérée en valeur absolue, est égale à l'utilité marginale par dollar de chaque actif en portefeuille :

$$\left|\frac{U_m \text{ de chaque dette}}{\text{Prix}}\right| = \frac{U_m \text{ de chaque actif}}{\text{Prix}}$$

Les taux d'intérêt exigés d'un individu s'accroissent rapidement, au-delà d'un certain seuil d'endettement, et l'utilité marginale de la dette par dollar, qui est de signe négatif, augmente alors de façon sensible.

Pour tout agent économique, le processus de l'équilibre se réalise graduellement :

- avec une utilité marginale par dollar de biens et d'actifs additionnels acquis, qui diminue progressivement,
- avec une utilité marginale par dollar de dettes supplémentaires contractées, qui augmente progressivement en valeur absolue.

Enfin, l'équilibre réalisé à un moment donné, dans le respect des contraintes de ressources d'épargne et de revenu, aboutit à des modifications au portefeuille optimal de l'agent économique, de manière à maximiser l'utilité totale. *La relation complète de l'équilibre de la consommation, de la détention d'actifs financiers et réels, et de l'émission de dettes est la suivante:*

$$\frac{U_m \text{ de l'argent}}{\$} = \frac{U_m \text{ de chaque actif financier}}{\$} = \frac{U_m \text{ de chaque actif réel}}{\$} = \left|\frac{U_m \text{ de chaque dette}}{\$}\right|$$

Ce sont les millions de décisions individuelles de consommation, d'achat et de vente de titres et d'actifs, et de financement par dette, avec l'objectif de maximisation d'utilité, qui constituent les forces réelles agissant sur le marché, avec pour conséquences:

- la fixation des prix des différents biens, titres et actifs réels à un moment donné,
- la détermination des taux d'intérêt à un moment donné,
- l'allocation des ressources d'épargne aux activités de production les plus efficaces, condition essentielle de la croissance et du progrès économique, ainsi que de l'élévation du niveau de vie des individus,
- un enrichissement ou une plus grande utilité pour tous les individus, prêteurs ou emprunteurs, résultant du déplacement efficace des ressources dans le temps, grâce à l'« intermédiation » financière et au fonctionnement de marchés des capitaux efficaces.

RÉSUMÉ

Le principe de la maximisation de l'utilité espérée met en évidence le choix de l'individu dans un contexte incertain. La rationalité, dans un tel contexte, exige que les axiomes d'indépendance, de mesurabilité et de classements composés soient ajoutés à ceux qu'on a déjà définis dans le cadre de la certitude. L'analyse et la signification de la fonction d'utilité, la théorie du portefeuille et le choix des investissements risqués, la détermination des combinaisons optimales d'actifs non risqués et d'actifs risqués constituent les fondements du théorème de la séparation. Ce théorème important permet d'élaborer une théorie de l'équilibre du marché et de la détermination des prix et des taux d'intérêt.

PROBLÈME

Monsieur Jean-Pierre Lemieux désire diversifier son portefeuille de titres, sur le plan international, afin de réduire les risques (ralentissement conjoncturel, grèves, évolution des lois fiscales, etc.). Les données concernant les espérances mathématiques de taux de rendement, les écarts types et les covariances des titres envisagés sont les suivantes, exprimées en pourcentage :

	Mines de fer		**Mines de cuivre**
	Canada (Atlas Inc.)	**Brésil**	**Zaïre**
Espérances mathématiques des taux de rendement	0,20	0,25	0,20
Écarts types	0,10	0,25	0,12
Covariances	0,20 (Canada–Brésil)		0,006 (Brésil–Zaïre)
	0,002 4 (Canada–Zaïre)		

En supposant que M. Lemieux détenait déjà des actions d'Atlas inc. et en supposant des distributions normales des taux de rendement :

a) calculer le taux de rendement moyen et le risque du portefeuille formé des actions d'Atlas Inc. et de la compagnie de fer au Brésil, en considérant un investissement à parts égales dans chaque compagnie ; établir la fourchette de taux de rendement autour de la moyenne qui comprend 68 % du champ de probabilité ;

b) calculer le taux de rendement moyen et le risque du portefeuille formé des actions d'Atlas Inc. et de celles de la compagnie de cuivre au Zaïre, en considérant un investissement égal dans chacune de ces compagnies ;

c) calculer le taux de rendement moyen et le risque du portefeuille regroupant des actions d'Atlas, des actions de la compagnie de fer au Brésil et celles de la compagnie de cuivre au Zaïre, en considérant l'investissement global réparti en trois portions égales ;

d) conclure en choisissant le portefeuille ayant le risque le plus faible. Monsieur Lemieux a une grande aversion pour le risque et arrêtera sa décision sur le portefeuille le moins risqué.

e) Un des conseillers en placement de M. Lemieux propose aussi d'étudier l'éventualité de vendre les actions de la compagnie Atlas, si le risque du portefeuille « compagnie de fer au Brésil et compagnie de cuivre au Zaïre » est plus faible que ceux qui ont été calculés sous *a, b* et *c*. Faut-il vendre les actions d'Atlas d'après les résultats obtenus ?

f) Quel portefeuille choisirait M. Lemieux, qui détenait dès le début des actions d'Atlas, s'il calculait une valeur relative, plutôt qu'absolue, du risque du portefeuille ?

▪ Solution suggérée

On sait que : covariance A,B = $\rho_{AB} \cdot \sigma_A \cdot \sigma_B$.

a) Portefeuille Canada – Brésil :

Espérance de rendement = u_p = (0,5) (0,20) + (0,5) (0,25) = 0,225 ou 22,50 %

L'écart type du portefeuille =

$$\sigma_p = \sqrt{(0,5)^2\,(0,10)^2 + (0,5)^2\,(0,25)^2 + 2 \times 0,25 \times (0,020)}$$
$$= \sqrt{0,028\,125}$$
$$= 0,168 \text{ ou } 16,80\,\%$$

b) Portefeuille Canada – Zaïre :

Espérance de rendement = u_p = (0,5) (0,20) + (0,5) (0,20) = 0,20 ou 20 %

L'écart type du portefeuille =

$$\sigma_p = \sqrt{(0,5)^2\,(0,12)^2 + (0,5)^2\,(0,5)^2 + 2 \times 0,25 \times (0,002\,4)}$$
$$= \sqrt{0,007\,3}$$
$$= 0,085 \text{ ou } 8,5\,\%$$

c) Portefeuille Canada – Zaïre – Brésil :

Espérance de rendement = u_p = (0,33) (0,20) + (0,33) (0,25) + (0,33) (0,20) = 0,215 ou 21,50 %

L'écart type du portefeuille =

$$\sigma_p = \sqrt{\begin{array}{l}(0,33)^2\,(0,10)^2 + (0,33)^2\,(0,25)^2 + (0,33)^2\,(0,12)^2 + \\ 2\times + (0,33)^2 \times (0,002\,4) + 2 \times (0,33)^2\,(0,020) + 2 \times (0,33)^2\,(0,006)\end{array}}$$
$$= \sqrt{0,015\,807}$$
$$= 0,126 \text{ ou } 12,60\,\%$$

d) Le portefeuille Canada–Zaïre avec σ = 8,5 %, le plus faible :

e) Portefeuille Zaïre – Brésil :

Espérance de rendement = u_p = 0,5 (0,25) + 0,5 (0,20) = 0,225 ou 22,50 %

L'écart type du portefeuille =

$$\sigma_p = \sqrt{(0,5)^2 (0,25)^2 + (0,5)^2 (0,12)^2 + 2 \times 0,25 \times (0,006)}$$
$$= \sqrt{0,022\ 23}$$
$$= 0,149 \text{ ou } 14,90\,\%$$

Non, on ne fermera pas l'usine Atlas, car le risque Zaïre – Brésil est : σ = 14,90 %

f) $\dfrac{\sigma_p}{u_p}$ au lieu de σ ; pas de changement.

On détermine le coefficient de variation $\dfrac{\sigma}{u}$ pour chaque portefeuille et l'on choisit le portefeuille ayant le coefficient le plus faible.

- Portefeuille Canada – Brésil :

$$\frac{\sigma_p}{u_p} = \frac{16,80\,\%}{22,50\,\%} = 0,746\ 7$$

- Portefeuille Canada – Zaïre :

$$\frac{\sigma_p}{u_p} = \frac{8,5\,\%}{20\,\%} = 0,425$$

- Portefeuille Canada – Zaïre – Brésil :

$$\frac{\sigma_p}{u_p} = \frac{12,60\,\%}{21,5\,\%} = 0,586$$

Le portefeuille dont le risque est relativement moins élevé est celui du Canada – Zaïre dont le coefficient de variation est le plus faible soit 0,425.

Modèles d'évaluation du rendement, du risque et d'un actif

Ce chapitre a pour objet d'analyser les différentes approches d'évaluation d'un actif. Les actifs évalués sont les actions ordinaires, les obligations et les actions privilégiées. Nous verrons que la relation risque-rendement est privilégiée en matière d'évaluation d'un actif financier, que ce soit sur le plan théorique ou dans la pratique des affaires.

Une introduction générale portera sur la notion du taux de rendement, suivie par l'évaluation d'une obligation et par celle d'une action privilégiée. Le taux de rendement d'une action ordinaire est étudié sous trois angles différents :

- l'approche de Gordon,
- le modèle d'évaluation des actifs financiers (MEDAF),
- l'*Arbitrage Pricing Theory* (APT).

4.1. LA NOTION DE TAUX DE RENDEMENT

Le taux de rendement est le résultat obtenu sur l'investissement ou sur tout actif par période et rapporté au montant investi. Le taux de rendement d'une action, par exemple, est l'accroissement exprimé en pourcentage de la richesse qu'elle procure à son détenteur durant une année. Cet accroissement de richesse comprend deux éléments : le dividende encaissé par l'actionnaire et la variation de la valeur de l'action durant cette période. On obtient le taux de rendement d'une action ordinaire en divisant la somme du dividende versé en fin de période et la variation du prix de l'action par son prix au début de cette période d'investissement :

$$r = \frac{(\text{Variation du prix de l'action} + \text{Dividende}) \bullet 100}{\text{Prix en début de période}}$$

Le taux de rendement de l'action comprend :

- le taux de rendement du gain en capital :

$$\frac{\text{Variation du prix de l'action}}{\text{Prix en début de période}} \bullet 100$$

- et le taux de rendement du dividende :

$$\frac{\text{Dividende}}{\text{Prix en début de période}} \bullet 100$$

De façon plus générale :

$$r_{jt} = \frac{\left(P_{jt} - P_{jt-1}\right) + FM_t}{P_{jt-1}}$$

où :

P_{jt} = Prix de l'actif j à la fin de la période t,

P_{jt-1} = Prix de l'actif j au début de la période t,

FM_t = Flux mopnétaire reçu de l'actif j (l'intérêt d'une obligation ou le dividende d'une action) pour la période t.

La relation suivante exprime le taux de rendement calculé sur une base périodique dans le cas où l'investissement s'étendrait sur plusieurs périodes, c'est-à-dire si l'investisseur garde un titre en portefeuille pour n périodes :

$$r = \frac{\frac{\left(P_{jt} - P_{jt-n}\right)}{n}}{P_{jt-n}} + FM_t$$

Il est utile de faire la distinction entre la moyenne arithmétique et la moyenne géométrique des taux de rendement d'un investissement qui s'étend sur plusieurs périodes.

La moyenne arithmétique des taux de rendement observés sur plusieurs périodes est égale à :

$$\bar{r}_a = \frac{r_1 + r_2 + \ldots + r_n}{n} = \frac{\sum_{t=1}^{n} r_t}{n} \qquad (4.1)$$

où :

$\bar{r}_a$ = moyenne arithmétique,

r_t = taux de rendement de l'actif pour la période t,

t = 1, 2, 3, ..., n,

n = nombre de périodes étudiées ou observées.

La moyenne géométrique des taux de rendement observés sur plusieurs périodes est égale à :

$$\left(1 + \bar{r}_g\right)^n = \left(1 + r_1\right)\left(1 + r_2\right)\ldots\left(1 + r_n\right)$$
$$1 + \bar{r}_g = \left[\left(1 + r_1\right)\left(1 + r_2\right)\ldots\left(1 + r_n\right)\right]^{1/n}$$

et :

$$\bar{r}_g = \left[\left(1 + r_1\right)\left(1 + r_2\right)\ldots\left(1 + r_n\right)\right]^{1/n} - 1$$
$$\bar{r}_g = \left[\prod_{t=1}^{n}\left(1 + r_t\right)\right]^{1/n} - 1 \qquad (4.3)$$

On constate que le calcul de la moyenne géométrique des taux de rendement, contrairement à la moyenne arithmétique, tient compte du réinvestissement des flux monétaires et constitue ainsi une mesure plus précise de la rentabilité moyenne de plusieurs périodes.

EXEMPLE

Considérons les prix du titre X aux trois dates suivantes :

Prix au 30 septembre 1996 : 50 $
Prix au 30 septembre 1997 : 80 $
Prix au 30 septembre 1998 : 50 $

On suppose qu'aucun dividende n'a été versé ou distribué aux actionnaires en 1997 et en 1998. On demande de calculer le taux de rendement arithmétique annuel moyen ainsi que le taux de rendement géométrique annuel moyen obtenu par M. Paquet au 30 septembre 1998, sachant qu'il a acquis le titre X le 30 septembre 1996.

- **SOLUTION :**

Calculons le taux de rendement réalisé par M. Paquet dans chacune des deux années considérées, soit 1996-1997 et 1997-1998, afin d'établir par la suite le taux de rendement arithmétique annuel moyen et le taux de rendement géométrique annuel moyen :

$$r_{96\text{-}97} = \frac{80\$ - 50\$}{50\$} = 0{,}60 = 60\,\%$$

$$r_{97\text{-}98} = \frac{50\$ - 80\$}{80\$} = -0{,}375 = -37{,}5\,\%$$

Le taux de rendement arithmétique annuel moyen est de :

$$\overline{r_a} = \frac{60 + (-37{,}5)}{2} = \frac{22{,}5}{2} = 11{,}25\,\%$$

Le taux de rendement géométrique annuel moyen est de :

$$\overline{r_g} = \left[(1 + 0{,}60)(1 - 0{,}375)\right]^{1/2} - 1 = (1)^{1/2} - 1 = 0\,\%$$

- **Remarques :**

a) La moyenne arithmétique peut induire en erreur puisqu'elle indique un taux de rendement annuel moyen de 11,25 %, alors qu'au bout de la période de deux ans considérée, le prix de l'action X est finalement inchangé par rapport au début de cette période.

b) La moyenne arithmétique est utilisée pour l'estimation du rendement espéré d'un titre à l'aide de données historiques et pour la mesure de son risque par le calcul de la variance ou de l'écart type autour du taux de rendement espéré. Soixante périodes de rendement d'un titre sont habituellement nécessaires pour le calcul des paramètres de taux de rendement espéré et d'écart type d'une distribution de probabilités de ces taux de rendement.

c) La moyenne géométrique est une mesure de performance plus adéquate, car plus correcte et plus pertinente que la moyenne arithmétique.

d) D'une matière générale,

$$\bar{r}_a > \bar{r}_g$$

Plus la variabilité des taux de rendement est grande, d'une période à l'autre, plus l'écart entre $\bar{r}_a$ et $\bar{r}_g$ s'élargit.

Le taux de rendement espéré (une moyenne pondérée) :

$$E(r) = (r_1)(p_1) + (r_2)(p_2) + \ldots + (r_n)(p_n)$$
$$= \sum_{n=1}^{n} (r_k)(p_k)$$

où :

r_k = Le k^e rendement possible d'une distribution de probabilités de rendement.

P_k = La probabilité de réalisation de la conjoncture économique k (expansion, récession ou stagnation) à laquelle correspond le rendement r_k.

EXEMPLE

L'estimation du taux de rendement espéré (calcul selon une moyenne arithmétique de taux de rendement observés dans le passé) :

$$\bar{r} = \frac{r_1 + r_2 + \ldots + r_n}{n} = \frac{\sum_{t=1}^{n} r_t}{n}$$

Ce calcul ou cette estimation se justifie dans la mesure où l'on a de bonnes raisons de croire que la distribution de probabilités des taux de rendement passés ou réalisés restera inchangée à l'avenir.

4.2. LA DÉTERMINATION DU TAUX DE RENDEMENT À L'ÉCHÉANCE D'UNE OBLIGATION ET DU PRIX

4.2.1. Le taux de rendement d'une obligation

L'obligation est un titre à revenu fixe qui constitue une créance du détenteur par rapport à l'émetteur. Ce dernier est, en général, une entreprise ou un gouvernement. Les flux monétaires de l'obligation se décomposent en intérêts versés de façon périodique, soit semestriellement en Amérique du Nord, soit annuellement, en général, ailleurs dans le monde, et en principal versé ou remboursé à l'échéance. Les montants versés en intérêts sont calculés selon le taux d'intérêt nominal de l'obligation (taux de coupon), appliqué à sa valeur nominale ou faciale. Le prix de l'obligation est en général différent de sa valeur nominale, car le taux d'intérêt du marché est différent du taux d'intérêt nominal fixé initialement lors de l'émission. La valeur marchande de l'obligation devient égale à sa valeur nominale lorsque le taux d'intérêt exigé sur le marché se confond avec le taux d'intérêt nominal. Il s'agit d'un cas particulier, car le taux de rendement du marché est habituellement soit supérieur soit inférieur au taux nominal. Par ailleurs, il existe une relation inverse entre le prix d'une obligation et le taux de rendement du marché. En d'autres termes, si l'obligation A a une valeur nominale de 1 000 $, cinq ans d'échéance et un taux de coupon de 10 %, et que son prix soit de 1 250 $, le taux de rendement exigé par le marché sera inférieur au taux de coupon de 10 %.

Le taux de rendement du marché ou taux de rendement à l'échéance peut être calculé selon la méthode du taux de rendement interne en utilisant éventuellement le procédé de l'interpolation. Le prix d'une obligation, comme celui de tout actif, est égal à la valeur actuelle des flux monétaires qu'elle génère.

On pose la relation suivante dont l'inconnue est le taux de rendement à l'échéance r :

$$1\,250\,\$ = (1000)\left(\frac{10\,\%}{2}\right)(a_{10;r}) + (1\,000\,\$)\,(\text{FVA}_{10;r}) \tag{4.3}$$

où :

$(a_{10;r})$ = facteur de valeur actuelle d'une périodicité (semestrialité) de 10 semestres au taux de rendement r ;

$\text{FVA}_{10;r}$ = facteur de valeur actuelle d'un montant unique perçu dans 10 semestres au taux r.

La solution de cette équation nous donne un taux de rendement à l'échéance $r = 4{,}42\ \%$ sur une base semestrielle. La signification de ce taux, $r = 4{,}42\ \%$, est la suivante :

Tout investisseur qui acquiert aujourd'hui l'obligation en question à 1 250 $ et qui la garde dans son portefeuille cinq ans, c'est-à-dire jusqu'à l'échéance, est assuré d'un taux de rendement semestriel de 4,42 % ou annuel de 8,84 % si les intérêts reçus sont réinvestis semestriellement à ce même taux.

4.2.2. Le prix d'une obligation

Le prix d'une obligation est donc calculé en actualisant les intérêts qu'elle génère ainsi que le principal remboursé à l'échéance. En d'autres termes, sur une base semestrielle, le prix d'une obligation est égal à la valeur actuelle des flux monétaires futurs attendus sur ce titre. Considérons l'obligation A dans le cas où le taux d'intérêt du marché serait de 12 %. Le prix de cette obligation est établi de la façon suivante :

$$\begin{aligned} \text{Prix} &= (50)\ (a_{10;0,06}) + (1\ 000)\ (\text{FVA}_{10:0,06}) \\ &= (50)\ (7{,}36) + (1\ 000)\ (0{,}558\ 39) \\ &= 368 + 558{,}39 + 926{,}39\ \$ \end{aligned}$$

On constate qu'avec un taux de rendement à l'échéance de 12 % supérieur au taux nominal de 10 %, le prix de l'obligation de 926,39 $ est inférieur à sa valeur nominale de 1 000 $, tandis que le prix de 1 250 $ correspondait à un taux de rendement à l'échéance de 8,84 % [(4,42 %)(2)] inférieur au taux nominal de 10 %.

4.3. LA DÉTERMINATION DU TAUX DE RENDEMENT D'UNE ACTION ORDINAIRE SELON LE MODÈLE DE GORDON

L'évaluation d'une action ordinaire est plus complexe et plus difficile que celle de l'obligation, ne serait-ce que parce que sa vie s'étend jusqu'à l'infini, tandis que celle de l'obligation est limitée dans le temps, soit en général un maximum de trente ans. Notons que les flux monétaires générés par une obligation détenue jusqu'à l'échéance sont connus, tandis que ceux d'une action ordinaire ne le sont pas, car incertains, et doivent être prévus en fonction de plusieurs facteurs tel que la prévision de la croissance des profits et l'évolution de la situation économique, par exemple.

Si l'entreprise ne prévoit pas de modifications importantes à sa performance future comparativement à sa performance passée pour ce qui est du taux de croissance des bénéfices et des dividendes, on peut utiliser la moyenne des taux de croissance passés pour prévoir les dividendes futurs. Si, par contre, la situation économique devait être profondément modifiée à l'avenir, d'après les prévisions des instituts de prévision de la conjoncture, et que l'activité et les résultats de l'entreprise devaient en être sensiblement marqués à la baisse, les taux de croissance passés des dividendes ne seraient plus pertinents pour l'avenir. Il faudrait dans un tel cas ajuster le taux de croissance des dividendes aux prévisions, qui deviendraient le critère prépondérant au lieu du taux de croissance moyen passé.

4.3.1. Le prix d'une action ordinaire ou la valeur actuelle des flux monétaires de dividendes futurs et du prix de vente

Le prix P_0 d'une action ordinaire est égal à la valeur actuelle de tous les flux monétaires qu'elle génère, soit les dividendes (que l'on considère annuels pour simplifier les calculs) et le prix P_n de cette action vendue au temps n :

$$P_0 = \frac{D_1}{(1+r)} + \frac{D_2}{(1+r)} + \ldots + \frac{D_n}{(1+r)^n} + \frac{D_n}{(1+r)^n} \tag{4.4}$$

où :

D_t = le dividende annuel distribué au temps 1, 2, …, n ;

r = le taux de rendement exigé sur l'action en question ;

P_0 = le prix de l'action ordinaire aujourd'hui, au temps $t = 0$;

P_n = le prix de l'action ordinaire lors de sa vente au temps n.

Si l'on suppose que l'action ordinaire soit détenue jusqu'à l'infini, c'est-à-dire qu'elle n'est pas vendue au temps n, on obtient la relation suivante pour le prix P_0, basée sur la valeur actuelle des flux de dividendes seulement :

$$P_0 = \frac{D_1}{(1+r)} + \frac{D_2}{(1+r)} + \ldots + \frac{D_\infty}{(1+r)^\infty}$$

$$= \sum_{t=1}^{\infty} \frac{D_t}{(1+r)^t} \tag{4.5}$$

Une firme tend à appliquer une politique de dividende stable et prévisible, car un nombre important de clients l'exige et parce que le marché des valeurs mobilières interprète un changement de politique de dividendes comme un signal de changement notable et durable de l'évolution de ses profits, soit à la hausse ou à la baisse.

Une firme établit, par exemple, un taux de distribution de dividendes (TDD) de 40 % de son profit net annuel qui représente un objectif autour duquel peut fluctuer le taux de distribution des dividendes d'une année à l'autre tout en assurant un taux moyen de 40 % sur la longue période.

$$\left(\text{TDD} = \frac{\text{Dividendes}}{\text{Profit net}}\right)$$

4.3.2. Cas du dividende constant par période (croissance zéro) jusqu'à l'infini

C'est le cas d'une perpétuité dont la valeur actuelle ou le prix est le suivant :

Supposons que le prochain dividende, dans un an, sera de 5 $ et que par la suite le dividende annuel demeure inchangé jusqu'à l'infini et que le taux de rendement exigé sur cette action soit de 5 % ; on obtiendra le prix suivant pour cette action, aujourd'hui, sur le marché :

$$P_0 = \frac{5\$}{0{,}05} = 100\$$$

$$P_0 = \frac{D_1}{r} \tag{4.6}$$

L'évaluation d'une action privilégiée prend aussi cette forme de l'équation (4.6), puisque le dividende privilégié est un montant constant versé périodiquement.

$$P_0 = \frac{D_p}{r} \tag{4.7}$$

où :

D_P = dividende privilégié,

r = le taux de rendement exigé sur l'action privilégiée.

Le taux de rendement exigé sur une action ordinaire dont le dividende est à taux de croissance nul est établi à partir de la relation (4.6) :

$$r = \frac{D_1}{P_0}$$

Analysons le cas d'une action ordinaire à dividende annuel constant achetée aujourd'hui et revendue dans un an.

Le taux de rendement r obtenu par l'investisseur se décompose en taux de rendement du dividende $\frac{D_1}{P_0}$ et en taux de rendement du gain en capital g.

Considérons le placement effectué par un investisseur au temps $t = 0$. Supposons qu'il achète alors une action ordinaire au prix $P_0 = 100\,\$$ et qu'il s'attend à la revendre un an plus tard au prix $P_1 = 112\,\$$, sachant qu'il va alors recevoir un dividende $D_1 = 5\,\$$.

$t = 0$		$t = 1$
x	———————	x
$P_0 = 100\,\$$		$P_1 = 112\,\$$
		$D_1 = 5\,\$$

Le taux de rendement auquel s'attend l'investisseur est le suivant :

$$r = \frac{P_1 - P_0 + D_1}{P_0} = \frac{112 - 100 + 5}{100} = 17\,\%$$

Le taux de rendement de 17 % se décompose en taux de rendement du dividende

$$\left(\frac{D_1}{P_0}\right)$$

et en taux de rendement du gain en capital (g) :

$$r = \frac{P_1 - P_0}{P_0} + \frac{D_1}{P_0}$$
$$= g + \frac{D_1}{P_0} = 12\,\% + 5\,\% = 17\,\%$$

où :

g = taux de croissance annuel des bénéfices de l'entreprise et de ses dividendes.

4.3.3. Cas du dividende à taux de croissance constant *g* jusqu'à l'infini

Les dividendes futurs prennent, à titre d'exemple, les valeurs suivantes pour les versements de dividendes des quatre périodes à venir :

$$D_1 = D_0\,(1+g)$$
$$D_2 = D_1\,(1+g)$$
$$D_3 = D_2\,(1+g)$$
$$D_4 = D_3\,(1+g)$$

où :

D_0 = le dernier dividende distribué et par conséquent connu.

D_1 = le prochain dividende.

En développant l'équation (4.4), on peut établir, dans le cas où $r > g$, la valeur suivante de l'action ordinaire dont le dividende augmente à un taux de croissance constant g :

$$P_0 = \frac{D_1}{r-g} \tag{4.8}$$

En effet, si $r > g$, on peut réduire la progression géométrique de la relation (4.4) selon la relation (4.8) ci-dessus.

EXEMPLE

Une action dont le prochain dividende est estimé à 8 $ et, dont le taux de rendement exigé par le marché s'élève à 10 %, et dont le taux de croissance du dividende et des profits se situe à 4 % aurait le prix suivant :

$$P_0 = \frac{8\,\$}{0{,}10 - 0{,}04} = \frac{8\,\$}{0{,}06} = 133{,}33\,\$$$

Le taux de rendement requis sur l'action ordinaire est obtenu en transformant la relation (4.8) de la façon suivante :

$$r = \frac{D_1}{P_0} + g \tag{4.9}$$

Notons que trois conditions doivent être remplies pour que les équations (4.8) et (4.9) puissent être appliquées :

- le taux de croissance du dividende reste stable, inchangé d'une période à l'autre ;
- l'horizon considéré est l'infini ;
- le taux de rendement requis r sur l'action ordinaire est supérieur au taux de croissance g du dividende.

EXEMPLE

La société Outrebond versera un dividende de 4,00 $ à la fin de l'année (dans un an). Le taux de croissance moyen des dividendes des dix dernières années s'élève à 7 % et la société est confiante de pouvoir maintenir ce rythme de croissance à l'avenir. Les actionnaires exigent un taux de rendement du dividende de 4,5 %. On demande de déterminer :

a) le taux de rendement exigé par l'actionnaire de la société Outrebond ;

b) le prix actuel de l'action ordinaire de cette société.

La relation (4.9) permet d'établir :

i) $r = 4{,}5\,\% + 7\,\% = 11{,}5\,\%$

$$0{,}115 = \frac{4\,\$}{P_0} + 0{,}07$$

ii) $0{,}115 - 0{,}07 = \dfrac{4}{P_0}$

iii) $P_0 = \dfrac{4}{0{,}045} = 88{,}88\,\$$

4.3.4. Cas du taux de croissance du dividende à deux étages

Supposons que le taux de croissance du dividende soit de 6 % pour les deux prochaines périodes et qu'il devienne nul par la suite. La détermination du prix de cette action ordinaire est possible, sachant que r, le taux exigé par les actionnaires, est de 10 %, que D_0, le dernier dividende, est égal à 3 $ et g, le taux de croissance du dividende des deux prochaines périodes, est égal à 6 %.

Nous allons d'abord reproduire et adapter la relation (4.4), qui permet de calculer le prix P_0, et ensuite utiliser les données fournies ci-haut pour illustrer cette relation :

$$P_0 = \frac{D_0(1+g)}{1+r} + \frac{D_0(1+g)^2}{(1+r)^2} + \frac{P_2}{(1+r)^2} \quad (4.10)$$

or, selon la relation (4.8) :

$$P_2 = \frac{D_3}{r-g} = \frac{D_0(1+g)^2}{r-g}$$

En effet, comme le taux de croissance du dividende est nul à partir de la troisième année, on aura $D_3 = D_2$, soit :

$$D_3 = D_0(1+g)^2$$

On peut maintenant écrire :

$$P_0 = \frac{D_0(1+g)}{1+r} + \frac{D_0(1+g)^2}{(1+r)^2} + \frac{D_0(1+r)^2}{(r-g)(1+r)^2}$$

En remplaçant D_0, g et r par les données qui nous sont fournies, on peut calculer le prix P_0 :

$$P_0 = \frac{3(1{,}06)}{1{,}10} + \frac{3(1{,}06)^2}{(1{,}10)^2} + \frac{3(1{,}06)^2}{(0{,}10-0{,}06)(1{,}10)^2}$$
$$= 2{,}891\$ + 2{,}786\$ + 69{,}645\$ = 75{,}322\$$$

On constate que le prochain dividende ainsi que les dividendes futurs, de même que les variations prévues de la valeur du placement fait dans une action ordinaire, sont les fondements de l'évaluation du taux de rendement d'une action ordinaire et de son prix.

4.4. LA DÉTERMINATION DU TAUX DE RENDEMENT ESPÉRÉ EXIGÉ PAR LES ACTIONNAIRES À L'AIDE DU MODÈLE D'ÉVALUATION DES ACTIFS FINANCIERS (MEDAF)

Le modèle d'évaluation des actifs financiers (MEDAF) a pour fondement principal le coefficient bêta (β), qui mesure la sensibilité du taux de rendement d'un actif financier par rapport à la variation du taux de rendement de l'ensemble de l'économie représentée par un indice boursier (Bourse de Toronto ou TSX-300, ou l'indice Dow Jones de New York). Nous expliquons les grandes lignes du MEDAF dans ce chapitre, quitte à le traiter en détail dans le chapitre 5.

Nous admettons pour l'instant, tout en l'expliquant de façon détaillée plus tard dans le cadre du chapitre 5, que le coefficient bêta s'obtient, pour un titre risqué *i*, par le rapport de la covariance du taux de rendement d'un titre *i* et du taux de rendement du marché à la covariance du rendement de l'indice boursier représentant le marché par rapport à lui-même, c'est-à-dire :

$$\beta_i = \frac{COV_{r_i\, r_m}}{COV_{r_m\, ,\, r_m}} = \frac{COV_{r_i\, ,\, r_m}}{\sigma_m^2} \tag{4.11}$$

Le taux de rendement espéré $E(r_i)$ d'un titre *i* est alors déterminé à partir de la relation suivante :

$$E(r_i) = r_s + \left[E(r_m) - r_s\right]\beta_i \tag{4.12}$$

où :

$E(r_i)$ = taux de rendement espéré du titre *i*,

r_s = taux sans risque,

$E(r_m)$ = taux de rendement espéré du marché,

$E(r_m) - r_s$ = prime par unité de risque du marché (bêta),

β_i = niveau du risque du marché du titre *i*.

EXEMPLE

Le taux de rendement des bons du Trésor est de 6 %, l'espérance de rendement du marché de 16 %, et le taux de rendement du titre *i* varie de 20 % lorsque celui du marché varie de 30 %. On demande de calculer le taux de rendement espéré exigé sur le titre *i*.

On sait que :

$$\beta_i = \frac{20\,\%}{30\,\%} = 0{,}66$$

Appliquons la relation (4.12) :

$$\begin{aligned} E(r_i) &= 0{,}06 + (0{,}16 - 0{,}06)\,(0{,}66) \\ &= 0{,}06 + (0{,}10)\,(0{,}66) = 0{,}126 \\ &\text{ou } 12{,}6\,\%. \end{aligned}$$

Chaque titre risqué est rémunéré à partir du taux de rendement sans risque de 6 %, auquel s'ajoute une prime de risque totale de 6,6 % qui dépend de son risque du marché β et de la prime par unité de β égale à 6,6 % (= 10 %) (0,66).

L'espérance du taux de rendement d'un titre risqué *i* est aussi fonction de sa $COV_{ri,rm}$, c'est-à-dire de la contribution que ce titre apporte au risque de l'ensemble du portefeuille du marché.

La relation (4.12) ci-haut traduit une relation linéaire entre l'espérance de rendement d'un titre *i* et son risque de marché β_i. Il s'agit de la ligne d'équilibre des titres (LET) qui représente le modèle du MEDAF, soit l'équilibre risque-rendement pour tous les titres risqués.

Il apparaît clairement que si $\beta_i = 0$, comme c'est le cas pour les bons du Trésor, on aura un titre à risque nul dont le taux de rendement se confond avec celui du titre sans risque.

$$E\,(r_i) = r_s + 0 = r_s$$

Si $\beta_i = 1$, on obtiendra un titre dont le taux de rendement espéré se confond avec celui du marché :

$$E(r_i) = r_s + \left[E(r_m) - r_s\right](1) = E(r_m)$$

Figure 4.1

La ligne d'équilibre des titres (LET)

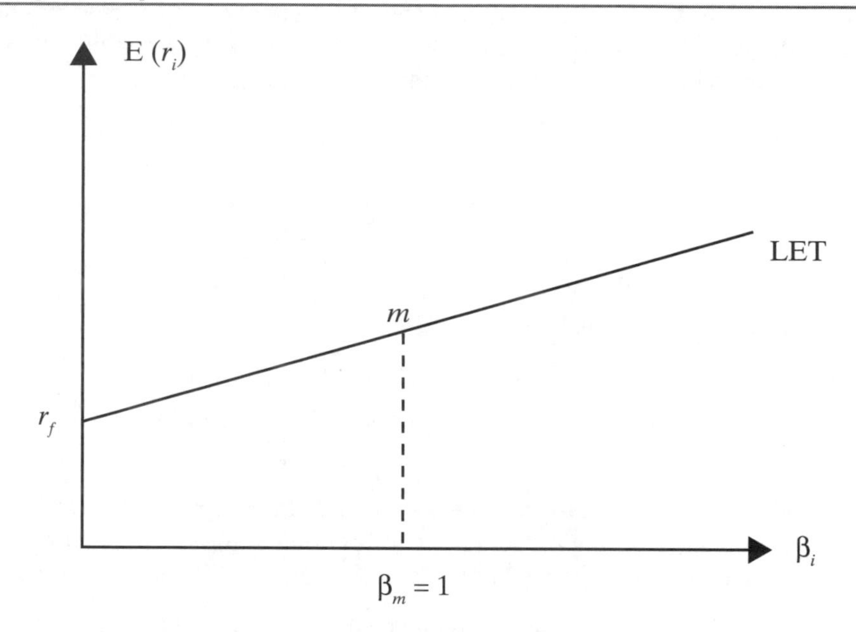

La figure 4.1 indique que la ligne d'équilibre des titres traduit la relation entre l'espérance de rendement d'un titre risqué et son risque du marché ou risque systématique bêta. Notons que bêta est une composante du risque total, la deuxième composante étant le risque spécifique de l'actif qui peut être éliminé ou minimisé par la diversification. Ceci explique pourquoi le seul risque rémunéré par le marché est le risque systématique bêta, le risque spécifique pouvant être éliminé par la diversification tel qu'expliqué dans le chapitre suivant.

RÉSUMÉ

L'évaluation du taux de rendement d'un actif intéresse un grand nombre d'intervenants dans les domaines économiques et financiers. Les calculs du taux de rendement à l'échéance d'une obligation, du taux de rendement d'une action privilégiée et du taux de rendement d'une action ordinaire (selon Gordon et selon le MEDAF) constituent l'essentiel de la matière traitée dans ce chapitre. Le MEDAF sera étudié de façon plus détaillée au chapitre 5.

Le MEDAF est largement utilisé dans la pratique des affaires, malgré les critiques formulées à son égard, en raison de la simplicité de sa présentation et parce qu'il est le seul modèle à fournir une information satisfaisante de la relation risque-rendement. Les courtiers en valeurs mobilières et les gestionnaires de projets d'investissement dans le secteur privé, ainsi que ceux des services publics, utilisent le MEDAF pour prendre des décisions.

QUESTIONS

1. En quoi consiste la notion de moyenne arithmétique des taux de rendement observés sur plusieurs périodes ?
2. Définir la moyenne géométrique des taux de rendement.
3. Expliquer les conditions de calcul du taux de rendement à l'échéance d'une obligation et la signification de ce dernier.
4. Quelles sont les composantes du modèle de Gordon pour la détermination du taux de rendement d'une action ordinaire.
5. Expliquer les facteurs qui permettent de calculer le taux de rendement exigé par les actionnaires ordinaires à l'aide du modèle d'évaluation des actifs financiers (MEDAF).

PROBLÈMES

1. LES OBLIGATIONS DE LA SOCIÉTÉ A

Vous achetez le 31 décembre 1991 l'obligation de la société A de valeur nominale égale à 1 000 $. Les données statistiques qui la concernent sont les suivantes :

10 ; déc. 31, 06 ; 14 %

- **On demande :**

a) de calculer le prix d'acquisition de l'obligation A sans tenir compte des frais de courtage, sachant que 15 ans la séparent de son échéance du 31 décembre 2006 ;

b) de déterminer le taux de rendement réalisé sur cette obligation si vous la revendez trois ans plus tard, sachant que les taux de rendement annuels du marché étaient respectivement de 14, 13 et 12 % à partir du début des trois années considérées ;

c) de calculer le taux de rendement à l'échéance de l'obligation A, le jour de son acquisition, soit le 31 décembre 1991 d'une part, ainsi que le 31 décembre 1996 d'autre part, sachant que son prix sur le marché était alors de 1 040 $.

Faire les calculs en considérant une capitalisation annuelle.

■ Solutions suggérées

a) Le prix d'achat de l'obligation A= Valeur actuelle (VA) de tous les flux monétaires (FM) qu'elle génère

$$\begin{aligned}\text{Prix de A} &= (100)(a_{15:14\%}) + 1\,000(1 + 0{,}14)^{-15}\\ &= (100)(6{,}142) + 1\,000(0{,}14)\\ &= 614{,}20 + 140\\ &= \underline{\underline{754{,}20\,\$}}\end{aligned}$$

b) Le taux de rendement réalisé de l'obligation A

$$754{,}20 = \frac{\text{VF des FM}}{(1 + r)^3}\text{; VF = Valeur future ou finale}$$

Valeur future des FM :

$$\begin{aligned}1^{er}\text{ flux : } (100)(1{,}13)(1{,}12) &= 126{,}56\\ 2^{e}\text{ flux : } (100)(1{,}12) &= 112{,}00\\ 3^{e}\text{ flux : } 100 &= \underline{100{,}00}\\ &\ 338{,}56\,\$\end{aligned}$$

Prix de vente :

$$\begin{aligned}&= (100)(a_{12:12\%}) + 1\,000(1 + 0{,}12)^{-12}\\ &= 619{,}40 + 257\\ &= 876{,}40\,\$\end{aligned}$$

$$\text{VF de tous les FM: } 338{,}56 + 876{,}40 = 1\,214{,}96\,\$ \text{ et } 754{,}20 = \frac{1\,214{,}96}{(1+4)^3}$$

$$1 = r = \left(\frac{1\,214{,}96}{754{,}20}\right)^{\frac{1}{3}} = 1{,}172\,3$$

$$r = 1{,}172\,3 - 1 = 0{,}172\,3 \text{ ou } \underline{\underline{17{,}23\,\%}}$$

c) Taux de rendement à l'échéance de l'obligation A

- le jour de son acquisition : $r = c = 14\,\%$; cette information est donnée.

où r = taux de rendement courant du marché ou taux de rendement à l'échéance.

c = le taux de coupon affiché par l'obligation.

- le 31 décembre 1996 :

$1\,040 = (100)\,(a_{10;i}) + 1\,000\,(1 + i)^{-10}$

Essai à 9 %

$= (100)\,(6{,}418) + (1\,000)\,(0{,}422)$

$= 1063{,}80\,\$$

À 10 %, on a 1 000 $. À 9 %, on a 1 063,80 $.

Différence : 1 % 63,80 $

X 40,00 $ (1 040 – 1 000 = 40 $)

d'où $\dfrac{40}{63{,}80}(1\,\%) = 0{,}627\,\%$

d'où le taux de rendement à l'échéance $r = 10\,\% - 0{,}627 = 9{,}373\,\%$

2. L'OBLIGATION X

Une obligation risquée X de 1 000 $ de valeur nominale se distingue par les caractéristiques suivantes :

8 ; sept. 20, 07 ; 10,5 %

Vous vous portez acquéreur d'une de ces obligations risquée X le 20 septembre 1999.

■ **On demande :**

a) de déterminer le prix d'achat de l'obligation X abstraction faite des frais de courtage ;

b) de calculer le taux de rendement à l'échéance de cette obligation à la date du 20 septembre 2000 si vous l'aviez acheté à 920,50 $;

c) de déterminer le taux de rendement réalisé sur l'obligation X achetée le 20 septembre 2000 si vous la revendiez le 20 septembre 2004 en vous basant sur les données suivantes :

Année	Taux d'intérêt du marché
Première année de détention de X	À déterminer
Deuxième année de détention de X	10 %
Troisième année de détention de X	10,5 %
Quatrième année de détention de X	8 %

d) d'expliquer la signification des deux notions de taux de rendement d'une obligation utilisées plus haut.

Faire les calculs en considérant une capitalisation annuelle.

▪ Solutions suggérées

a) Prix d'achat de l'obligation X = Valeur actuelle de tous les flux monétaires qu'elle génère.

$$\text{Prix} = (80)\left(a_{8:10,5}\right) + 1\,000\,(1 + 0,105)^{-8}$$

$$= 80\left[\frac{1 - \dfrac{1}{(1+0,105)^{8}}}{0,105}\right] + 1\,000\,(0,449\,88)$$

$$= 80\left[\frac{1 - 0,449\,88}{0,105}\right] + 449,88$$

$$= (80)\,(5,2392) + 449,88$$

$$= 419,13 + 449,88$$

$$= \underline{\underline{869,01\,\$}}$$

b) Le taux de rendement à l'échéance r est le taux d'actualisation qui permet d'égaler la valeur actuelle des sorties de fonds (le prix de l'obligation) à la valeur actuelle des entrées de fonds assurées par cette obligation :

$$920,50\,\$ = (80)(a_{7:i}) + 1\,000\,(1 + r)^{-7}$$

Essai avec 12 %

$$= (80)\,(a_{7;0,12}) + 1\,000(1 + 0,12)^{-7}$$

$$= (80)\,(4,563\,7) + 1\,000\,(0,452\,35)$$

$$= 365,1 + 452,35$$

$$= \underline{\underline{817,45\,\$}}$$

d'où

À : 12 %, on a	817,45 $
À : 8 %, on a	1 000,00 $
Différence 4 %	182,55 $
X %	79,50 $

(1 000 – 920,5 = 79,5)

$$\text{et X \%} = \left(\frac{79,5}{182,55}\right)(0,04) = 0,017\,4 \text{ ou } 1,74\,\%$$

et le taux de rendement à l'échéance = 8 % + 1,74 % = 9,74 %.

Il est évident que l'on peut utiliser la calculatrice pour un résultat plus précis.

c) Le taux de rendement réalisé *r* est un taux observé lors de la vente de l'obligation :

$$920,5\,\$ = \frac{\text{Valeur future des flux monétaires}}{(1+r)^4}$$

La valeur future des flux monétaires =

c.1. Valeur future des intérêts réinvestis au taux du marché :

(80)(1,10)(1,105)(1,08)	=	105,02
+(80)(1,105)(1,08)	=	95,47
+(80)(1,08)	=	86,40
+(80)	=	80,00
		366,89 $

c.2. Valeur de revente de l'obligation le 20 septembre 2004. Cette valeur actuelle des flux monétaires est 1 000 $ à cette date, car le taux de rendement du marché de 8 % se confond avec le taux de coupon ou taux d'intérêt nominal de l'obligation.

D'où la valeur future de tous les flux monétaires s'élève à :

366,89 + 1 000 = 1 366,89 $

$$\text{et } 920,5\,\$ = \frac{1\,366,89}{(1+r)^4}$$

$$(1+r)=\left(\frac{1\,366,89}{920,5}\right)^{\frac{1}{4}}=(1,4849)^{\frac{1}{4}}=1,104\,0$$

$$\text{et } r=1,104\,0-1=0,104 \text{ ou } \underline{\underline{10,4\,\%}}$$

d) Le taux de rendement à l'échéance d'une obligation est le taux de rendement qu'obtiendrait l'investisseur qui la détiendrait jusqu'à l'échéance avec l'hypothèse suivante : le taux de réinvestissement des flux monétaires est inchangé, d'une période à l'autre. Le taux de réinvestissement est le taux de rendement à l'échéance. Les intérêts reçus tout au long de l'existence de l'obligation sont réinvestis à ce taux, qui est un taux de rendement interne. C'est un taux ex ante.

Le taux de rendement réalisé est celui qu'on obtient en réinvestissant les flux monétaires aux différents taux ayant prévalu sur le marché durant la période de détention de l'obligation. Il est évident que les taux observés sur le marché peuvent être différents d'une année à l'autre et seront soit supérieurs soit inférieurs au taux de rendement à l'échéance utilisé comme taux de réinvestissement dans l'approche précédente. Le taux de rendement réalisé est un taux ex post, calculé a posteriori, par exemple lors de la vente de l'obligation après une période donnée de détention. Ce taux est le taux de rendement effectivement réalisé, par opposition au taux de rendement à l'échéance qu'est un taux promis lors de l'achat de l'obligation.

3. L'ACTION ORDINAIRE A

Le revenu brut espéré annuel constant à l'infini d'une action ordinaire A est de 25 $.

Les informations suivantes sont disponibles :

- le taux de rendement espéré du portefeuille du marché est de 16 % et son écart type de 0,8 ;
- la covariance du rendement de l'action A et du rendement du portefeuille du marché M est de :

  $\sigma^2_{AM} = COV_{(RA,RM)} = 0,6$
- le taux de risque est de 6 %.

On demande :

a) de calculer le prix de l'action A.

■ Solution suggérée

a) Le prix de l'action A s'obtient, dans le cas d'un flux monétaire périodique constant R, jusqu'à l'infini, par la relation suivante :

$$\text{Prix}_A = \frac{R}{E(r_A)}$$

$$\begin{aligned} E(r_A) &= r_f + \left[E(r_m) - r_f\right]\beta_A \\ &= r_f + \left[E(r_m) - r_f\right]\left(\frac{COV_{(RA,RM)}}{\sigma^2 r_m}\right) \\ &= 6\,\% + (16\,\% - 6\,\%)\left(\frac{0,6}{(0,8)^2}\right) \\ &= 6\,\% + 10\,\%\,(0,9375) \\ &= 6\,\% + 9,375\,\% = 15,375\,\% \end{aligned}$$

$$\begin{aligned} \text{d'où Prix}_A &= \frac{25}{0,153\,75} \\ &= \underline{\underline{162,60\,\$}} \end{aligned}$$

L'analyse d'un portefeuille d'actifs risqués et l'équilibre risque-rendement

5.1. CONSIDÉRATIONS GÉNÉRALES

L'objet du présent chapitre est de décrire les caractéristiques du risque en l'expliquant en termes de distribution de taux de rendement observés ou attendus autour d'une valeur espérée. Si l'on espère qu'une firme réalisera un taux de rendement de 25 % pour la prochaine année, il n'est pas sûr que celui obtenu à la fin de cette année soit de 25 %. Le taux de rendement réalisé peut être bien supérieur ou bien inférieur au résultat attendu. L'étendue des variations de taux de rendement autour de la valeur espérée de 25 % est mesurée par la variance ou l'écart type de la distribution.

Le risque d'un projet d'investissement se décompose en risque spécifique, propre au projet en tant que tel, et en risque du marché, lié au comportement de l'ensemble de l'économie. L'analyste du projet peut avoir fait des erreurs en estimant ses flux monétaires futurs. Si une firme entreprend plusieurs projets pendant une année, elle peut surestimer les flux monétaires de certains projets et sous-estimer ceux d'autres projets et, de ce fait, diversifier le risque spécifique et le réduire pour l'ensemble des projets comparativement à la somme des risques spécifiques individuels de tous les projets exécutés pendant l'année. Une autre source de risque réside dans les effets favorables ou défavorables des décisions de la concurrence sur les profits et les flux monétaires d'un projet. Notons aussi le risque propre à la branche industrielle à laquelle appartient la firme sujette à des innovations technologiques importantes, à des modifications de prix et à de nouvelles réglementations.

Une autre source importante de risque se trouve dans le risque du marché, qui peut affecter les flux monétaires et les profits d'un projet d'investissement en raison de modifications inattendues des taux d'intérêt, des taux d'inflation, des taux de change et du prix des marchandises. Le risque du marché résulte aussi de changements du rythme de l'activité économique qui se répercutent de façon favorable (quand il y a une expansion forte de la production nationale) sur les résultats de toutes les entreprises. Certaines entreprises seront plus ou moins affectées que d'autres par l'état de la conjoncture économique en fonction de leur sensibilité individuelle au comportement général de l'économie.

Une firme doit adopter des politiques et mettre en œuvre des stratégies d'investissement et de financement susceptibles de maximiser la richesse des actionnaires. La relation risque-rendement facilite les décisions en matière de gestion financière. Elle procède du Modèle d'évaluation des actifs financiers (MEDAF) et contribue à la détermination du coût de capital optimal de la firme (le taux d'actualisation des flux monétaires dans la méthode de la valeur actuelle nette) à l'aide de la structure optimale de capital. La détermination du risque du portefeuille et de son taux de rendement espéré, le calcul de l'effet de diversification, le modèle du marché, le choix du portefeuille, la relation risque-rendement et le modèle de l'*Arbitrage Pricing Theory* (APT) font l'objet du présent chapitre.

Les projets d'investissement des différentes branches industrielles d'une économie ont des résultats qui ne fluctuent pas de la même façon à travers les différents cycles économiques. Il en résulte que les fluctuations de revenus de projets de nature différente s'annulent en partie, entraînant une réduction du risque global du portefeuille de projets appelée effet de diversification.

Une caractéristique fort intéressante de la diversification des actifs consiste à réduire le risque du portefeuille tout en préservant son taux de rendement moyen. La mesure de la réduction du risque se fait à l'aide des paramètres suivants, à savoir :

- l'espérance mathématique,
- l'écart type,
- la covariance,
- le coefficient de corrélation.

5.2. L'ENTREPRISE FACE AU RISQUE

L'analyse des projets d'investissement devrait tenir compte, de façon générale, du facteur risque même si cet aspect important n'est pas traité de façon formelle dans l'entreprise. Certains considèrent, pour simplifier les choses, que le risque d'un nouveau projet est identique à celui de l'ensemble des projets en activité, soit un risque égal au risque moyen de l'entreprise. Or, un nouveau projet peut se distinguer par un risque supérieur ou inférieur au risque moyen de l'entreprise. Si le gestionnaire ne traite pas de façon convenable le degré du risque de nouveaux projets afin de pouvoir exiger le taux de rendement correspondant, il est exposé à la possibilité de prendre de mauvaises décisions. Exiger un taux de rendement trop faible, par rapport au niveau du risque d'un projet, peut conduire à un gaspillage de ressources. Par ailleurs, un taux de rendement requis trop élevé peut empêcher l'adoption d'un projet intéressant, résultant en l'abandon d'une possibilité d'enrichissement de l'entreprise.

Le risque d'un projet s'explique par plusieurs facteurs :

- la difficulté d'obtenir des données précises sur certaines variables déterminantes du projet ;
- l'absence de relations historiques entre variables, qui rend plus délicate l'interprétation des données relatives à des projets caractérisés par une technologie nouvelle ;
- les difficultés de l'analyse des conséquences de l'évolution de la conjoncture économique domestique, ainsi que l'impact de la mondialisation, des systèmes économiques et financiers sur les ventes de l'entreprise, qui compliquent la mesure du risque ;
- les erreurs d'analyse et d'interprétation des données financières, comptables et fiscales d'un nouveau projet.

Le gestionnaire des projets d'investissement doit être conscient de l'importance de l'intégration du risque en matière de gestion du budget en capital de l'entreprise. La qualité de la décision d'investir s'améliore en étudiant les projets sous l'angle risque-rendement plutôt qu'en se limitant au seul taux de rendement comme critère d'acceptation ou de rejet d'un projet.

L'entreprise qui ne dispose ni de ressources financières suffisantes ni d'experts dans le domaine du traitement du risque, pour déterminer de façon satisfaisante l'ampleur de ce dernier, devrait au moins en tenir compte de façon approximative. En effet, les investisseurs, ainsi que l'ensemble des intervenants sur les marchés financiers, conditionnent leur contribution au financement de l'entreprise ainsi que le taux de rendement exigé à la détermination assez précise du risque des projets d'investissement nouveaux et à sa répercussion sur le risque global de l'entreprise.

Ce chapitre traite de la détermination et de l'analyse du risque d'un projet unique. Des probabilités seront affectées aux différents résultats possibles (flux monétaires) d'un nouveau projet afin d'en calculer la valeur espérée et le risque.

La valeur espérée est obtenue par la somme des produits des probabilités ou du pourcentage de chance de réalisation des résultats possibles de flux monétaires, par la valeur monétaire de ces résultats. La distribution de probabilités de réalisation des flux monétaires d'un projet peut être établie, d'une part, en fonction de l'information historique provenant de projets semblables et, d'autre part, sur la base d'une analyse prévisionnelle de l'évolution de la conjoncture économique et, enfin, selon des données relatives à la concurrence dans le secteur industriel de l'entreprise.

Une distribution de probabilités de résultats est définie de façon complète lorsque ses deux paramètres d'espérance mathématique et d'écart type sont calculés. L'espérance mathématique est une valeur fondamentale de la distribution de probabilités ; elle mesure une valeur moyenne ou espérée des résultats d'un projet, tandis que l'écart type mesure les variations des différents résultats possibles autour de cette valeur moyenne et renseigne l'investisseur sur l'ampleur du risque.

L'écart type détermine donc l'importance des fluctuations des résultats, c'est-à-dire le risque du projet. Il devient alors possible d'établir plusieurs degrés de risque et de champs de probabilités d'occurrence correspondant à une rentabilité moyenne, faible ou élevée de l'investissement. La tolérance (du gestionnaire ou de l'investisseur) au risque peut alors être intégrée plus facilement au processus de la décision d'investir.

5.3. L'ANALYSE DU RISQUE D'UN PROJET

5.3.1. Le risque et l'incertitude

Tout projet d'investissement, ou tout placement qui se distingue par un seul et unique résultat possible, est un projet certain. Tel est le cas de l'acquisition d'une obligation du gouvernement fédéral. En réalité, les projets d'investissement sont marqués par le risque ou par l'incertitude et non par la certitude. Un projet risqué se caractérise par plusieurs résultats possibles dont les probabilités de réalisation sont connues. Par contre, il n'est guère possible de définir les probabilités de réalisation des différents résultats attendus dans le cas de l'incertitude.

Les distributions de probabilités sont établies soit de façon objective, soit de façon subjective. Il s'agit, dans le premier cas, de calculer les probabilités des différents résultats à partir d'informations statistiques publiées par des organismes spécialisés, ou de données historiques reliées à un projet de même nature, réalisé dans une conjoncture économique semblable.

L'information subjective s'impose lorsque des données objectives ne sont pas disponibles. Le gestionnaire de projets construit la distribution de probabilités des résultats à l'aide de son expérience de projets semblables, et en se basant sur son intuition et sur son aptitude à prévoir et à analyser les différentes étapes du cycle économique.

5.3.2. Les caractéristiques d'un investissement risqué

Un investissement risqué, comparé à un placement en obligations gouvernementales dont le résultat est certain et unique, présente plusieurs résultats possibles pour lesquels il est possible d'assigner des probabilités d'occurrence, c'est-à-dire l'importance relative de la réalisation de chaque résultat. La distribution de probabilités des résultats d'un projet permet de déterminer son risque, c'est-à-dire la variabilité de son taux de rendement ou de sa valeur actuelle nette. Prenons quelques exemples.

L'exemple suivant a tout simplement pour objet de décrire une distribution de probabilités de ventes de produits, selon différentes conjonctures ou situations que peut présenter l'économie domestique :

Tableau 5.1

Distribution de probabilités des ventes de produits fabriqués dans le cadre d'un projet donné X

Conjoncture	Probabilités	Ventes (en $)
Bonne	0,4	30 000 $
Moyenne	0,2	20 000 $
Mauvaise	0,4	10 000 $

Expliquons maintenant la notion de risque en comparant deux investissements. Le premier est un placement A effectué dans des obligations du gouvernement fédéral qui assure un taux de rendement annuel de 6 %. Le deuxième investissement B consiste en l'acquisition d'actions ordinaires d'une société de fabrication de tuyaux en acier. L'analyse des rendements passés de cette société révèle que les variations de rendement furent importantes et permettent, à la lumière des prévisions économiques, de faire les estimations suivantes :

Probabilité de réalisation	Taux de rendement sur l'investissement
20 chances sur 100 (20 %)	- 4 %
10 chances sur 100 (10 %)	0 %
10 chances sur 100 (10 %)	6 %
40 chances sur 100 (40 %)	20 %
20 chances sur 100 (20 %)	30 %

L'investissement dans la société de fabrication de tuyaux en acier peut assurer un taux de rendement aussi élevé que 30 %, si les affaires prospèrent suffisamment, comme il peut réaliser un résultat négatif (– 4 %) si le contexte économique général est défavorable. On peut cependant espérer que pour l'avenir, à travers de bonnes et de mauvaises années, on pourrait obtenir un taux de rendement moyen u de 13,8 %.

$$u = (0{,}20)(-4\ \%) + (0{,}10)(0\ \%) + (0{,}10)(6\ \%) + (0{,}40)(20\ \%) + (0{,}20)(30\ \%) = 13{,}8\ \%$$

L'obligation gouvernementale offre un taux de rendement de 6 %, tandis que la société de fabrication de tuyaux en acier présente un taux de rendement espéré de 13,6 % qui est beaucoup plus risqué. Un risque plus élevé traduit une plus grande incertitude quant au résultat réalisé à l'avenir en raison de plus importantes fluctuations possibles des taux de rendement, soit –4 % et 30 % pour le placement B comparé à 6 % fixe, inchangé à 6 % pour le placement A. En d'autres termes, la dispersion des résultats autour de la valeur espérée est d'autant plus grande que le risque est élevé.

Les ventes de produits fabriqués par une firme constituent une variable aléatoire dont la distribution de probabilités peut se présenter sous l'une des deux formes suivantes :

5.3.2.1. La forme de distribution de probabilités discrète

Une forme discrète est celle selon laquelle une variable x prend un nombre limité de valeurs bien définies telles que 2 000$, 3 000$, 5 000$ et 6 000$. On assigne à chacune de ces quatre valeurs discrètes une probabilité donnée (voir la figure 5.1).

Figure 5.1

Distribution de probabilité d'une variable aléatoire discrète

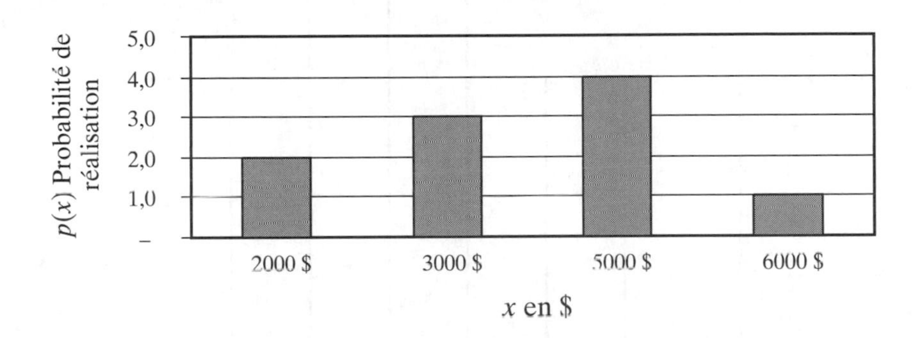

Distribution de la variable x en $		
Conjoncture économique	Probabilités (p_x)	Ventes (x $)
Moyenne	0,20	2 000 $
Bonne	0,30	3 000 $
Très bonne	0,40	5 000 $
Excellente	0,10	6 000 $

5.3.2.2. La forme de distribution de probabilités continue

Une forme continue est celle selon laquelle la variable peut prendre toutes les valeurs possibles comprises dans un espace constitué d'une valeur supérieure et d'une valeur inférieure, par exemple des valeurs de 800$, 800,01 $ ou 799,99$.

Figure 5.2

Transformation d'une variable continue en une variable discrète

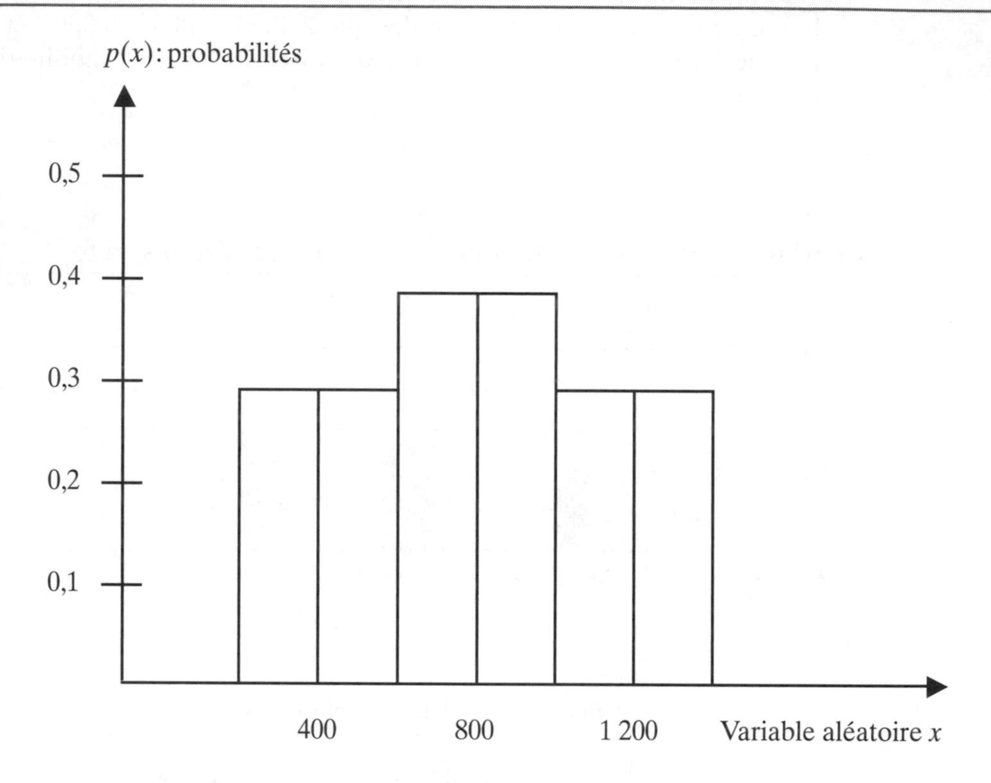

Les variables financières sont en général caractérisées par la forme continue. Cette dernière présente un travail laborieux en matière d'élaboration des probabilités du nombre considérable de valeurs qu'elle peut adopter. D'où la nécessité de simplifier la présentation des distributions de probabilités d'une variable continue en utilisant une variable aléatoire discrète (figure 5.2) ou en utilisant une forme normale (figure 5.3) compatible avec un grand nombre de données financières. Le chapitre 9 explique en détail la distribution normale de probabilités et l'utilise pour analyser le risque d'un investissement.

La simplification de l'étude et de l'interprétation d'une variable continue se fait aussi en supposant que la variable en question se présente selon une forme déterminée de distribution définie par les deux paramètres suivants :

- l'espérance mathématique,
- l'écart type.

Cette méthode de traitement d'une variable aléatoire est très répandue, et elle présente un grand avantage en matière d'exploitation des données financières.

Figure 5.3

Distribution normale de probabilités

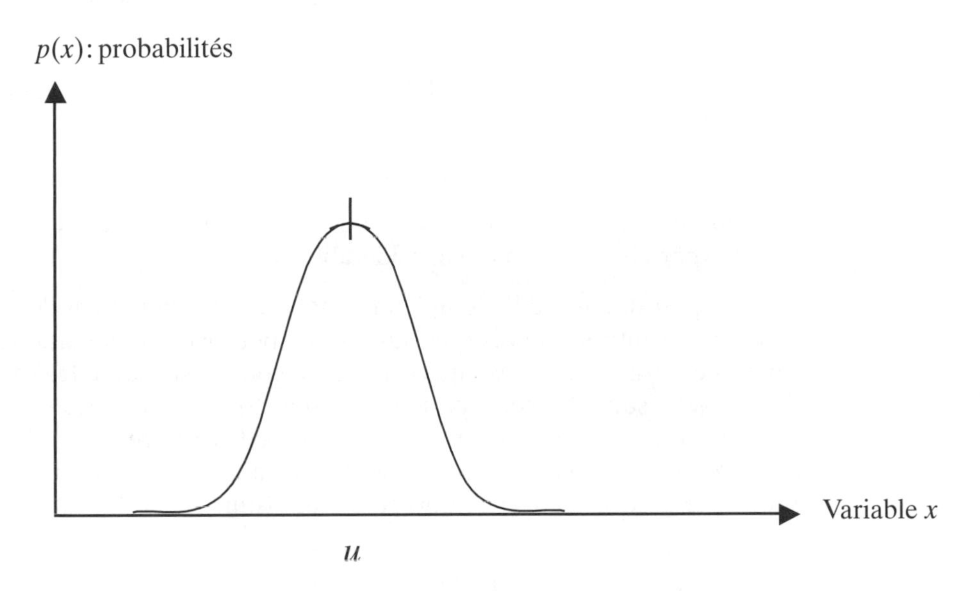

Il est utile d'analyser les critères utilisés par le gestionnaire pour décider d'un investissement risqué, lorsque les flux monétaires du projet sont présentés sous la forme d'une distribution de probabilités. Plusieurs critères peuvent être choisis par le gestionnaire afin de s'assurer de l'information la plus complète possible dans sa démarche de maximisation des résultats d'un projet.

5.3.3. Le concept d'espérance mathématique

L'espérance mathématique d'une distribution de probabilités de flux monétaires nets d'un projet d'investissement est la moyenne pondérée de ces résultats attendus ; la pondération est la probabilité d'occurrence de chaque flux monétaire net.

Considérons la distribution de probabilités de la valeur actuelle nette (VAN) d'un projet X de fabrication de produits de consommation ci-après :

Probabilités	VAN (en milliers)
0,20	3 000 $
0,40	5 000 $
0,40	6 000 $

L'espérance mathématique de la valeur actuelle nette est égale à :

$$\begin{aligned} u &= (3\,000\,\$)\,(0{,}20) + (5\,000\,\$)\,(0{,}40) + (6\,000\,\$)\,(0{,}40) \\ &= 600\,\$ + 2\,000\,\$ + 2\,400\,\$ \\ &= 5\,000\,\$ \end{aligned}$$

La valeur espérée de 5 000 $ n'est pas un critère absolu d'appréciation sur lequel repose la décision du gestionnaire car :

- sa réalisation n'est pas certaine ;
- elle ne constitue une valeur moyenne que dans le cas où l'on répéterait l'expérience un nombre considérable de fois.

Le gestionnaire doit compléter l'analyse et le traitement des données d'un projet par d'autres critères que celui de l'espérance mathématique. Ce dernier critère ne permet pas en soi de cerner de façon satisfaisante les caractéristiques d'un projet risqué. Le concept de la variance fournit au gestionnaire des renseignements utiles quant aux variations possibles des différents résultats d'un projet autour de l'espérance mathématique. La variance mesure le risque du projet et informe le gestionnaire sur l'ampleur de ce risque.

5.3.4. Le concept de la variance

Les probabilités d'occurrence des résultats sont bien précises dans un contexte de risque, contrairement à celui de l'incertitude. Le gestionnaire peut établir, à l'aide de la variance, l'importance des variations des résultats par rapport à la valeur espérée. Comme la variance mesure la dispersion des résultats autour de la valeur espérée, elle renseigne le gestionnaire sur le degré de risque que représente un nouveau projet. La décision d'investissement s'effectue sous un double éclairage nouveau :

1. Le risque défini par la variance est-il tolérable par le gestionnaire ou l'investisseur ?
2. La rentabilité du projet nouveau compense-t-elle suffisamment le risque propre au projet ?

La variance d'un projet X est calculée de la façon suivante :

$$\sigma_x^2 = (x_1 - u)^2\,p_1 + (x_2 - u)^2\,p_2 + \ldots + (x_i - u)^2\,p_i + \ldots + (x_n - u)^2\,p_n$$

où :

σ_x^2 = variance de la distribution de probabilité de la valeur actuelle nette du projet X,

x_i = valeur actuelle nette (VAN) de la possibilité de la i^e VAN, sachant que $i = 1, 2, \ldots, n$,

μ = valeur espérée de la VAN,

p_i = probabilité de réalisation de la VAN i.

La distribution de probabilités de la VAN du projet X a pour variance :

$$\sigma_x^2 = (3\,000 - 5\,000)^2\,(0{,}20) + (5\,000 - 5\,000)^2\,(0{,}40) + (6\,000 - 5\,000)^2\,(0{,}40)$$
$$= 800\,000\,\$ + 0\,\$ + 400\,000\,\$ = 1\,200\,000\,\$$$

L'écart type qui est la racine carrée de la variance renseigne aussi sur les fluctuations qui caractérisent une variable :

$$\sigma_x = (1\,200\,000\,\$)^{1/2} = 1\,095{,}45\,\$$$

La pertinence de l'information additionnelle fournie par la mesure du risque selon l'écart type ou par la variance apparaît d'autant plus dans le cas d'une comparaison de deux projets qui présentent une même espérance mathématique.

Considérons un nouveau projet Y dont la distribution de probabilités de la VAN est la suivante :

Probabilités	VAN (en milliers)
0,20	2 000 $
0,40	5 000 $
0,40	6 500 $

Le projet Y a, comme le projet X, une espérance mathématique de VAN égale à 5 000 $; par contre, son écart type ou risque est beaucoup plus élevé. En effet, la variance du projet Y est de :

$$\sigma_y^2 = (2\,000 - 5\,000)^2\,(0{,}20) + (5\,000 - 5\,000)^2\,(0{,}40) + (6\,500 - 5\,000)^2\,(0{,}40)$$
$$= 1\,800\,000\,\$ + 0 + 900\,000\,\$ = 2\,700\,000\,\$$$

L'écart type du projet Y s'élève à :

$$\sigma_y = (2\,700\,000\,\$)^{1/2} = 1\,643{,}17\,\$$$

Le projet Y présente un risque beaucoup plus élevé que le projet X, car l'écart type de 1 643,17 $ indique une dispersion de sa VAN beaucoup plus large que celle de X, qui se chiffre à 1 095,45 $. En d'autres termes, le projet Y peut se distinguer par une VAN positive plus élevée et par une VAN négative plus élevée que celles du projet X. Il est bien évident qu'un projet comme Y, qui peut éventuellement atteindre un résultat négatif plus élevé, est plus risqué.

5.4. LES MESURES NÉCESSAIRES À L'ANALYSE DU RISQUE DANS LE CADRE DE PROJETS MULTIPLES [1]

5.4.1. Autres concepts et mesures du risque

Une cimenterie a des activités qui fluctuent avec la conjoncture économique. Les bénéfices peuvent varier de façon marquée selon les différentes phases du cycle économique, car la construction domiciliaire et résidentielle se caractérise par d'importantes fluctuations. L'investisseur éprouve généralement une aversion pour le risque, lequel se traduit par des variations de profit ou de tout autre résultat considéré autour de la valeur espérée. La réduction du risque s'obtient par la minimisation des fluctuations des ventes et des profits. Si le détenteur d'un certain nombre d'actions de l'entreprise désire stabiliser le taux de rendement obtenu sur l'ensemble de ses investissements, il devra acquérir des actions de sociétés dont les activités varient en sens contraire ou de façon indépendante par rapport à celles de l'entreprise. Lorsque les profits seront élevés pour la cimenterie, ils seront modestes ailleurs et vice versa, réduisant ainsi, par la combinaison d'investissements dont les bénéfices varient différemment dans le temps, les fluctuations de taux de rendement, c'est-à-dire le risque du portefeuille.

C'est la diversification des projets et des portefeuilles qui permet de stabiliser le taux de rendement global des investissements. L'ampleur de la réduction du risque dépend du degré d'indépendance des différents investissements réalisés, des actions détenues en portefeuille ou de la mesure dans laquelle l'évolution des taux de rendement se fait en sens contraire. Pour établir la relation dans le temps entre les variations des profits de deux investissements différents, il faut recourir à de nouveaux concepts et instruments de mesure du risque : la covariance et le coefficient de corrélation.

1. F. Rassi (1989). « Notions fondamentales et instruments de mesure du risque, section 2. L'analyse du risque dans le cadre de projets multibles », dans R. Belzile, G. Mercier et F. Rassi, *Analyse et gestion financière*, Québec, Presses de l'Université du Québec, p. 626-636.

5.4.2. La covariance

La covariance permet de chiffrer dans quelle mesure et de quelle façon deux variables évoluent ensemble dans le temps par rapport à leurs moyennes respectives. La covariance est la relation entre les variations simultanées des variables soit au-dessus de leurs valeurs moyennes respectives, soit en dessous. L'exemple de calcul de la covariance au tableau 5.2 ci-après ainsi que l'explication et l'interprétation qui suivent illustrent la nature de la covariance et sa signification. Si par exemple il s'agit de deux taux de rendement ou de deux valeurs actuelles nettes qui évoluent de façon systématique soit au-dessus, soit en-dessous de leurs moyennes respectives, on obtiendra des produits de la différence de ces valeurs avec leur moyenne de signes positifs. La covariance est alors positive. Par contre, elle est négative lorsque la VAN d'un projet X prend systématiquement des valeurs supérieures à sa moyenne, tandis que la VAN d'un projet Y prend simultanément des valeurs inférieures à sa moyenne.

Nous allons illustrer le concept de covariance par plusieurs états de la nature, c'est-à-dire par des conjonctures économiques différentes. Les valeurs actuelles nettes des projets X, Y et Z et les probabilités correspondantes sont :

État de la nature	Probabilité	VAN		
		Projet X	Projet Y	Projet Z
Favorable (expansion économique)	0,4	2 500 $	5 000 $	3 000 $
Moyen (faible expansion)	0,4	3 000 $	2 500 $	4 000 $
Défavorable (récession)	0,2	4 000 $	0	5 000 $

La valeur actuelle nette espérée et l'écart type sont respectivement de :

	Projet X	Projet Y	Projet Z
E (VAN)	3 000,00 $	3 000,00 $	3 800,00 $
σ	547,72 $	1 870,82 $	748,33 $

Le concept de covariance permet de mesurer l'évolution simultanée des valeurs actuelles nettes des projets X et Y, par exemple, selon les phases du cycle économique. La covariance est indispensable pour établir l'écart type des valeurs actuelles nettes d'une combinaison de projets, car les fluctuations de ces valeurs actuelles nettes, qui se manifestent différemment selon l'évolution de la conjoncture économique, ne s'ajoutent pas. Elles se neutralisent plutôt en partie, d'une manière générale. La covariance des fluctuations des VAN des projets X et Y est ainsi calculée :

$$COV_{XY} = \sum_{i=k}^{n} \left[VAN_{Xk} - E(VAN_x) \right] \left[VAN_{Yk} - E(VAN_Y) \right] p_k \quad (5.1)$$

où:

VAN_{Xk} = valeur actuelle nette du projet X dans une conjoncture économique donnée *k*,

VAN_{Yk} = valeur actuelle nette du projet Y dans une conjoncture donnée *k*,

p_k = probabilité de réalisation de la conjoncture ou de l'état de la nature *k*,

n = nombre d'états de la nature retenus (ici trois),

E(VAN) = espérance de la valeur actuelle nette de chaque projet considéré, soit X et Y.

La covariance obtenue est de – 1 000 000$ (voir le tableau 5.2).

Tableau 5.2

Calcul de la covariance de deux projets

État de la nature	$[VAN_{Xk}$ – $E(VAN_X)]$	$[VAN_{Yk}$ – $E(VAN_Y)]$	(P_k)		
Favorable	[2 500$ – 3 000$]	[(5 000$ – 3 000$)]	(0,4)	=	– 400 000$
Moyenne	[3 000$ – 3 000$]	[(2 500$ – 3 000$)]	(0,4)	=	0$
Défavorable	[4 000$ – 3 000$]	[(0 – 3 000$)]	(0,2)	=	– 600 000$
					– 1 000 000$

Le calcul détaillé de la covariance donne une mesure absolue, soit – 1 000 000$, des relations entre les valeurs actuelles nettes des projets X et Y dans le temps. La covariance peut varier entre moins l'infini (– ∞) et plus l'infini (+ ∞). On constate bien que dans le contexte d'une conjoncture favorable, la VAN du projet X est inférieure à son espérance de VAN, tandis que la VAN du projet Y est supérieure à sa propre espérance de VAN, donnant un résultat de signe négatif (– 400 000$). Nous obtenons un signe négatif (– 600 000$) de covariance dans le cas de la conjoncture défavorable, car, dans le cas du projet X, la VAN est supérieure à sa valeur espérée, tandis que dans le cas du projet Y, la VAN est inférieure à sa valeur espérée. On obtient comme résultat une covariance de – 1 000 000$, indiquant une évolution des variations des VAN du projet X et du projet Y en sens contraire. Si le signe de la covariance avait été positif, les VAN mentionnées auraient varié dans le même sens dans le temps par rapport à leurs moyennes respectives. Lorsque la covariance prend une valeur nulle, il s'agit de projets indépendants, c'est-à-dire d'une absence de relation de quelque nature que ce soit, positive ou négative, entre les projets étudiés.

Précisons que la variation d'une VAN par rapport à elle-même est traduite par sa variance. Si l'on compare les résultats d'une VAN par rapport à elle-même (par exemple, la VAN du projet X par rapport à la VAN du projet X), la formule (5.1) nous permet de constater que l'on obtient la variance du projet X.

La covariance est une mesure absolue des interrelations entre résultats de taux de rendement ou de valeur actuelle nette dans le temps; le coefficient de corrélation est une autre mesure normalisée ou « standardisée » de ces interrelations.

5.4.3. Le coefficient de corrélation

La covariance exprime de façon absolue le sens ou l'orientation des variations de résultats de deux grandeurs dans le temps; le coefficient de corrélation mesure, en termes relatifs, la dépendance entre ces deux variables à l'intérieur de la fourchette ±1. L'avantage du coefficient de corrélation réside non seulement dans l'expression de l'orientation des relations entre variables (comme le fait la covariance), mais aussi en mettant l'accent de façon plus précise sur la force, l'intensité ou le degré de leurs interrelations. Le coefficient de corrélation $\rho_{(XY)}$ concernant deux projets X et Y est calculé à partir de la covariance:

$$\rho_{(XY)} = \frac{COV_{XY}}{(\sigma_X)(\sigma_Y)} \tag{5.2}$$

Nous savons que:

$$\sigma^2 = \sum_{i=1}^{n} [X_i - E(X)]^2 p_i$$

Si deux variables s'orientent dans le même sens et exactement dans les mêmes proportions, il en résulte le degré de corrélation le plus élevé entre elles; le coefficient de corrélation sera alors de signe positif et égal à l'unité. Dans ce cas précis, les deux variables évoluent ensemble de façon totale et complète, c'est-à-dire dans le même sens et dans les mêmes proportions.

Nous pouvons établir, à partir de la formule du coefficient de corrélation, l'expression de la covariance nécessaire au calcul de l'écart type, c'est-à-dire le risque de portefeuille. En effet, puisque:

$$\rho_{(XY)} = \frac{COV_{XY}}{(\sigma_X)(\sigma_Y)}$$

on a

$$COV_{XY} = (\rho_{(XY)})(\sigma_X)(\sigma_Y)$$

Précisons que lorsque $\rho_{(XY)}$ prend des valeurs situées entre 0 et 1, la relation de dépendance entre les taux de rendement ou les VAN des projets X et Y est positive. L'exemple qui suit précise et illustre la signification de cette dépendance, qui est d'autant plus forte que la corrélation se rapproche de 1. Les deux variables ont tendance à varier dans le même sens, mais pas nécessairement dans les mêmes proportions, lorsque le coefficient de corrélation varie entre 0 et 1. Quand $\rho_{(XY)} = +1$, la corrélation positive est parfaite et la relation est linéaire, de la forme $y = a + bx$ avec le coefficient $b > 0$. Par contre, lorsque $\rho_{(XY)}$ prend des valeurs situées entre 0 et –1, la relation de dépendance devient négative, c'est-à-dire que les variables ont tendance à évoluer en sens inverse, mais pas nécessairement dans les mêmes proportions. Cette relation se distingue par d'autant plus de force que la corrélation se rapproche de –1. Lorsque $\rho_{(XY)} = -1$, la corrélation négative est parfaite et la relation est linéaire avec cependant le coefficient $b < 0$. Enfin, dans les cas où $\rho_{(XY)} = 0$, il n'y a aucune relation entre les taux de rendement ou les VAN des deux projets considérés qui sont alors indépendants du point de vue statistique.

Calculons le coefficient de corrélation entre les valeurs actuelles nettes des projets X et Y sachant que $COV_{XY} = 1\,000\,000\,\$$, $\sigma_X = 547{,}72\,\$$ et $\sigma_Y = 1\,870{,}82\,\$$.

$$\rho_{(XY)} = \frac{-1\,000\,000\,\$}{(547{,}72\,\$)\,(1\,870{,}82\,\$)} = -0{,}976$$

Les projets X et Y se distinguent par une corrélation négative très forte, puisque le coefficient est très proche de –1. Les résultats de ces deux projets varient en sens contraire dans le temps de façon presque parfaite. Il s'agit d'une diversification très efficace, concernant deux projets, car elle assure une minimisation du risque presque la plus forte possible.

Dans un marché de valeurs mobilières, on peut considérer qu'un portefeuille est bien diversifié s'il est composé d'une trentaine de titres ou d'actions choisis au hasard. Ce portefeuille représente déjà bien fidèlement le marché, car il élimine le risque spécifique. Ce dernier est relié aux facteurs qui influencent les activités d'exploitation de l'entreprise, ainsi qu'à la nature du secteur d'activité auquel elle appartient. Il est évident, par exemple, que des dirigeants incompétents peuvent mettre l'entreprise rapidement en difficulté. En outre, une direction dont l'ensemble des pouvoirs est concentré entre les mains d'un seul homme représente habituellement un risque plus élevé par rapport à une direction collégiale, dont la continuité dans le temps est plus assurée. Le risque spécifique dépend aussi de facteurs tels que la fréquence des grèves dans une entreprise ou dans un secteur d'activité donné, de l'état de la concurrence dans un secteur et de la réaction habituelle des compétiteurs dans un champ d'activité donné face aux initiatives des entreprises concurrentes.

Il est important de noter que si la diversification élimine le risque spécifique, ou risque non systématique, elle ne peut cependant pas réduire le risque systématique. En effet, ce dernier, appelé aussi risque du marché, est lié aux mouvements généraux de l'économie et non aux particularités ou à la spécificité d'une entreprise donnée ou d'un secteur d'activité. Ainsi, une inflation forte qui touche l'ensemble de l'économie est en général accompagnée de taux d'intérêt élevés, d'un ralentissement de l'investissement et d'un accroissement du chômage. L'ensemble de l'économie s'installe dans la récession et les profits d'entreprise s'amenuisent rapidement.

La figure 5.4 facilite la compréhension des effets de la diversification sur le risque d'un portefeuille de projets d'investissement ou de titres. Supposons que l'entreprise E réalise un ensemble de projets dont les rendements évoluent selon la courbe E de cette figure et que deux nouveaux projets A et B mutuellement exclusifs soient envisagés. L'entreprise désire minimiser le risque à l'endroit de son portefeuille de projets. La figure 5.4 indique comment évolueraient, dans le temps, les taux de rendement respectifs des projets A et B par rapport au portefeuille existant E.

Figure 5.4

Évolution dans le temps des taux de rendement du portefeuille E

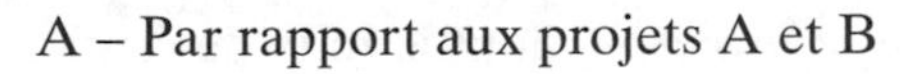
A – Par rapport aux projets A et B

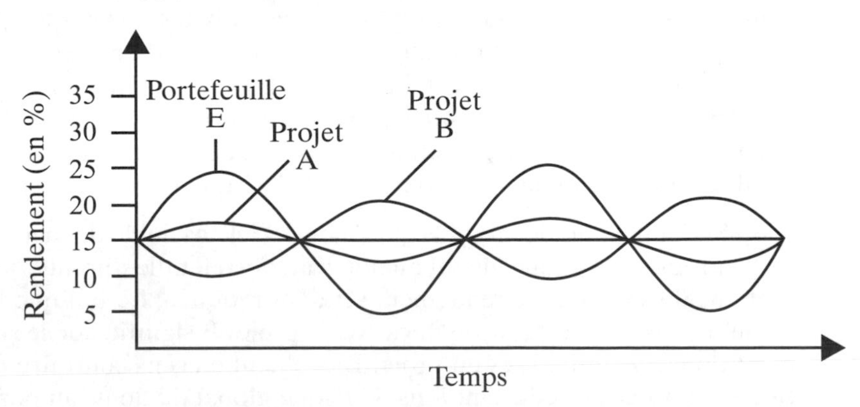

B – Par rapport au projet A

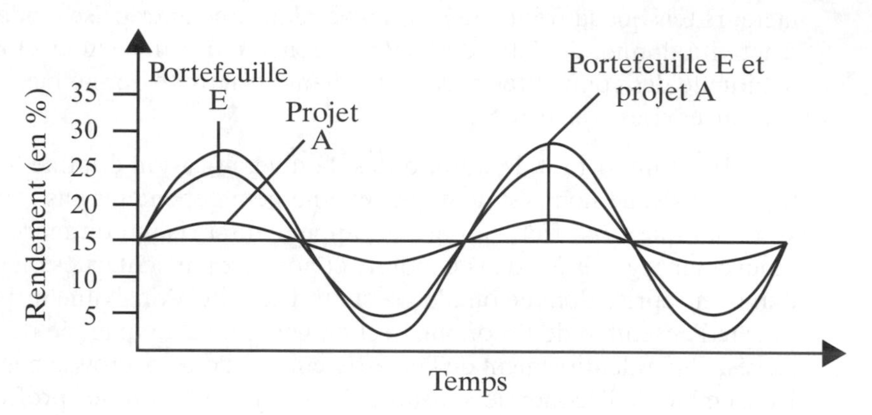

C – Par rapport au projet B

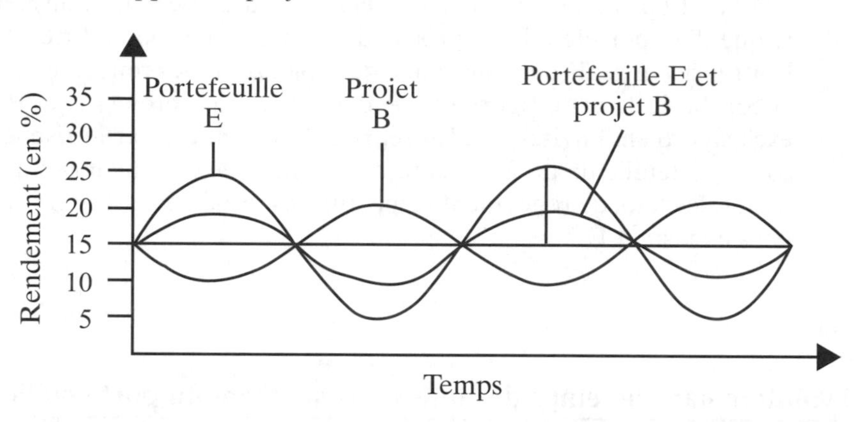

Si l'entreprise choisissait le projet A, dont le taux de rendement évolue de la même façon que celui de l'ensemble de ses activités, son risque global augmenterait puisque les fluctuations du taux de rendement du projet A s'ajouteraient à celles du portefeuille E (voir la figure 5.4B). Le portefeuille actuel E de l'entreprise est corrélé de façon positive au nouveau projet A, ce qui explique pourquoi l'adoption du projet A entraînerait de plus grandes fluctuations de taux de rendement, c'est-à-dire un nouveau portefeuille à risque plus élevé.

Si c'était plutôt le projet B qui s'ajoutait à l'ensemble des activités existantes de l'entreprise, le risque global du nouveau portefeuille diminuerait, car les fluctuations de son taux de rendement seraient réduites. Le fait que le portefeuille actuel E soit corrélé de façon négative au projet B signifie que les taux de rendement du portefeuille E et du projet B évoluent en sens contraire dans le temps. Ils se neutralisent, réduisant ainsi le risque global du nouveau portefeuille (voir la figure 5.4C).

Le projet B se distingue par des variations de taux de rendement plus grandes que celles du projet A, d'où son risque propre plus élevé. Toutefois, c'est le projet B qui se distingue par une contribution plus favorable au risque global de l'entreprise, car il le réduit et, par conséquent, c'est lui qui sera adopté, toutes choses égales d'ailleurs. Ce n'est pas le risque individuel d'un projet qui importe, mais sa contribution additionnelle ou marginale au risque total de l'entreprise. Le coefficient de corrélation peut être calculé non seulement à partir de la covariance et des écarts types des variables considérées, mais aussi directement à partir de données brutes sur l'évolution simultanée de ces variables.

EXEMPLE

Considérons le cas du taux de rendement agricole d'un champ de pommes de terre. Ce taux de rendement est fonction d'unités d'engrais déversées par unité de terre. Le résultat obtenu Y (la variable dépendante) est le nombre de kilos de pommes de terre par unité de terre en fonction de différentes quantités d'engrais, représentant la variable indépendante X.

Les données suivantes sont fournies :

X	0,2	0,5	1	1,4	2
Y	12	16	18	20	18

Le coefficient de corrélation est une mesure qui indique le degré et la direction de la relation entre la variable indépendante et la variable dépendante. Ce coefficient ρ s'obtient en utilisant les données présentées ci-haut, de la façon suivante :

$$\rho = \frac{n\Sigma XY - (\Sigma X)(\Sigma Y)}{\left(\sqrt{n\Sigma X^2} - (\Sigma X)^2\right)\left(\sqrt{n\Sigma Y^2} - (\Sigma Y)^2\right)} \quad (5.3)$$

X	Y	X²	Y²	XY
0,2	12	0,04	144	2,4
0,5	16	0,25	256	8
1	18	1	324	18
1,4	20	1,96	400	28
2	18	4	324	36

Les résultats du tableau précédent montrent que :

$\Sigma X = 5{,}1$; $\Sigma Y = 84$; $\Sigma X^2 = 7{,}25$; $\Sigma Y^2 = 1\ 448$ et $\Sigma XY = 92{,}4$; d'où :

$$\rho = \frac{(5)(92,4)-(5,1)(84)}{\left(\sqrt{(5)(7,25)-(5,1)^2}\right)\left(\sqrt{(5)(1\,448)-(84)^2}\right)}$$

$$= \frac{462-428,4}{\left(\sqrt{36,25-26,01}\right)\left(\sqrt{7\,240-7\,056}\right)}$$

$$= \frac{33,6}{(3,2)(13,56)}$$

$$= \frac{33,6}{43,39}$$

$$= +0,77$$

Le coefficient de corrélation de +0,77 est positif; il indique une variation dans le même sens de la variable indépendante X, les quantités d'engrais, et de la variable dépendante Y, les kilos de pommes de terre obtenus par unité de terre. Par ailleurs, le degré de corrélation est élevé, soit de 0,77 entre les deux variables indiquées.

5.4.4. Le coefficient de variation

L'utilisation de l'écart type ou de la variance comme mesure exclusive du risque présente l'inconvénient d'une mesure absolue, qui ne peut donc être considérée comme une référence définitive ou un indice de risque. Lorsque l'écart type est élevé, la dispersion des résultats autour de l'espérance mathématique est d'autant plus large et le risque plus grand. On peut aussi montrer que, parfois, lorsque le revenu net espéré est très élevé, un projet peut être adopté même si son écart type est élevé. Le coefficient de variation permet de remédier à la faiblesse qui caractérise la mesure, en termes absolus, du risque par l'écart type. La formule et le calcul du coefficient de variation sont présentés ci-après.

Supposons que deux projets X et Y se distinguent par les chiffres suivants caractérisant leur revenu net espéré :

	Projet X	**Projet Y**
Revenu net espéré	100 000 $	600 000 $
Écart type	5 000 $	12 000 $
Coefficient de variation	0,05	0,02

Le revenu net espéré (600 000 $) ainsi que l'écart type (12 000 $) du projet Y sont beaucoup plus élevés que ceux du projet X (100 000 $ et 5 000 $ respectivement). Les deux paramètres d'espérance des résultats et d'écart type autour de cette espérance ne semblent pas suffire, en tant que tels, pour trancher définitivement en faveur du projet X ou du projet Y. Un investisseur, selon son expérience et sa familiarisation avec le monde des affaires, constatera que, par rapport au projet X, le revenu net espéré du projet Y est six fois plus élevé, tandis que son écart type ne l'est que 2,4 fois ; par conséquent, c'est le projet Y qui représente globalement le plus d'attraits. En fait, le résultat du projet Y est assez élevé pour absorber une plus grande fluctuation de ce résultat mesurée par l'écart type. On constate également que le projet Y est moins risqué que le projet X si l'on se fie à la mesure du risque par le coefficient de variation.

Le coefficient de variation est le rapport de l'écart type d'une distribution de probabilités à sa valeur centrale, qui est la valeur espérée des résultats :

$$\frac{\sigma}{u} = \frac{\text{Écart type}}{\text{Espérance mathématique}}$$

Cette mesure en termes relatifs de la dispersion ou du risque d'un projet s'impose lorsque deux projets tels que X et Y se distinguent par des divergences importantes quant à leurs écarts types et à leurs valeurs espérées de résultats. Le coefficient de variation du projet X est égal à : 5 000 $/100 000 $ = 0,05 et celui de Y est égal à : 12 000 $/6 000 000 $ = 0,02. Le projet Y est préférable, car son espérance de revenu net est plus élevée et son risque relatif, mesuré par le coefficient de variation, plus faible.

L'écart type ne permet pas de différencier les projets selon l'importance de l'investissement effectué ; c'est le coefficient de variation qui établit si la variance élevée d'un grand projet A dénote réellement un risque plus élevé que celui d'un projet d'investissement de taille modeste B et de faible variance. Si le projet A se distingue par un coefficient de variation de 1,5 et le projet B de 2,5, on en conclut que le projet A est relativement moins risqué que le projet B.

5.5. LE RISQUE DU PORTEFEUILLE ET LES CONSÉQUENCES DE LA DIVERSIFICATION

Le risque d'un portefeuille formé de deux actifs est inférieur à la moyenne pondérée de leur risque individuel dans la mesure où le coefficient de corrélation est inférieur à l'unité. La pondération des écarts types est donnée par la proportion de chacun de ces deux actifs dans l'ensemble du portefeuille qu'ils forment. Le concept d'écart type d'actif unique ainsi que celui du coefficient de corrélation et de covariance sont indispensables à la détermination du risque d'un portefeuille formé de plusieurs actifs.

5.5.1. Le risque du portefeuille

Le risque du portefeuille est calculé par la relation suivante :

$$\sigma_p = \left[\left(X_B^2\right)\left(\sigma_B^2\right) + \left(X_C^2\right)\left(\sigma_C^2\right) + (2)\left(X_B\right)\left(X_C\right)\left(\rho_{BC}\right)\left(\sigma_B\right)\left(\sigma_C\right) \right]^{1/2} \quad (5.4)$$

et, comme l'indique la relation (5.2), on aura aussi :

$$\sigma_p = \left[\left(X_B^2\right)\left(\sigma_B^2\right) + \left(X_C^2\right)\left(\sigma_C^2\right) + 2\left(X_B\right)\left(X_C\right) COV_{BC} \right]^{1/2} \quad (5.5)$$

5.5.2. Le taux de rendement espéré du portefeuille

Le taux de rendement espéré du portefeuille formé des actifs B et C est calculé selon la relation suivante :

$$r_p = \left(X_B\right)\left(r_B\right) + \left(X_C\right)\left(r_C\right) \quad (5.6)$$

où :

r_p = taux de rendement espéré du portefeuille,
X_B, X_C = proportions respectives des actifs B et C dans l'ensemble du portefeuille,
COV_{BC} = covariance entre les actifs B et C,
σ_B^2, σ_C^2 = variances respectives de B et C,
$\rho_{(B,C)}$ = coefficient de corrélation des actifs B et C,
r_B, r_C = rendement espéré de B et C.

EXEMPLE

Deux actifs, A et B, forment un portefeuille de façon équipondérée avec des taux de rendement respectifs de 15 % et de 20 % et des écarts types respectifs de 2 % et de 3 %. Ces deux actifs se distinguent par un coefficient de corrélation de –0,75. On désire établir le taux de rendement espéré ainsi que le risque de ce portefeuille A et B.

- Le taux de rendement espéré du portefeuille A et B :

$$r_p = (0,50)\ (15\,\%) + (0,50)\ (20\,\%)$$
$$= 7,5\,\% + 10\,\% = 17,5\,\%$$

- L'écart type ou risque du portefeuille A et B :

$$\sigma_p = \left[\ (0,50)^2\,(2\,\%)^2 + (0,50)^2\,(3\,\%)^2 + (2)(0,50)(0,50)(-0,75)(2\,\%)(3\,\%)\right]^{1/2}$$
$$= (1 + 2,25 - 2,25)^{1/2} = (1)^{1/2} = 1\,\%$$

5.5.3. La diversification

La diversification d'un portefeuille d'actions ordinaires entraîne les conséquences suivantes :

- L'élimination partielle du risque global d'un portefeuille, sans perte ou sacrifice de rendement, se fait par la minimisation voire l'élimination du risque spécifique.
- Le seul risque à considérer, après l'élimination du risque spécifique, est celui du marché. Tout portefeuille se distingue par des variations de taux de rendement plus ou moins sensibles aux variations de taux de rendement du portefeuille du marché représenté par un indice boursier comme celui de la Bourse de Toronto.

Le risque total d'un actif se décompose en risque spécifique et en risque du marché. Le risque non systématique s'explique par des facteurs propres à l'entreprise qui lui sont préjudiciables : une grève prolongée, la perte d'un client important ou des dirigeants fraudeurs, par exemple. Il n'y a donc pas de lien direct et durable entre les variations de cette composante du risque total d'un actif et les fluctuations de l'ensemble de l'activité économique dans lequel baigne l'entreprise.

D'où l'expression de risque non systématique, qui s'explique par l'absence de lien systématique ou rigoureux entre les fluctuations des taux de rendement d'un actif donné et celles du taux de rendement d'un indice boursier représentatif de l'ensemble de l'économie.

Une grande partie du risque spécifique est éliminée avec une trentaine de titres différents en portefeuille. Seul le risque systématique ou risque du marché, lié à l'évolution globale de l'économie, n'est pas diversifiable. Il est incontournable car incompressible, c'est-à-dire que le risque du marché ne peut être réduit par la diversification. Les fluctuations de l'activité économique influent directement sur les niveaux de production et de vente des entreprises ainsi que sur leurs résultats bénéficiaires, qui s'améliorent avec la phase d'expansion du cycle économique et se détériorent avec la phase de récession.

Figure 5.5

La diversification et le nombre de titres en portefeuille

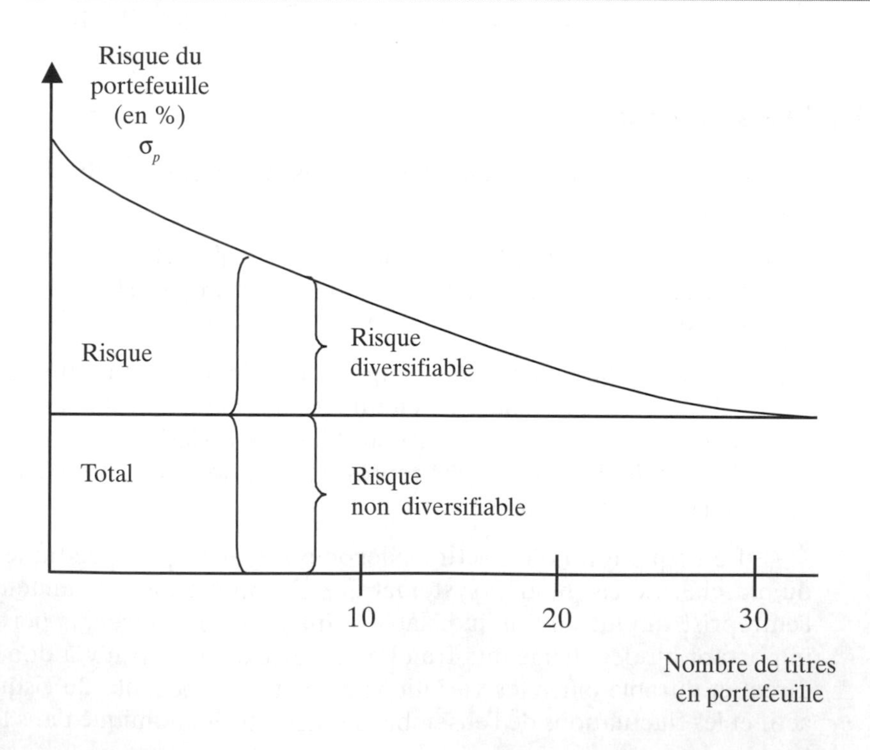

Les conséquences inévitables des différentes phases du cycle économique, c'est-à-dire de l'environnement ou du marché en général, sur la performance des entreprises se traduisent par des fluctuations de taux de rendement conditionnées par des fluctuations économiques. L'entreprise n'a aucun moyen de diversifier et d'éliminer ce risque du marché qu'elle subit comme toutes les entreprises, quoiqu'à des degrés divers. C'est cette fraction du risque total qui justifie l'attribution d'une prime de risque du marché qui est une fonction croissante du risque systématique de l'entreprise. Plus ce dernier sera élevé, plus la prime de risque du marché exigée par les investisseurs sera élevé et, par conséquent, plus le taux de rendement attendu sur un titre donné s'élèvera aussi.

5.5.3.1. La mesure de l'effet de diversification

L'effet de diversification traduit la diminution du risque du portefeuille par rapport à la moyenne pondérée des écarts types respectifs des titres qui le composent. Il indique, pour une composition donnée du portefeuille, la différence entre la variabilité maximale possible de ses rendements et la variabilité effective observée.

On pose :

$$\text{EDD}_p = \sum_{i=1}^{n} x_i \sigma_i - \sigma_p \tag{5.7}$$

où :

EDD_p = effet de diversification pour une proportion donnée de ses différents titres,
x_i = proportion de l'investissement effectuée dans le titre i,
σ_i = écart type des taux de rendement du titre i,
σ_p = écart type des taux de rendement du portefeuille,

On peut aussi exprimer l'effet de diversification de façon relative :

$$\left[\frac{\text{EDD}_p}{\sum_{i=1}^{n} x_i \sigma_i}\right](100) = \left[\frac{\sum_{i=1}^{n} x_i \sigma_i - \sigma_p}{\sum_{i=1}^{n} x_i \sigma_i}\right](100) \tag{5.8}$$

EXEMPLE

Considérons deux titres 1 et 2 formant respectivement 50 % de la valeur d'un portefeuille dont les écart types sont :

$$\sigma_1 = 10\,\% \qquad \text{et} \qquad \sigma_2 = 16\,\%$$

La variabilité maximale de ce portefeuille serait de 13 % dans le cas où le coefficient de corrélation $\rho_{12} = 1$. En effet :

$$\begin{aligned}\sigma_p &= \left[x_1^2\sigma_1^2 + x_2^2\sigma_2^2 + 2(x_1)(x_2)(\rho_{12})(\sigma_1)(\sigma_2)\right]^{1/2}\\ &= \left[(0{,}25)(100) + (0{,}25)(256) + (2)(0{,}25)(1)(10)(16)\right]^{1/2}\\ &= (25 + 64 + 80)^{1/2} = (169)^{1/2} = 13\ \%\end{aligned}$$

Ce qui permet d'écrire que la variabilité maximale de ce portefeuille est donnée par la moyenne pondérée de ses écarts types :

$$\sum_{i=1}^{n} x_i\sigma_i = (0{,}5)(10\ \%) + (0{,}5)(16\ \%) = 13\ \% \qquad (5.9)$$

On constate qu'il n'existe pas d'effet de diversification lorsque le coefficient de corrélation égale l'unité, c'est-à-dire qu'il n'y a pas de réduction du risque du portefeuille. La variabilité des taux de rendement du portefeuille est maximale dans ce cas particulier.

Considérons le cas le plus fréquent de la réalité : celui d'un coefficient de corrélation inférieur à l'unité, soit $\rho_{12} = 0{,}25$. Le calcul du risque du portefeuille indique $\sigma_p = 10{,}44\ \%$ et un effet de diversification de : $EDD_p = 13\ \% - 10{,}44\ \% = 2{,}56\ \%$ et, de façon relative : $2{,}56/13 \times 100 = 19{,}69\ \%$. La diversification a permis, avec un coefficient de corrélation de 0,25 et une équipondération, c'est-à-dire des proportions égales des titres 1 et 2, de réduire le risque du portefeuille de 19,69 % par rapport à la variabilité maximale possible.

EXEMPLE

La récapitulation des différentes étapes de calcul du taux de rendement espéré et du risque d'un portefeuille formé de deux titres.

Considérons la distribution de probabilités suivante des taux de rendement attendus sur deux titres X et Y qui forment un portefeuille de façon équipondérée :

État de l'économie	Probabilité	Action X	Action Y
Récession	0,20	5 %	− 5 %
Expansion moyenne	0,40	10 %	+ 10 %
Expansion forte	0,40	20 %	+ 30 %
Taux de rendement espéré E(r)		13 %	15 %
Écart type : σ		6 %	13,41 %
Coefficient de corrélation		0,994	

Calcul du coefficient de corrélation selon la relation (5.2) :

$$\rho_{xy} = \frac{COV_{xy}}{\sigma_x \times \sigma_y}$$

$$COV_{xy} = (-8)(-20) \times 0,20 + (-3)(-5) \times 0,40 + (7)(15) \times 0,40 = 80$$

$$\rho_{xy} = \frac{80}{(6)(13,41)} = 0,994$$

Calcul du taux de rendement espéré du portefeuille équipondéré :

$$E(r_p) = (13) \times 0,50 + (15) \times 0,50 = 14\,\%$$

Calcul du risque du portefeuille :

$$\sigma_p = \left[(0,5)^2\,(6)^2 + (0,5)^2\,(13,41)^2 + 2(0,5)(0,5)(0,994)(6)(13,41)\right]^{1/2} = 9,69\,\%$$

Calcul de la moyenne pondérée des risques individuels des deux titres X et Y qui mesure le risque maximal que peut atteindre ce portefeuille :

$$\sigma_{\max i} = (6) \times 0,50 + (13,41) \times 0,50 = 9,70\,\%$$

La comparaison du risque de portefeuille maximal possible de 9,70 % au risque du portefeuille X et Y de 9,69 % indique que l'effet de diversification est négligeable. L'explication est simple : le coefficient de corrélation ρ_{xy} de 0,994 est très proche de 1, indiquant une corrélation presque parfaite positive. Nous savons que dans le cas où le coefficient de corrélation est égal à l'unité, il n'existe pas d'effet de diversification et, par conséquent, à 0,994, la diversification est insignifiante.

5.6. LE MODÈLE DU MARCHÉ

Le modèle du marché établit la relation entre les variations du taux de rendement d'un titre et celles d'un indice boursier représentant le comportement de l'ensemble de l'économie dans le temps. Ce dernier indice représente le portefeuille du marché, c'est-à-dire le portefeuille d'actifs risqués optimal.

5.6.1. Le risque du marché

Le coefficient β, appelé risque du marché ou risque systématique, indique la relation qui existe entre les fluctuations du taux de rendement d'un actif donné j et celles de l'indice du marché, c'est-à-dire de la Bourse des actions ordinaires. Le coefficient bêta est calculé de la façon suivante :

$$\beta_i = \frac{\text{COV}r_j,\, r_m}{\text{COV}r_m,\, r_m} = \frac{\text{COV}r_j,\, r_m}{\sigma^2_{r_m}} \tag{5.10}$$

$$\frac{\text{Covariance de l'actif } j \text{ avec le portefeuille du marché}}{\text{Variance du portefeuille du marché}}$$

$$= \frac{n\Sigma r_j,\, r_m - (\Sigma r_j)(\Sigma r_m)}{n\Sigma r_m^2 - (\Sigma r_m)^2}$$

où :

β = niveau du risque systématique ou risque du marché,

n = nombre d'observations,

r_j = taux de rendement observé ou historique d'un titre,

r_m = taux de rendement observé ou historique du marché ou de l'indice boursier.

Les actifs dont les taux de rendement varient de la même façon que ceux du marché sont moins risqués que les actifs dont les taux de rendement varient plus que ceux du marché. Les premiers ont un bêta égal à l'unité et les seconds un bêta supérieur.

En effet, la covariance du portefeuille du marché par rapport à lui-même est sa variance, et le bêta du marché est égal à l'unité :

$$\beta_m = \frac{\text{COV}r_m, r_m}{\sigma^2_{r_m}} = \frac{\sigma^2_{r_m}}{\sigma^2_{r_m}} = 1$$

D'où l'explication que les actifs plus risqués que le portefeuille du marché ont un bêta supérieur à 1, et ceux dont le risque est inférieur à celui du marché se distinguent par un bêta inférieur à 1. Les actifs sans risque, comme les obligations du gouvernement fédéral canadien, ont un bêta nul.

Notons que le portefeuille du marché, représenté par un indice boursier, devrait comprendre, en principe, tous les actifs transigés sur le marché selon la proportion de leur valeur marchande.

5.6.2. Le modèle du marché et la ligne caractéristique (LC)

Le modèle du marché pour un actif j est représenté par la ligne caractéristique. Il prend la forme suivante :

$$r_{jt} = \alpha_j + (\beta_j)(r_{mt}) + e_{jt} \tag{5.11}$$

α_j = constante propre ou particulière à l'actif j,

β_j = coefficient de risque du marché de l'actif j,

e_{jt} = erreur résiduelle de régression censée être négligeable.

L'actif j peut-être aussi bien un titre qu'un portefeuille ou un projet d'investissement. La ligne caractéristique (LC) établit un lien entre le taux de rendement d'un actif j soit (r_j), et celui du marché (r_m). La LC est une droite de régression. Les coefficients α_j et β_j de la relation (5.11) sont exprimés ci-après, dans l'exemple suivant, selon les relations (5.12) et (5.13). Le modèle du marché est une deuxième approche pour la détermination du risque du marché β_j. Ce dernier est la pente de la ligne caractéristique LC.

EXEMPLE

Considérons les taux de rendement mensuels suivants d'un titre j et ceux de l'indice boursier m représentatif du marché sur une durée de quatre mois (un échantillon de 4 observations pour les fins de simplification):

	Mois				Moyenne
	1	2	3	4	
Rendement de l'action j (r_j)	4 %	6 %	6 %	−2 %	3,5 %
Rendement du portefeuille du marché (r_m)	5 %	−1 %	8 %	−4 %	2 %

Nous allons tenter d'établir la relation entre le taux de rendement du titre j et celui du marché, représentée par une droite appelée la ligne caractéristique. La détermination des coefficients de la régression linéaire α_j et β_j facilite l'établissement de cette relation à partir du nombre d'observations $n = 4$.

$$\alpha_j = \frac{\Sigma r_j \Sigma r_m^2 - \Sigma r_m \Sigma r_j r_m}{n\Sigma r_m^2 - \left(\Sigma r_m\right)^2} \tag{5.12}$$

$$\beta_j = \frac{n\Sigma r_j\ \Sigma r_m^2 - \Sigma r_m\ \Sigma r_j r_m}{n\Sigma r_m^2 - \left(\Sigma r_m\right)^2} \tag{5.13}$$

Ainsi:

r_m	r_j	r_m^2	$r_j r_m$
5 %	4 %	25 %	20 %
−1	6	1	−6
8	6	64	48
−4	−2	16	8

$$\Sigma r_m = 8 \quad \Sigma r_j = 14 \quad \Sigma r_m^2 = 106 \quad \Sigma r_j r_m = 70$$

Nous pouvons déterminer les coefficients suivants de la droite de régression:

$$\alpha_j = \frac{14 \times 106 - 8 \times 70}{4 \times 106 - 8 \times 8} = \frac{924}{360} = 2,57$$

$$\beta_j = \frac{4 \times 70 - 14 \times 8}{4 \times 106 - 8 \times 8} = \frac{168}{360} = 0,47$$

Le titre *j* a un risque systématique faible, car ses taux de rendement varient proportionnellement beaucoup moins que ceux du marché. Ils réagissent, en moyenne, de +0,47 % pour chaque variation de +1 % du taux de rendement du portefeuille du marché. L'équation de la droite de régression ou ligne caractéristique est la suivante :

$$r_j = 2{,}57 + (0{,}47)\,(r_m)$$

Représentons-la graphiquement par la figure 5.6 :

NOTE :

Les renseignements fournis par la ligne caractéristique sont les suivants : à un taux de rendement donné du marché correspond un taux de rendement du titre *j*. Dans le cas où le marché affiche un taux de rendement de 6 %, on s'attend à ce que le titre *j* ait un taux de rendement de 5,39 % (voir le point A de la LC sur la figure 5.6).

Toute droite, y compris la LC, se distingue par sa pente et par son point d'intersection avec l'axe vertical des ordonnées Y lorsque X = 0.

Figure 5.6

La ligne caractéristique : la relation entre le titre *j* et le portefeuille du marché

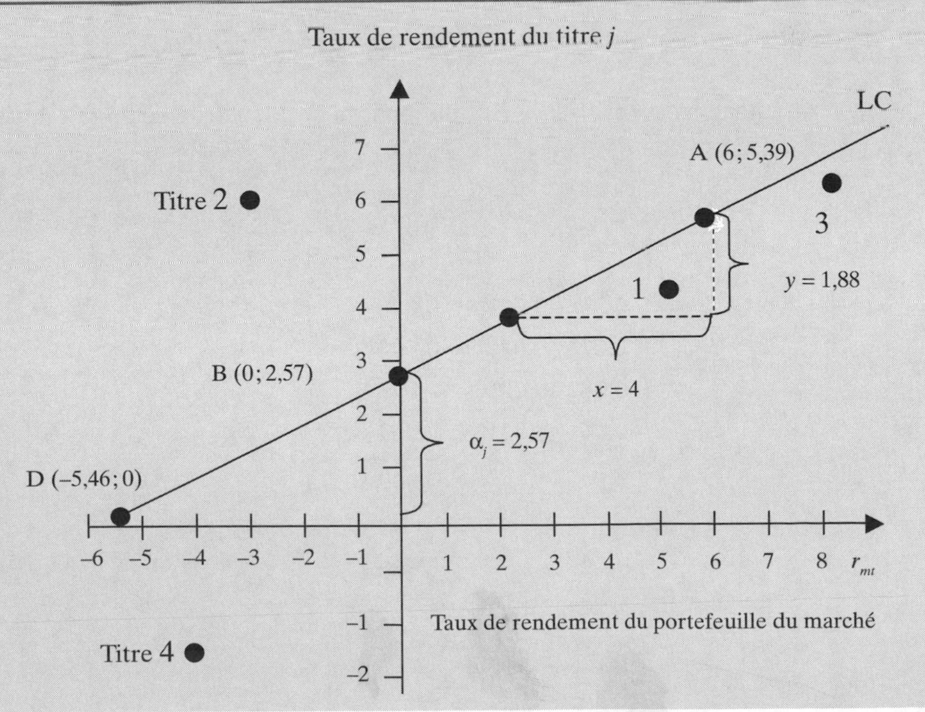

La pente de la LC est appelée le facteur bêta (β) du titre j et son point d'intersection avec l'axe des Y est illustré par le symbole α. Le facteur β_j, tel qu'indiqué dans la relation 9, peut aussi être calculé de la façon suivante :

$$\beta_j = \frac{COVr_j,\ r_m}{COVr_m,\ r_m} = \frac{COVr_j,\ r_m}{\sigma^2_{r_m}}$$

Déterminons ces deux covariances en nous basant sur l'échantillon considéré dans cet exemple :

$$COVr_j\ ,\ r_m = \sum_{t=1}^{n} \left[\left(r_{j,t} - \bar{r}_j\right)\left(r_{m,t} - \bar{r}_m\right)\right]\left(\frac{1}{n-2}\right) \quad (5.14)$$

$$\begin{aligned} = &\ (\ 0{,}04 - 0{,}035)\ (\ 0{,}05 - 0{,}02) = \ \ 0{,}000\ 15 \\ &\ (\ 0{,}06 - 0{,}035)\ (-0{,}01 - 0{,}02) = -\ 0{,}000\ 75 \\ &\ (\ 0{,}06 - 0{,}035)\ (\ 0{,}08 - 0{,}02) = \ \ 0{,}001\ 50 \\ &\ (-0{,}02 - 0{,}035)\ (-0{,}04 - 0{,}02) = \ \ \underline{0{,}003\ 30} \\ &\ \qquad\qquad\qquad\qquad\qquad\qquad\qquad 0{,}004\ 20 \end{aligned}$$

Nous obtenons la covariance en divisant cette somme totale par le nombre d'observations moins deux :

$$COVr_j,\ r_m = \frac{0{,}004\ 2}{4\ -\ 2} = 0{,}002\ 1$$

Calculons la covariance σr^2_m du rendement du marché selon la ralation suivante :

$$\sigma r^2_m = \frac{\sum_{t=1}^{n}\left(r_m - \bar{r}_m\right)^2}{n\ -\ 2}$$

$$\begin{aligned} = &\ (\ 0{,}05 - 0{,}02)^2 = 0{,}000\ 9 \\ &\ (-0{,}01 - 0{,}02)^2 = 0{,}000\ 9 \\ &\ (\ 0{,}08 - 0{,}02)^2 = 0{,}003\ 6 \\ &\ (-0{,}04 - 0{,}02)^2 = \underline{0{,}003\ 6} \\ = &\ \qquad\qquad\qquad\quad 0{,}009\ 0 \end{aligned}$$

et

$$COVr_m,\ r_m = \sigma r^2_m = \frac{0{,}009}{4\ -\ 2} = 0{,}045$$

Le calcul du facteur bêta s'établit à 0,47 :

$$\beta_j = \frac{0,002\,1}{0,004\,5} = 0,47$$

Ce résultat a déjà été obtenu en déterminant la pente de la ligne caractéristique selon l'équation 5.12.

5.7. FRONTIÈRE EFFICACE ET CHOIX DE PORTEFEUILLE SELON LA COMBINAISON RISQUE-RENDEMENT DE L'INVESTISSEUR

La figure 5.7 comprend des portefeuilles d'actifs risqués selon le taux de rendement $E(r_p)$ et le risque σ_p correspondant. Les différents points représentant les actifs risqués forment l'ensemble des portefeuilles disponibles sur le marché. La frontière efficace est formée par la courbe XYZ qui enveloppe l'ensemble des portefeuilles existants sur le marché. Les portefeuilles X, Y et Z sont efficients parce qu'ils sont situés sur la frontière efficace qui est le lieu géométrique des portefeuilles qui dominent, car à un risque donné correspond le taux de rendement le plus élevé et à un taux de rendement donné s'associe le risque le plus faible.

5.8. LE CHOIX DU PORTEFEUILLE EN PRÉSENCE D'UN ACTIF SANS RISQUE

La frontière efficace et le choix de portefeuille ont été considérés, dans la section précédente, dans un contexte de titres exclusivement risqués.

Il est utile et réaliste d'ajouter un titre sans risque, comme les bons du Trésor du gouvernement fédéral, à la détermination de la frontière efficace et à l'analyse du choix de portefeuille par les investisseurs. Utile car les possibilités et les combinaisons de portefeuille d'investissement sont meilleures (un taux de rendement plus élevé pour un même risque, et le risque le plus faible pour un taux de rendement donné) comparativement au choix de portefeuille en l'absence du titre sans risque. L'ajout de ce dernier au modèle d'analyse du choix de portefeuille est réaliste, car un nombre considérable de bons du Trésor et de titres à long terme du gouvernement fédéral circulent sur le marché.

Figure 5.7

La frontière efficace

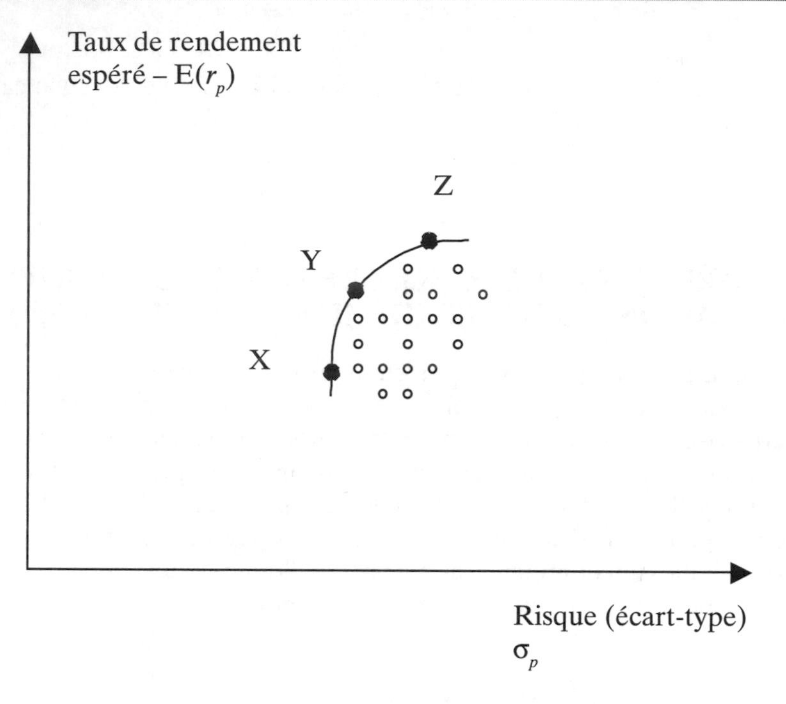

L'explication des caractéristiques de portefeuilles efficients est donnée dans le cadre de marchés parfaits dont les traits distinctifs sont les suivants:

- L'investisseur est rationnel et poursuit l'objectif de maximisation de la richesse.
- L'investisseur a une aversion envers le risque et décide selon la règle de la moyenne-variance.
- Il n'existe ni frais de transaction ni impôts.
- Les anticipations ou perceptions des investisseurs sont homogènes.
- Il existe un seul et unique taux d'intérêt sur le marché (le taux de prêt est égal au taux d'emprunt).
- Il n'existe pas de risque de faillite.

L'objectif poursuivi par l'analyse du choix de portefeuille consiste à déterminer la relation entre le taux de rendement $E(r_p)$ d'un portefeuille parfaitement diversifié et son risque (l'écart type).

Cette relation est illustrée par le modèle suivant :

$$E(r_p) = r_f + \left[\frac{E(r_m) - r_f}{\sigma_m}\right](\sigma_p) \quad (5.15)$$

où

$E(r_p)$ = le taux de rendement espéré du portefeuille parfaitement diversifié P,
r_j = le taux de rendement du titre sans risque comme les bons du Trésor,
$E(r_m)$ = taux de rendement espéré du marché (M), soit celui d'un indice boursier représentatif,
σ_m = le risque du portefeuille du marché (M),
σ_p = le risque du portefeuille P.

La figure 5.8 représente la ligne d'équilibre du marché, c'est-à-dire graphiquement la relation risque-rendement d'un portefeuille parfaitement diversifié, en présence d'un actif sans risque.

Figure 5.8

La ligne d'équilibre du marché (LEM)

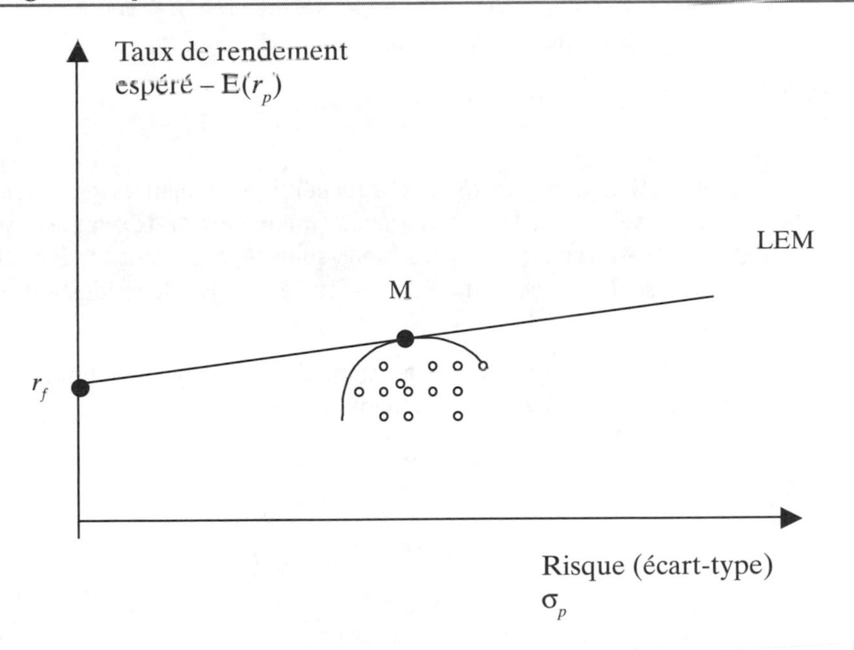

Quelques exemples permettent d'illustrer l'utilité et la signification de la relation du choix de portefeuille pour l'investisseur.

EXEMPLE 1

Le gestionnaire d'un fonds B a établi le risque acceptable de ses épargnants à 2 %. Les statistiques financières suivantes sont disponibles :

- Le taux de rendement des bons du Trésor (r_f) est de 4 %.
- L'espérance de rendement du marché $E(r_m)$ s'élève à 10 %.
- L'écart type (σ_m) de l'$E(r_m)$ se chiffre à 3 %.

Le gestionnaire du fonds B désire calculer l'espérance du taux de rendement du portefeuille de ce fonds, soit $E(r_p)$, compatible avec le risque toléré de 2 % selon la relation (5.14) :

$$\begin{aligned} E(r_p) &= 4\,\% + \left[\frac{10\,\% - 4\,\%}{3\,\%}\right](2\,\%) \\ &= 4\,\% + (2\,\%)(2\,\%) \\ &= 8\,\% \end{aligned}$$

Les épargnants qui placent leurs économies dans le fonds B sont informés qu'ils peuvent s'attendre à obtenir un taux de rendement de 8 % pour le niveau de risque de 2 % qu'ils acceptent, c'est-à-dire qu'ils sont prêts à prendre ou à assumer.

EXEMPLE 2

Le gestionnaire d'un fonds C a recueilli les exigences de rendement de ses épargnants, soit 14 %. Les statistiques financières de l'exemple 1 sont toujours valables. Les épargnants dont les fonds sont déposés dans C désirent savoir quel niveau de risque du portefeuille correspond à un taux de rendement de 14 % qu'ils exigent.

La relation (5.14) aidera le gestionnaire à établir le risque σ_p du portefeuille C et à le faire connaître aux épargnants de ce fonds :

$$14\,\% = 4\,\% + \left(\frac{10\,\% - 4\,\%}{3\,\%}\right)\sigma_p$$

$$14\,\% = 4\,\% + (2\,\%)(\sigma_p)$$

et

$$\sigma_p = \frac{10\,\%}{2} = 5\,\%$$

La relation de la ligne d'équilibre du marché permet de déterminer le taux de rendement espéré pour différents portefeuilles risqués en fonction de leur degré de risque et vice versa. Le calcul du taux de rendement d'un titre en particulier et non plus d'un portefeuille se fait en franchissant une autre étape par l'adoption du modèle d'évaluation des actifs financiers (MEDAF).

5.9. LE MODÈLE D'ÉVALUATION DES ACTIFS FINANCIERS (MEDAF)

Le MEDAF établit la relation exprimant le taux de rendement d'un actif *i* en fonction de son risque systématique et compte tenu du taux de rendement du marché. Nous considérons toujours le contexte de marchés parfaits. Le marché est représenté par un indice boursier comme celui de la Bourse de Toronto :

$$\begin{pmatrix}\text{Taux de rendement}\\ \text{espéré d'un actif } i\end{pmatrix} = \begin{pmatrix}\text{Taux de rendement}\\ \text{sans risque}\end{pmatrix} + \begin{pmatrix}\text{Prime de rendement par}\\ \text{unité de risque du marché}\end{pmatrix}\begin{pmatrix}\text{Niveau de risque systématique}\\ \text{de l'actif } i\end{pmatrix}$$

$$E(r_i) = r_f + \left[E(r_m) - r_f\right]\beta_i$$

Cette équation est celle de la ligne d'équilibre LET. Notons que :

$E(r)$ = taux de rendement requis espéré par le marché sur un actif *i* de risque systématique β_i,

$E(r_m)$ = taux de rendement espéré du marché ou d'un portefeuille du marché représentatif de toute l'économie,

r_f = taux sans risque illustré par le taux de rendement des bons du Trésor,

β_i = mesure du niveau du risque systématique de l'actif *i* ; ce risque qui dépend de l'évolution de la conjoncture économique n'est pas diversifiable. C'est un risque inévitable, incontournable, car lié à des événements macroéconomiques.

EXEMPLE

La firme A désire calculer le taux de rendement espéré exigé par le marché pour son titre dont le risque du marché est de $\beta = 1{,}5$; l'espérance de rendement de la Bourse de Toronto est égal à 14 %, le taux des bons du Trésor se situant à 9 %. La relation ci-haut permet d'établir le taux de rendement espéré sur le titre A tel qu'indiqué dans la figure 5.9.

$$\begin{aligned} E(r_A) &= 9\,\% + [14\,\% - 9\,\%]\,(1{,}5) \\ &= 16{,}5\,\% \end{aligned}$$

Figure 5.9

La ligne d'équilibre des titres (LET)

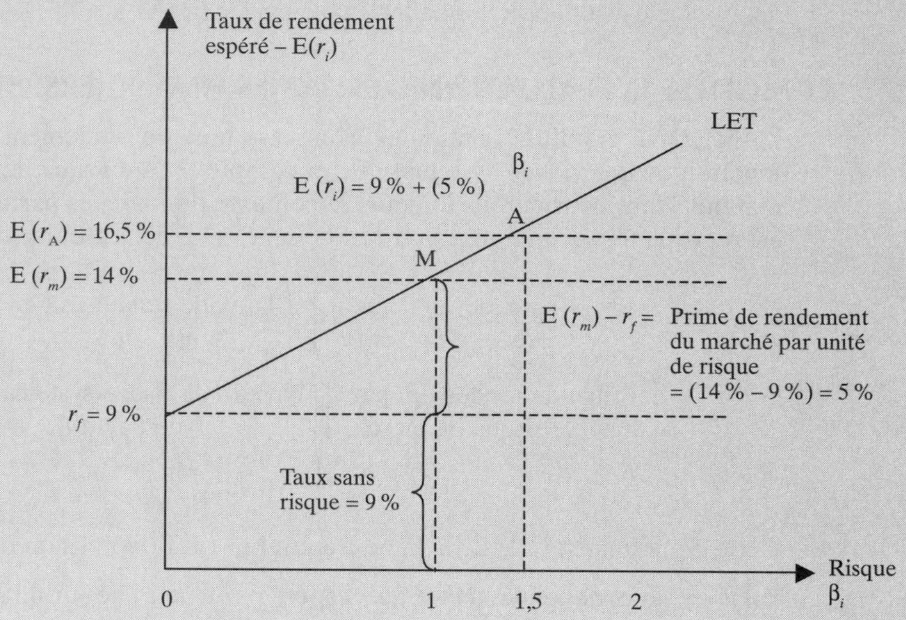

Il est évident que si l'ensemble de l'économie est en forte expansion, les ventes et les résultats d'une entreprise donnée sont susceptibles de s'améliorer et vice versa. D'où l'importance d'établir le lien qui existe entre la performance d'une entreprise et celle de toute l'économie. Le coefficient bêta traduit comment le taux de rendement d'un actif donné évolue ou se comporte par rapport aux changements du taux de rendement d'un indice boursier représentant l'économie globale du pays.

Le coefficient bêta n'est pas le seul facteur qui détermine l'évaluation d'une action ordinaire. En d'autres termes, le MEDAF comporte d'autres variables comme le taux sans risque et le taux de rendement espéré du marché M [soit $E(r_m)$] qui influencent et contribuent à la fixation du prix des actions ordinaires via la détermination du taux de rendement attendu par le marché sur cette action. Le taux de rendement sans risque est représenté par celui des bons du Trésor du gouvernement central.

Le portefeuille de l'indice boursier du marché M est composé d'actifs risqués et représente donc le taux de rendement risqué ; ce portefeuille se distingue par des proportions optimales des différents actifs risqués composant l'indice boursier.

Le risque total d'une action ordinaire se décompose en risque spécifique et en risque systématique. Le premier risque est propre à la firme et peut être éliminé par la diversification et, de ce fait, n'est pas pertinent pour fixer la rémunération d'une action ordinaire tel qu'exigé par le marché.

Le risque systématique ou risque du marché bêta est le critère fondamental de la détermination du taux de rendement exigé par les actionnaires et, par conséquent, de la fixation du prix de l'action.

Notons que le MEDAF est une innovation majeure de la finance moderne, car il permet de déterminer, pour un titre ou actif donné i risqué, le taux de rendement auquel s'attend l'investisseur en fonction du risque du marché de cet actif. Le taux de rendement ainsi déterminé est utilisé comme taux d'actualisation des flux monétaires générés par l'actif considéré, afin d'en déterminer la valeur marchande.

Un exemple simple permet d'illustrer comment le prix d'un actif donné est établi à partir des flux monétaires qu'il génère et sur la base du taux de rendement exigé par le marché. Supposons qu'un actif ait une durée de vie d'une année seulement et qu'aujourd'hui, au temps $t = 0$, on prévoit qu'à la fin de cette année il rapportera des flux monétaires de 1 200 000 \$. Supposons également que le taux de rendement exigé sur un actif de même catégorie de risque soit de 20 %. Le prix de cet actif, aujourd'hui, s'établirait à :

$$\frac{1\,200\,000\,\$}{1+0,20} = 1\,000\,000\,\$$$

Le gestionnaire financier a, avec le MEDAF, un outil précieux de calcul, d'analyse et de gestion des investissements de la firme. Il faut tenter, dans le cadre de ce chapitre, de comprendre les caractéristiques générales et les propriétés du MEDAF et de le comparer à d'autres approches de détermination du taux de rendement d'un actif risqué, afin de le situer par rapport à l'état actuel de la science financière dans le domaine de l'évaluation du prix d'un actif risqué à partir du taux de rendement exigé sur cet actif.

Le MEDAF a permis aux gestionnaires financiers d'améliorer les décisions d'investissements risqués ainsi que celles de leur financement. L'une des principales hypothèses restrictives du MEDAF est celle de considérer les décisions dans un contexte de marché parfait. Les caractéristiques du marché parfait sont toujours : la disponibilité de l'information très rapidement et gratuitement, l'absence de frais de transaction et d'impôt, la divisibilité parfaite des investissements, l'existence d'un seul taux de prêt et d'emprunt, la détermination des prix par la loi de l'offre et de la demande. Ajoutons l'aversion des investisseurs pour le risque ainsi que l'hypothèse que leurs décisions sont basées sur la relation moyenne-variance.

5.10. LE MODÈLE DE L'ARBITRAGE (APT)

Plusieurs auteurs ont critiqué le MEDAF en se demandant s'il est logique de faire dépendre le risque d'un actif d'un seul facteur de sensibilité au marché. Le risque et le rendement d'un titre sont influencés par plusieurs facteurs plutôt que seulement par le comportement du rendement d'un titre par rapport à celui de l'ensemble du marché.

Le modèle de l'arbitrage est une rupture par rapport au MEDAF, c'est-à-dire qu'il ne développe pas et n'approfondit pas ce dernier, mais il constitue une approche nouvelle d'évaluation des actifs. Le modèle de l'arbitrage (APT) est présenté comme un grand progrès par rapport au MEDAF. L'APT est destiné à remplacer le MEDAF en considérant que le risque d'un actif est affecté par plusieurs facteurs économiques et financiers et non plus par un seul facteur de risque (risque du marché) bêta.

Le risque d'un titre s'explique, selon le modèle de l'APT, par sa sensibilité à des changements non anticipés de facteurs économiques majeurs. En d'autres termes, le taux de rendement observé d'un titre varie de façon différente de son taux de rendement espéré à cause de changements non prévus des facteurs suivants :

- changements non prévus de la production industrielle ;
- changements non prévus des taux d'inflation ;
- changements non prévus de la structure des taux d'intérêt ;
- changements non prévus de la différence entre les taux d'intérêt des obligations à risque élevé et de celles à risque faible.

Ces quatre facteurs sont censés fournir plus d'information sur les variations des taux de rendement des titres que ne le font les autres facteurs ou grandeurs économiques.

Le modèle de l'APT prend la forme suivante :

$$E\left(r_i\right) = r_f + \left(s_{i1}\right)\left(\beta_1\right) + \left(s_{i2}\right)\left(\beta_2\right) + \ldots \left(s_{ij}\right)\left(\beta_j\right) + \ldots \left(s_{in}\right)\left(\beta_n\right) \tag{5.16}$$

où :

$E(r_i)$ = le taux de rendement espéré du titre *i*,
r_f = le taux sans risque,
β_j = la sensibilité des taux de rendement du titre *i* aux changements non prévus du facteur économique *j*,
s_{ij} = la prime de risque du marché correspondant aux changements non prévus du facteur économique *j*,
n = le nombre de facteurs économiques considérés.

Le taux de rendement espéré offert par un titre ou par un portefeuille est d'autant plus élevé qu'il est sensible aux changements non prévus des quatre facteurs économiques importants mentionnés ci-haut. Sinon, l'investisseur pourrait substituer aux titres du portefeuille d'autres titres présentant les mêmes sensibilités, mais se distinguant par des taux de rendement espérés plus élevés. Or, selon la théorie financière, à l'équilibre, il n'y a pas de « repas gratuit » (ou *free lunch*), c'est-à-dire qu'il n'est pas possible de réaliser des profits sans risque avec des titres risqués.

Le MEDAF a été critiqué parce qu'il repose sur l'hypothèse d'un marché parfait qui simplifie la réalité. En effet, des études empiriques portant sur le MEDAF indiquent que les taux de rendement des portefeuilles à bêta faible sont en réalité plus élevés que ceux calculés par le modèle et vice versa. Les résultats des tests empiriques établissent aussi que la prime de risque par unité de risque du marché bêta, soit $[E(r_m) - r_s]$ est inférieure à celle obtenue à l'aide du MEDAF. Certains auteurs considèrent que, de toute façon, le MEDAF est difficile sinon impossible à tester, car il est basé sur des rendements espérés, non observables.

Le modèle de l'arbitrage (APT) a pour objet de compléter le MEDAF en considérant que plusieurs variables affectent le rendement espéré d'un actif et non plus une seule variable comme c'est le cas avec bêta. Le modèle de l'APT est attrayant, mais il n'y a pas, à l'heure actuelle, de tests empiriques qui le valident de façon décisive. Ce modèle représente une voie prometteuse pour l'avenir mais ne peut, dans l'état actuel des choses, en tant que tel, remplacer le MEDAF dans l'évaluation des actifs financiers.

EXEMPLE

Supposons que l'on étudie le comportement des taux de rendement mensuels de 1 000 titres, à l'aide de l'analyse factorielle, en retenant les quatre facteurs économiques précités censés influencer le risque et le rendement des titres risqués. Supposons qu'en utilisant le modèle de l'APT, à l'aide des coefficients β_j calculés par l'analyse du comportement des 1 000 titres considérés, l'on obtienne la relation suivante :

$$E(r) = 0{,}045 + 1{,}360\ \beta_{i1} + 1{,}875\ \beta_{i2} - 0{,}625\ \beta_{i3} - 1{,}98\ \beta_{i4}$$

où :

- 0,045 représente le taux sans risque tel que fourni par le modèle,
- les valeurs 1,360, 1,875, –0,625 et –1,98 représentent les primes de risque de chacun des quatre facteurs économiques considérés,
- β_{i1}, β_{i2}, β_{i3} et β_{i4} représentent respectivement les sensibilités du titre *i* par rapport aux quatre facteurs économiques en question.

Le modèle de l'APT, décrit dans la relation (5.15), peut être utilisé pour estimer les taux de rendement attendus par le marché pour une série d'actions de sociétés. Une analyse de régression permet : 1) d'établir les liens ou les relations qui existent entre les taux de rendement d'actions de sociétés et les quatre facteurs économiques significatifs étudiés ; 2) les coefficients β_{ij} qui mesurent la sensibilité du taux de rendement de chaque action de société par rapport à chacun des quatre facteurs économiques considérés. Supposons que l'on obtienne les résultats suivants pour le titre i :

$$\beta_{i1} = 0{,}07 ;\ \beta_{i2} = 0{,}035 ;\ \beta_{i3} = -0{,}03 \text{ et } \beta_{i4} = 0{,}04$$

On peut maintenant calculer, à l'aide du modèle de l'APT, le taux de rendement espéré par le marché sur le titre i.

$$\begin{aligned} E(r_i) &= 0{,}045 + (1{,}360)(0{,}07) + (1{,}875)(0{,}035) \\ &\quad + (-0{,}625)(-0{,}03) + (-1{,}98)(0{,}04) \\ &= 0{,}045 + 0{,}095\,2 + 0{,}065\,63 + 0{,}018\,75 - 0{,}079\,2 \\ &= 0{,}145\,38 \text{ ou } 14{,}538\ \% \end{aligned}$$

RÉSUMÉ

L'analyse de la rentabilité et du risque d'un projet unique est préalable à l'étude de la gestion du risque d'un ensemble ou d'un portefeuille de projets d'investissement. Une entreprise peut réaliser simultanément plusieurs projets d'investissement durant l'année avec pour résultat des fluctuations de taux de rendement des différents projets qui ne se font pas dans le même sens et se neutralisent ainsi en partie. L'analyse de la covariance du coefficient de corrélation et du coefficient de variation permet de mieux situer la notion du risque et de préciser sa mesure.

L'avantage de la diversification est de réduire le risque d'un portefeuille d'actifs tout en préservant son taux de rendement moyen lorsque les rendements individuels des actifs considérés ne sont pas parfaitement corrélés. Il en résulte une augmentation du rendement de l'investisseur par unité de risque. Une diminution de la variabilité du taux de rendement d'un portefeuille, toutes choses égales, est favorable à l'investisseur, car elle minimise le risque spécifique. Le risque auquel fait face l'investisseur est le risque du marché, qui devient la référence incontournable en matière de rémunération d'un actif. Nous avons souligné que le risque de marché bêta n'était pas diversifiable, mais lié à des événements macroéconomiques tels qu'une récession ou une expansion économique. Le risque du marché d'un portefeuille d'actifs est incompressible, puisqu'il n'est pas diversifiable. Il est égal à la moyenne pondérée des bêtas individuels des actifs qui constituent ce portefeuille. Le modèle du marché, la théorie du portefeuille, le modèle d'évaluation des actifs financiers et l'APT améliorent et mettent en évidence les facteurs qui permettent de déterminer les taux de rendement exigés et la valeur intrinsèque des actifs.

QUESTIONS

1. Définir les contextes de certitude, de risque et d'incertitude.
2. Quelle est la différence entre une variable aléatoire discrète et une variable aléatoire continue ?
3. Expliquer la covariance et sa signification pour déterminer le risque d'un portefeuille.
4. En quoi consiste le coefficient de corrélation, qu'il soit égal à –1, 0 ou +1 ?
5. Expliquer la théorie de la diversification et ses conséquences pour la gestion d'un portefeuille d'actifs risqués.
6. Comment est mesuré l'effet de diversification ?
7. Quels sont les facteurs qui influencent le modèle du marché ?
8. Expliquer la théorie du portefeuille.
9. Expliquer la signification et la portée du MEDAF en matière d'évaluation des actifs.
10. Quelles sont les caractéristiques essentielles de l'*Arbritrage Pricing Theory* (APT) ?

PROBLÈMES

1. LES TITRES K ET L

Il vous semble que des relations intéressantes peuvent êtres établies en observant les taux de rendement passés du marché et ceux des titres K et L :

Année	r_m	r_K	r_L
1	25 %	20 %	35 %
2	30 %	22 %	40 %
3	32 %	25 %	34 %
4	–10 %	–6 %	6 %
5	10 %	7 %	18 %

Par ailleurs, l'analyse des prévisions économiques de l'évolution de l'ensemble des activités durant la prochaine période vous permet d'établir une distribution de probabilités des taux de rendement possibles du marché :

Probabilités	Rendement possible
0,2	–10 %
0,1	12 %
0,3	15 %
0,1	20 %
0,3	35 %

On suppose que le taux exempt de risque soit de 7,5 %.

■ On vous demande :

a) de calculer les coefficients α et β des titres K et L et d'établir les équations de leurs lignes caractéristiques respectives.

b) d'établir l'équation de la ligne d'équilibre des titres (LET) qui permet de calculer le taux de rendement exigé d'un titre quelconque en fonction de son risque systématique. Représenter graphiquement.

c) d'expliquer selon que le portefeuille d'un investisseur soit situé sur la LET au point r_f, entre r_f et le point M ; au point M et enfin au-delà de M, la composition de ce portefeuille en titres risqués, en prêts ou en emprunts.

d) de déterminer quels sont les taux de rendement exigés par les investisseurs respectivement sur les titres K et L.

e) d'établir si le titre N, dont le bêta = 1,1, satisfait la relation d'équilibre rendement-risque. N se distingue par un taux de rendement du dividende de 10 % et son dividende est passé de 2 $ à 4,318 $ en 10 ans ; utiliser le modèle de Gordon pour calculer le taux de rendement du titre N.

■ Solutions suggérées

a) Pour déterminer les valeurs des coefficients α et β, dressons le tableau suivant ci-dessous, afin de pouvoir appliquer les relations suivantes pour le titre K par exemple :

$$\alpha_k = \frac{\Sigma r_k \ \Sigma r_m^2 - \Sigma r_m \Sigma r_k r_m}{n\Sigma_m^2 - \left(\Sigma r_m^2\right)}$$

$$\beta_k = \frac{n\Sigma r_k r_m - \Sigma r_k \Sigma r_m}{n\Sigma_m^2 - \left(\Sigma r_m^2\right)}$$

	r_m	r_K	$r_K r_m$	r_L	$r_L r_m$	r^2_m
1	25 %	20 %	500 (%)^2	35 %	875 (%)^2	625 (%)^2
2	30 %	22 %	660	40	1 200	900
3	32 %	25 %	800	34	1 088	1 024
4	–10 %	–6 %	60	6	–60	100
5	10 %	7 %	70	18	180	100
	87	68	2 090	133	3 283	2 749

$$\beta_k = \frac{5(2\,090) - (68)(87)}{5(2\,749) - (87)(87)} = \frac{10\,450 - 5\,916}{13\,745 - 7\,569} = \frac{4\,534}{6\,176} = 0{,}73$$

$$\beta_l = \frac{5(3\,283) - (133)(87)}{5(2\,749) - (87)(87)} = \frac{16\,415 - 11\,571}{6\,176} = \frac{4\,844}{6\,176} = 0{,}78$$

$$\alpha_k = \frac{(68)(2\,749) - (87)(2\,090)}{5(2\,749) - (87)(87)} = \frac{186\,932 - 181\,830}{6\,176} = 0{,}83$$

$$\alpha_l = \frac{(133)(2\,749) - (87)(3\,283)}{6\,176} = \frac{365\,617 - 285\,621}{6\,176} = 12{,}95$$

L'équation de la ligne caractéristique de K est:

$$r_{kt} = 0{,}83 + 0{,}73\ r_{mt}$$

L'équation de la ligne caractéristique de L est:

$$r_{lt} = 12{,}95 + 0{,}78\ r_{mt}$$

b) Calculons $E(r_m)$, l'espérance de rendement du marché:

$$E(r_m) = (0{,}2)(-10\,\%) + (0{,}1)(12\,\%) + (0{,}3)(15\,\%) + (0{,}1)(20\,\%) + (0{,}3)(35\,\%)$$
$$= -2\,\% + 1{,}2\,\% + 4{,}5\,\% + 2\,\% + 10{,}5\,\%$$
$$= 16{,}2\,\%$$

D'où l'équation de la ligne d'équilibre des titres est la suivante:

$$E(r_i) = r_f + [E(r_m) - r_f]\ \beta_i$$

$$E(r_i) = 7{,}5 + (16{,}2 - 7{,}5)\ \beta_i$$

$$E(r_i) = 7{,}5 + 8{,}7\ \beta_i$$

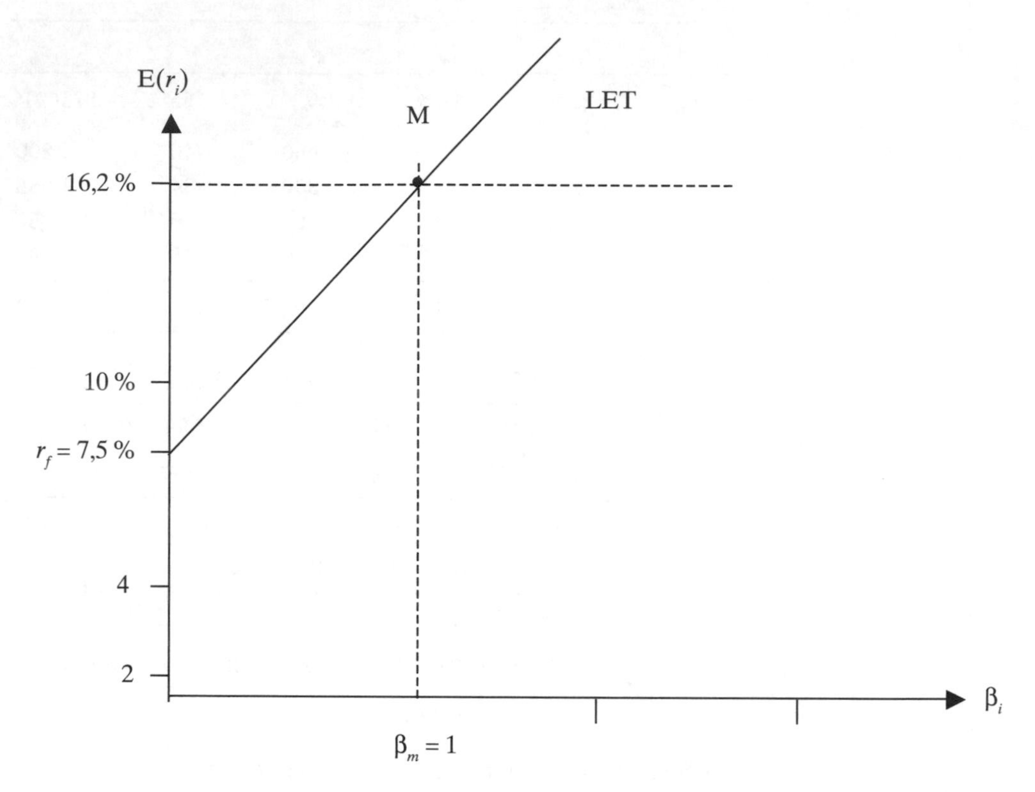

c) Si le portefeuille de l'investisseur est situé au point r_f de la ligne d'équilibre des titres (LET), il est exclusivement constitué de bons du Trésor ; l'investisseur prête au gouvernement fédéral toute son épargne. Le portefeuille situé entre r_f et le point M est formé en partie de prêts et en partie du portefeuille M risqué du marché. Le point M représente un portefeuille exclusivement composé du portefeuille risqué du marché. L'investisseur emprunte et investit son épargne ainsi que l'emprunt contracté dans le portefeuille risqué du marché au-delà du point M.

d.1. Taux de rendement exigé sur le titre K :

On a déjà calculé les coefficients β_K et β_L sous a), soit respectivement 0,73 et 0,78.

D'où le taux de rendement exigé par le marché sur le titre K est de :

$$
\begin{aligned}
E(r_r) &= 7{,}5 + 8{,}7\ \beta_K \\
&= 7{,}5 + (8{,}7 \times 0{,}73) \\
&= 7{,}5 + 6{,}35 \\
&= \underline{13{,}85\,\%}
\end{aligned}
$$

d.2. Le taux de rendement exigé sur le titre L est de :

$$\begin{aligned} E(r_l) &= 7{,}5 + 8{,}7\ \beta_L \\ &= 7{,}5 + (8{,}7 \times 0{,}78) \\ &= 7{,}5 + 6{,}79 \\ &= \underline{14{,}29\ \%} \end{aligned}$$

e) Selon le modèle de Gordon

$r_n = \frac{D_1}{P_0} + g$; on sait que $\frac{D_1}{P_0} = 10\ \%$ est le rendement du dividende ; D_1 est le prochain dividende et P_0 le prix de l'action sur le marché.

On peut calculer g qui est, habituellement, le taux de croissance passé des bénéfices, des dividendes ou de la firme, de la façon suivante :

$$2\ (1+g)^{10} = 4{,}318$$

$$(1+g)^{10} = \frac{4{,}318}{2} = 2{,}159$$

$$1+g = (2{,}159)^{1/10}$$

et

$$g = (2{,}159)^{1/10} - 1 - 1{,}08 - 1 = 0{,}08$$
$$= 8\ \%$$

D'où le taux de rendement espéré qu'assurerait la firme N selon la relation de Gordon est de :

$$r_n = 10\ \% + 8\ \% = 18\ \%$$

Calculons le taux de rendement espéré exigé par les investisseurs ou par le marché sur le titre N selon la relation du MEDAF :

$$\begin{aligned} E(r_n) &= 7{,}5 + 8{,}7\ (1{,}1) \\ &= 7{,}5 + 9{,}57 = 17{,}07\ \% \end{aligned}$$

La comparaison du taux de rendement espéré exigé par le marché de 17,07 % au taux de rendement attendu par la firme de 18 % indique que le titre N n'est pas en situation d'équilibre sur le marché. L'équilibre sera rétabli de la façon suivante :

Le taux de rendement de 18 % attendu par la firme N, sur son titre, devrait baisser au niveau du taux de rendement de 17,07 % exigé par le marché pour couvrir de façon satisfaisante un risque systématique bêta de 1,1 qui est en l'occurrence celui du titre N. Les investisseurs achètent le titre N au taux du rendement attendu, élevé et attrayant, de 18 %, avec pour conséquence une augmentation de son prix et donc une baisse de son taux de rendement attendu jusqu'au niveau d'équilibre de 17,07 %, toutes choses égales.

2. LES TITRES 1, 2, 3 ET 4

Le taux de rendement du marché pour l'année prochaine atteindrait 14 % selon des prévisions financières fiables. Le taux d'intérêt sans risque serait de 9,5 %.

Vous possédez quatre titres à propos desquels les informations suivantes sont disponibles :

Titre	Montant investi	Rendement attendu par la firme	Écart type du rendement du titre	Béta
1	30 M$	15 %	0,35	1,2
2	18 M$	14 %	0,27	0,8
3	60 M$	12 %	0,40	1,0
4	12 M$	18 %	0,30	1,5

- **On demande :**

a) de calculer le taux de rendement exigé sur chacun de ces titres ainsi que celui du portefeuille qui les regrouperait et d'établir si les prix de ces titres sont surévalués ou sous-évalués ;

b) de déterminer la relation ou l'équation de la ligne d'équilibre des titres (LET), de la représenter graphiquement et de calculer le bêta du portefeuille formé par les quatre titres indiqués ci-haut.

- **Solutions suggérées :**

a) Il faut toujours avoir à l'esprit que, toutes choses égales, à un taux de rendement élevé correspond un prix faible (sous-évaluation) et à un taux de rendement faible correspond un prix élevé (surévaluation). Calculons les taux de rendement exigés par le marché pour les 4 titres considérés.

$$E(r_1) = 9{,}5 + (14 - 9{,}5)\ 1{,}2 = \underline{14{,}9\ \%}$$

Le taux de rendement espéré attendu par la firme 1 étant de 15 %, c'est-à-dire supérieur au taux de rendement de 14,9 % exigé par le marché sur le titre 1, ce dernier est légèrement sous-évalué quant à son prix.

$$E(r_2) = 9{,}5 + (14 - 9{,}5)\ 0{,}8 = \underline{13{,}1\ \%}$$

Le titre 2 est sous-évalué sur le marché puisque la firme s'attend à un rendement de 14 %.

$$E(r_3) = 9{,}5 + (14 - 9{,}5)\ 1 = \underline{14\ \%}$$

Le titre 3 est sous-évalué sur le marché.

$$E(r_4) = 9{,}5 + (14 - 9{,}5)\ 1{,}5 = \underline{16{,}25\ \%}$$

Le titre 4 est sous-évalué sur le marché.

Les titres ont les proportions suivantes dans le portefeuille :

Titre 1 : 0,25 (= 30/120)

Titre 2 : 0,15 (= 18/120)

Titre 3 : 0,50 (= 60/120)

Titre 4 : 0,10 (= 12/120)

D'où, le taux de rendement du portefeuille :

$$E(r_p) = (14{,}9\,\%)(0{,}25) + (13{,}1\,\%)(0{,}15) + (14\,\%)(0{,}50) + (16{,}25\,\%)(0{,}10) = \underline{14{,}3\,\%}$$

b) L'équation de la LET est la suivante : $E(r_j) = 9{,}5\,\% + (14\,\% - 9{,}5\,\%)\ \beta_j$.

Le calcul du bêta du portefeuille se fait de deux façons :

1) $$\beta_p = 0{,}25(1{,}2) + 0{,}15(0{,}8) + 0{,}50(1) + 0{,}10(1{,}5)$$
$$= 0{,}30 + 0{,}12 + 0{,}50 + 0{,}15 = 1{,}07$$

2) ou aussi $E(r_p) = r_f + [E(r_m) - r_f]\ \beta_p$

$$14{,}3 = 9{,}5\,\% + [14\,\% - 9{,}5\,\%]\ \beta_p$$

$$\beta_p = 1{,}07$$

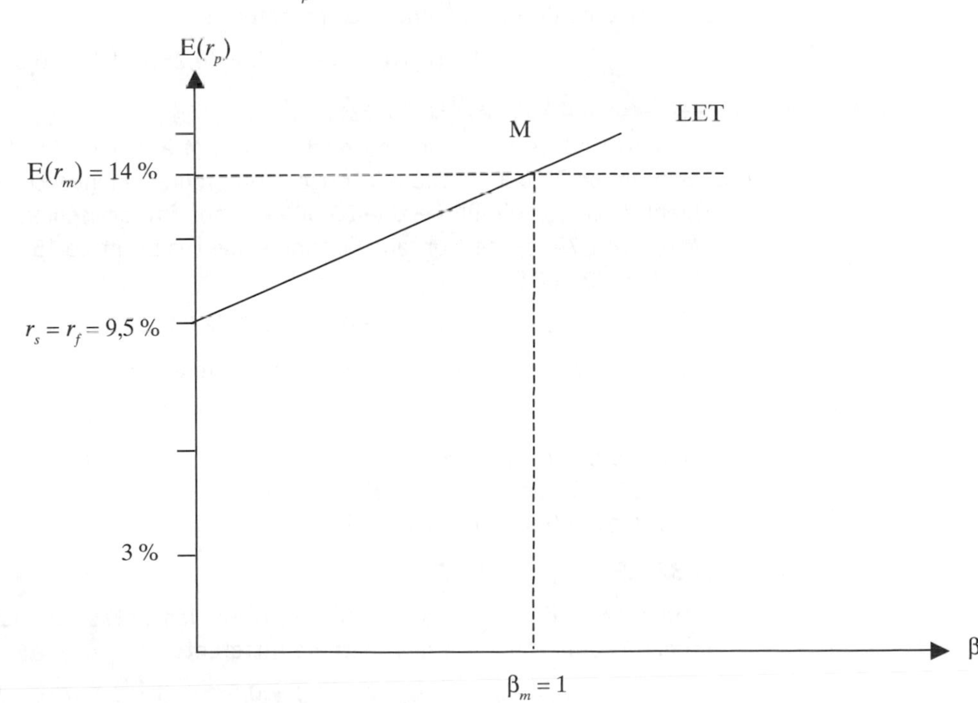

3. LE PORTEFEUILLE M

Le taux de rendement des bons du Trésor est de 8 %, celui du portefeuille risqué du marché M, de 12 % et sa variance, de 0,04.

■ On demande :

a) de calculer l'espérance du taux de rendement ainsi que l'écart type d'un portefeuille formé à raison de 10 000 $ en bons du Trésor et de 10 000 $ en portefeuille risqué M.

b) de déterminer l'espérance de rendement d'un portefeuille de 35 000 $ d'investissement dans le portefeuille M dont 15 000 $ sont empruntés et financés à un taux d'intérêt égal au taux sans risque ainsi que son écart type.

c) d'expliquer en quoi consiste le portefeuille risqué M du marché.

■ Solutions suggérées :

a) Le portefeuille est formé à raison de 50 % du titre sans risque à taux de rendement de 8 % et à raison de 50 % du portefeuille M du marché à taux de rendement de 12 %, d'où :

$$E(r_p) = (0{,}50)(8\,\%) + (0{,}50)(12\,\%) = \underline{10\,\%}$$

L'écart type du rendement de ce portefeuille est de :

$$\sigma_p^2 = (0{,}50)^2\ (0{,}04) + 0 + 0 = (0{,}25)(0{,}04) = \underline{0{,}01}$$

$$\sigma_p = (0{,}01)^{1/2} = 0{,}1$$

b) Le portefeuille est formé du portefeuille M à raison de 35 000 $ et d'un emprunt de 15 000 $; d'où la contribution propre de l'investisseur au financement de ce portefeuille est de 20 000 $ et son investissement de 35 000 $ en M est de 1,75 fois ce montant-là, tandis que l'emprunt de 15 000 $ représente 0,75 de 20 000 $.

$$E(r_p) = (1{,}75)(12\,\%) + (-0{,}75)(8\,\%) = 21 - 6 = \underline{15\,\%}$$

L'écart type du rendement de ce portefeuille est de :

$$\sigma_p = (1{,}75)(0{,}04)^{1/2} = (1{,}75)(0{,}2) = \underline{0{,}35}$$

c) Le portefeuille risqué M du marché représente le meilleur équilibre rendement-risque que le marché puisse offrir à l'investisseur désireux d'inclure dans son propre portefeuille des titres risqués.

4. LES BÊTAS 1, 2, 3, 4 ET 5

Considérez, dans un marché en équilibre, les bêtas des actions de cinq sociétés appartenant à des secteurs différents :

$$\beta_1 = -1{,}5 \qquad \beta_2 = 0 \qquad \beta_3 = 0{,}5 \qquad \beta_4 = 1 \qquad \beta_5 = 1{,}5$$

Le taux de rendement espéré du portefeuille du marché M est de 16 % et le taux de rendement des bons du Trésor est de 7 %.

- **On demande :**

a) de calculer les taux de rendement espérés des titres 1, 2, 3, 4 et 5.

b) d'expliquer la signification de chacun des cinq bêtas indiqués ci-haut et d'indiquer les secteurs dont les entreprises et les types de titres se distinguent respectivement par ces bêtas.

- **Solutions suggérées :**

a) Il faut d'abord établir l'équation de la ligne d'équilibre des titres pour ensuite calculer les taux de rendement des différents titres considérés.

$$E(r_i) = r_f + [E(r_m) - r_f]\ \beta_i$$
$$= 7\,\% + 9\ \beta_i$$

Calcul des taux de rendement des 5 titres considérés :

$$E(r_1) = 7\,\% + 9(-1{,}5) = -6{,}5\,\%$$
$$E(r_2) = 7\,\% + 9(0) = 7\,\%$$
$$E(r_3) = 7\,\% + 9(0{,}5) = 11{,}5\,\%$$
$$E(r_4) = 7\,\% + 9(1) = 16\,\%$$
$$E(r_5) = 7\,\% + 9(1{,}75) = 22{,}75\,\%$$

b.1. Quand β = –1,5, il s'agit d'un titre dont les taux de rendement varient en sens contraire de l'ensemble du marché. La variation est plus forte, que ce soit à la hausse ou à la baisse. Si les taux de rendement du marché augmentent de 10 %, ceux du titre en question diminuent de 15 % et vice versa. Le secteur d'exploitation de mines d'or appartient à cette catégorie d'activité industrielle à bêta négatif.

b.2. Quand β = 0, le titre est non risqué et son rendement varie, en général, indépendamment de celui du marché.

À titre d'exemple, les bons du Trésor.

b.3. Quand β = 0,5, le taux de rendement du titre varie dans le même sens que celui du marché, mais dans des proportions moindres.

À titre d'exemple, Bell Canada.

b.4. Quand β = 1, le taux de rendement du titre varie dans le même sens et dans les mêmes proportions que celui du marché.

b.5, Quand β = 1,75, le taux de rendement du titre varie dans le même sens que celui du marché et dans une plus grande proportion.

À titre d'exemple, les sociétés d'extraction de matières premières (les minières).

5. LE FONDS COMMUN DE PLACEMENT X

Le fonds commun de placement X comprend quatre titres dont voici certaines données pertinentes :

Titre	Montant investi	Coefficient bêta
1	120 M$	0,6
2	60 M$	1,8
3	36 M$	2,0
4	24 M$	1,5

Le bêta du portefeuille X est établi par la moyenne pondérée des divers investissements.

Le taux de rendement espéré du marché est calculé à partir de la distribution de probabilités suivante :

Probabilité	Taux de rendement du marché
0,15	10 %
0,20	12 %
0,35	13 %
0,30	15 %

Les bons du Trésor offrent un taux de rendement de 8 %.

▪ On demande :

a) d'établir l'équation ou la relation de la ligne d'équilibre des titres (LET), de la représenter graphiquement et de calculer le taux de rendement requis du fonds X pour la prochaine période.

b) Considérons un nouveau titre n° 5 dont le taux de rendement espéré est de 24 % et le bêta est estimé à 2. Croyez-vous que le fonds X devrait acquérir ce titre qui nécessite un investissement de 60 M$?

c) Quel est le taux de rendement qui rendrait le fonds X indifférent quant à l'acquisition de ce nouveau titre ? Si le titre n° 5 n'est pas en situation d'équilibre, comment peut-il rejoindre l'équilibre ?

▪ Solutions suggérées :

a) Il faut établir les proportions d'investissement des différents titres 1, 2, 3, 4 dans l'ensemble du fonds X :

Titre : 1. 120/240 = 0,50 Titre : 3. 36/240 = 0,15

Titre : 2. 60/240 = 0,25 Titre : 4. 24/240 = 0,10

Pour établir l'équation de la ligne d'équilibre des titres, il faudrait calculer $E(r_m)$, c'est-à-dire l'espérance de rendement du marché :

$$E(r_m) = (0{,}15 \times 10\,\%) + (0{,}20 \times 12\,\%) + (0{,}35 \times 13\,\%) + (0{,}30 \times 15\,\%) = \underline{12{,}95\,\%}$$

d'où

$$E(r_x) = 8\,\% + (12{,}95\,\% - 8\,\%) \times \beta_x$$

Pour calculer le taux de rendement requis $E(r_x)$ sur le fonds X, il faut d'abord déterminer β_x :

$$\beta_x = (0{,}50 \times 0{,}6) + (0{,}25 \times 1{,}8) + (0{,}15 \times 2{,}0) + (0{,}10 \times 1{,}5) = 1{,}2$$

En utilisant l'équation de la LET, on a $E(r_x)$, soit le taux de rendement espéré exigé du fonds X :

$$\begin{aligned} E(r_x) &= r_f + [E(r_m) - r_f]\,\beta_x \\ &= 8\,\% + (12{,}95\,\% - 8\,\%) \times 1{,}2 \\ &= \underline{13{,}94\,\%} \end{aligned}$$

b.1. $E(r_5) = 8\,\% + (4{,}95\,\%)\,2 = \underline{17{,}9\,\%}$

Oui, on doit acheter le titre 5, car son taux de rendement est de 24 % lorsque le taux de rendement exigé par le marché sur ce titre est de seulement 17,9 %.

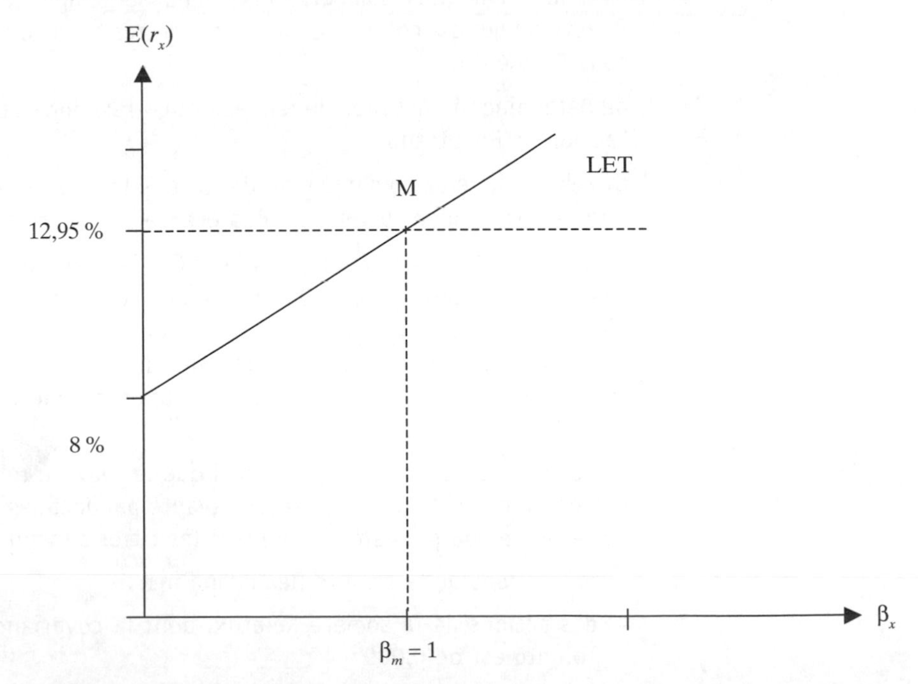

b.2. Le taux de rendement d'indifférence est de 17,9 % pour le titre 5. Le retour à l'équilibre est assuré par l'arbitrage, c'est-à-dire par l'achat du titre 5 par des investisseurs attirés par son taux de rendement élevé de 24 % par rapport à son niveau de risque. Le prix du titre 5 s'élève et son taux de rendement baisse jusqu'à ce que le taux d'équilibre de 17,9 % soit atteint.

6. LA SOCIÉTÉ BEAUTRAND INC.

La société Beautrand inc. a une covariance de son rendement avec celui de la Bourse de Toronto (TSX 300) égale à 0,010. Le taux de rendement espéré du TSX 300 est de 20 % et l'écart type autour de ce taux, de 8 %. Le taux de rendement des bons du Trésor du gouvernement fédéral canadien s'élève à 11 %. Une étude prévisionnelle portant sur le prix de la société Beautrand le situe à 60 $ dans deux ans. On considère que les conditions et les performances de l'économie resteront inchangées durant ces deux ans, de même que les taux de rendement des différents actifs, dont celui des bons du Trésor.

- **On demande :**

a) de calculer le taux de rendement et le risque d'un portefeuille composé à raison de 75 % du portefeuille du marché et le reste en bons du Trésor fédéral.

b) de déterminer le taux de rendement exigé par le marché pour la société Beautrand.

c) d'établir comment se comporte aujourd'hui sur le marché l'action de la société Beautrand qui est cotée à 42,60 $ (en d'autres termes, est-elle surévaluée ou sous-évaluée ?).

d) de déterminer à quel taux de rendement correspond le prix actuel de 42,60 $ l'action de Beautrand.

e) d'expliquer la relation qui permet de calculer le taux de rendement d'un portefeuille parfaitement diversifié. Représenter cette relation graphiquement.

f) supposons qu'un investisseur, M. Pierre Carrier, veuille former un portefeuille d'une valeur totale de 30 000 $ placés dans le portefeuille risqué du marché. Pierre prélève 12 000 $ sur son épargne et emprunte le reste pour financer cet investissement. Déterminer le taux de rendement espéré du nouveau portefeuille ainsi que son risque en supposant que le taux d'emprunt est celui des bons du Trésor.

g) de calculer le risque du marché ainsi que le taux de rendement exigé sur le portefeuille constitué de la façon suivante par Jacques Dufour, qui forme un portefeuille équipondéré comprenant les titres suivants :

- des actions de la société Beautrand inc. ;
- des actions de la société Kelatux, dont la covariance avec la Bourse de Toronto est de 0,009 ;

– des actions de la société Belmonté, dont la covariance du rendement avec le rendement de la Bourse de Toronto est de 0,012.

■ **Solutions suggérées :**

a) $E(r_p) = (0{,}75)(20\,\%) + (0{,}25)(11\,\%) = 17{,}75\,\%$

$$\sigma_p = \left[(0{,}75)^2 (8)^2 + (0{,}25)(0) + 2\,(0{,}75)(0{,}25)(r_{m,\text{BT}})(8)(0)\right]^{1/2}$$

$$= \left[(0{,}75)^2 (8)^2\right]^{1/2} = 6\,\%$$

Notons que $\sigma_{\text{BT}} = 0$, puisque les bons du Trésor sont des titres sans risque.

b) Il faut d'abord calculer le risque systématique bêta de la société Beautrand afin de pouvoir déterminer le taux de rendement espéré exigé sur ces actions.

$$\beta_B = \frac{\text{COV}_{Bm}}{\text{COV}_{mm}} = \frac{\text{COV}_{Bm}}{\sigma_m^2} = \frac{0{,}01}{(0{,}08)^2} = \frac{0{,}01}{0{,}006\,4} = 1{,}562\,5$$

Beautrand est un actif plus risqué que le marché. Le taux de rendement espéré exigé est :

$$E(r_B) = r_f + [E(r_m) - r_f]\,\beta_B = 11\,\% + (20\,\% - 11\,\%)\,1{,}56 = 25{,}04\,\%$$

c) Le prix d'équilibre de l'action de Beautrand est déterminé selon les exigences de taux de rendement du marché pour cette action, soit 25,04 %.

$$\frac{60\,\$}{(25{,}04)^2} = \frac{60\,\$}{1{,}563\,5} = 38{,}37\,\$$$

Comme l'action de Beautrand se vend actuellement à 42,60 $ et que son prix d'équilibre est de 38,37 $, on dira que cette action est surévaluée. Il faut donc s'abstenir de l'acheter.

d) Le taux de rendement auquel correspond le prix actuel de 42,60 $ est de :

$$42{,}60\,\$\,(1+i)^2 = 60\,\$$$

$$(1+i) = \left(\frac{60\,\$}{42{,}60}\right)^{1/2} \text{ et } i = 1{,}186\,7 - 1 = 18{,}67\,\%$$

e) La relation de la ligne d'équilibre du marché (LEM), qui permet de calculer le taux de rendement d'un portefeuille parfaitement diversifié en fonction de son écart type, est la suivante :

$$E(r_p) = r_f + \left[\frac{E(r_m) - r_f}{\sigma_m}\right] x\,\sigma_p$$

On constate que le rendement du portefeuille $E(r_p)$ est fonction de son écart type σ_p pour des valeurs données :

- du taux sans risque des bons du Trésor r_f,
- du taux de rendement espéré ou attendu du marché (Bourse) $[E(r_m)]$ et de son écart type (σ_m).

f) $E(r_p) = (2,5)(20\,\%) + (-1,5)(11\,\%) = 33,5\,\%$

$\sigma_p = (2,5)(8\,\%) = 20\,\%$

ou aussi :

$$\sigma_p = \frac{E(r_p) - r_f}{\left(E(r_m) - r_f\right) / \sigma_m} = \frac{33,5\,\% - 11\,\%}{(20\,\% - 11\,\%) / 8\,\%} = \frac{22,5\,\%}{9\,\% / 8\,\%} = \frac{22,5\,\%}{1,125} = 20\,\%$$

Représentation graphique d'une ligne d'équilibre du marché (LEM)

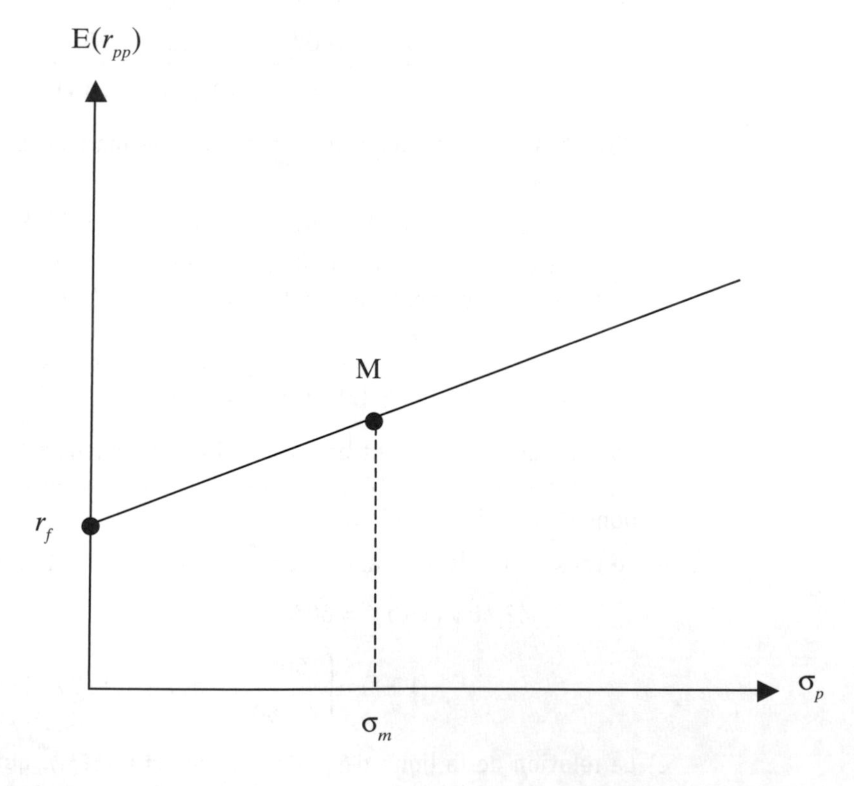

g) Le bêta d'un portefeuille est égal à la moyenne pondérée des bêta des titres qui le composent :

$$\beta_p = (0{,}33)\,(\beta_{\text{Bertrand}}) + (0{,}33)\,(\beta_{\text{Kelatus}}) + (0{,}33)\,(\beta_{\text{Belmonté}})$$
$$= (0{,}33)\,(1{,}5625) + (0{,}33)\left(\frac{0{,}009}{0{,}006\,4}\right) + (0{,}33)\left(\frac{0{,}012}{0{,}006\,4}\right)$$
$$= 1{,}598$$
$$E(r_p) = r_f + \left[E(r_m) - r_f\right]\beta_p$$
$$= 11\,\% + (20\,\% - 11\,\%)\;1{,}598$$
$$= 25{,}38\,\%$$

7. LES PROJETS X ET Y

Considérons deux projets d'investissement X et Y dont les distributions de probabilités des valeurs actuelles nettes sont les suivantes, compte tenu de l'évolution probable de la situation économique:

Probabilité	VAN_X	VAN_Y
0,4	3 000 $	1 000 $
0,2	2 000	2 000
0,4	2 500	4 000

■ **On demande:**

a) de calculer l'espérance de la valeur actuelle nette pour chacun des deux projets X et Y ainsi que l'écart type autour de cette valeur espérée.

b) de déterminer le projet le plus risqué d'après le coefficient de variation.

c) d'établir la covariance des valeurs actuelles nettes des projets X et Y et de commenter.

d) de calculer le coefficient de corrélation entre les valeurs actuelles nettes de X et Y et de commenter.

■ **Solutions suggérées:**

a) VAN

$$E\left(VAN_x\right) = (3\,000)(0{,}4) + (2\,000)(0{,}2) + (2\,500)(0{,}4) = 2\,600\ \$$$
$$E\left(VAN_y\right) = (1\,000)(0{,}4) + (2\,000)(0{,}2) + (4\,000)(0{,}4) = 2\,400\ \$$$
$$\sigma\left[E\left(VAN_x\right)\right] = \sqrt{(3\,000 - 2\,600)^2\,(0{,}4) + (2\,000 - 2\,600)^2\,(0{,}2) + (2\,500 - 2\,600)^2\,(0{,}4)}$$
$$= \sqrt{64\,000 + 72\,000 + 4\,000} = \sqrt{140\,000} = 374{,}16\ \$$$
$$\sigma\left[E\left(VAN_y\right)\right] = \sqrt{(1\,000 - 2\,400)^2\,(0{,}4) + (2\,000 - 2\,400)^2\,(0{,}2) + (4\,000 - 2\,400)^2\,(0{,}4)}$$
$$= \sqrt{784\,000 + 32\,000 + 1\,024\,000} = \sqrt{1\,840\,000} = 1\,356{,}46\ \$$$

b) Le coefficient de variation est une mesure relative du risque qui s'obtient par le rapport de l'écart type à la moyenne de la distribution de probabilité :

$$CV_x = \frac{\sigma\left[E\left(VAN_x\right)\right]}{E\left(VAN_x\right)} = \frac{374,16}{2\,600} = 0,144$$

$$CV_y = \frac{1\,356,46}{2\,400} = 0,565$$

Le projet Y est plus risqué que le projet X, car la variabilité des résultats ou de la VAN, en l'occurrence, est plus élevée par dollar de VAN.

c) La covariance des rendements ou des VAN des projets X et Y se calcule de la façon suivante :

$$\begin{aligned}
(3\,000 - 2\,600)(1\,000 - 2\,400)(0,4) &= -224\,000\ \$ \\
(2\,000 - 2\,600)(2\,000 - 2\,400)(0,2) &= 48\,000\ \$ \\
(2\,500 - 2\,600)(4\,000 - 2\,400)(0,4) &= -64\,000\ \$ \\
COV_{xy} &= -240\,000\ \$
\end{aligned}$$

Le signe négatif de la covariance indique que les projets X et Y ont des taux de rendement qui évoluent de façon inverse dans le temps par rapport à leurs moyennes respectives. Pour préciser dans quelle proportion ou avec quelle force cette évolution s'effectue, il faut calculer le coefficient de corrélation.

d) On sait que :

$$COV_{xy} = (\rho_{xy})(\sigma_x)(\sigma_y)$$

et

$$\rho_{xy} = \frac{COV_{(xy)}}{(\sigma_x)(\sigma_y)} = \frac{-240\,000}{(374,16)\,(1\,356,46)}$$

$$= \frac{-240\,000}{507\,533} = -0,47$$

Le coefficient de corrélation varie entre –1 et +1, d'où un coefficient de –0,47 indique une relation relativement forte d'évolution en sens contraire des taux de rendement de X et de Y. Si le coefficient de corrélation était positif, les taux de rendement évolueraient dans le même sens, indiquant l'existence d'une relation donnée. Si le coefficient de corrélation était nul, il n'y aurait aucune relation entre les deux projets ; c'est le cas de l'indépendance totale.

LE CHOIX ET LA GESTION DES INVESTISSEMENTS

L'analyse des méthodes d'évaluation des projets d'investissement dans le cas de la certitude

La croissance économique contribue, dans une large mesure, à la prospérité et à l'augmentation du niveau de vie d'une population. L'investissement est le moteur de l'expansion économique, car il se manifeste sous forme de nouveaux équipements et d'usines modernes intégrant la nouvelle technologie, avec pour conséquence une augmentation de la production de biens et services et un accroissement des revenus.

L'épargne est la source principale de financement de l'investissement. Les fonds alloués à l'investissement, dans une économie donnée, sont limités. D'où l'importance d'entreprendre des investissements rentables. Des décisions erronées font adopter des projets non profitables et conduisent au gaspillage des ressources rares. D'où la nécessité d'une évaluation rigoureuse de la rentabilité des nouveaux projets d'investissement de sorte à maximiser le taux de rendement et d'assurer la plus grande richesse possible aux actionnaires. Nous utiliserons, dans ce chapitre, les méthodes suivantes d'appréciation, de comparaison et de choix des projets d'investissement :

- la valeur actuelle nette ;
- l'indice de rentabilité ;
- l'annuité équivalente ;
- le taux de rendement interne ;
- le délai de récupération ;
- le taux de rendement comptable.

Le chapitre 11 est consacré à l'analyse des contradictions entre les méthodes de valeur actuelle nette et de taux de rendement interne en matière de choix des investissements et à l'exposé portant sur la solution des conflits entre méthodes d'évaluation des projets.

Le chapitre 12 traite des problèmes soulevés par la fiscalité canadienne en matière de dépenses d'investissement, que ce soit dans le cadre du remplacement d'actifs ou dans celui de l'acquisition d'actifs. Il comprend des sujets aussi divers que le rationnement du capital, les conséquences de l'inflation sur l'analyse des projets d'investissement, le remplacement et l'abandon de projets.

6.1. LES CONCEPTS FONDAMENTAUX DE L'ANALYSE FINANCIÈRE

L'analyse de la rentabilité des projets d'investissement à long terme est conduite à l'aide de concepts utilisés depuis fort longtemps, tel que :

- l'analyse marginale ou différentielle, qui traite de flux monétaires additionnels, c'est-à-dire en considérant séparément l'entreprise avec et sans le nouveau projet ;
- les flux monétaires nets, dont les composantes sont, d'une manière générale, le bénéfice net et la dotation à l'amortissement. Ils représentent la capacité d'un projet à générer de nouvelles ressources destinées à l'acquisition de nouveaux actifs et au remplacement de l'équipement et du matériel devenus hors d'usage. Les dépenses initiales d'investissement et leurs valeurs résiduelles en fin de projet sont des flux monétaires de nature différente de celle des flux de l'exploitation, mais elles doivent être intégrées à l'analyse de la rentabilité ;

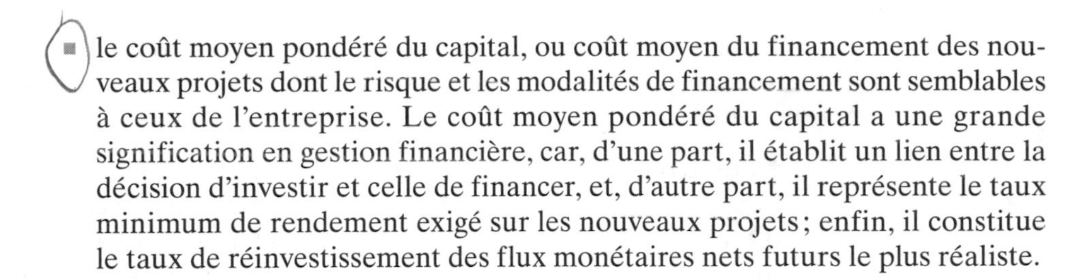

- le coût moyen pondéré du capital, ou coût moyen du financement des nouveaux projets dont le risque et les modalités de financement sont semblables à ceux de l'entreprise. Le coût moyen pondéré du capital a une grande signification en gestion financière, car, d'une part, il établit un lien entre la décision d'investir et celle de financer, et, d'autre part, il représente le taux minimum de rendement exigé sur les nouveaux projets ; enfin, il constitue le taux de réinvestissement des flux monétaires nets futurs le plus réaliste.

EXEMPLE

Exemple simple du calcul du coût moyen pondéré du capital (CMPC)

$$CMPC = (r_d)(1 - T_c)\left(\frac{\text{Dette}}{\text{Actif}}\right) + (r_{Ao})\left(\frac{\text{Capitaux propres}}{\text{Actif}}\right) \qquad (6.1)$$

où :

r_d = taux de la dette exigé par les créanciers,

T_c = taux d'impôt sur le bénéfice des sociétés,

r_{Ao} = taux de rendement exigé par les actionnaires ordinaires.

Supposons qu'une entreprise investisse un million de dollars dans un projet donné, financé à raison de 600 000 $ par les capitaux propres (dont le taux de rendement exigé est de 20 %) et 400 000 $ par un emprunt portant un taux d'intérêt de 12 %. Le taux d'impôt sur le bénéfice des sociétés est de 40 %.

On obtient le coût moyen pondéré du capital en utilisant la relation (1) ci-dessus :

$$CMPC = (12\,\%)(1 - 0{,}40)\left(\frac{400\,000\$}{1\,000\,000\$}\right) + (20\,\%)\left(\frac{600\,000\$}{1\,000\,000\$}\right)$$

$$= 2{,}88\,\% + 12\,\%$$

$$= 14{,}88\,\%$$

Des considérations plus récentes doivent aussi être intégrées à l'analyse du budget des investissements en capital, à savoir :

- l'aspect de la liquidité des projets ;
- les coûts d'agence et les conflits qui en résultent ;
- la contribution de la théorie des options en matière d'évaluation des projets.

Deux sortes de projets sont étudiées dans le cadre de l'analyse de la rentabilité des projets à long terme, à savoir les projets indépendants et les projets mutuellement exclusifs.

1. Dans le premier cas, il s'agit de projets dont les flux monétaires n'ont aucun lien entre eux car ils ne s'influencent pas. À titre d'exemple, un projet X d'acquisition d'un système généralisé de chauffage pour toute l'entreprise et un projet Y d'acquisition de systèmes comptables avancés sont deux projets indépendants. L'adoption d'un de ces deux projets ne porte pas ombrage à l'autre, donc ne l'exclut pas, dans la mesure où ils sont rentables.
2. Dans le cas de deux projets mutuellement exclusifs, l'adoption de l'un élimine automatiquement l'autre, car ils satisfont un même besoin. La location d'un ordinateur important ou son achat financé par emprunt constituent deux projets mutuellement exclusifs, car l'adoption de l'un des deux est incompatible avec celle de l'autre et, de ce fait, l'exclut. En effet, acheter l'ordinateur à l'aide d'un emprunt ou le louer consiste en fin de compte à obtenir les mêmes services pour l'entreprise.

6.2. EXEMPLE D'ESTIMATION DES FLUX FINANCIERS D'UN NOUVEAU PROJET D'INVESTISSEMENT

La détermination des flux monétaires nets annuels d'un projet d'investissement constitue une des étapes les plus importantes du calcul de rentabilité. Les flux monétaires de l'exploitation sont, en effet, la marque distinctive des méthodes modernes d'évaluation et de choix d'investissement. Un exemple numérique permet d'établir les flux monétaires nets annuels à partir des données suivantes :

- Un nouvel équipement A nécessite un investissement de 1 200 000 $.
- Il est destiné à réduire les coûts de fabrication à 1 000 000 $ par an pendant 3 ans (ces coûts étaient initialement de 1 800 000 $ par an).
- Les ventes demeurent inchangées à 2 000 000 $.
- L'emprunt assure 50 % du financement de l'achat du nouvel équipement au taux d'intérêt de 12 % remboursable en totalité à la fin du projet. Le taux d'impôt sur le bénéfice des sociétés s'élève à 40 %.
- Les fonds propres financent 50 % de l'investissement initial.
- L'entreprise exige un taux de rendement minimum de 16 % sur ses projets d'investissement.
- La valeur résiduelle de l'équipement est nulle.

On demande si l'entreprise doit adopter ce nouveau projet A.

Déterminons, dans une première étape, les flux monétaires nets ou flux monétaires d'exploitation ou flux financiers annuels. Ensuite, on établira selon six critères différents (des rubriques 10.5 à 10.10) si le projet A doit être accepté.

Tableau 6.1

Les flux d'exploitation annuels

		Sans le projet	Avec le projet	Flux additionnel
Ventes	→	2 000 000 $	2 000 000 $	
Frais d'exploitation	→	1 800 000 $	1 000 000 $	800 000 $
Amortissement*		0 $	400 000 $	400 000 $
=Bénéfice avant intérêts et impôts	→	200 000 $	600 000 $	400 000 $
– Impôt sur le revenu (40 %)		80 000 $	240 000 $	160 000 $
= Bénéfice net avant intérêts		120 000 $	360 000 $	240 000 $
+ Amortissement		0 $	400 000 $	400 000 $
= Flux d'exploitation annuel		120 000 $	760 000 $	640 000 $

* 1 200 000 $ ÷ 3 ans = 400 000 $

Le flux annuel d'exploitation, pendant 3 ans, est de 640 000 $, selon l'approche marginale.

6.3. AMORTISSEMENT ET ÉCONOMIES D'IMPÔT

1. L'amortissement est une charge qui ne donne pas lieu à un déboursé d'argent. Pour cette raison, on l'ajoute au bénéfice net pour déterminer le flux d'exploitation annuel tel que l'indique l'exemple du tableau suivant, basé sur les données du tableau 6.1.

Tableau 6.2

Le calcul du flux d'exploitation annuel

	Flux additionnel annuel
Réduction des frais d'exploitation	800 000 $
– Amortissement	400 000 $
(=) Bénéfice avant intérêts et impôt	400 000 $
(–) Impôt sur le revenu (40 %)	160 000 $
(=) Bénéfice net (avant intérêts)	240 000 $
(+) Amortissement	400 000 $
(=) Flux d'exploitation annuel	640 000 $

2. On peut aussi calculer l'impact fiscal de l'amortissement et le présenter directement dans la façon de calculer le flux annuel d'exploitation selon la présentation du tableau 6.3 :

Tableau 6.3

Impact de l'amortissement

		Flux additionnel annuel
Réduction des frais d'exploitation		800 000 $
Économies nettes (avant intérêt, amortissement et impôts)		800 000 $
(–) Impôt sur le revenu (40 %)		320 000 $
(=) Économies nettes avant i et a et après impôts	→	480 000 $
(+) Économies d'impôt sur l'amortissements : 400 000 × 0,40 =	→	160 000 $
(=) Flux d'exploitation annuel		640 000 $

Prenons un autre exemple concernant la détermination des entrées nettes additionnelles de fonds résultant ou provenant de l'exploitation. Considérons l'état des résultats suivant :

État des résultats (année x)

Ventes	1 000 000 $
Coût des marchandises vendues	500 000 $
Bénéfice brut	500 000 $
Dépenses de ventes et d'administration	100 000 $
Amortissement	200 000 $
Dépenses d'intérêt	50 000 $
Bénéfice avant impôt	150 000 $
Impôt (taux d'impôt sur les bénéfices (t_c))	60 000 $
Bénéfice net après impôt	90 000 $

Les flux monétaires (FM) après impôt mais avant amortissement et intérêts sont :

FM nets = BN + Amortissement + Intérêt après impôt
= 90 000 $ + 200 000 $ + 50 000 $ (1 – 0,40)
= 320 000 $

État des flux financiers après impôt provenant de l'exploitation pour l'an x

Ventes	1 000 000 $
Coût des marchandises vendues	500 000 $
Dépenses (ventes et administration)	100 000 $
Entrées nettes avant impôt	400 000 $
Impôt (40 %)	160 000 $
Entrées nettes après impôt	240 000 $

FM nets = Entrées nettes après impôt + Amortissement × T_c
= 240 000 $ + 200 000 $ × 0,40
= 240 000 $ + 80 000 $
= 320 000 $

Les méthodes d'analyse des projets d'investissement constituent l'objet des sections suivantes. Ces projets sont appréciés à la lumière des concepts d'analyse marginale des flux monétaires nets et du coût moyen pondéré du capital dans le cadre des méthodes modernes d'évaluation comme celles de la valeur actuelle nette et du taux de rendement interne, qui tiennent compte de la valeur de l'argent dans le temps.

6.4. L'ÉVALUATION DES PROJETS D'INVESTISSEMENTS PAR LA MÉTHODE DE LA VALEUR ACTUELLE NETTE

La valeur actuelle nette (VAN) d'un projet est obtenue par la différence entre la valeur actuelle des flux monétaires nets et la valeur actuelle de l'investissement net. En d'autres termes, il s'agit d'une différence entre la valeur actuelle des flux nets de trésorerie et la valeur actuelle des sorties de fonds. Une valeur actuelle nette positive représente la richesse qu'un projet apporte à l'entreprise.

La relation suivante illustre le concept de valeur actuelle nette :

$$\text{VAN} = \sum_{t=1}^{n} \frac{\text{FM}_t}{(1+k)^t} - \text{C} \qquad (6.2)$$

où

FM_t = flux nets de trésorerie ou flux monétaires nets annuels,
n = durée de vie du projet,
k = taux de rendement requis minimum ou coût du capital,
C = investissement initial au temps $t = 0$.

Un projet d'investissement est accepté si sa valeur actuelle nette est égale ou supérieure à zéro. Il est refusé pour une valeur actuelle nette négative. Considérons à nouveau le projet A et calculons sa valeur actuelle nette à partir de flux monétaires nets annuels de 640 000 $, déjà calculés (dans les sections 6.2 ou 6.3), et du coût du capital de 16 % :

$$\begin{aligned}\text{VAN}_\text{A} &= \frac{640\,000\,\$}{1{,}16} + \frac{640\,000\,\$}{(1{,}16)^2} + \frac{640\,000\,\$}{(1{,}16)^3} - 1\,200\,000\,\$\\ &= (640\,000\,\$)(a_{3,16\%}) - 1\,200\,000\,\$\\ &= (640\,000\,\$)(2{,}2459) - 1\,200\,000\,\$\\ &= 1\,437\,369\,\$ - 1\,200\,000\,\$\\ &= 237\,369\,\$\end{aligned}$$

Le projet A est donc accepté puisque sa valeur actuelle nette est positive.

Une valeur actuelle nette positive de 237 369 $ signifie que le projet A, d'une part, rémunère suffisamment le financement qui lui est consacré et, d'autre part, génère une richesse pour les actionnaires d'un montant de 237 369 $ qui sera à l'origine d'une augmentation du prix de l'action de l'entreprise sur le marché. Par contre, le financement d'un projet ne serait pas adéquatement rémunéré dans l'hypothèse d'une valeur actuelle nette négative. Son adoption appauvrirait l'entreprise et ferait baisser le prix de son action sur le marché. En effet, ce dernier s'attend à ce que toute entreprise rejette les projets qui n'obtiennent pas une valeur actuelle nette au moins égale à zéro, condition *sine qua non* d'une rémunération minimale et suffisante des capitaux qui financent ses projets.

La méthode de la valeur actuelle nette présente plusieurs avantages, à savoir :

a) Elle tient compte de la valeur de l'argent dans le temps en actualisant les flux monétaires nets.

b) L'analyse de la valeur d'un projet est établie en fonction des flux monétaires nets et ne se limite donc pas au bénéfice net comptable.

c) Elle utilise le coût moyen pondéré du capital comme taux d'actualisation des flux monétaires nets. Ce taux est réaliste comme taux de réinvestissement des flux monétaires nets et présente les caractéristiques suivantes :

- Le coût moyen pondéré du capital est établi, d'une part, selon les données du marché en ce qui concerne les taux de rendement exigés sur les différentes sources de financement et, d'autre part, selon la valeur marchande des titres de financement (obligation, actions ordinaires et actions privilégiées).
- Le coût moyen pondéré du capital représente approximativement, dans la plupart des cas, le taux de rendement obtenu habituellement sur les projets adoptés par l'entreprise, à condition que les nouveaux projets présentent le même risque que le risque moyen de l'entreprise et qu'ils soient financés de la même façon.
- Le coût moyen pondéré du capital établit un lien entre la décision d'investir et la décision de financer.

d) Elle détermine la richesse en dollars créée par un nouveau projet d'investissement.

La méthode de la valeur actuelle nette se distingue par plusieurs difficultés :

- Celle de prévoir avec grande précision les flux monétaires nets futurs. L'estimation des flux monétaires devient plus aléatoire avec le temps.
- Celle de considérer un seul taux d'actualisation pour toute la vie du projet. Or, les taux de rendement exigés par les différents fournisseurs de fonds varient dans le temps et, par conséquent, le coût du capital qui est utilisé comme taux d'actualisation dans la méthode de la valeur actuelle nette.

La valeur actuelle nette demeure la meilleure méthode d'évaluation des projets d'investissement, malgré les deux difficultés expliquées ci-haut, car elle mesure, par excellence, la richesse générée par l'exploitation d'un actif.

6.5. LA MÉTHODE DE L'INDICE DE RENTABILITÉ (IR) OU RATIO COÛT-BÉNÉFICE

L'indice de rentabilité d'un projet est égal au rapport de la valeur actuelle des flux monétaires nets ou de trésorerie nets à la valeur actuelle de l'investissement initial. La valeur d'un projet est présentée en termes relatifs plutôt qu'en termes absolus (comme c'est le cas avec la méthode de la valeur actuelle nette).

$$IR = \frac{\text{Valeur actuelle des flux monétaires nets}}{\text{Dépense initiale d'investissement}}$$

C'est-à-dire :

$$IR = \sum_{t=1}^{n} \frac{FM_t}{(1+k)^t} \Big/ C \qquad (6.3)$$

où :

FM_t = flux monétaires nets annuels,

k = coût du capital utilisé comme taux d'actualisation et considéré comme taux minimum exigé pour accepter un projet,

C = dépense initiale d'investissement au temps $t = 0$,

n = durée de vie du projet à l'étude.

Un projet dont l'indice de rentabilité est égal ou supérieur à l'unité est accepté. Il est rejeté dans le cas où cet indice est inférieur à l'unité. L'indice de rentabilité du projet A s'élève à :

$$IR = \frac{1\,437\,369\ \$}{1\,200\,000\ \$} = 1{,}1978$$

L'acceptation du projet A est justifiée, car son indice de rentabilité de 1,1978 est supérieur à l'unité.

Les méthodes de la valeur actuelle nette et de l'indice de rentabilité (IR) donnent toujours la même information quant à l'acceptation ou au rejet d'un nouveau projet. Un IR > 1 correspond à une VAN > 0 indiquant qu'un projet est acceptable, car la richesse de l'actionnaire augmente. Par contre, l'IR inférieur à l'unité s'apparente à une VAN négative et au rejet du nouveau projet. Cependant, on verra que les deux méthodes de la VAN et du TRI (taux de rendement interne) aboutissent parfois à un classement différent de projets rentables mutuellement exclusifs (voir le chapitre 7). La méthode de l'indice de rentabilité présente les mêmes avantages et les mêmes insuffisances que ceux de la valeur actuelle nette.

6.6. LA MÉTHODE D'ÉVALUATION DE L'ANNUITÉ ÉQUIVALENTE (AE) DE LA VALEUR ACTUELLE NETTE

L'annuité équivalente (AE) est la valeur actuelle nette calculée sur une base annuelle. En d'autres termes, la valeur actuelle de l'annuité équivalente est égale à la VAN du projet :

$$AE = VAN/a_{n;k} = \sum_{t=1}^{n} \frac{FM_t}{(1+k)^t} \Big/ a_{n;k} \quad (6.4)$$

où :

$a_{n;k}$ = facteur d'actualisation d'une annuité de n périodes au taux k, qui est le coût du capital.

EXEMPLE

L'annuité équivalente du projet A s'élève à :

$$AE = 237\,369\,\$ \Big/ a_{3,16\,\%}$$

$$= 237\,369\,\$ \div 2{,}2459$$

$$= \underline{\underline{105\,690\,\$}}$$

Recevoir 237 369 $ au temps $t = 0$ équivaut à recevoir 105 690 $ à la fin de chacune des trois prochaines années au taux de 16 %. Une annuité équivalente positive indique que le projet A est rentable.

L'annuité équivalente de différents projets d'investissement présente l'avantage de comparer leur valeur actuelle nette respective en les transformant en montants annuels. L'annuité équivalente est utile pour choisir entre des projets mutuellement exclusifs de durées de vie inégales en les comparant sur des bases semblables. L'entreprise classe, compare et choisit parmi les projets dont l'annuité équivalente est supérieure ou égale à zéro. Le projet dont l'annuité équivalente est la plus élevée est le premier adopté, suivi successivement par les projets ayant des annuités équivalentes de moins en moins élevées mais toujours positives, dans le respect de la contrainte des fonds totaux disponibles à l'investissement.

6.7. LA MÉTHODE D'ÉVALUATION DU TAUX DE RENDEMENT INTERNE

Le taux de rendement interne est le taux d'actualisation pour lequel la valeur actuelle des flux monétaires nets est égale à la valeur actuelle des sorties de fonds. C'est le taux de rendement d'un projet d'investissement qui correspond à une valeur actuelle nette nulle.

La relation suivante permet de calculer le taux de rendement interne d'un projet :

$$-C+\sum_{t=1}^{n}\frac{FM_t}{(1+r)^t}=0 \qquad (6.5)$$

où r = le taux de rendement interne.

Un projet d'investissement est accepté si son taux de rendement interne r est égal ou supérieur au coût du capital k. Ce dernier représente le coût moyen des diverses sources de financement du projet. L'équilibre financier minimum est obtenu lorsque $r = k$, car le projet permet de rémunérer, dans ce cas, les exigences minimales de rendement des différents pourvoyeurs de fonds.

Un projet apporte une valeur économique ajoutée ou richesse aux actionnaires ordinaires dans le cas où $r > k$.

EXEMPLE

La détermination du taux de rendement interne du projet A

La relation (6.5) permet d'établir le taux de rendement interne du projet A de la façon suivante :

$$-1\,200\,000\,\$+\frac{640\,000\,\$}{1+r}+\frac{640\,000\,\$}{(1+r)^2}+\frac{640\,000\,\$}{(1+r)^3}=0$$

Une recherche par essais et erreurs donne un taux de rendement interne approximativement égal à 27,76 %. En effet :

a) Essai de calcul de valeur actuelle nette à un taux de 27 % :

$$\begin{aligned}\text{VAN} &= -1\,200\,000\,\$+(640\,000\,\$)(a_{3;27\%})\\ &= -1\,200\,000\,\$+(640\,000\,\$)(1{,}895\,6)\\ &= -1\,200\,000\,\$+1\,213\,179\,\$\\ &= +13\,179\,\$\end{aligned}$$

b) Essai de calcul de valeur actuelle nette à un taux de 28 %

$$\text{VAN} = -1\,200\,000\,\$ + (640\,000\,\$)\left(a_{3;28\,\%}\right)$$

$$= -1\,200\,000\,\$ + (640\,000\,\$)(1{,}868\,4) = -1\,200\,000 + 1\,195\,800$$

$$= -4\,199\,\$$$

Essais et erreurs :

À 28 %	VAN = – 4 199 $
À 27 %	VAN = + 13 179 $
1 %	17 378 $
X %	13 179 $

Et : X % = (1 %) (13 179 $)/17 378 $
= 0,76 % approximativement en arrondissant

Le taux de rendement interne du projet A devient approximativement :

$$r = \text{TRI} = 27\,\% + 0{,}76\,\% = 27{,}76\,\%$$

Le projet A est accepté, car le taux de rendement minimum exigé est de 16 %, tandis que le taux de rendement interne de ce projet est bien supérieur, soit à peu près de 27,76 %.

Les avantages de la méthode du taux de rendement interne :

a) Elle utilise les flux monétaires nets et non le bénéfice comptable comme facteur essentiel de l'analyse de la rentabilité.

b) Elle tient compte de la valeur de l'argent dans le temps.

c) Elle exprime la performance des projets en pourcentage, ce que les investisseurs utilisent souvent comme façon de mesurer la rentabilité d'un actif.

Les inconvénients de la méthode du taux de rendement interne :

a) Elle suppose que les entrées nettes de fonds sont réinvesties au taux de rendement interne. Ce dernier devient irréaliste s'il est trop élevé ou trop différent du taux de réinvestissement des flux monétaires réalisés habituellement dans l'entreprise.

b) Le TRI ne convient pas à un projet dont les entrées nettes de fonds ne sont pas « standard » ou normales, c'est-à-dire lorsque certains flux monétaires sont négatifs et d'autres positifs.

c) Cette méthode entre en conflit avec la VAN lorsque l'on compare deux projets dont la taille (l'investissement) ou la durée de vie sont différentes de même que dans le cas où les flux monétaires nets des projets étudiés sont échelonnés différemment dans le temps quant à l'importance et au moment de leur réalisation.

6.8. LA MÉTHODE DU DÉLAI DE RÉCUPÉRATION (DR)

La méthode du délai de récupération consiste à fixer une norme, en termes de temps, afin de retrouver le capital investi dans un projet. L'entreprise fixe au préalable le nombre de périodes nécessaires pour ravoir l'investissement initial. Cet horizon est une contrainte qui doit être respectée pour qu'un nouveau projet d'investissement soit accepté.

Tout projet dont le délai de récupération des fonds investis est égal ou inférieur à la contrainte de temps fixée est acceptable. Par contre, l'entreprise rejette les projets dont les délais sont supérieurs à la norme établie.

EXEMPLE

Le calcul du délai de récupération traditionnel

Supposons que l'entreprise qui projette de réaliser le projet A fixe un délai de récupération égal à deux ans. On détermine le délai du projet A à partir des données suivantes.

Tableau 6.4

Le calcul du délai de récupération traditionnel

Année	À récupérer en début d'année	Encaissé au cours de l'année	À récupérer en fin d'année
1	1 200 000 $	640 000 $	560 000 $
2	560 000 $	640 000 $	0 $

Le calcul du délai de récupération (DR) du projet A :

$$DR = 1 \text{ an} + \frac{560\,000\,\$}{640\,000\,\$} = 1{,}875 \text{ année}$$

On constate que l'entreprise est entrée en possession de la totalité de son investissement en 1,875 année. Le projet A respecte donc la contrainte de récupérer l'investissement en deux ans au maximum.

EXEMPLE

Le calcul du délai de récupération actualisé (DRA)

En actualisant les flux de trésorerie au taux de 16 %, on obtient le tableau 6.5, dont les données serviront au calcul du délai de récupération actualisé.

Tableau 6.5

Valeur actuelle des flux de trésorerie nets (FT)

Année	FT	FT actualisés	À récupérer en fin d'année
1	640 000 $	551 724 $	648 276 $
2	640 000 $	475 624 $	172 652 $
3	640 000 $	410 021 $	0 $

Le projet A ne génère pas suffisamment de flux de trésorerie nets actualisés durant 2 ans pour couvrir l'investissement initial. En effet, le délai de récupération actualisé (DRA) est supérieur à la contrainte de deux ans :

$$\begin{aligned} \text{DRA} &= 2 \text{ ans} + \frac{172\,652\,\$}{640\,000\,\$} \\ &= 2 \text{ ans} + 0{,}269\,7 \text{ année} \\ &= 2{,}269\,7 \text{ années} \end{aligned}$$

Le délai de récupération est ainsi une méthode d'analyse des projets qui établit le moment où la firme retrouve les fonds investis ou entre en leur possession. En d'autres termes, c'est le temps nécessaire pour que les flux monétaires nets couvrent les dépenses d'investissement.

L'objectif du gestionnaire financier consiste à informer à l'aide de la méthode du délai, dans la phase initiale de l'étude d'un projet, sur sa liquidité et sur son degré de risque. C'est une information approximative dont on recherche les résultats avant d'entreprendre l'analyse de la rentabilité d'un projet. Il ne s'agit pas d'une méthode définitive ou ultime de choix d'investissement. La méthode du délai permet, d'emblée, de rejeter, avant la détermination de la valeur actuelle nette ou du taux de rendement interne, un projet d'investissement défavorable sur les plans de la liquidité et du risque.

Le délai de récupération exigé par l'entreprise sera court pour des projets dans le domaine des nouvelles technologies, car l'équipement devient rapidement désuet économiquement. Cet exemple illustre l'utilité du délai de récupération pour éliminer les projets qui ne satisfont pas aux critères de liquidité et de risque de l'entreprise.

La méthode du délai de récupération présente aussi l'avantage suivant : elle est d'une application simple et rapide. Cette méthode est utilisée avec ou sans actualisation des flux monétaires. La première approche présente l'inconvénient de ne pas tenir compte de la valeur de l'argent dans le temps et rend le critère du délai de récupération moins précis. L'actualisation des flux monétaires permet d'améliorer cette méthode d'élimination des projets dans une phase initiale d'analyse. Notons enfin, à l'avantage de cette méthode, la prise en compte des flux monétaires nets plutôt que de se limiter au seul bénéfice net comptable en matière d'analyse financière.

Les deux méthodes de délai de récupération, avec ou sans actualisation des flux monétaires nets, présentent les points faibles suivants :

a) Les flux monétaires nets ultérieurs au délai sont exclus du calcul et font de cette méthode une mesure incomplète de la rentabilité.

b) La répartition et l'importance des flux monétaires dans le temps ne sont pas considérées, ce qui réduit la qualité de l'information concernant la liquidité et le risque d'un projet. Cette remarque est d'autant plus pertinente quand il s'agit de comparer deux projets présentant les mêmes flux monétaires mais distribués différemment dans le temps.

c) Les deux approches du délai constituent une mesure imparfaite du risque, car elles ne renseignent pas sur la dispersion (l'écart type) des flux monétaires nets autour de la valeur espérée (la moyenne de la distribution de probabilité des flux monétaires nets).

d) Une des deux versions du calcul du délai ignore la valeur de l'argent dans le temps. Il est vrai que l'autre version actualise les flux monétaires nets et devient plus acceptable. Il reste que les trois inconvénients mentionnés ci-haut, soit la mesure imparfaite de la rentabilité et du risque ainsi que le fait de ne pas tenir compte de la répartition des flux monétaires nets dans le temps, sont des faiblesses sérieuses inhérentes aux deux façons de calculer le délai de récupération.

6.9. LA MÉTHODE DU TAUX DE RENDEMENT COMPTABLE (TRC)

Le taux de rendement comptable est calculé selon l'une des deux relations suivantes:

a) TRC = Bénéfice net annuel moyen / Investissement initial = BN annuel moyen / C.

$$TRC_1 = \frac{\sum_{t=1}^{n} \text{BN annuel moyen}}{C} \qquad (6.6)$$

ou aussi

b) TRC = Bénéfice net annuel moyen / Investissement moyen

$$TRC_2 = \frac{\sum_{t=1}^{n} \text{BN annuel moyen}}{C/2}$$

Dans la mesure où le taux de rendement comptable est égal ou supérieur au taux de rendement exigé, la firme procède à l'acceptation du projet. Ce dernier est rejeté dans le cas où le taux de rendement comptable est inférieur au taux exigé.

Plusieurs critiques sévères sont formulées à l'endroit du taux de rendement comptable. Elles expliquent pourquoi cette méthode est de plus en plus délaissée par les experts comptables et financiers en matière d'évaluation de projets:

a) Elle est basée sur les bénéfices nets comptables plutôt que sur les flux monétaires nets.

b) Elle ne considère pas la valeur de l'argent dans le temps.

c) Elle ne tient pas compte de l'échelonnement des flux monétaires nets dans le temps.

d) Le taux de rendement comptable ne considère pas la dépréciation comme source de fonds puisqu'elle se limite au seul bénéfice net.

e) La valeur de l'équipement remplacé n'est pas considérée dans le calcul du taux de rendement comptable puisqu'il n'est pas déduit de l'investissement initial.

f) Le taux de rendement comptable constitue donc une mesure incomplète de la rentabilité.

EXEMPLE

Calcul du TRC_1 ET DU TRC_2 du projet A

Il faut d'abord calculer le bénéfice net annuel attendu pour chaque année de la vie du projet conformément aux données du tableau 6.6 ci après :

Tableau 6.6

Calcul du bénéfice net annuel pour chaque année de la vie du projet

	Année 1	Année 2	Année 3
Ventes	Demeurent inchangées		
Réduction des frais d'exploitation	800 000 $	800 000 $	800 000 $
– Amortissement	400 000 $	400 000 $	400 000 $
– Intérêt	72 000 $	72 000 $	72 000 $
Bénéfice avant impôt	328 000 $	328 000 $	328 000 $
– Impôt (40 %)	131 200 $	131 200 $	131 200 $
BN additionnel	196 800 $	196 800 $	196 800 $

$$TRC_1 = \frac{\dfrac{196\,800\,\$ \times 3}{3}}{1\,200\,000\,\$ \text{ (Investissement total)}}$$

= 0,164 ou 16,40 % ; acceptation du projet A (car le taux minimum exigé = 16 %)

ou aussi :

$$TRC_2 = \frac{\dfrac{196\,800\,\$ \times 3}{3}}{(1\,200\,000\,\$ \div 2) \text{ (Investissement moyen)}}$$

= 0,328 ou 32,8% ; acceptation (car le taux minimum exigé est de 16 %)

Cependant, certaines entreprises apprécient le taux de rendement comptable en raison de son calcul simple et rapide, et à cause de la présentation des résultats en pourcentage.

RÉSUMÉ

L'analyse de la rentabilité d'un projet d'investissement a pour objet d'établir s'il convient de l'adopter ou de le rejeter. Les règles de décision consistent à accepter un projet dont le taux de rendement interne est égal ou supérieur au taux de rendement minimum exigé ou encore dont la valeur actuelle nette est égale ou supérieure à zéro. La méthode de la valeur actuelle nette repose sur l'actualisation des flux monétaires, le taux d'actualisation étant le coût du capital considéré comme le taux de rendement minimum requis.

Les deux méthodes du taux de rendement interne et de la valeur actuelle nette sont des méthodes modernes d'évaluation des projets, car elles tiennent compte des flux monétaires (notion plus large que celle du bénéfice net comptable auquel on ajoute l'amortissement pour obtenir les flux monétaires) et parce qu'elles intègrent, dans le processus d'évaluation, la valeur de l'argent dans le temps.

La méthode du délai de récupération est utile pour informer approximativement sur le degré de liquidité et de risque d'un projet, mais elle demeure une mesure incomplète de la rentabilité, car elle ignore les flux monétaires postérieurs au délai et parce que, en tant que telle, elle ignore la valeur de l'argent dans le temps.

La méthode du taux de rendement comptable présente l'avantage d'afficher la performance d'un projet sous forme de taux de rendement, mais elle se distingue par plusieurs faiblesses en n'utilisant pas les flux monétaires nets en matière d'évaluation (mais plutôt le bénéfice comptable) ni la valeur de l'argent dans le temps.

La méthode de l'indice de rentabilité est une méthode d'analyse coût–bénéfice des projets obtenus par le rapport de la valeur actuelle des entrées de fonds à la valeur actuelle des sorties de fonds. Un projet est adopté dans la mesure où l'indice de rentabilité est égal ou supérieur à l'unité, ce qui correspond à une valeur actuelle égale ou supérieure à zéro. Un projet dont l'indice de rentabilité est supérieur à l'unité, c'est-à-dire dont la valeur actuelle nette est plus grande que zéro, contribue à l'augmentation de la richesse de l'entreprise et de ses actionnaires.

QUESTIONS

1. Définir la notion de flux monétaires nets et préciser ses deux grandes composantes. Expliquer pourquoi on utilise les flux monétaires nets et non le seul bénéfice comptable comme pierre angulaire de l'évaluation des projets d'investissement.
2. En quoi consiste la méthode d'analyse marginale appliquée à l'évaluation des projets d'investissement?
3. Quelles sont les raisons qui militent en faveur de la prise en compte du fonds de roulement net en matière d'appréciation des projets d'investissement?
4. Une entreprise possède un hangar d'entreposage inutilisé qui peut être utilisé pour les activités d'un nouveau projet. Les coûts afférents à cet actif devraient-ils ou non être considérés dans la détermination des flux monétaires nets de ce nouveau projet?
5. Quels sont les avantages et les inconvénients de la méthode d'évaluation des projets dite de la valeur actuelle nette? Expliquer.
6. Quels sont les avantages et les inconvénients de la méthode d'évaluation des projets dite du taux de rendement interne? Expliquer.
7. La méthode du délai de récupération présente certains avantages et plusieurs faiblesses. Expliquer. Comment peut-on, dans une certaine mesure, améliorer l'application de cette méthode?
8. Expliquer dans quel cas l'utilisation de la méthode du délai de récupération est la plus utile à l'entreprise en matière de sélection d'un projet d'investissement.
9. Déterminer la façon de calculer l'indice de rentabilité et la règle de décision qui le caractérise.
10. En quoi la méthode de l'indice de rentabilité s'apparente-t-elle à la méthode de la valeur actuelle nette? Expliquer.
11. Expliquer les caractéristiques et les limites de la méthode du taux de rendement comptable.

PROBLÈMES

1. LA SOCIÉTÉ NOUVELLE INC.

La société Nouvelle inc. désire acquérir pour 1,2 million de dollars un nouvel équipement destiné à réduire les coûts de l'exploitation de 400 000 $ durant quatre ans. Les ventes annuelles se situent toujours à un million de dollars avec l'acquisition d'un nouvel équipement. Le financement de ce dernier est assuré à parts égales par l'emprunt à 10 %, remboursable en totalité à la fin du projet, et par les fonds propres.

Le taux d'impôt sur le bénéfice des sociétés s'élève à 40 %. Le taux de rendement minimum exigé s'élève à 20 %. La valeur résiduelle de l'équipement est nulle. Les données suivantes sont utiles.

Les flux d'exploitation annuels

	Sans le projet	Avec le projet	Flux additionnel
Ventes →	1 000 000 $	1 000 000 $	
Frais d'exploitation →	750 000 $	350 000 $	400 000 $
Amortissement*	0 $	300 000 $	300 000 $
= Bénéfice avant intérêts et impôt	250 000 $	350 000 $	100 000 $
– Impôt (40 %)	100 000 $	140 000 $	40 000 $
= Bénéfice net avant intérêts	150 000 $	210 000 $	60 000 $
+ Amortissement	0 $	300 000 $	300 000 $
= Flux d'exploitation annuel	150 000 $	510 000 $	360 000 $

* L'amortissement = 1 200 000 ÷ 4 ans = 300 000 $.

Le flux annuel net d'exploitation après impôt est de 360 000 $ pendant quatre ans selon l'approche marginale.

- **On demande** d'établir si ce nouveau projet est rentable en calculant :

a) la valeur actuelle nette,

b) le taux de rendement interne,

c) l'annuité équivalente,

d) le délai de récupération,

e) le taux de rendement comptable.

Expliquer les avantages et les insuffisances de chacune de ces cinq méthodes d'évaluation.

- **Solutions suggérées :**

a) Détermination de la valeur actuelle nette

$$\text{VAN} = -1\,200\,000\,\$ + 360\,000\,(a_{4;0,20})$$
$$= -1\,200\,000\,\$ + 360\,000\,(2{,}588\,7)$$
$$= -268\,068\,\$$$

Le projet est rejeté, car sa valeur actuelle nette est négative. Son adoption appauvrirait l'entreprise et ferait baisser le prix de l'action, ainsi que la richesse de l'actionnaire ordinaire.

La méthode de la valeur actuelle nette est considérée supérieure aux autres méthodes d'évaluation des projets pour plusieurs raisons :

- Elle mesure la richesse générée par un projet en dollars ; ceci est très apprécié par les investisseurs.
- Elle tient compte des avantages fiscaux résultant de la déductibilité des amortissements de l'assiette fiscale, qui s'ajoutent au bénéfice net de l'exercice, afin d'établir les flux monétaires.
- Elle actualise les flux monétaires et intègre ainsi la valeur de l'argent dans le temps au calcul de la richesse créée par l'investissement.
- Elle utilise un taux réaliste d'actualisation des flux monétaires représenté par le coût moyen pondéré du capital, dont les composantes sont déterminées par le marché.

La prévision des flux monétaires futurs devient moins précise avec le temps, et le même taux d'actualisation est utilisé pour chaque année du projet quand l'on sait que le risque n'augmente pas de la même façon d'une période à l'autre.

b) Calcul du taux de rendement interne

Le taux de rendement interne (TRI) est celui qui permet d'égaler la valeur actuelle des entrées de fonds à la valeur actuelle des sorties de fonds, c'est-à-dire qui rend la valeur actuelle nette nulle, soit :

$-1\,200\,000\,\$ + 360\,000\,\$\,(a_{4;\text{TRI}}) = 0.$

En interpolant, on obtient TRI = 7,717 6 %. En effet,

À 8 %	VAN = 1 192 366 $
À 7 %	VAN = 1 219 396 $
1 %	27 030
X %	19 396

X % = (19 396 × 1 %) / 27 030 = 0,717 6 %

Et le TRI devient :

TRI = 7 % + 0,717 6 %

TRI = 7,717 6 %

La méthode du taux de rendement interne présente deux avantages que l'on retrouve dans celle de la valeur actuelle nette, soit l'utilisation des flux monétaires nets plutôt que du seul bénéfice comptable et l'actualisation de ces flux monétaires. En outre, les hommes d'affaires apprécient l'expression des résultats en pourcentage. Le taux de rendement interne se caractérise, par contre, par trois insuffisances :

- Les flux monétaires sont réinvestis au TRI, qui peut être différent du véritable taux de réinvestissement dans l'entreprise.
- Le TRI donne parfois des résultats différents de ceux de la VAN.
- Le TRI ne peut être utilisé adéquatement lorsqu'un projet se distingue par des flux monétaires dont certains sont positifs et d'autres négatifs.

c) L'annuité équivalente

La valeur actuelle nette est établie sur une base annuelle, afin de déterminer l'annuité équivalente (AE).

$$\begin{aligned} AE &= VAN \div (a_{n;k}) \\ &= -268\ 068 \div (a_{4;0,20}) \\ &= -268\ 068 \div 2{,}588\ 7 \\ &= -103\ 553\ \$ \end{aligned}$$

Une perte annuelle de 103 553 $ pendant quatre ans équivaut à une perte totale aujourd'hui de 268 068 $. L'annuité équivalente présente un avantage supplémentaire par rapport à la VAN, car elle permet de présenter les résultats de différents projets sur une base semblable, c'est-à-dire annuelle. Elle est d'une grande utilité pour choisir entre deux projets mutuellement exclusifs dont les durées de vie sont différentes. Le projet dont l'annuité équivalente est la plus élevée est adopté.

d) Le délai de récupération

Le délai de récupération renseigne sur le nombre d'années nécessaires pour que l'entreprise retrouve l'investissement initial. N'oublions pas que l'on a utilisé la règle de l'amortissement linéaire sur 4 ans.

Année	À récupérer en début d'année	Encaissé au cours de l'année	À récupérer en fin d'année
1	1 200 000 $	360 000 $	840 000 $
2	840 000 $	360 000 $	480 000 $
3	480 000 $	360 000 $	120 000 $
4	120 000 $	360 000 $	

Le délai de récupération sans actualisation des flux monétaires est de :

$$\begin{aligned} DR &= 3 \text{ ans} + 120\ 000\ \$ \div 360\ 000\ \$ \\ &= 3{,}33 \text{ années} \end{aligned}$$

Le DR sans actualisation ne tient pas compte de la valeur de l'argent dans le temps. Il néglige les flux monétaires subséquents au délai et présente ainsi une mesure imparfaite de la rentabilité.

Le DR se caractérise par deux avantages relatifs, car il donne une certaine idée (donc imprécise) du risque d'un projet (plus le DR est long, plus à toutes choses égales, le risque est grand et vice versa) et de sa liquidité (plus le DR est court, à toutes choses égales, meilleure sera la liquidité de l'entreprise).

e) Le taux de rendement comptable

Il convient, dans une première étape, de déterminer le bénéfice net annuel attendu durant la vie du projet pour la société Nouvelle inc. conformément au tableau ci-après :

	Année 1	**Année 2**	**Année 3**	**Année 4**
Ventes		Demeurent inchangées		
Réduction des frais d'exploitation	400 000 $	400 000 $	400 000 $	400 000 $
– Amortissement	300 000 $	300 000 $	300 000 $	300 000 $
– Intérêts	120 000 $	120 000 $	120 000 $	120 000 $
Bénéfice avant impôt	(20 000 $)	(20 000 $)	(20 000 $)	(20 000 $)
– Impôt (40 %)	8 000 $	8 000 $	8 000 $	8 000 $
BN additionnel	(12 000 $)	(12 000 $)	(12 000 $)	(12 000 $)

Le bénéfice annuel moyen est évidemment = –12 000 $. Le taux de rendement comptable = –12 000/1 200 000 = –0,01 ou –1 %.

Le taux de rendement comptable présente plusieurs inconvénients, dont :

- l'absence de la prise en compte de la valeur de l'argent dans le temps ;
- l'utilisation du bénéfice net comptable plutôt que du flux monétaire net ;
- le fait que l'échelonnement et l'importance des flux monétaires nets annuels ne sont pas pris en compte dans le calcul de la rentabilité.

2. CONSTRUCTIONS MODERNES INC.

La firme Constructions Modernes inc. projette d'acquérir un gros équipement d'une valeur de 1 500 000 $. Ce nouveau projet devrait générer des flux monétaires avant intérêts, amortissement et impôt de 500 000 $ par an pendant 10 ans. La valeur résiduelle de cet équipement est nulle. Le taux d'impôt sur le bénéfice des sociétés s'élève à 40 %. Le taux de rendement minimum exigé par l'entreprise est de 12 % et le taux d'amortissement, de 30 % (taux constant appliqué de façon dégressive).

- **On demande** de calculer :
  a) la valeur actuelle nette de ce nouveau projet,
  b) le taux de rendement interne,
  c) le délai de récupération avec et sans actualisation.
  d) Si le délai de récupération était considéré comme critère prépondérant et que l'entreprise fixait une contrainte de 4 ans de délai actualisé, quelle serait votre décision ?
  e) Supposons que l'on estime finalement que l'équipement en question aurait une valeur résiduelle de 200 000 $ dans deux ans.

- **Solutions suggérées :**
  a) Détermination de la valeur actuelle nette

$$\begin{aligned} VAN &= -1\,500\,000\,\$ + 500\,000\,(1 - 0{,}40)\,(a_{10;0,12}) \\ &+ \frac{1\,500\,000\,(0{,}30)\,(0{,}40)}{(0{,}30 + 0{,}12)} \times \frac{(1 + 0{,}5 \times 0{,}12)}{(1 + 0{,}12)} \\ &= -1\,500\,000 + 300\,000\,(5{,}65) + 4{,}056\,12 \\ &= -1\,500\,000 + 2\,100\,612 = 600\,612\,\$ \end{aligned}$$

Le projet est adopté car la VAN est positive.

  b) Calcul du taux de rendement interne (TRI)

Déterminons la valeur actuelle nette à 20 % et ensuite à 22 %.

VAN à 20 % = 87 742
VAN à 22 % = –8 002 $
Différence 2 % 95 744
X % 87 742
X % = (2 %) (87 742)/ 95 744
= 1,833 %

D'où :

TRI = 20 % + 1,833 % = 21,833 %

c) Le délai de récupération :

	Années				
	1	2	3	4	5
FM après impôt	300 000 $	300 000 $	300 000 $	300 000 $	300 000 $
Économies fiscales	90 000 $[1]	153 000 $	107 000 $	74 970 $	49 780 $
Flux annuels	390 000 $	453 000 $	407 100 $	374 370 $	349 780 $
Flux annuels cumulés	390 000 $	843 000 $	1 250 100 $	1 624 470 $	1 974 250 $
Flux actualisés cumulés (à 12 %)	348 214 $	709 343 $	999 109 $	1 237 409 $	1 435 884 $

1. Il faut calculer l'avantage fiscal sur l'amortissement année par année afin de pouvoir établir le délai de récupération. Ainsi, pour la première année, on obtiendrait le montant de 90 000 $ calculé de la façon suivante :
$90\ 000\ \$ = (0{,}50)(1\ 500\ 000)(0{,}30)(0{,}40)$
$\text{FNACC} = 1\ 500\ 000 - (0{,}50)(0{,}30)(1\ 500\ 000) = 1\ 275\ 000\ \$$

Calcul du délai de récupération :

$$\text{Délai non actualisé} = 3 \text{ ans} + \frac{(1\ 500\ 000 - 1\ 250\ 100)}{374\ 970}$$
$$= 3 \text{ ans} + 0{,}666$$
$$= 3{,}666 \text{ années en arrondissant}$$

Le délai de récupération actualisé est supérieur à cinq ans, car les flux monétaires actualisés totalisent seulement 1 435 844 $ à la fin de la cinquième année, c'est-à-dire un montant inférieur à l'investissement initial de 1 500 000 $.

d) Le projet serait adopté si le délai non actualisé était la référence pour choisir les investissements, puisqu'il est inférieur à 4 ans. Il est évident que le délai actualisé excède la norme fixée de 4 ans, et le projet sera rejeté si l'on retient ce dernier critère pour sélectionner les investissements de l'entreprise. En effet, le tableau ci-haut indique que l'entreprise ne récupère pas l'investissement initial de 1 500 000 $ après cinq ans, puisque les flux totaux actualisés s'élèvent alors à seulement 1 435 884 $.

e) La VAN doit être ajustée de la façon suivante, afin de tenir compte de la valeur actuelle de la valeur résiduelle de 200 000 $ et de la valeur actuelle des pertes d'économies d'impôt correspondantes :

$$\text{VAN} = 600\ 612\ \$ + \frac{200\ 000\ \$}{(1{,}12)^{10}} + \frac{200\ 000\ \$(0{,}30)(0{,}40)}{(0{,}30 + 0{,}12)(1 + 0{,}12)^{10}}$$
$$= 600\ 612\ \$ + 64\ 394{,}61 + 18\ 398{,}46$$
$$= 683\ 405\ \$$$

L'analyse des conflits entre les méthodes de la valeur actuelle nette et du taux de rendement interne dans le cas de la certitude

7.1. RAPPEL DE CONCEPTS FONDAMENTAUX ET DE RELATIONS IMPORTANTES

Un projet d'investissement rentable doit au minimum garantir une valeur actuelle nette nulle, c'est-à-dire assurer des flux monétaires susceptibles au moins de couvrir les frais d'exploitation, de retrouver les fonds investis et de rémunérer les différentes composantes du financement de l'actif selon leurs exigences minimales. Une valeur actuelle nette positive assure, en plus, une richesse qui revient aux actionnaires ordinaires avec pour conséquence une augmentation du prix de l'action, toutes choses égales. La détermination de la valeur actuelle nette d'un projet considère le bénéfice net comptable et la dotation à l'amortissement comme base de l'évaluation d'un projet et utilise le coût du capital comme taux d'actualisation des flux monétaires nets.

Le taux de rendement interne est le taux de rendement des actifs financés par les capitaux propres, les dettes et les actions privilégiées. Un projet est accepté dans la mesure où son taux de rendement interne (utilisé comme taux d'actualisation selon cette méthode) est égal ou supérieur au coût du capital.

Les méthodes de la valeur actuelle nette et du taux de rendement interne sont des méthodes modernes d'évaluation des projets pour diverses raisons :

- Elles tiennent compte de la valeur de l'argent dans le temps.
- Elles considèrent la rentabilité à la lumière des flux monétaires nets (bénéfice net + amortissement) et non en fonction du bénéfice net comptable seulement.
- Elles regroupent dans la démarche d'évaluation des projets d'investissement le coût des fonds utilisés et la récupération des capitaux investis à l'actif.

7.2. LES RAISONS DE CONFLITS ENTRE LES MÉTHODES DE LA VALEUR ACTUELLE NETTE ET DU TAUX DE RENDEMENT INTERNE

Les méthodes de la valeur actuelle nette et du taux de rendement interne coïncident en matière de décision quand il s'agit de projets indépendants. Par contre, lorsqu'il s'agit de projets mutuellement exclusifs, ces deux méthodes peuvent donner des résultats contradictoires. Il s'agit de choisir obligatoirement entre deux projets rentables qui procurent un même bien ou un même service, mais dont le classement selon la VAN et le TRI est différent. L'entreprise se trouve face à un conflit entre les deux méthodes et à des décisions différentes.

Il est utile d'identifier les causes de conflits entre les méthodes de la valeur actuelle nette et du taux de rendement interne, et ensuite de traiter chacun de ces facteurs de contradiction par un exemple numérique afin de définir le choix d'investissement optimal.

Il y a trois raisons essentielles à une divergence quant au classement des projets selon les deux méthodes de la valeur actuelle nette et du taux de rendement interne :

1. la taille inégale de la dépense initiale d'investissement,
2. la durée de vie inégale des projets,
3. l'échelonnement et la dimension des flux monétaires dans le temps. Les flux monétaires d'un projet augmentent dans le temps tandis que ceux de l'autre projet diminuent.

7.3. LES PROJETS OU INVESTISSEMENTS DE TAILLE INÉGALE

Un projet d'investissement peut se distinguer par un taux de rendement interne inférieur à ceux d'autres projets. Il est possible cependant qu'un projet à taux de rendement interne plus faible obtienne en fin de compte une valeur actuelle nette supérieure en raison d'un investissement initial plus important. Ceci peut être illustré par un exemple numérique.

Considérons deux projets A et B mutuellement exclusifs de durée de vie égale et de risque égal, mais de taille inégale. Le taux de rendement exigé ou coût de capital moyen pondéré est de 12 %.

Tableau 7.1

Calcul du taux de rendement de projets de taille inégale

	Projet A	Projet B
Investissement initial	–500 000 $	–300 000 $
Flux monétaires nets annuels	330 000 $	205 000 $
Durée de vie	2 ans	2 ans
VAN du projet A à 12 % $VAN_A = -500\,000\$ + (330\,000\$)\,(a_{2;12\%})$ $VAN_A = -500\,000\$ + 557\,717\$ =$	57 717 $	
VAN du projet B à 12 % $VAN_B = -300\,000\$ + (205\,000\$)\,(a_{2;12\%})$ $VAN_B = -300\,000\$ + 346\,460\$ =$		46 460 $
Taux de rendement interne (TRI)	$TRI_A = 21\%$	$TRI_B = 23{,}66\%$

En l'absence de rationnement de capital, on choisit habituellement le projet dont la VAN est la plus élevée, soit le projet A, qui maximise la richesse à un taux de réinvestissement des flux monétaires de 12 %. Les projets futurs de l'entreprise peuvent avoir une rentabilité plus élevée, voire bien plus élevée que le coût de capital de 12 % et, par conséquent, un taux de réinvestissement plus élevé. Une analyse plus approfondie s'impose, basée sur le taux d'indifférence obtenu par le point d'intersection des courbes de VAN des projets A et B en fonction de différents taux d'actualisation.

On trouve le taux d'indifférence r_i de 16,26 % en égalant les deux relations de VAN des projets A et B :

$$-500\,000\,\$ + 330\,000\,\$\,(a_{2;r_i}) = -300\,000\,\$ + 205\,000\,(a_{2;r_i})$$

$$-200\,000\,\$ + 330\,000\,\$\,(a_{2;r_i}) - 205\,000\,(a_{2;r_i}) = 0$$

On procède par essai et erreur :

À r = 16 %, on obtient :

$$-200\,000\,\$ + 330\,000\,\$\,(1{,}605\,2) - 205\,000\,\$\,(1{,}605\,2) =$$

$$-200\,000\,\$ + 529\,716\,\$ - 329\,066\,\$ = +650\,\$$$ en arrondissant.

À r = 16,5 %, on obtient :

$$-200\,000\,\$ + 330\,000\,\$\,(1{,}595\,2) - 205\,000\,\$\,(1{,}595\,2) =$$

$$-200\,000\,\$ + 526\,416\,\$ - 327\,016\,\$ = -600\,\$$$ en arrondissant.

	À 16 %	+ 650 $
	À 16,5 %	– 600
Différence :	0,5 %	1 250 $
	X %	650 $

$$X\,\% = \frac{650\,\$\,(0{,}5\,\%)}{1\,250\,\%} = 0{,}26\,\%$$

D'où le taux d'indifférence est égal à :

$$r_i = 16\,\% + 0{,}26\,\% = 16{,}26\,\%$$

La figure 7.1 explique les différences de classement des projets A et B selon des taux d'actualisation différents utilisés pour calculer les valeurs actuelles nettes correspondantes. À des taux d'actualisation ou de réinvestissement des flux monétaires inférieurs au taux d'indifférence de 16,26 % la valeur actuelle nette du projet A demeure supérieure à celle du projet B, contredisant ainsi le classement selon le taux de rendement interne. À des taux d'actualisation supérieurs à 16,26 % la valeur actuelle nette de B devient supérieure à celle de A de sorte que les deux méthodes considérées se rejoignent dans un même classement.

Si le taux de réinvestissement k est supérieur à 23,66 %, aucun des deux projets A et B n'est acceptable, car leurs valeurs actuelles nettes deviennent alors négatives. En fait, la VAN de A devient déjà négative pour un taux de réinvestissement supérieur à 21 %.

Notons que l'ordonnée du point d'indifférence I (27 995 $) a été trouvée en actualisant soit les flux monétaires soit du projet A, soit ceux du projet B, au taux de 16,26 %. La VAN de A à un taux de réinvestissement de 16,26 % est égale à :

$$\begin{aligned} VAN_A &= -500\,000\,\$ + 330\,000\,\$\ (a_{2;16,26\,\%}) \\ &= -500\,000\,\$ + 330\,000\,\$\ (1,599\,984) \\ &= 27\,995\,\$ \end{aligned}$$

On constate dans la figure 7.1 que les classements de deux projets selon la VAN et le TRI se contredisent, c'est-à-dire diffèrent lorsque le point d'intersection des courbes de VAN correspond à un taux de réinvestissement plus élevé que le coût du capital. Nous savons que ce dernier est le taux de réinvestissement implicite de la méthode de la VAN.

Comment résoudre le conflit entre les méthodes de la VAN et du TRI dans le cas de deux projets mutuellement exclusifs en présence de rationnement de capital, lorsque le taux de réinvestissement des flux monétaires est inférieur au taux de d'indifférence ?

On doit calculer la rentabilité sur le montant d'investissement additionnel (A – B) investi dans le projet de grande taille comparativement au projet de plus petite taille.

Tableau 7.2

Analyse comparative des méthodes de la VAN et du TRI

	Projet A	Projet B	Projet A – B
Investissement (t = 0)	500 000 $	300 000 $	200 000 $
Flux de trésorerie annuels	330 000 $	205 000 $	125 000 $
Vie des projets	2 ans	2 ans	2 ans
VAN (à 12 %)	57 717 $	46 460 $	11 257 $
TRI	21 %	23,66 %	16,26 %

Le projet (A – B) (montant additionnel investi de 200 000 $ dans A comparativement à B) est acceptable selon la VAN et selon le TRI. En considérant une situation de contraintes budgétaires, la firme devrait investir dans A à moins de trouver un autre projet C d'un investissement égal à 200 000 $ qui donnerait une VAN > 11 257 $. En d'autres termes, l'investissement additionnel de 200 000 $ devrait être investi ailleurs, à taux supérieur à 16,26 %, dans le projet C s'il existait. Le projet C, serait alors adopté conjointement avec le projet B, dont l'investissement initial est de 300 000$. La somme de la VAN d'un autre projet C [supérieure à la VAN de (A – B)] et de la VAN du projet B serait alors supérieure à la seule VAN de A.

Figure 7.1

Les VAN de A et B en fonction de différents taux de réinvestissement

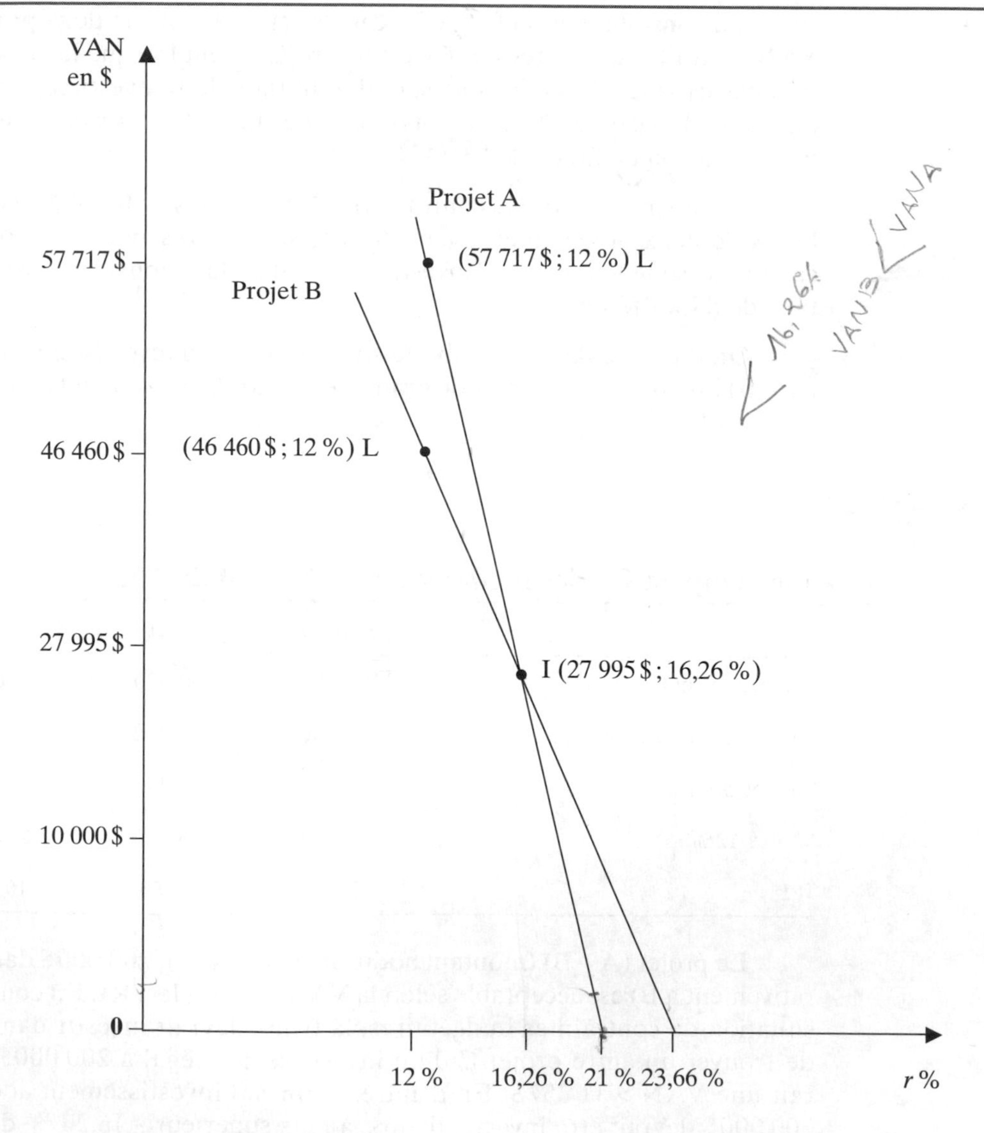

On peut conclure cette section portant sur le choix de projets d'investissement de taille inégale par les deux précisions suivantes :

1. On choisit le projet dont la valeur actuelle nette est la plus élevée quand il s'agit de projets mutuellement exclusifs classés différemment. Il s'agit du projet A, en l'occurrence en considérant le coût de capital de 12 % comme le taux de réinvestissement le plus réaliste.
2. On choisit l'ensemble des projets dont la VAN est la plus élevée en présence de contraintes budgétaires et de projets mutuellement exclusifs.

7.4. LA DIFFÉRENCE D'ÉCHELONNEMENT DES FLUX MONÉTAIRES DANS LE TEMPS

Considérons deux projets X et Y mutuellement exclusifs :

- d'investissement initial et de durée de vie égaux, mais de flux monétaires échelonnés différemment dans le temps quant à leurs montants (les flux monétaires de la phase de début du projet X sont plus élevés et vont en diminuant dans le temps et vice versa pour le projet Y) ;
- de risque égal.

Le taux de rendement exigé ou coût de capital est de 14 %. Les statistiques financières des projets X et Y sont exposées dans le tableau 7.3 ci-après.

Il existe une contradiction quant au choix entre les deux projets X et Y mutuellement exclusifs selon le taux de réinvestissement choisi pour les flux monétaires nets. Le projet X est meilleur selon la méthode de la valeur actuelle nette, tandis que Y est supérieur selon la méthode du taux de rendement interne. Il y a conflit entre la VAN et le TRI, car il s'agit de flux monétaires différents (quant à leur dimension et quant au moment de leur réalisation : les flux monétaires du projet Y sont surtout concentrés dans la première moitié de sa vie, tandis que ceux de X le sont dans la deuxième moitié de sa vie), traités par des taux de réinvestissement différents selon l'une des deux méthodes de la valeur actuelle nette ou du taux de rendement interne. Le taux de réinvestissement des flux monétaires futurs est le taux de rendement interne du projet selon la méthode du TRI. Il diffère, dans la plupart des cas, du coût du capital. Ce dernier est le taux de réinvestissement implicite de la méthode de la VAN et correspond à l'objectif de maximisation de la richesse.

Tableau 7.3

Les statistiques financières des projets X et Y

	Années	Projet X	Projet Y
Investissement initial	0	-300 000 $	-300 000 $
Flux monétaire 1		40 000 $	230 000 $
Flux monétaire 2		200 000 $	140 000 $
Flux monétaire 3		300 000 $	100 000 $
$VAN_X = -300\,000\,\$ + \frac{40\,000\,\$}{1,14} + \frac{200\,000\,\$}{(1,14)^2} + \frac{300\,000\,\$}{(1,14)^3} = 91\,472\,\$$		91 472 $	
$VAN_Y - 300\,000\,\$ + \frac{230\,000\,\$}{1,14} + \frac{140\,000\,\$}{(1,14)^2} + \frac{100\,000\,\$}{(1,14)^3} = 76\,977\,\$$			76 977 $
TRI_X		27,65 %	31,47 %

La différence de taux d'actualisation ou taux de réinvestissement explique la différence de classement des projets X et Y par les deux méthodes.

La représentation graphique (figure 7.2) des valeurs actuelles nettes des deux projets en fonction de différents taux d'actualisation et selon les données et résultats du tableau 7.2 donne les résultats suivants :

1. Si le taux de réinvestissement *k* est inférieur au taux d'indifférence de 19,6 %, le choix se porte sur le projet X, dont la VAN est alors plus grande que celle du projet Y. Les deux méthodes de la VAN et du TRI sont en conflit puisque le TRI de Y est de 31,47 % tandis que celui de X est de 27,65 %.
2. Si le taux *k* est supérieur à 19,6 %, le projet Y est choisi, car il a la VAN la plus élevée ainsi que le TRI le plus élevé.

On constate qu'en deçà du taux d'indifférence, le projet X est privilégié, tandis qu'au-delà, c'est le projet Y qui est adopté.

Remarque importante :

Le taux de réinvestissement des flux monétaires futurs générés par les projets X et Y est fonction de la rentabilité et des caractéristiques des projets dans lesquels ils seront réinvestis. Parfois ce taux de rendement n'est pas encore connu. L'entreprise doit estimer la rentabilité des projets actuels et futurs pour établir si le taux de réinvestissement ne risque pas de changer de façon significative à l'avenir.

Figure 7.2

Les VAN de X et Y en fonction de différents taux de réinvestissement

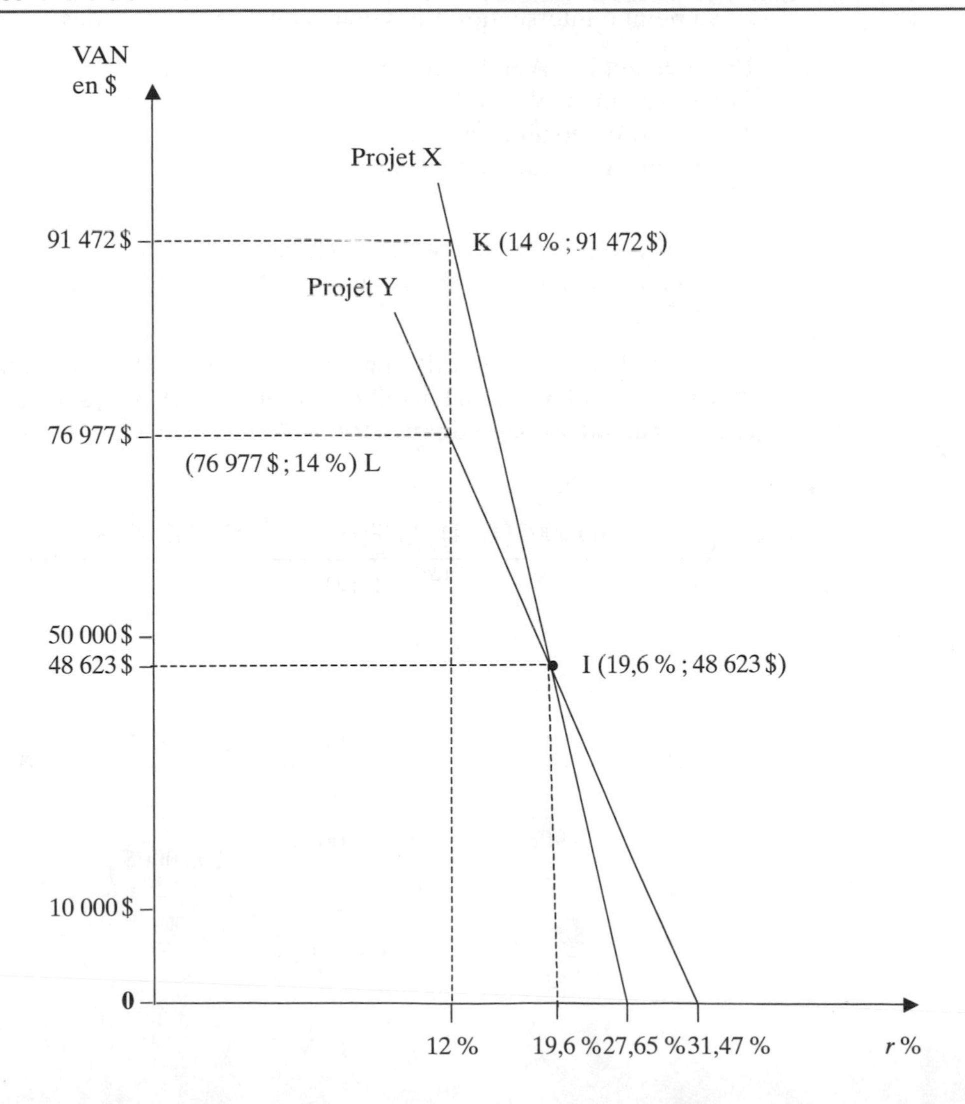

Comment résoudre ce conflit entre la VAN et le TRI de deux projets mutuellement exclusifs ?

1. À l'aide d'une représentation graphique des VAN en fonction de différents taux d'actualisation ou de réinvestissement :

   a) on adopte le projet X, qui est supérieur à Y si le taux exigé < 19,6 %, car sa VAN est alors plus élevée ;

   b) on adopte le projet Y, car sa VAN est alors plus élevée si le taux exigé > 19,6 % ;

   c) c'est l'indifférence vis-à-vis des projets Y et X, selon le critère de la VAN au point d'intersection I des deux courbes de VAN des projets X et Y.

2. En calculant la VAN des projets X et Y à l'aide des valeurs terminales des flux monétaires (VT), et ce, en utilisant un même taux de réinvestissement pour les flux monétaires des deux projets. Supposons que le taux de réinvestissement des flux monétaires soit différent de 14 %, par exemple égal à 25 %.

   On constate qu'à un taux de réinvestissement de 25 % le projet Y est supérieur selon les deux méthodes de la VAN et du TRI, tel qu'illustré par la figure 7.2.

   Le calcul de la VAN en utilisant les valeurs terminales à un taux de réinvestissement inférieur au taux d'indifférence de 19,6 %, soit par exemple au coût de capital de 14 %, donne les résultats suivants, qui figurent déjà dans le tableau 7.3 :

$$\text{VAN}_X = \frac{40\,000\,\$(1{,}14)^2 + 200\,000\,\$(1{,}14) + 300\,000\,\$}{(1{,}14)^3} - 100\,000\,\$$$

$$= \frac{579\,984\,\$}{(1{,}14)^3} - 100\,000\$ = 91\,472\,\$$$

$$\text{VAN}_Y = \frac{230\,000\,\$(1{,}14)^2 + 140\,000\,\$(1{,}14) + 100\,000\,\$}{(1{,}14)^3} - 100\,000\,\$$$

$$= \frac{298\,908\,\$ + 159\,600\,\$ + 100\,000\,\$}{(1{,}14)^3} - 100\,000\,\$$$

$$= \frac{558\,508\,\$}{(1{,}14)^3} - 100\,000\,\$ = 76\,977\,\$$$

On constate, encore une fois, que lorsque le taux de réinvestissement est inférieur au taux d'indifférence (dans ce cas 14 % versus 19,6 %), les deux méthodes du TRI et de la VAN se contredisent. En cas de conflit, il faut recourir au critère de la VAN pour choisir les nouveaux projets d'investissement, car la VAN considère le coût du capital qui est réaliste comme taux de réinvestissement.

À 23 % de taux de réinvestissement, taux supérieur au taux d'indifférence de 19,6 %, on obtient pour le projet X, en utilisant les valeurs terminales :

$$\text{VAN}_X = \frac{40\,000(1,23)^2 + 200\,000(1,23) + 300\,000\,\$}{(1,14)^3} - 300\,000\,\$$$

$$= \frac{60\,516\,\$ + 246\,000\,\$ + 300\,000\,\$}{(1,14)^3} - 300\,000\,\$$$

$$= \frac{606\,516\,\$}{(1,14)^3} - 300\,000\,\$$$

$$= 409\,382\,\$ - 300\,000\,\$$$

$$= 109\,382\,\$$$

$$\text{VAN}_Y = \frac{230\,000\,\$(1,23)^2 + 140\,000\,\$(1,23) + 100\,000\,\$}{(1,14)^3} - 300\,000\,\$$$

$$= 347\,967\,\$ + 172\,200\,\$ + 100\,000\,\$ - 300\,000\,\$$$

$$= \frac{620\,167\,\$}{(1,14)^3} - 300\,000\,\$$$

$$= 418\,596\,\$ - 300\,000\,\$$$

$$= 118\,596\,\$$$

Le projet Y est préférable à un taux de réinvestissement de 23 %. Il sera choisi selon les deux critères de la VAN et du TRI.

La détermination des VAN, à l'aide des valeurs finales ou terminales des flux monétaires, donne les mêmes résultats que ceux de la figure 7.2, à savoir que X est préférable à un taux de réinvestissement inférieur au taux d'indifférence, tandis que Y a un meilleur classement au-delà.

7.5. LES PROJETS À DURÉES DE VIE INÉGALES

Considérons deux projets R et S mutuellement exclusifs de taille et de risque égaux, mais de durées de vie inégales. Le taux exigé ou coût de capital est de 14 %. Les statistiques financières suivantes caractérisent les projets R et S:

Tableau 7.4

Les statistiques financières des projets R et S à durées de vie inégales

	Années	Projet R	Projet S
Investissement initial	0	−200 000 $	−200 000 $
Flux monétaire	1	150 000 $	110 000 $
Flux monétaire	2	150 000 $	110 000 $
Flux monétaire	3		110 000 $
VAN_S = −200 000 $ + 110 000 $ ($a_{3;14\%}$) = −200 000 $ + 110 000 $ (2,322) =			55 420 $
VAN_R = −200 000 $ + 150 000 $ ($a_{2;14\%}$) = −200 000 $ + 150 000 $ (1,6466) =		46 990 $	
TRI		31,875 %	29,92 %

On constate que les méthodes de la valeur actuelle nette et du taux de rendement interne donnent des résultats contradictoires. Le projet S est favorisé par la VAN (55 420 $ comparé à 46 990 $ pour R), tandis que le projet R est préférable selon le critère du TRI (31,875 % pour R versus 29,22 % pour S). Comment décider entre ces deux projets face à cette divergence d'information provenant des deux méthodes de la VAN et du TRI ?

1. On peut résoudre ce conflit entre les méthodes de la VAN et du TRI en représentant graphiquement les courbes des VAN des projets R et S (figure 7.3) en fonction de différents taux de réinvestissement des flux monétaires. L'intersection de ces deux courbes donne le taux d'indifférence auquel correspond une même VAN pour les projets R et S.

   On trouve le taux d'indifférence r_i égal à 23,2 %.

   La VAN correspondante au taux d'indifférence est de 20 582 $.

   – Si le taux de réinvestissement des FM > 23,2 % (taux d'indifférence), on préfère R à S, car la VAN du premier est alors plus élevée. Les deux méthodes du TRI et de la VAN coïncident dans ce cas.

– Si le taux de réinvestissement des FM < 23,2 %, on choisit S, car sa VAN est plus élevée et les deux méthodes de la VAN et du TRI ne concordent pas dans ce cas.

Figure 7.3

Les VAN de R et S en fonction de différents taux de réinvestissement

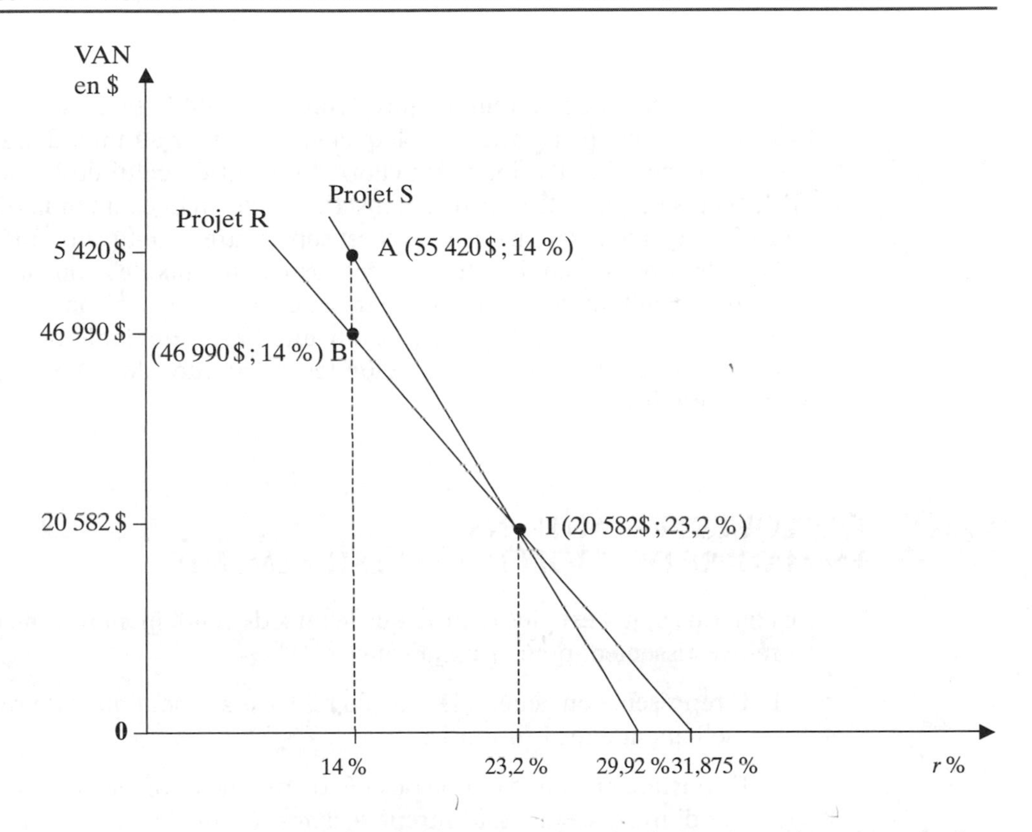

2. En déterminant les VAN des projets R et S à l'aide des valeurs terminales. On calcule ces dernières selon le taux de réinvestissement des flux monétaires des futurs projets et on les actualise au coût du capital ou à des taux de réinvestissement plus élevés si les prévisions de taux de rendement de projets futurs le justifient.
3. En déterminant les annuités équivalentes de la valeur actuelle nette de R ainsi que de celle de S.

– L'annuité équivalente de la VAN de R est égale à :

$$\frac{46\,990\,\$}{a_{2,14\%}} = \frac{46\,990\,\$}{1{,}646\,66} = 28\,536\,\$$$

– L'annuité équivalente de la VAN de S s'élève à :

$$\frac{55\,420\,\$}{a_{3,14\%}} = \frac{55\,420\,\$}{2{,}321\,6} = 23\,871\,\$$$

La méthode de l'annuité équivalente de la VAN favorise plutôt le projet R à 14 % de taux d'actualisation, lequel est inférieur au taux d'indifférence de 23,2 % ; de ce fait, elle donne un choix différent de celui de la méthode de la VAN. Dans l'espace de taux d'actualisation situé en deçà du taux d'indifférence de 23,2 %, l'annualisation de la VAN est supérieure à toute autre méthode d'évaluation de projets quand il y a dans cet espace de taux des conflits de sélection de projets résultant de durées de vie inégales. La comparaison se fait à l'aide de la méthode de l'annuité équivalente sur une base semblable pour l'évaluation des deux projets R et S, à savoir selon leurs annuités de VAN respectives (ou annuités équivalentes).

7.6. QUELQUES PRÉCAUTIONS EN MATIÈRE DE CHOIX DES INVESTISSEMENTS

Le coût du capital est plus réaliste que le taux de rendement interne comme taux de réinvestissement pour deux raisons :

1. Il représente en général le taux de réinvestissement que l'on retrouve habituellement dans l'entreprise
2. Il constate un coût d'option ou coût de renonciation de la meilleure alternative d'investissement. L'entreprise a abandonné le meilleur investissement, c'est-à-dire le meilleur taux de rendement possible ailleurs, pour faire fructifier des fonds dans un de ses projets.

On peut déterminer le coût de capital, appelé aussi taux de démarcation ou de sélection de projets, de façon assez précise dans un contexte de marchés parfaits. Le calcul du coût moyen pondéré des différentes sources de fonds qui financent les projets de l'entreprise permet d'établir le coût du capital k auquel est comparé le taux de rendement interne (TRI) pour sélectionner les projets :

– Si TRI $\geq k$ Adoption du projet

– Si TRI $< k$ Rejet du projet

La méthode de la valeur actuelle nette est privilégiée en cas de conflit entre la VAN et le TRI, car la VAN utilise le coût du capital comme taux de réinvestissement et qu'elle est compatible avec l'objectif de la maximisation de la richesse des actionnaires. La méthode de l'annuité équivalente de la VAN ajoute à la précision du choix des investissements dans le cas de deux projets de durées de vie inégales.

L'entreprise doit éviter plusieurs écueils dans l'utilisation de la méthode d'évaluation de la valeur actuelle nette concernant:

1. La difficulté d'une prévision rigoureuse des flux monétaires nets

   En fait, l'entreprise s'applique à déterminer correctement la moyenne de la distribution de probabilité des flux monétaires. Plus la vie du projet est longue, plus l'estimation des flux monétaires futurs éloignés devient aléatoire, en raison de plusieurs facteurs, dont surtout l'évolution des cycles et de l'activité économique et, par conséquent, les changements futurs de la demande pour les produits de l'entreprise.

2. Le calcul du coût du capital

   L'entreprise doit être très vigilante en matière d'estimation des primes d'inflation et de primes de risque. Souvent, ces primes, qui sont intégrées à la détermination du coût du capital, sont exagérées, avec pour résultat l'augmentation plus que nécessaire du coût du capital, ou taux d'actualisation, et une réduction de la valeur actuelle nette indûment.

RÉSUMÉ

Les deux méthodes d'évaluation de la performance des investissements, soit celle du taux de rendement interne et celle de la valeur actuelle nette, coïncident en général en matière de classement et de sélection de projets. Parfois, ces deux méthodes donnent des résultats contradictoires dans l'appréciation de deux projets, de sorte que l'un est préférable car sa valeur actuelle nette est plus élevée, tandis que l'autre est supérieur car son taux de rendement interne domine.

L'analyse, le classement et le choix de deux projets mutuellement exclusifs dans un contexte de rationnement de capital sont des démarches fort complexes. Notons que deux des projets sont mutuellement exclusifs lorsqu'ils remplissent une même fonction. On doit choisir, par exemple, entre deux systèmes de chauffage qui, manifestement, assurent le même service, avec pour conséquence le rejet d'un système lorsque l'autre est choisi.

Plusieurs raisons sont à l'origine de conflits entre la méthode de la valeur actuelle nette et celle du taux de rendement interne, à savoir :

- la durée de vie différente des deux projets étudiés ;
- une taille (investissement initial) inégale ;
- l'échelonnement différent des flux monétaires. En d'autres termes, l'un des deux projets a des flux monétaires « précoces » élevés et des « tardifs » plutôt faibles et vice versa pour les flux monétaires de l'autre projet.

QUESTIONS

1. Pourquoi deux projets mutuellement exclusifs peuvent-ils avoir un classement différent dans une situation de contraintes budgétaires ?
2. Quelle démarche doit-on adopter pour classer de façon correcte deux projets mutuellement exclusifs de tailles inégales en contexte de rationnement de capital, lorsque les critères de valeur actuelle nette et de taux de rendement interne donnent des résultats contradictoires en matière de choix des investissements ?
3. Même question, lorsque l'échelonnement des flux monétaires est différent.
4. Même question, si les deux projets ont des durées de vie inégales.
5. Définir la notion de projets mutuellement exclusifs.

PROBLÈMES

1. LA FIRME BOMBARDIER INC.

La firme Bombardier inc. étudie la valeur respective de deux projets mutuellement exclusifs qui nécessitent chacun un investissement initial de 4 500 $; les flux monétaires nets annuels du projet A pendant 2 ans s'élèvent à 3 000 $, tandis que ceux du projet B se chiffrent à 1 200 $ par an durant 6 ans.

- **On demande :**

a) de calculer la valeur actuelle nette de chacun de ces deux projets lorsque le coût du capital de la firme prend les valeurs suivantes :

– 0 %,
– 6 %,
– 10 %,
– 20 % ;

b) de calculer le taux de rendement interne de chacun de ces deux projets ;

c) de déterminer graphiquement le coût du capital *k* pour lequel la société Bombardier serait indifférente quand à l'acceptation de l'un ou l'autre de ces deux projets ;

d) quel projet retenir si le taux de réinvestissement de l'entreprise est d'une part de 6 % et d'autre part de 12 % et son coût de capital de 10 %. Commenter et expliquer en détail en se basant sur la VAN, le TRI et l'annuité équivalente ;

e) en cas de contradiction entre la méthode de la VAN et celle du TRI, quel critère utiliser et pourquoi.

- **Solutions suggérées :**

a) VAN_A à 0 % = – 4 500 \$ + 3 000 \$ × 2 = 1 500 \$

VAN_B à 0 % = – 4 500 \$ + 1 200 \$ × 6 = 2 700 \$

VAN_A à 6 % = – 4 500 \$ + 3 000 \$ × 1,833 4 = 1 000 \$

VAN_B à 6 % = – 4 500 \$ + 1 200 \$ × 4,917 3 = 1 400,76 \$

TAUX	VAN_A	VAN_B
0 %	1 500,00 \$	2 700,00 \$
6 %	1 000,00 \$	1 400,76 \$
10 %	706,50 \$	726,36 \$
20 %	83,40 \$	509,40 \$

b) Calcul des TRI_A et TRI_B

TRI_A : calculons $\frac{4\ 500}{3\ 000} = 1,5$

Correspond à ≈ 21,5 %

TRI_B : calculons $\frac{4\ 500}{1\ 200} = 3,75$

Correspond à ≈ 15 %

c) Représentation graphique

Il s'agit de trouver le point d'indifférence.

Il faut obtenir le TRi_I selon la relation suivante :

$$-4\,500\ \$ + 3\,000\ \$ \times a_{2;TRI_I} = -4\,500 + 1\,200 \times a_{6;TRI_I}$$

$$3\,000 \times a_{2;TRI_i} - 1\,200 \times a_{6;TRI_i} = 0$$

À 10 % :

$$VAN = 3\,000 \times a_{2;0,10} - 1\,200 \times a_{6;0,10} =$$
$$= 5\,206,5 - 5\,226,31 = \underline{-19,81}$$

À 11 % :

VAN = 60,86 $

L'interpolation permet d'établir le taux d'indifférence (TRI_i) :

À 11 %	VAN = 60,86 $
À 10 %	VAN = – 19,81 $
1 %	80,67 $
X %	19,81 $

D'où : X % = (1 %) (19,81 $) / 80,67 $ = 0,245 5 %

Et le taux d'indifférence = 10 % + 0,245 5 %

(TRI_i) = 10,245 %

La VAN correspondant au taux d'indifférence est obtenue à partir de l'une des deux relations de VAN ci-haut utilisées pour déterminer le TRI_i, soit VAN_i = 689,89 $.

■ **Commentaires :**

- Pour un taux de réinvestissement > 10,24 %, le choix du projet A s'impose, car il est supérieur à la fois selon la VAN et selon le TRI.
- Pour un taux de réinvestissement < 10,24 %, on choisit le projet B, dont la VAN est la plus élevée et contribue alors plus que A à l'enrichissement de Bombardier.

d) k = 10 % : Taux ou r de réinvestissement (r de r)

1) 6 % ; et 2) 12 %.

On sait que : à k = 10 % : VAN_A = 706,50 $; VAN_B = 726,36 $

TRI_A = 21,5 % ; TRI_B = 15 %

Figure 7.4

Calcul du point d'indifférence pour les projets A et B

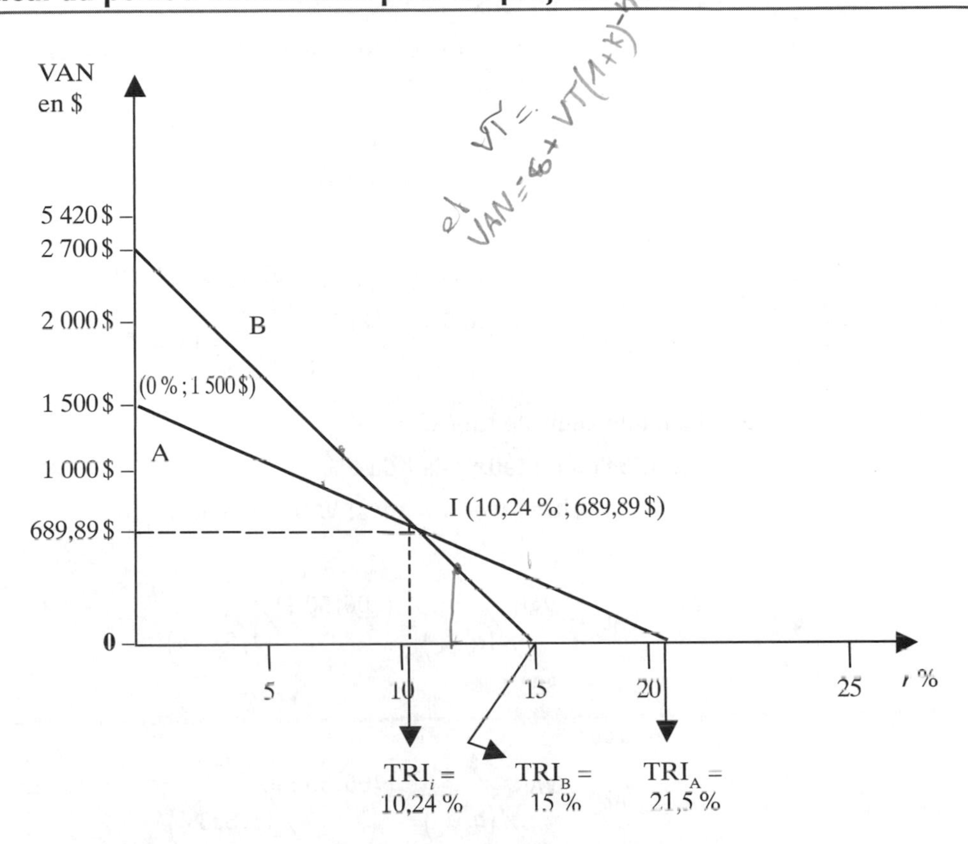

Il y a conflit entre les méthodes de la VAN et du TRI qu'il faut résoudre à l'aide des deux méthodes de la VT et de l'EC :

d.1. La valeur terminale (VT) :

d.1.1. Selon un taux r de r de 6 % :

$$VT_A = (3\,000\ \$)(S_{2;6\%}) = (3\,000\ \$)(2{,}06) = 6\,180\ \$$$

$$VAN_A = -4\,500\ \$ + (6\,180\ \$) \big/ (1{,}10)^2 = 607\ \$$$

$$VT_B = (1\,200\ \$)(S_{6;6\%}) = (1\,200\ \$)(6{,}97) = 8\,364\ \$$$

$$VAN_B = -4\,500\ \$ + (8\,364\ \$) \big/ (1{,}10)^6 = 221\ \$$$

On adopte le projet A lorsque k = 10 % et r de r = 6 %, car sa VAN de 607 $ est supérieure à celle de B de 221 $.

d.1.2. Selon un taux r de r de 12 % :

On adopte le projet B lorsque k = 10 % et r de r = 12 %, car sa VAN est supérieure. En effet :

$$VT_A = (3\,000\ \$)(S_{2;12\%}) = (3\,000\ \$)(2,12) = 6\,360\ \$$$

$$VAN_A = -4\,500\ \$ + (6\,360\ \$) / (1,10)^2 = 756\ \$$$

$$VT_B = (1\,200\ \$)(S_{6;12\%}) = (1\,200\ \$)(8,12) = 9\,744\ \$$$

$$VAN_B = -4\,500\ \$ + (9\,744\ \$) / (1,10)^6 = 1\,000\ \$$$

d.2. L'annuité équivalente (AE) :

d.2.1. Selon un taux r de r de 6 % :

On sait qu'avec k = 10 % : VAN = 706,50 $

D'où :

$$AE_A = VAN_A / (a_{2;6\%}) = (706,50\ \$) / (1,833\,4)$$
$$= 385\ \$$$

d'où :

$$AE_A = VAN_A / (a_{2;6\%}) = (706,50\ \$) / (1,833\,4)$$
$$= 385\ \$$$

$$AE_B = VAN_B / (a_{6;6\%}) = (726,36\ \$) / (4,92)$$
$$= 147,63\ \$$$

La méthode de l'AE est supérieure à celles de la VAN et du TRI pour choisir entre deux projets mutuellement exclusifs comme A et B de durées différentes. L'AE permet de comparer deux projets sur des bases semblables, soit leur VAN annualisée. Le choix se portera sur A, pour un coût de capital de 10 % et un r de r de 12 %.

d.2.2. Selon un taux *r* de *r* de 6 % :

$$AE_A = \frac{VAN_A}{(a_{2;12\%})} = \frac{(706,60\ \$)}{(1,69)} = 418,10\ \$$$

$$AE_B = \frac{VAN_B}{(a_{6;12\%})} = \frac{(726,36\ \$)}{(7,09)} = 102,45\ \$$$

On choisit toujours le projet A, dont la VAN annualisée est encore plus élevée avec *k* = 10 % et *r* de *r* = 12 %.

La fiscalité canadienne des projets d'investissement

L'inflation, le rationnement du capital

8.1. NOTIONS FONDAMENTALES DE FISCALITÉ DES INVESTISSEMENTS

L'épargne fiscale, résultant de la déductibilité de la dotation d'amortissement de l'assiette fiscale de l'entreprise, est l'une des composantes essentielles de la valeur d'un projet d'investissement. En effet, l'amortissement fiscal permet de réduire la facture d'impôt que doit payer l'entreprise et, toutes choses égales, accroît la valeur actuelle nette d'un projet. L'amortissement fiscal se distingue de l'amortissement comptable linéaire en ce qu'il permet d'accélérer la réception, par l'entreprise, de l'économie d'impôt sur l'amortissement.

L'objet de l'amortissement fiscal, dont le taux est appliqué de façon constante sur le solde dégressif, est donc d'assurer des entrées plus rapides de l'épargne fiscale générée par l'application de la loi fiscale sur l'amortissement.

Il existe plusieurs catégories d'actifs immobilisés amortissables, dont les équipements et le matériel roulant. Les actifs immobilisés sont regroupés dans la catégorie à laquelle ils appartiennent. Un taux d'amortissement fiscal maximum est affecté à chaque catégorie d'actif fixe. Le taux d'amortissement fiscal est appliqué sur la fraction non amortie du coût en capital (FNACC) de la catégorie d'actif à laquelle appartient un équipement ou un matériel roulant donné.

Les achats nets de nouveaux actifs amortissables (la différence entre le prix d'acquisition du nouvel actif et le prix de vente d'autres actifs de la même catégorie) font l'objet de la règle du demi-taux (50 %) pour l'année d'acquisition, sauf dans le cas de brevets et de concessions de durée limitée.

L'amortissement fiscal d'une année donnée ou l'allocation du coût en capital est calculé en fonction du taux d'amortissement de la catégorie concernée sur la base de la FNACC ou solde de fin d'exercice. Cette FNACC de fin d'année est égale au solde en début d'année plus les achats nets d'actifs durant l'année. Il est utile de fournir quelques précisions concernant les conséquences d'une classe d'actifs qui se vide.

Une classe d'actif qui se vide est fermée. C'est le cas où l'entreprise vend tous les actifs figurant dans une catégorie donnée. Deux situations sont alors possibles :

1. Si le prix de vente du dernier actif d'une classe d'actif donnée est inférieur à la FNACC de cette classe, le solde final devient positif. Il constitue une perte finale déductible des revenus imposables de l'entreprise.

EXEMPLE

Considérons les données suivantes :

a) la FNACC d'une catégorie d'actif fixe est de 350 000 $;

b) la totalité des actifs de la même classe d'actif sont vendus 275 000 $;

c) il n'y pas de gain en capital.

On constate que :

FNACC > Prix de vente

En effet : 350 000 $ > 275 000 $.

Il reste une FNACC finale positive de 75 000 $ (=350 000 $ – 275 000 $) après la vente. Il s'agit d'une perte finale totalement déductible du revenu imposable de l'entreprise.

2. Si le prix de vente de l'actif est supérieur à la FNACC de la catégorie, la différence donne un solde final négatif. L'entreprise a trop amorti les actifs de cette catégorie et obtenu antérieurement des épargnes fiscales exagérées. L'entreprise doit ajouter cette différence, tant que le prix de vente de l'actif en question n'excède pas son coût, à son revenu imposable. Il y a dans ce cas récupération d'amortissement par les autorités fiscales.

EXEMPLE

Supposons :

a) que la FNACC d'une catégorie donnée d'actif soit de 200 000 $;

b) que la totalité des actifs appartenant à cette catégorie d'actif soient vendus 300 000 $;

c) qu'il n'y ait pas de gain en capital.

On constate que :

$$\text{FNACC} < \text{Prix de vente}$$

En effet : 200 000 $ < 300 000 $.

On obtient un solde final ou une FNACC finale négative de 100 000 $, taxable selon l'impôt des sociétés. Il n'y a plus de FNACC pour cette catégorie d'actif après la vente.

Une situation rare se présente quand le prix de vente d'un actif est à la fois supérieur à son coût d'acquisition et à la FNACC de la catégorie.

Les probabilités qu'une entreprise se retrouve avec une perte finale ou avec une récupération d'amortissement sont plutôt faibles, car le renouvellement des équipements ainsi que l'accroissement du parc des immobilisations sont des décisions relativement fréquentes en entreprise. Ces raisons expliquent pourquoi, dans l'écrasante majorité des cas, la catégorie ne se vide pas à la fin de la vie d'un projet d'investissement et la FNACC finale ne devient pas positive ou négative, selon le cas.

Un actif non amortissable, comme un terrain, est susceptible ou est admissible à avoir des pertes en capital sur le plan fiscal, contrairement à l'actif amortissable, pour lequel les pertes en capital ne sont pas acceptées.

EXEMPLE

Considérons les données suivantes:

a) le prix de vente de l'actif s'élève à 450 000 $;

b) le coût d'acquisition de l'actif est égal à 370 000 $;

c) la FNACC du groupe ou de la classe d'actif se chiffre à 250 000 $.

Les conséquences d'une situation aussi exceptionnelle sont les suivantes:

- On constate l'existence d'un gain en capital:

Gain en capital = Prix de vente – Coût d'acquisition
= 450 000 $ – 370 000 $
= 80 000 $

Une fraction de 50 % de ce montant de 80 000 $ est imposable. Il faut préciser qu'un actif amortissable, comme les équipements et le matériel roulant, ne peuvent donner lieu à des pertes en capital sur le plan fiscal.

- On constate aussi une récupération d'amortissement, car il y a une FNACC négative:

Récupération d'amortissement = FNACC – [Prix de vente – Gain en capital]
= 250 000 $ – [450 000 $ – 80 000 $]
= –120 000 $

Cette récupération d'amortissement de 120 000 $ s'ajoute au revenu imposable et est totalement taxable.

- Il n'y a plus de FNACC dans la catégorie après la vente de l'actif.

8.2. LA FISCALITÉ CANADIENNE DES PROJETS D'INVESTISSEMENT

Les sept sections suivantes sont consacrées à la solution de l'ensemble des problèmes soulevés dans le cadre de la fiscalité canadienne par:

- le remplacement d'actifs,
- l'acquisition d'actifs:

1. le calcul des sorties de fonds en début de projet au temps $t = 0$. Le calcul des sorties de fonds initiales détermine le capital investi dans un projet en actif fixe ou en augmentation du fonds de roulement net;
2. le calcul des flux monétaires nets générés par l'exploitation;

3. la détermination des entrées de fonds occasionnées par l'amortissement fiscal ;
4. la détermination des sorties de fonds évitées à cause de la réalisation du nouveau projet ;
5. le calcul des sorties de fonds pendant le déroulement du nouveau projet ;
6. la détermination des entrées de fonds à la fin de la vie du projet ;
7. le traitement fiscal des dispositions d'actifs à la fin de la vie du projet.

8.2.1. Le calcul des sorties de fonds initiales

Quatre sortes de sorties de fonds sont occasionnées par l'adoption d'un nouveau projet d'investissement au temps $t = 0$:

- le coût d'acquisition du nouvel équipement ;
- le produit net de l'actif remplacé ;
- les frais de transport, d'installation et autres frais (éventuellement) ;
- la variation du fonds du roulement net.

On détermine séparément (voir la section 8.3) les avantages fiscaux résultant de l'amortissement de l'équipement. Il n'y aura donc pas d'ajustements fiscaux à l'investissement initial dans le cadre de cette section.

EXEMPLE

Supposons un taux d'impôt sur le bénéfice des corporations de 40 %, et considérons les données du tableau 1 afin de déterminer l'investissement initial d'un projet.

Les frais d'études de marketing de 50 000 $ ainsi que les frais de formation de 60 000 $ ont été traités sur le plan fiscal comme des dépenses de l'année où elles ont été réalisées, donc totalement déductibles des revenus imposables de l'année 1.

Tableau 8.1

Les sorties de fonds initiales

Coût d'acquisition	1 000 000 $
– Disposition d'actifs	(100 000) $
+ Frais d'études de marketing 50 000 $ (1 – 0,40) = 30 000 $	30 000 $
+ Frais de formation (60 000 $)(1 – 0,40)= 36 000 $	36 000 $
+ Augmentation du fonds de roulement	40 000 $
Les sorties de fonds initiales	1 006 000 $

8.2.2. Le calcul des flux monétaires nets additionnels générés par l'exploitation du nouveau projet

La rentabilité financière est établie à partir des flux monétaires nets plutôt qu'en fonction du seul bénéfice comptable. En effet, la dotation à l'amortissement représente aussi la reconstitution des fonds nécessaires au renouvellement de l'équipement lorsqu'il sera complètement hors d'usage.

EXEMPLE

Le tableau 8.2 ci-après permet de déterminer les flux monétaires nets à partir de l'état des résultats.

Tableau 8.2

État des résultats

État des résultats (année 1)	
Ventes	400 000 $
Coût des marchandises vendues	200 000 $
Bénéfice brut	200 000 $
Dépenses de ventes et d'administration	40 000 $
Amortissement	90 000 $
Charges d'intérêt	20 000 $
Bénéfice avant impôt	50 000 $
Impôt (40 %)	20 000 $
Bénéfice net après impôt	30 000 $

Les flux de trésorerie nets ou flux monétaires nets =

= Bénéfice net + Amortissement + Charges d'intérêt après impôt

= 30 000 $ + 90 000 $ + 20 000 $ (1 – 0,40)

= 132 000 $

Remarque importante : les entrées de fonds de l'an 1 doivent être établies avant les dépenses d'intérêt et d'amortissement mais après impôt. Notons que l'état prévisionnel des flux monétaires nets annuels, générés par l'exploitation, sont déterminés sur cette base.

EXEMPLE

Le tableau 8.3 ci-après permet d'établir les entrées nettes de fonds après impôt, auxquelles s'ajoute l'avantage fiscal sur l'amortissement, afin d'obtenir les flux monétaires nets de l'année 1 d'une façon différente de la démarche effectuée à partir du tableau 8.2.

Tableau 8.3

État des entrées nettes après impôt pour l'année 1 et flux monétaires nets

Ventes	400 000 $
Coût des marchandises vendues	200 000 $
Dépenses (ventes et administration)	40 000 $
Entrées nettes avant impôt	160 000 $
Impôt (40 %)	64 000 $
Entrées nettes après impôt	96 000 $

Les flux de trésorerie nets ou flux monétaires nets sont :

Entrés nettes après impôt + Avantage fiscal sur l'amortissement :

= 96 000 $ + 90 000 $ × (0,40)

= 96 000 $ + 36 000 $

= 132 000 $

8.2.3. La détermination des entrées de fonds occasionnées par l'amortissement fiscal

L'amortissement n'influence pas les flux monétaires en tant que tels puisqu'il n'entraîne aucun déboursé de fonds. Cependant, l'amortissement influence les flux monétaires en réduisant l'impôt à payer, puisqu'il est déductible de l'assiette fiscale ou des revenus imposables de l'entreprise.

On utilise la méthode d'amortissement à taux constant au Canada, et ce, pour une catégorie d'actif donnée. Ce taux est appliqué sur le solde non amorti. Cette méthode d'amortissement permet d'accélérer l'obtention de l'épargne fiscale sur l'amortissement par rapport à la méthode d'amortissement linéaire.

EXEMPLE

Reprenons notre exemple du tableau 1 en fixant toujours à 100 000 $ le prix de revente de l'ancienne machine.

Considérons un taux d'amortissement de 10 %, un taux d'impôt de 40 % et une durée de vie $n = 8$ ans pour le nouvel équipement. Le taux de rendement exigé est de 12 %, d'où le taux d'actualisation des flux monétaires nets est de $k = 12\%$.

Le montant additionnel à amortir s'élève à :

$$1\,000\,000\,\$ - 100\,000\,\$ = \underline{\underline{900\,000\,\$}}$$

Le tableau 8.4 qui suit permet d'établir en détail le montant d'amortissement fiscal maximal. Mais on peut aussi calculer, en une seule formule, la valeur actuelle des économies d'impôt (VAEI) résultant de l'amortissement, ou VAEI sur l'allocation du coût en capital (ACC) :

$$\text{VAEI} = \frac{C \cdot d \cdot T_c}{(d + k)} \left(\frac{1 + 0{,}5k}{1 + k} \right) \qquad (8.1)$$

où :

C = solde additionnel de l'actif immobilisé ou du capital à amortir ;

d = taux d'ACC (allocation du coût en capital) ou taux d'amortissement ;

VAEI = valeur actuelle des économies d'impôt produites par l'ACC de l'année $0 \rightarrow$ à l'infini ;

k = taux de rendement exigé ou coût du capital ;

T_c = taux d'impôt sur le bénéfice des sociétés.

La détermination du solde du capital non amorti à la fin d'une année donnée n se fait à l'aide de la relation suivante du solde de capital non amorti (SCNA) :

$$\text{SCNA}_n = C\,(1 - 0{,}5d)\,(1 - d)^{n-1} \qquad (8.2)$$

L'application de la relation 8.2, selon les données initiales pour la fin de la 4e année du projet, donne le résultat ci-après :

$$\text{SCNA}_4 = 900\,000\,\$\,\left[1 - (0{,}5)\,(0{,}10)\right]\,(1 - 0{,}10)^{4-1}$$

$$\text{SCNA}_4 = 900\,000\,\$\,(0{,}95)\,(0{,}729) = \underline{\underline{623\,295\,\$}}$$

Tableau 8.4

Le calcul de l'amortissement fiscal

(1)	(2)	(3)	(4)	(5)	(6)
Année d'imposition	Solde non amorti (début d'année)	Allocation du coût en capital (10 %)	Solde non amorti (fin d'année)	Économie d'impôt (colonne (3) × 40 %)	Valeur actuelle de l'économie d'impôt à 12 %
1	900 000 $	45 000 $	855 000 $	18 000 $	16 071 $
2	855 000 $	85 500 $	769 500 $	34 200 $	27 264 $
3	769 500 $	76 950 $	692 550 $	30 780 $	21 909 $
4	692 550 $	69 255 $	623 295 $	27 702 $	17 605 $
5	623 295 $	63 329,50 $	560 965,50 $	25 332 $	14 374 $

C'est le même résultat que celui donné par la colonne 4 du tableau 4, c'est-à-dire à la fin de l'année 4, soit un montant de 623 295 $.

$$\text{Calcul de la VAEI} = \frac{(900\,000\,\$)(0{,}10)(0{,}40)}{(0{,}10 + 0{,}12)} \times \left(\frac{1 + (0{,}5)(0{,}12)}{1 + 0{,}12}\right)$$
$$= 154\,870\ \$$$

La VAEI s'élève à 154 870 $. Cette épargne d'impôt actualisée résulte d'économies d'impôt qui sont obtenues de l'année zéro jusqu'à l'infini.

L'entreprise va en réalité disposer de son actif ou le vendre à un moment donné. Il faut alors considérer deux cas sur le plan fiscal.

8.2.3.1. La classe d'actif continue à exister à la fin du projet

Deux possibilités à envisager :

- la valeur de la disposition de l'actif est nulle. Il n'y a aucun ajustement à faire à la VAEI dans ce cas ;
- la valeur de disposition d'actif est supérieure à zéro.

La VAEI doit être ajustée lorsqu'il existe une valeur de revente de l'actif en fin de projet. La FNACC (fraction non amortie de l'allocation du coût en capital) sera diminuée du montant de la revente et la VAEI est diminuée de la valeur actuelle de l'épargne d'impôt perdue (VAEIP) par cette revente. Il s'agit de l'économie d'impôt perdue de l'année 8 jusqu'à l'infini selon la relation suivante :

$$\text{VAEIP} = \frac{(\text{VR})\,(d)\,(\text{T}_c)}{(d + k)} \times (1 + k)^{-n} \tag{8.3}$$

où :

k = coût du capital ;

d = taux d'amortissement ;

VR = valeur de revente de l'actif en fin de projet ;

T_c = taux d'impôt sur le bénéfice des sociétés.

Si VR = 120 000 $ à la fin de la vie du projet, dans 8 ans, on aura comme valeur actuelle des économies d'impôts perdues :

$$\text{VAEIP} = \frac{(120\,000\,\$)\,(0{,}10)\,(0{,}40)}{0{,}10 + 0{,}12}\,(1 + 0{,}12)^{-8}$$

$$= \underline{\underline{8\,812\,\$}}$$

D'où la VAEI ajustée pour la revente est de :

$$154\,870\,\$ - 8\,812\,\$ = 146\,058\,\$$$

8.2.3.2. La classe d'actif cesse d'exister à la fin du projet

Il faut, dans ce cas, déterminer le solde du capital non amorti (SCNA) (la relation 8.2 ci-haut) et soustraire de la VAEI le montant d'épargne d'impôt perdu par la fermeture de la catégorie :

$$\text{VAEIP} = \frac{(\text{SCNA}_n)(d)(\text{T})}{(d + k)}\,(1 + k)^{-n} \tag{8.4}$$

On obtient, abstraction faite de la valeur de revente, la valeur suivante de l'ajustement :

$$\text{SCNA}_8 = 900\,000\,\$\;\;(1 - 0{,}5 \times 0{,}10)\;\;(1 - 0{,}10)^{\,8-1}$$

$$= 408\,944\,\$$$

$$\text{VAEIP} = \frac{(408\,944\,\$)\,(0{,}10)\,(0{,}40)}{(0{,}10 + 0{,}12)}\,(1 + 0{,}12)^{-8}$$

$$= 30\,030\,\$$$

La VAEI ajustée en raison de la fermeture de la classe devient :

$$\begin{aligned}\text{VAEI ajustée} &= 154\,870\,\$ - 30\,030\,\$\\ &= 124\,840\,\$\end{aligned}$$

8.2.4. Les sorties de fonds évitées

Ces sorties de fonds se seraient réalisées en l'absence du nouveau projet afin de réparer ou d'améliorer l'ancien équipement avec lequel l'entreprise aurait poursuivi ses activités.

Considérons une nouvelle machine de 700 000 $ censée remplacer un ancien équipement dont la valeur au marché se chiffre à 100 000 $. Si l'on gardait l'ancienne machine pour encore 8 ans d'activité, il faudrait procéder à une réfection d'un montant de 50 000 $ dans 4 ans.

Le taux d'impôt sur le bénéfice des corporations est de 40 %, et le taux d'actualisation ou coût de capital s'élève à 12 %. Deux possibilités doivent être envisagées.

8.2.4.1. La sortie de fonds évitée est une dépense de l'année au plan fiscal

Le calcul de la valeur actuelle des sorties de fonds évitées (VASE) après impôt et actualisée se fait comme suit :

$$\begin{aligned}\text{VASE}_1 &= \text{SE}\,(1 - \text{T}_c)\,(1 + k)^{-n} \qquad (8.5)\\ &= 50\,000\,\$\,(1 - 0{,}40)(1 + 0{,}12)^{-4}\\ &= \underline{\underline{19\,066\,\$}}\end{aligned}$$

Cette VASE est considérée comme une ***entrée de fonds*** pour le nouveau projet adopté.

8.2.4.2. La sortie de fonds évitée est capitalisable au plan fiscal, c'est-à-dire que son traitement est celui d'un actif fixe amortissable

$$\text{VASE}_2 = \left[\text{SE} - \frac{(\text{SE})\,(d)\,(\text{T}_c)}{(d + k)}\left(\frac{1 + 0{,}5k}{1 + k}\right)\right](1 + k)^{-n} \qquad (8.6)$$

où SE = sortie de fonds évitée.

$$VASE_2 = \left\{50\,000\$ - \frac{(50\,000\$)(0{,}10)(0{,}40)}{(0{,}10 + 0{,}12)}\left[\frac{1 + (0{,}5)\ (0{,}12)}{1 + 0{,}12}\right]\right\}(1+0{,}12)^{-4}$$
$$= 26\,308\$$$

L'entreprise évite 50 000$ de sorties de fonds, mais elle perd la valeur actuelle de l'économie d'impôt correspondante. Le montant de 26 308$ est une ***entrée de fonds*** pour le nouveau projet.

8.2.5. Les sorties de fonds en cours de projet

Une entreprise désire acheter un nouvel équipement au coût de 800 000$ dont la vie est de 8 ans. Ce nouvel équipement nécessitera dans 4 ans une réparation d'un montant de 25 000$. Ce montant pour la réparation sera un déboursé de fonds dans 4 ans si l'on achète ce nouvel équipement aujourd'hui.

Deux possibilités de traitement fiscal doivent être envisagées.

8.2.5.1. La sortie de fonds est une dépense de l'année au plan fiscal

$$VAS_1 = S_1\,(1 - T_c)\,(1 + k)^{-n} \tag{8.7}$$
$$= 25\,000\,(1 - 0{,}40)\,(1 + 0{,}12)^{-4}$$
$$= \underline{\underline{9\,533\$}}$$

Ce montant de 9 533 $ représente la valeur actuelle du déboursé de fonds de 25 000$ qui sera effectué dans 4 ans, pour la nouvelle machine.

Précisons que :

VAS_1 = valeur actuelle de la sortie de fonds (soit la valeur actuelle de la dépense de l'année au plan fiscal) ;

S_1 = sortie de fonds (dépense au plan fiscal).

8.2.5.2. La sortie de fonds est capitalisable au plan fiscal

La valeur actuelle du déboursé de fonds de 25 000$ devient :

$$VAS_2 = \left[S_2 - \frac{(S_2)\ (d)\ (T_c)}{(d + k)}\left(\frac{1+0{,}5k}{1+k}\right)\right](1+k)^{-n} \tag{8.8}$$

où : VAS_2 = valeur actuelle de la sortie de fonds capitalisable ;

S_2 = montant de la sortie de fonds capitalisable.

$$VAS_2 = \left[25\,000\$ - \frac{(25\,000\$)\ (0{,}10)\ (0{,}40)}{(0{,}10\ +\ 0{,}12)}\left(\frac{1+(0{,}5)\ (0{,}12)}{1+0{,}12}\right)\right](1+0{,}12)^{-4}$$
$$= 15\,887{,}95\$ - 2\,734\$$$
$$= 13\,153{,}98\$$$

Ce montant de 13 153,98 $ doit être considéré comme une ***sortie de fonds***.

8.2.6. Les entrées de fonds à la fin de la vie du projet

Il y a deux sources possibles d'entrées de fonds à la fin de la vie du projet.

8.2.6.1. La disposition ou vente d'actifs

Considérons un équipement au coût de 800 000 $ dont la durée de vie est de 8 ans. La valeur résiduelle de ce nouvel équipement, incluant celle de sa réfection de 25 000 $, à la fin de la 8e année (VRN), est estimée à 40 000 $.

Ajoutons une donnée supplémentaire en supposant que dans 8 ans la vieille machine, qui a été remplacée par le nouvel équipement indiqué ci-haut, aurait eu une valeur de 16 000 $. Précisons que cette valeur de revente de la vieille machine est censée être égale à 16 000 $ incluant sa remise à neuf. Le coût de capital est de 12 %.

Notons que :

VRN = valeur de revente de la nouvelle machine ;

VRV = valeur de revente de la vieille machine.

La valeur de revente additionnelle (VRA) dans 8 ans est égale à la différence entre VRN et VRV :

$$VRA = 40\,000\$ - 16\,000\$ = 24\,000\$$$

La valeur actuelle de la valeur résiduelle ou de revente additionnelle (VAVRA) est la valeur suivante :

$$VAVRA = (VRN_n - VRV_n)\ (1+k)^{-n} \qquad (8.9)$$
$$= (40\,000\$ - 16\,000\$)\ (1{,}12)^{-8}$$
$$= \underline{\underline{9\,693\$}}$$

Ce montant de 9 693 $ représente une ***entrée de fonds***.

8.2.6.2. La récupération du fonds de roulement

L'augmentation des ventes provenant d'un nouveau projet entraîne habituellement une augmentation des crédits à la clientèle et du niveau des inventaires, d'où l'accroissement des comptes clients et des stocks au début du projet. Cette augmentation est en partie financée par les comptes fournisseurs. Il en résulte une augmentation nette du fonds de roulement pour la durée du projet. Le tableau 8.1 indique que le fonds de roulement net augmente de 40 000 $ et qu'il s'ajoute à l'investissement initial comme fonds totaux immobilisés par l'entreprise pour toute la durée du projet. Une fois le projet terminé, l'entreprise récupère cette augmentation du fonds de roulement net qu'il faut actualiser :

$$\begin{aligned} \text{VAFRA} &= \text{FRA}\,(1+k)^{-n} \\ &= 40\,000\,\$\,(1{,}12)^{-8} \\ &= 16\,155\,\$ \end{aligned} \tag{8.10}$$

où :

VAFRA = valeur actuelle du fonds de roulement net additionnel ;

FRA = fonds de roulement net additionnel.

8.2.7 Le traitement fiscal des dispositions d'actifs à la fin de la vie de l'investissement

Deux situations doivent être considérées dans le cadre du traitement fiscal des ventes d'actif à la fin d'un investissement, à savoir le cas où la classe d'actif existe toujours à la fin de la vie du projet et celui où la classe d'actif disparaît.

8.2.7.1. La classe d'actifs continue d'exister à la fin du projet

Un gain en capital existe lorsque la revente d'un actif se fait à un prix supérieur à son coût d'acquisition. Considérons un immeuble acheté 600 000 $ aujourd'hui et revendu 1 000 000 $, cinq ans plus tard. L'impôt sur le gain en capital (IGC) actualisé est le suivant, en considérant un taux d'actualisation de 12 % :

$$\text{IGC} = (\text{Vente} - \text{Achat})(\text{FGCI})(\text{T}_c)(1+k)^{-n} \tag{8.11}$$

où :

IGC = montant de l'impôt sur le gain en capital au taux de 40 %
FGCI = fraction du gain en capital imposable (soit 50 %)
k = taux exigé
T_c = taux d'impôt de 40 %

$$\text{IGC} = (1\,000\,000\,\$ - 600\,000\,\$) \times 0{,}50 \times 0{,}40 \times (1{,}12)^{-5}$$
$$= \underline{\underline{45\,394\,\$}}$$

Il s'agit d'une ***sortie de fonds*** qui réduit les flux de trésorerie.

Seule la vente d'un actif non amortissable comme un terrain peut entraîner une perte en capital. Si l'entreprise a acheté un terrain il y a 5 ans à 300 000 $ pour le revendre aujourd'hui 200 000 $, elle récupère l'impôt sur une perte en capital actualisée :

$$(300\,000\,\$ - 200\,000\,\$)\,(0{,}50)\,(0{,}40)\,(1{,}12)^{-5} = 11\,349\,\$$$

Ce montant de 11 349 $ représente une entrée de fonds pour l'entreprise.

8.2.7.2. La classe d'actifs cesse d'exister à la fin de la vie du projet

Quatre cas peuvent être considérés lorsque la classe d'actifs cesse d'exister avec la fin d'un projet. Quand l'une des quatre situations suivantes est identifiée, il faut la traiter fiscalement de façon appropriée.

a) la récupération d'amortissement (Prix de vente > FNACC), en cas de vente ;

b) la perte terminale (Prix de vente < FNACC) ;

c) le gain en capital ;

d) la perte en capital.

a) Récupération d'amortissement à l'occasion de la vente de l'actif

C'est le cas où le prix de vente de l'actif excède la fraction non amortie de l'allocation du coût en capital (PV > FNACC),

où :

PV = prix de vente de l'actif.

La différence (PV – FNACC) est imposable. Le fisc considère que l'entreprise a trop amorti et bénéficie d'épargnes fiscales excessives sur amortissement.

EXEMPLE

Revenons à l'exemple initial où l'investissement net est de 900 000 $ (= 1 000 000 $ de coût d'acquisition de la nouvelle machine – 100 000 $ de disposition d'actifs).

Supposons :

- que la classe d'actifs cesse d'exister à la fin du projet,
- que la valeur de revente additionnelle (VRA) soit de 500 000 $.

Calculons l'impôt à payer sur la récupération de l'amortissement (IRA), selon la relation (8.12) ci-après.

$$IRA = (VRA - SCNA_n)(T_c)(1+k)^{-n} \tag{8.12}$$

Utilisons la relation (8.2) afin de déterminer le solde du capital non amorti (SCNA) à la fin de la vie du projet, soit à la fin de la 8e année :

$$SCNA_8 = 900\,000\,\$\ (1 - 0{,}5 \times 0{,}10)(1 - 0{,}10)^{8-1} = 408\,944\,\$$$

$$IRA = (500\,000\,\$ - 408\,944\,\$)(0{,}40)(1 + 0{,}12)^{-8} = 14\,710\,\$$$

Cette somme de 14 710 $ d'impôt à payer doit être considérée comme une ***sortie de fonds***.

b) Perte terminale

La perte terminale se manifeste dans le cas où le prix de vente de l'actif est inférieur à la fraction non amortie du coût en capital (PV < FNACC).

L'entreprise bénéficie de l'impôt récupéré sur cette différence (FNACC – PV) selon la relation suivante :

$$RI = (SCNA_n - VRA)(T_c)(1+k)^{-n} \tag{8.13}$$

où :

RI = récupération d'impôt ;
VRA = valeur de revente additionnelle ;
T_c = taux d'impôt sur les bénéfices ;
SCNA = solde du capital non amorti ;
n = durée de vie du projet.

EXEMPLE

Supposons, pour les fins d'illustration, que :

- la classe d'actifs cesse à la fin de la vie du projet d'investissement à la 8e année,
- la valeur de revente additionnelle soit de 300 000 $.

Au lieu d'une valeur de revente additionnelle de 500 000 $, c'est-à-dire le cas de l'exemple précédent, sous *a*) ci-dessus, nous considérons cette fois une situation différente où la valeur de revente additionnelle est égale à 300 000 $.

$$\text{RI} = (408\,944\,\$ - 300\,000\,\$)\,(0{,}40)\,(1{,}12)^{-8}$$
$$= \underline{\underline{17\,600\,\$}}$$

Cette somme de 17 600 $ équivaut à une ***entrée de fonds***.

8.3. INFLATION ET ANALYSE DES PROJETS : TAUX D'INTÉRÊT RÉEL ET TAUX NOMINAL

L'inflation affecte la valeur des flux monétaires nets, car le pouvoir d'achat de la monnaie diminue dans le temps avec la hausse des prix. Même si l'augmentation des coûts d'exploitation est neutralisée par une augmentation similaire des prix de vente, la valeur actuelle nette d'un projet ainsi que son taux de rendement interne diminuent. En effet, le calcul du montant de l'amortissement du matériel roulant et celui de l'équipement ne sont pas affectés par l'inflation, car ils sont déterminés selon la valeur d'acquisition des actifs fixes. Le revenu imposable augmente, d'une manière générale en dollars courants, de même que l'impôt correspondant. Les flux monétaires nets, calculés après impôt, et en valeur réelle, diminuent, car d'une part les économies d'impôt diminuent relativement et, d'autre part, l'impôt augmente relativement. Ceci affecte à la baisse la valeur actuelle nette et le taux de rendement interne calculés en termes réels.

L'inflation réduit aussi la valeur réelle des fonds immobilisés par l'entreprise pour financer les comptes clients et les stocks. En effet, ces deux rubriques doivent augmenter en présence d'inflation, car les prix de vente augmentent et, par conséquent, les montants des crédits accordés à la clientèle. L'augmentation des prix entraîne l'accroissement du prix d'acquisition des stocks. L'entreprise doit consentir à augmenter son investissement dans les comptes clients et dans les stocks afin de les maintenir à des niveaux conformes à ceux d'une bonne gestion du fonds de roulement. Cette augmentation du fonds de roulement sur toute la durée d'un projet, donc de l'investissement, réduit, toutes choses égales, la rentabilité d'un projet. D'où l'importance d'un calcul précis de l'impact de l'inflation sur la valeur actuelle nette et sur le taux de rendement interne d'un projet. On expliquera, dans un premier temps, à l'aide d'un exemple numérique, la relation entre le taux d'intérêt nominal ou courant, d'une part, et le taux d'intérêt réel (exprimé en termes constants) et le taux d'inflation attendu. Un deuxième exemple est consacré à la détermination de la valeur actuelle nette d'un projet, soit en utilisant des valeurs nominales à la fois au numérateur et au dénominateur, soit en utilisant des valeurs réelles, à ces deux endroits, afin de tenir compte de l'inflation de façon correcte.

8.3.1. Un exemple numérique simple

Un exemple assez simple permet de déterminer le taux réel et le taux nominal d'intérêt et de les distinguer.

Supposons qu'un investisseur place 10 000 $ aujourd'hui, pour une période de un an à un taux d'intérêt de 12 %, sachant que le taux d'inflation prévu se situe à 8 %.

On demande de déterminer la rémunération réelle de ce placement abstraction faite de l'impôt.

La valeur nominale finale de l'investissement de 10 000 $ à 12 % à la fin de l'année 1 sera de : 10 000 $ (1,12) = 11 200 $.

Sa valeur réelle sera de :

$$11\,200 / 1{,}08 = 10\,370{,}37\,\$$$

Le taux de rendement réel est calculé de la façon suivante :

$$(10\,370{,}37\,\$ - 10\,000\,\$) / 10\,000\,\$ = 3{,}70\,\%.$$

On peut établir le taux réel d'intérêt à l'aide du taux nominal d'intérêt et du taux d'inflation anticipé selon la relation suivante de S. Fisher :

$$(1 + r_n) = (1 + r_r)\,(1 + i_a) \tag{8.14}$$

où :

r_n = taux nominal d'intérêt : affiché ou observé sur le marché ;

r_r = taux réel d'intérêt : taux d'intérêt du marché en l'absence d'inflation. Le taux d'intérêt réel représente la rémunération exigée par le consommateur afin d'épargner ;

i_a = taux d'inflation anticipé : taux d'inflation futur projeté ou attendu par les investisseurs et autres agents économiques qui forment le marché. L'agent économique exige une compensation équivalente au taux d'inflation anticipé afin de neutraliser la dépréciation de la valeur de la monnaie résultant de l'inflation.

D'où, en isolant le taux réel, on obtient :

$$r_r = \frac{1+r_n}{1+i_a} - 1$$

Dans l'exemple numérique ci-haut, on obtiendra le taux réel suivant :

$$r_r = \frac{1{,}12}{1{,}08} - 1 = 1{,}037\,037 - 1$$
$$= 0{,}037\,0 \text{ ou } 3{,}70\,\%$$

8.3.2. Un exemple numérique intégrant la détermination, en présence d'inflation, de la valeur actuelle nette d'un projet d'investissement à long terme

L'analyse correcte des projets d'investissement en présence d'inflation se fait selon l'une des deux méthodes suivantes, qui doivent aboutir au même résultat de valeur actuelle nette :

- soit que l'on actualise les flux monétaires exprimés en valeur nominale à un taux d'actualisation nominal ;
- soit que l'on actualise les flux monétaires exprimés en termes réels à un taux d'actualisation réel.

EXEMPLE

Supposons que les flux monétaires d'un projet Y, exprimés en valeur nominale, soient actualisés au taux nominal de 12 %, sachant que le taux d'inflation attendu est de 8 %.

Les flux monétaires du projet Y sont exprimés en termes réels, c'est-à-dire conformément aux prix prévalant au début du projet au temps $t = 0$:

0	1	2	3
C = 200 000 $	FM_1 = 80 000 $	FM_2 = 70 000 $	FM_3 = 85 000 $

On demande d'établir la valeur actuelle nette de ce projet.

- Calcul de la valeur actuelle nette avec des flux monétaires en termes nominaux et selon un taux d'actualisation nominal?

  Il faut d'abord transformer les flux monétaires réels en valeur nominale et ensuite les actualiser au taux nominal :

$$\text{VAN} = -200\,000\,\$ + \frac{(80\,000)(1,08)}{1,12} + \frac{70\,000(1,08)^2}{(1,12)^2} + \frac{(85\,000)(1,08)^3}{(1,12)^3}$$
$$= -200\,000\,\$ + 77\,143\,\$ + 65\,089\,\$ + 76\,214\,\$$$
$$= +18\,446\,\$$$

- Calcul de la valeur actuelle nette selon des flux monétaires réels et selon un taux d'actualisation réel de 3,7 % $\left(= \frac{1,12}{1,08} - 1 \right)$:

$$\text{VAN} = -200\,000\,\$ + \frac{80\,000\,\$}{(1\,037)} + \frac{70\,000\,\$}{(1\,037)^2} + \frac{85\,000\,\$}{(1\,037)^3}$$
$$= -200\,000\,\$ + 77\,143\,\$ + 65\,089\,\$ + 76\,214\,\$$$
$$= +18\,446\,\$$$

Le calcul de la VAN en termes nominaux au numérateur et au dénominateur ou en termes réels, c'est-à-dire selon des bases semblables à ces deux endroits, donne un même résultat de valeur actuelle nette, soit 18 446 $.

8.3.2.3. Exemple numérique intégrant le calcul du taux de rendement interne, en présence d'inflation, d'un projet d'investissement à long terme

Une entreprise décide d'investir 100 000 $ dans un nouvel équipement plus efficace avec pour résultat un accroissement des coûts d'exploitation de 25 000 $ et une augmentation de la production et des ventes de 80 000 $ par an pendant trois ans. Le taux d'amortissement fiscal est de 30 %, le taux de rendement exigé, de 14 % et le taux d'impôt sur le bénéfice s'élève à 50 %.

- **On demande :**

a) d'établir, en l'absence d'inflation, le taux de rendement interne de cet investissement ;

b) de déterminer, en présence d'un taux d'inflation annuel de 10 %, le taux de rendement interne en termes réels.

a) Détermination du taux de rendement interne en l'absence d'inflation

Estimation des flux monétaires nets annuels

	Année 1	Année 2	Année 3
Ventes	80 000 $	80 000 $	80 000 $
Coûts d'exploitation	25 000 $	25 000 $	25 000 $
Amortissement	15 000 $	25 500 $	17 850 $
Bénéfice avant impôt	40 000 $	29 500 $	37 150 $
Impôt (50 %)	20 000 $	14 750 $	18 575 $
Bénéfice net (BN)	20 000 $	14 750 $	18 575 $
Flux monétaires nets (Amortissement + BN)	35 000 $	40 250 $	36 425 $

Le taux de rendement interne s'obtient de la façon suivante :

$$100\,000\,\$ = (35\,000\,\$)(1+\text{TRI})^{-1} + (40\,250\$)(1+\text{TRI})^{-2} + (36\,425\,\$)(1+\text{TRI})^{-3}$$

Le taux de rendement interne de cet investissement, en l'absence d'inflation, est approximativement de 5,65 %.

b) Détermination du taux de rendement interne en présence d'inflation

Estimation des flux monétaires nets annuels

	Année 1	Année 2	Année 3
Ventes	88 000 $	96 800 $	106 480,00 $
Coûts d'exploitation	27 500 $	30 250 $	33 275,00 $
Amortissement	15 000 $	25 500 $	17 850,00 $
Bénéfice avant impôt	45 500 $	41 050 $	55 355,00 $
Impôt (50 %)	22 750 $	20 525 $	27 677,50 $
Bénéfice net (BN)	22 750 $	20 525 $	27 677,50 $
Flux monétaires nets (Amortissement + BN)	37 750 $	46 025 $	45 527,50 $

On constate que les ventes ainsi que les coûts d'exploitation augmentent de 10 %, tandis que les montants d'amortissement demeurent inchangés, car ils sont calculés sur la base du coût d'acquisition de l'actif fixe.

Le taux de rendement interne, calculé avec des flux monétaires nets nominaux, c'est-à-dire en dollars courants (TRI courant), s'obtient de la façon suivante:

$$100\,000\,\$ = (37\,750)(1+\text{TRI})^{-1} + (46\,025)(1+\text{TRI})^{-2} + (46\,527{,}50)(1+\text{TRI})^{-3}$$

Le taux de rendement interne courant est établi à l'aide du procédé de l'interpolation. Il est approximativement de 13,575 %.

Le calcul du taux de rendement interne réel basé sur des flux monétaires nets réels ou en dollars constants est obtenu, en ajustant les dollars courants au taux d'inflation de 10 %, de la façon suivante:

$$100\,000\,\$ = \left(\frac{37\,750\,\$}{1{,}10}\right)(1+\text{TRI})^{-1} + \frac{46\,025}{(1{,}10)^2}(1+\text{TRI})^{-2} + \frac{(45\,527{,}50)}{(1{,}10)^3}(1+\text{TRI})^{-3}$$
$$= (34\,318\,\$)(1+\text{TRI})^{-1} + (38\,037)(1+\text{TRI})^{-2} + 34\,205(1+\text{TRI})^{-3}$$

Le taux de rendement interne réel est approximativement de 3,25 %.

La relation de Fisher $\left[(1+r_r) = \frac{(1+r_n)}{(1+i_a)}\right]$ aurait permis de calculer directement le TRI des flux monétaires nets en dollars constants. En effet:

$$1 + \text{TRI réel} = \frac{1 + \text{TRI courant}}{1 + \text{Taux d'inflation attendu}}$$

$$1 + \text{TRI réel} = \frac{1{,}135\,75}{1{,}10}$$

$$= 1{,}032\,5$$

$$\text{et TRI réel} = 1{,}032\,5 - 1 = 0{,}032\,5$$

$$= 3{,}25\,\%$$

On constate que le TRI en présence d'inflation, soit 13,575 %, ramené au TRI correspondant aux flux monétaires nets en termes constants, soit 3,25 %, est inférieur au TRI en l'absence d'inflation, qui s'élève à 5,65 %. L'explication de cette différence entre le TRI de 5,65 % et le TRI de 3,25 % réside dans le fait que l'augmentation des flux monétaires nets et des profits dus à l'inflation est une augmentation factice qui reste quand même imposable. C'est un impôt plus lourd que doit payer le projet sur des profits gonflés artificiellement.

8.4. LE RATIONNEMENT DU CAPITAL

Les décisions prises sous la contrainte du rationnement du capital consistent en une allocation de ressources limitée à des projets rentables dont certains seulement seront choisis.

Toute entreprise a des contraintes budgétaires. Aucune société n'a à sa disposition des fonds illimités pour financer tous les nouveaux projets rentables. Certaines entreprises sont tentées de relever le taux de rendement minimum requis au-dessus du coût moyen pondéré du capital afin de sélectionner les projets les plus rentables. D'autres entreprises choisiront les projets dont la valeur actuelle nette par dollar d'investissement est la plus élevée.

Certains projets sont mutuellement exclusifs tandis que d'autres sont complémentaires et doivent être nécessairement adoptés ensemble. Considérons plusieurs projets rentables qui s'offrent à une entreprise dont les fonds totaux disponibles à l'investissement s'élèvent à 5 000 000$. Ces projets sont indépendants dans le sens que l'adoption d'un projet n'influence pas les flux monétaires nets d'autres projets. Ils sont classés par ordre décroissant de rentabilité selon le critère de l'indice de rentabilité (IR).

L'entreprise adopte les projets à partir de celui qui a l'IR le plus élevé, puis en descendant cette liste jusqu'à ce que le budget en capital de 5 000 000$ soit totalement utilisé. On a supposé dans un premier temps l'absence de projets mutuellement exclusifs.

Projet	Indice de rentabilité	Montant de l'investissement
1	1,35	2 000 000 $
2	1,24	800 000 $
3	1,22	1 200 000 $
4	1,11	1 000 000 $
5	1,06	500 000 $
6	0,95	600 000 $
7	0,90	500 000 $

Considérons maintenant deux situations de combinaisons de projets.

8.4.1. Les projets 1 et 7 sont complémentaires, c'est-à-dire qu'ils doivent être adoptés simultanément

Le calcul de l'indice de rentabilité moyen pondéré permet d'établir le rendement résultant de l'association des projets 1 et 7.

Nous savons que :

$$IR_1 = \frac{(2\,000\,000\,\$)(1,35)}{2\,000\,000\,\$} = \frac{2\,700\,000}{2\,000\,000} = 1,35$$

$$IR_7 = \frac{(500\,000\,\$)(0,90)}{500\,000\,\$} = \frac{450\,000\,\$}{500\,000\,\$} = 0,90$$

D'où l'indice de rentabilité moyen pondéré ($IRMP_{1,7}$) des projets 1 et 7 est égal à :

$$IRMP_{1,7} = (1,35)\left(\frac{2\,000\,000\,\$}{2\,500\,000\,\$}\right) + (0,90)\left(\frac{500\,000\,\$}{2\,500\,000\,\$}\right) = 1,26$$

L'indice ($IRMP_{1,7}$) de rentabilité moyen pondéré de 1,26 des projets 1 et 7 classe leur combinaison en tête de tous les projets et milite en faveur de leur adoption simultanée.

8.4.2. Les projets 3 et 4 sont mutuellement exclusifs

Le choix de l'entreprise se porte sur le projet dont l'indice de rentabilité est le plus élevé, soit le projet 3 (IR_3 = 1,22), plutôt que sur le projet 4 (IR_4 = 1,11).

Notons pour conclure que tout projet dont la valeur actuelle nette (VAN) est égale ou supérieure à zéro, dont le taux de rendement interne (TRI) est égal ou supérieur au taux de rendement exigé, et dont l'indice de rentabilité est égal ou supérieur à l'unité est accepté en l'absence de contraintes budgétaires. L'entreprise maximise ainsi la richesse des actionnaires et le prix de l'action ordinaire.

Des difficultés apparaissent quand les budgets destinés à l'investissement sont plafonnés et que certains projets sont mutuellement exclusifs (l'adoption de l'un entraîne automatiquement l'élimination de l'autre, car ils offrent le même bien ou service). Les décisions prises sous la contrainte du rationnement du capital soulèvent des problèmes au gestionnaire financier qui doit refuser des projets dont la valeur actuelle nette est positive. Ces décisions ne sont pas optimales, car le rationnement du capital empêche la richesse des actionnaires d'être maximisée.

Le chapitre 7 a traité, dans le cas de projets mutuellement exclusifs, des problèmes de conflits entre les méthodes de valeur actuelle nette et de taux de rendement interne. Il a été établi que l'entreprise doit choisir l'ensemble des projets qui offrent la valeur actuelle nette la plus élevée si le choix doit se porter sur des projets mutuellement exclusifs de taille inégale, dans un contexte de contraintes budgétaires. Si les deux projets à l'étude présentent des échelonnements différents de flux monétaires dans le temps (les flux monétaires «précoces» du premier projet sont élevés et ceux «tardifs» faibles et vice versa pour le second), le choix du taux de réinvestissement devient décisif. Or, il a déjà été expliqué au chapitre 7 que le coût du capital est plus réaliste que le taux de rendement interne comme taux de réinvestissement. La méthode de la valeur actuelle nette basée sur le coût de capital, comme taux d'actualisation et comme taux de réinvestissement, doit alors être privilégiée pour sélectionner les projets.

Supposons deux projets de durées de vie différentes et mutuellement exclusifs, toujours dans une situation de rationnement de capital. Les exemples et les conclusions du chapitre 7 indiquent que la méthode d'évaluation la plus appropriée est dans ce cas la méthode de l'annuité équivalente de la valeur actuelle nette. Il s'agit, comme l'expression l'indique, d'une périodicité annuelle dont la valeur actuelle est égale à la VAN. La base de comparaison de la performance des deux projets est la même puisque l'annuité équivalente est utilisée dans les deux cas.

Le rationnement du capital n'est pas seulement d'origine budgétaire. La cause du rationnement existe parfois dans des entreprises qui ont pour politique de financer leurs nouveaux projets strictement de façon interne, c'est-à-dire à partir des seuls flux monétaires générés par l'exploitation. Ce rationnement de capital est le fait de l'entreprise même et non le résultat de restrictions imposées par le marché des capitaux. La main-d'œuvre qualifiée et des gestionnaires compétents font parfois défaut pour assurer la bonne marche de la production des biens générés par un nouveau projet ainsi que pour le gérer globalement de façon efficace. Il ne s'agit pas d'obstacles d'origines budgétaires mais de pénuries de main-d'œuvre et/ou de gestionnaires limitant le montant des investissements et des projets rentables réalisables. Parfois les taux d'intérêt élevés empêchent le recours à l'emprunt, surtout si les dirigeants de l'entreprise avaient déjà une certaine allergie à la dette.

Les multiples problèmes soulevés par la sélection des projets d'investissement en contexte de rationnement de capital rendent la tâche du décideur plus complexe. Ce dernier doit non seulement déterminer la VAN, le TRI, l'annuité équivalente et l'indice de profitabilité, mais aussi exercer son jugement pour choisir la méthode de choix des investissements la plus appropriée. Le gestionnaire financier devrait toujours être conscient du fait que le critère de la valeur actuelle nette est, d'une manière générale, privilégié, car il correspond à l'objectif de maximisation de la richesse.

RÉSUMÉ

Le système fiscal peut favoriser l'investissement dans l'entreprise. La dépréciation permet d'amortir la valeur d'un actif à l'aide d'un système d'allocation du coût en capital. Le système d'amortissement fiscal à taux constant sur le solde dégressif accorde à l'entreprise la possibilité d'un amortissement plus rapide, avec pour conséquence l'accélération des entrées de fonds résultant de la déductibilité de l'amortissement du revenu imposable. C'est de cette façon que ce système favorise plus l'investissement comparativement au système d'amortissement comptable linéaire. Les relations fiscales suivantes sont les plus importantes :

$$\text{VAEI} = \frac{\text{C} \cdot \text{d} \cdot \text{T}}{d + k} \cdot \left(\frac{1 + 0{,}50k}{1 + k} \right) \tag{8.1}$$

$$\text{SCNA}_\text{n} = \text{C}(1 - 0{,}5d)\ (1 - d)^{n-1} \tag{8.2}$$

$$\text{VAPEI} = \frac{\text{VR} \cdot d \cdot \text{T}_c}{d + k} \cdot (1 + k)^{-n} \tag{8.3}$$

$$\text{VAPEI} = \frac{\text{SCNA} \cdot d \cdot \text{T}_\text{c}}{d + k} \cdot (1 + k)^{-n} \tag{8.4}$$

$$\text{VASE}_1 = \text{SE}\ (1 - \text{T}_c)\ (1 + k)^{-n} \tag{8.5}$$

$$\text{VASE}_2 = \left[\text{SE} - \frac{\text{SE} \cdot d \cdot \text{T}_c}{d + k} \left(\frac{1 + 0{,}5\,k}{1 + k} \right) \right] (1 + k)^{-n} \tag{8.6}$$

$$\text{VAS}_1 = \text{S}_1\ (1 - \text{T}_c)\ (1 + k)^{-\text{n}} \tag{8.7}$$

$$VAS_2 = \left[S_2 - \frac{S_2 \cdot d \cdot T_c}{d + k} \left(\frac{1 + 0{,}5k}{1 + k} \right) \right] \cdot (1 + k)^{-n} \quad (8.8)$$

$$VAVRA = (VRN_n - VRV_n) \cdot (1 + k)^{-n} \quad (8.9)$$

$$VAFRA = FRA\ (1 + k)^{-n} \quad (8.10)$$

$$IGC = (V - A) \cdot FGCI \cdot T_c \cdot (1 + k)^{-n} \quad (8.11)$$

$$IRA = (VRA - SCNA_n) \cdot T_c \cdot (1 + k)^{-n} \quad (8.12)$$

$$RI = (SCNA_n - VRA) \cdot T_c \cdot (1 + k)^{-n} \quad (8.13)$$

Le système fiscal regroupe les actifs amortissables en groupes ou catégories d'actifs. À chaque catégorie d'actifs correspond un taux d'amortissement fiscal maximal. Une fois calculée l'allocation du coût en capital pour une année donnée, pour une catégorie d'actifs donné, on est en mesure de déterminer la fraction non amortie du coût en capital (FNACC) pour cette catégorie d'actifs.

La règle de la moitié existe au Canada pour établir le montant d'amortissement permis pour la première année d'utilisation de l'actif, qui coïncide dans la plupart des cas avec l'année d'acquisition.

QUESTIONS

1. Pourquoi la fiscalité des projets d'investissement constitue-t-elle une composante significative de l'analyse des projets d'investissement ?
2. Quelles sont les deux situations qui peuvent se présenter sur le plan fiscal lorsqu'une catégorie d'actifs qui se vide est fermée ?
3. Définir la notion d'allocation du coût en capital ainsi que celle de la fraction non amortie de l'allocation du coût en capital.
4. Énumérer les composantes des fonds totaux immobilisés en début de projet.
5. Établir les deux marches à suivre ou méthodes pour déterminer les flux monétaires nets additionnels d'un projet d'investissement.
6. Quelles sont les grandes étapes de la fiscalité des projets d'investissement ? Expliquer.
7. Énumérer et expliquer les deux sortes d'entrées de fonds possibles à la fin de la vie d'un projet.

8. En quoi consiste le traitement fiscal des ventes d'actifs à la fin de la vie de l'investissement lorsque la catégorie d'actifs continue?

a) Quelle est la différence entre l'allocation du coût en capital et l'amortissement comptable?

b) En quoi consiste la récupération d'amortissement qui s'ajoute à l'assiette fiscale ou au revenu imposable?

c) Expliquer la notion de perte terminale qui est déductible du revenu imposable de l'entreprise.

9. Le taux de rendement interne (TRI) en présence d'inflation ajusté au TRI correspondant aux flux monétaires nets en termes constants est inférieur au TRI en l'absence d'inflation. Expliquer pourquoi.

10. Expliquer en quoi consistent les trois taux sur lesquels est fondée la relation de Fisher, à savoir la signification du taux nominal d'intérêt, du taux réel d'intérêt et du taux d'accroissement attendu des prix, soit le taux d'inflation anticipé.

11. Quelles sont les raisons à l'origine du « rationnement du capital » ?

12. Expliquer comment procéder au choix des projets d'investissement dans une situation de « rationnement du capital » quand les projets sont mutuellement exclusifs, d'une part, et complémentaires d'autre part.

PROBLÈMES

1. LA SOCIÉTÉ TRANSATLANTIQUE INC.

La société Transatlantique inc. prévoit acquérir deux équipements différents, A et B, pour remplacer respectivement les équipements X et Y. Les données suivantes sont disponibles :

- Le taux d'impôt sur le bénéfice des sociétés est de 40 %. Le nouveau projet dure 15 ans.
- Le coût du capital sur les projets de Transatlantique Inc. s'élève à 14 %.
- L'équipement A coûterait 400 000 $ et sa valeur de revente est estimée à 120 000 $ dans 15 ans. Il appartient à la catégorie d'actifs pour laquelle le taux d'amortissement fiscal maximal est de 30 %. L'équipement X a une valeur marchande de 100 000 $ et sa valeur de revente prévue dans 15 ans est de 40 000 $.

- L'équipement B coûterait 300 000 $, la valeur de revente prévue dans 15 ans est de 80 000 $ et le taux d'amortissement fiscal maximal, de 20 %. L'équipement Y peut être vendu à l'heure actuelle à 70 000 $ et sa valeur résiduelle est estimée à 30 000 $ dans 15 ans.
- Il est prévu que le nouveau projet va générer des flux monétaires avant intérêts, amortissement et impôt de 90 000 $ annuellement pendant 15 ans.
- Le fonds de roulement net augmenterait de 30 000 $, pour toute la durée de vie du nouveau projet.

■ On demande

D'établir si la société Transatlantique Inc. doit adopter le projet de remplacement envisagé ci-haut. On considère que les deux catégories d'actifs déjà mentionnées continuent d'exister à la fin de la vie du projet dans 15 ans.

■ Solution suggérée

La valeur actuelle nette du projet est égale à :

VAN = Valeur nette des équipements A et X :
400 000 – 100 000 $ = 300 000 $ — **– 300 000 $**

Valeur actuelle des flux monétaires nets
$(90\,000\,\$)(1 - 0{,}40)(a_{15\,;\,0{,}14}) = (54\,000\,\$)(6{,}142)$ — **+ 331 668 $**

Variation du fonds de roulement net en — **– 30 000 $**

Valeur actuelle des économies d'impôt sur l'allocation du coût capital A :

$$\frac{(300\,000\,\$)(0{,}30)(0{,}40)\left(1+\frac{0{,}14}{2}\right)}{(0{,}30+0{,}14)(1+0{,}14)}$$ — **+ 76 794 $**

Valeur actuelle de la valeur de revente additionnelle concernant A et X : VRA = VRN – VRV
$(120\,000\,\$ - 40\,000\,\$)(1 + 0{,}14)^{-15} = (80\,000\,\$)(0{,}1401)$ — **= + 11 208 $**

Valeur actuelle des pertes d'économies d'impôt sur la FNACC dues à la valeur de revente additionnelle concernant les équipements A et X :

$$\frac{(120\,000\,\$ - 40\,000\,\$)(0{,}30)(0{,}40)}{(0{,}30+0{,}14)(1+0{,}14)^{15}}$$ — **– 3 057 $**

Valeur nette des équipements B et Y :
300 000 $ – 70 000 $ = 230 000 $ — **– 230 000 $**

Valeur actuelle des économies d'impôt sur l'allocation du coût en capital (B) :

$$\frac{(230\ 000\,\$)(0,20)(0,40)\left(1+\frac{0,14}{2}\right)}{(0,20+0,14)(1+0,14)} = \qquad + 50\ 795\,\$$$

Valeur actuelle de la valeur de revente additionnelle concernant les équipements B et Y:

$(80\ 000\,\$ - 30\ 000\,\$)(1 + 0,14)^{-15} =$ + 7 005 $

Valeur actuelle des pertes d'économies d'impôt sur la fraction non amortie de l'ACC dues à la valeur de revente additionnelle relatives aux équipements B et X:

$$\frac{(80\ 000\,\$ - 30\ 000\,\$)(0,20)(0,40)}{(0,20+0,14)(1+0,14)^{15}} = \qquad - 1\ 648\,\$$$

Valeur actuelle du fonds de roulement net récupéré à la fin de l'année 15. $(30\ 000\,\$)(1 + 0,14)^{-15} =$ + 4 203 $

VAN = – 83 032 $

La valeur actuelle nette du projet est négative ; d'où son rejet.

2. LA SOCIÉTÉ TRIANGLE INC.

La société Triangle Inc. envisage de remplacer un ancien équipement dont la valeur marchande est de 100 000 $ par un nouvel équipement dont le prix s'élève à 500 000 $. Ce dernier sera utilisé pendant 15 ans. La poursuite des activités de production avec l'ancien équipement aurait nécessité une réparation importante de 60 000 $ dans 7 ans.

Les équipements (nouveaux et anciens) ainsi que les réparations appartiennent à une même catégorie dont l'amortissement fiscal maximal est de 30 %. L'efficacité du nouvel équipement permet d'économiser 100 000 $ par année, avant intérêts, amortissement et impôt. Le niveau des comptes clients devraient augmenter de 12 000 $, celui des stocks, de 8 000 $ et les comptes fournisseurs, de 5 000 $.

Les actionnaires ordinaires s'attendent à un taux de rendement de 14 % sur le nouveau projet. Le taux d'impôt sur le bénéfice des corporations est de 40 %. Les valeurs résiduelles de l'ancien équipement et du nouvel équipement dans 15 ans sont estimées à 30 000 $ et 150 000 $ respectivement. La classe d'actif continue d'exister.

■ On demande

D'établir la valeur actuelle nette de ce projet et de conclure en précisant si Triangle Inc. doit accepter ce projet de remplacement d'équipement.

■ Solution suggérée

la valeur actuelle nette est utilisée comme méthode d'évaluation du projet de remplacement envisagé par la société Triangle Inc.

VAN = – Coût d'acquisition du nouvel équipement – 500 000 $

+ Valeur marchande de l'ancien équipement + 100 000 $

– Augmentation du fonds de roulement net (12 000 $ + 8 000 $ – 5 000 $) – 15 000 $

+ Valeur actuelle des flux monétaires nets après impôt

$(100\,000\,\$)(1-0{,}40)(a_{15;\,0{,}14}) = (60\,000\,\$)(6{,}142\,2) = 368\,530\,\$$ = + 368 532 $

+ Valeur actuelle des économies d'impôt sur l'ACC

$$\frac{(400\,000\,\$)(0{,}30)(0{,}40)\left(1+\frac{0{,}14}{2}\right)}{(0{,}30+0{,}14)(1+0{,}14)}$$ = + 102 392 $

+ Valeur actuelle de la réparation évitée sur l'ancienne machine (60 000 $) $(1 + 0{,}14)^{-7}$ = + 23 978 $

– Valeur actuelle de l'économie d'impôt perdue correspondant à la réparation évitée

$$\left[\frac{(60\,000\,\$)(0{,}30)(0{,}40)\left(1+\frac{0{,}14}{2}\right)}{(0{,}30+0{,}14)(1+0{,}14)}\right](1+0{,}14)^{-7}$$

$= (15\,359\,\$)\times(0{,}399\,6) =$ – 6 137 $

+ Valeur actuelle de la valeur résiduelle additionnelle (VRA) (150 000 $ – 30 000 $) $(1 + 0{,}14)^{-15}$

(120 000 $) (0,1401) = = + 16 812 $

– Valeur actuelle de la perte d'économie d'impôt correspondant à la VRA

$$\frac{(150\,000\,\$-30\,000\,\$)(0{,}30)(0{,}40)}{(0{,}30+0{,}14)(1+0{,}14)^{15}} =$$ = – 4 585 $

Valeur actuelle du fonds de roulement net (15 000 $) $(1 + 0{,}14)^{-15}$ = + 2 101 $

Valeur actuelle nette = 88 093 $

Le projet de remplacement de Triangle inc. est accepté car sa valeur actuelle nette est positive.

L'ANALYSE DES INVESTISSEMENTS DANS UN CONTEXTE D'INCERTITUDE

L'analyse du risque et le choix des investissements – I[1]

Nous avons déjà exposé les concepts fondamentaux et les instruments essentiels au calcul du risque ; nous traiterons maintenant des méthodes ou approches utilisées pour tenir compte du risque. Ce dernier doit être intégré dans la décision de l'entreprise en matière de choix d'investissement. Les méthodes utilisées pour adapter au risque la valeur actuelle nette d'un projet sont soit indirectes, comme le taux d'actualisation ajusté au risque ou l'équivalence de certitude, soit directes, comme la distribution de probabilités. Nous étudierons également l'analyse de sensibilité. Dans le chapitre suivant, nous analyserons d'autres méthodes indirectes, tels la simulation, les arbres de décision et la théorie des jeux, ainsi que l'importance de la théorie de l'utilité pour expliquer l'attitude et le comportement du gestionnaire dans un contexte risqué.

---

1. F. Rassi (1989). « L'analyse du risque et le choix des investissements I », dans R. Belzile, G. Mercier et F. Rassi. *Analyse et gestion financière*, Québec, Presses de l'Université du Québec, p. 649-686.

9.1. LES MÉTHODES INDIRECTES D'AJUSTEMENT AU RISQUE

9.1.1. Le taux d'actualisation ajusté au risque (TAAR)

9.1.1.1. Description et illustration de la méthode

Le taux d'actualisation des flux monétaires nets est ajusté ou modifié de façon à prendre en charge le risque du projet. L'ajustement s'effectue de façon indirecte; il modifie le dénominateur du premier terme de l'équation de la valeur actuelle nette de la façon suivante:

$$\text{VAN} = \sum_{t=1}^{n} \frac{\text{FM}_t}{(1+k)^t} - \text{C} \tag{9.1}$$

où:

FM_t = flux monétaire net espéré, après impôt, de la période t;

k = taux d'actualisation ajusté au risque, égal au taux sans risque auquel s'ajoute une prime de risque exigée pour un projet donné en fonction de son risque propre;

n = durée ou vie du projet d'investissement;

C = investissement initial.

La valeur actuelle nette est ainsi ajustée au risque par la majoration du taux d'actualisation des flux monétaires nets espérés conformément à la perception du risque et à sa mesure par le gestionnaire. Nous tiendrons compte ultérieurement d'une nuance d'importance, à savoir que le gestionnaire doit considérer le risque de la même façon que l'ensemble des investisseurs le perçoivent sur le marché, car l'objectif d'une firme est de maximiser le prix de l'action à long terme en tenant compte des exigences du marché. Notons que les entreprises sont conscientes du fait qu'elles fonctionnent dans un environnement incertain, aussi bien sur le plan national que sur le plan international; en conséquence, elles se basent de plus en plus sur des méthodes d'analyse et de traitement du risque pour améliorer leurs décisions.

Plus le risque d'un projet donné est élevé, plus le taux d'actualisation le sera et plus sa valeur actuelle nette sera faible, toutes choses égales d'ailleurs. Le même raisonnement conduirait le gestionnaire à exiger un délai de récupération d'autant plus court que le risque est grand (notons que cette méthode de traitement du risque ne sera ni étudiée en détail ni illustrée dans cet ouvrage, même si elle est utilisée en pratique dans les affaires). En réalité, les petites et moyennes entreprises s'inspirent souvent, et de façon prioritaire, de l'expérience qu'elles ont d'une catégorie donnée de projets et se fient à leur connaissance de l'évolution cyclique des activités du secteur qui les concerne pour établir intuitivement le taux d'escompte ajusté au risque. Les différentes étapes de cette méthode sont:

1. Établir une distribution de probabilités des flux monétaires nets pertinents pour chaque période du projet.
2. Calculer l'espérance mathématique de chacune de ces distributions.
3. Calculer l'écart type de chaque distribution afin de mettre en évidence le facteur risque.
4. Ajuster pour le risque à partir du taux d'actualisation sans risque, qui représente la valeur de l'argent dans le temps. Il s'agit de tenir compte du degré de risque de chaque distribution de probabilités. Le taux d'actualisation sans risque, majoré d'une prime de risque, détermine le taux d'actualisation ajusté au risque.
5. Calculer la valeur présente du flux monétaire net espéré pour chaque période au moyen du taux d'actualisation ajusté au risque.
6. Faire la somme de toutes les valeurs actuelles calculées à l'étape 5 et en déduire l'investissement initial afin d'obtenir des résultats d'évaluation de la valeur actuelle nette du projet selon le critère du taux d'actualisation ajusté au risque.

EXEMPLE

Considérons les deux projets A et B, dont les caractéristiques d'investissement initial, les flux monétaires nets annuels (considérés constants par période), l'écart type et la vie du projet sont les suivants:

	Investissement initial	Flux monétaire net (FMN) par période	Écart type du FMN	Durée
Projet A	100 000 $	60 000 $	20 000 $	5 ans
Projet B	100 000 $	40 000 $	16 000 $	5 ans

Notons que dans le cas des projets A et B ayant un même investissement initial et une même durée, mais où l'écart type des flux monétaires nets du projet A est plus élevé que celui du projet B (et en supposant que leurs distributions de probabilités respectives soient inchangées pour chaque période), c'est le projet A qui se distinguerait par son taux d'actualisation ajusté au risque plus élevé. Rappelons qu'il existe une mesure plus réaliste et plus significative du risque, à savoir le coefficient de variation, que l'on obtient par le rapport entre l'écart type et l'espérance mathématique des flux monétaires ; il renseigne le gestionnaire sur l'ampleur relative du risque et améliore sa perception de ce dernier facteur. Le risque est établi par dollar de résultat et permet de mieux comparer et apprécier les risques des projets nouveaux.

$$C_{V_A} = \frac{20\,000\,\$}{60\,000\,\$} = 0,33$$

$$C_{V_B} = \frac{16\,000\,\$}{40\,000\,\$} = 0,40$$

Nous avons vu au chapitre 5 que le coefficient de variation fournit une mesure plus exacte du risque, car il est calculé en valeur relative, c'est-à-dire par rapport à la valeur centrale de la distribution qu'est l'espérance des flux monétaires. Le taux d'actualisation ajusté au risque devrait donc être plus élevé pour le projet B.

9.1.1.2. La corrélation entre les résultats d'un projet et l'évolution globale de l'économie

En fait, l'estimation du risque d'un projet est encore plus complète si l'on ajoute au calcul et à l'interprétation du coefficient de variation des résultats de ce projet l'analyse de sa corrélation avec l'ensemble de l'économie. Pour un coefficient de variation donné de la valeur actuelle nette, le projet est d'autant plus risqué pour le portefeuille de projets de l'entreprise que la valeur actuelle nette varie dans le même sens que l'économie générale, c'est-à-dire d'autant plus que le projet est corrélé avec l'ensemble de l'activité économique. Si, par contre, la valeur actuelle nette d'un projet nouveau variait en sens contraire de l'économie, la contribution du projet au risque global de l'entreprise serait d'autant plus faible que son coefficient de variation serait élevé, dans le cas où ce projet devrait s'intégrer à un portefeuille de projets déjà existant. La caractéristique essentielle d'un projet négativement corrélé à l'ensemble de l'économie ou d'un portefeuille est d'apporter une contribution additionnelle moins risquée que tout projet positivement corrélé à l'économie ou au portefeuille de l'entreprise.

En effet, la plupart des titres ou actifs disponibles sur le marché ont une corrélation positive avec l'économie globale ; il en est de même pour la majorité des titres ou actifs en portefeuille. D'où l'explication qu'un titre, un actif ou un projet négativement corrélé avec l'économie représente un risque moindre pour un portefeuille qu'un titre, un actif ou un projet qui lui est positivement corrélé.

Le gestionnaire doit à la fois analyser le coefficient de variation d'un projet et son degré de corrélation avec l'ensemble de l'économie et, de façon plus précise, avec l'ensemble des activités actuelles de l'entreprise ou de son portefeuille. L'évaluation de ces deux éléments essentiels de la détermination du risque d'un projet facilite l'appréciation que le gestionnaire peut porter sur le degré de risque d'un projet et sur l'ajustement du taux d'actualisation à ce risque.

Plus le risque d'un projet est grand, toutes choses égales d'ailleurs, plus le taux d'actualisation des flux monétaires nets devrait être élevé, c'est-à-dire que le taux de rendement requis ou espéré par les actionnaires devrait être d'autant plus élevé. Si le critère du taux de rendement interne est utilisé pour sélectionner les projets d'investissement, il doit être comparé au taux de rendement requis, ou coût du capital ajusté au risque. En d'autres termes, un projet d'investissement est choisi dans la mesure où son taux de rendement interne est égal ou supérieur au taux requis, ou taux exigé ajusté au risque. Le taux requis est égal au taux sans risque, plus une prime de rendement pour compenser le degré de risque des projets d'investissement.

EXEMPLE

L'entreprise Sidra envisage la fabrication de jus de fruits. L'équipement a une valeur de 150 000 $ et les flux monétaires nets espérés après impôt à la fin de chacune des trois années de la vie du projet sont respectivement de 50 000 $, 85 000 $ et 125 000 $. Les écarts types respectifs sont relativement élevés. L'entreprise considère que le taux d'actualisation sans risque de 8 % devrait être ajusté par une augmentation de 5 %, pour tenir compte du risque du projet considéré. Le taux d'actualisation ajusté au risque est donc de 13 % (8 % + 5 %). La valeur actuelle nette s'obtient ainsi :

$$\begin{aligned} \text{VAN} &= -150\,000\,\$ + \frac{50\,000\,\$}{1,13} + \frac{85\,000\,\$}{(1,13)^2} + \frac{125\,000\,\$}{(1,13)^3} \\ &= -150\,000\,\$ + 44\,247,79\,\$ + 66\,567,47\,\$ + 86\,631,27\,\$ \\ &= 47\,446,53\,\$ \end{aligned}$$

L'entreprise Sidra a accepté ce nouveau projet, car sa valeur actuelle nette est positive, compte tenu du facteur risque intégré au taux d'actualisation des flux monétaires nets.

Notons que, dans un contexte risqué où plusieurs périodes sont considérées, les flux monétaires nets ne sont habituellement pas associés à un même degré de risque d'une période à l'autre. Il devient alors difficile de justifier un taux d'actualisation constant. Il serait plus logique d'utiliser différents taux d'actualisation ajustés au risque pour les diverses périodes de la vie du projet, car, de façon générale, le risque s'accroît de façon différente avec le temps. Nous n'avons retenu un taux constant d'actualisation que pour simplifier les calculs, la marche à suivre demeurant la même ainsi que la cohérence du raisonnement de base.

9.1.1.3. Le taux d'actualisation ajusté au risque et le coût du capital

On utilise une méthode différente pour déterminer le taux d'actualisation ajusté au risque qui remplace le coût du capital comme taux d'actualisation des flux monétaires. Le coût du capital correspond au risque moyen des projets de l'entreprise. Le taux d'actualisation ajusté au risque (TAAR) d'un projet donné sera supérieur au coût du capital si le risque de ce projet est supérieur au risque moyen des projets de l'entreprise, et inférieur au coût du capital si le risque du projet est inférieur au risque moyen. Précisons que le coût du capital d'une entreprise est utilisé comme taux d'actualisation des flux monétaires après impôt lorsqu'il s'agit d'un projet dont le risque est égal au risque moyen de l'entreprise. C'est le coût moyen pondéré de ses différentes sources de financement. Cependant, le coût du capital marginal de l'entreprise, à l'occasion d'un nouveau projet, peut être différent du coût du capital utilisé pour ses projets actuels, dans la mesure où il se situe dans une autre catégorie de risque. C'est pour cette raison que le taux d'actualisation appliqué à un nouveau projet doit être ajusté au degré de risque qui le caractérise. L'ajustement se fait en tenant compte du taux de rendement de projets semblables ailleurs dans l'économie. Ces projets doivent être comparables pour les points suivants :

- la similitude des modalités de financement ;
- la similitude des taux de rendement ;
- la similitude des distributions de probabilités des taux de rendement, des coefficients de variation et de la corrélation de chaque projet avec l'ensemble de l'économie.

C'est le concept du coût d'option qui est à la base de ce raisonnement, à savoir que l'entreprise ne peut accepter, toutes choses égales d'ailleurs, un projet dont le taux de rendement n'est pas au moins égal à celui de tout autre projet disponible ailleurs dans l'économie et appartenant à la même catégorie de risque.

9.1.1.4. Le taux d'actualisation ajusté au risque et le coefficient de variation

Il est important de noter qu'une application conjointe ou simultanée de la méthode du taux d'actualisation ajusté au risque et du calcul du coefficient de variation en matière de sélection de projets peut induire en erreur. En effet, le risque de chaque projet aura alors été traité ou ajusté à deux reprises.

La valeur actuelle nette d'un projet peut être ajustée au risque de l'une des deux façons suivantes : 1) en actualisant les flux monétaires par un même taux pour tous les projets, pour procéder ensuite à l'ajustement au risque par le calcul du coefficient de variation ; 2) en actualisant les flux monétaires après avoir ajusté le taux utilisé pour chaque projet selon son risque individuel. Ces deux approches ne doivent pas être concomitantes afin d'éviter une prise en compte double du risque et de ses conséquences éventuelles d'erreurs en matière de choix d'investissement.

Notons enfin que le taux d'actualisation ajusté au risque et le coefficient de variation peuvent se révéler insuffisants comme critères ou mesures du risque, car leur calcul n'incorpore pas le degré d'aversion au risque du décideur. La sélection des projets d'investissement peut notamment être faussée. La méthode de l'équivalence de certitude remédie à cette carence en intégrant à l'analyse des projets l'attitude du gestionnaire envers le risque, comme nous pourrons le voir un peu plus loin.

9.1.1.5. Le coût du capital et la relation risque – rendement requis

Plusieurs auteurs, notamment Mark E. Rubinstein[2], dégagent des considérations de grand intérêt sur la comparaison du taux d'actualisation ajusté au risque dans le cadre du MEDAF au coût du capital moyen pondéré de l'entreprise. Ce dernier est fréquemment utilisé dans la réalité comme taux de rendement requis de l'ensemble des actifs de l'entreprise.

On peut souligner les limites du coût moyen pondéré du capital en s'inspirant de la démonstration de Rubinstein. Le coût du capital ne considère pas les divers degrés de risque des différents projets. Ignorer les différences de risque entre

2. Mark E. Rubinstein (1973). « A Mean-Variance Synthesis of Corporate Financial Theory », *Journal of Finance,* mars, p. 167-181.

projets peut entraîner des conséquences néfastes sur la rentabilité de l'entreprise. La figure 9.1 présente cinq projets, L, M, N, O et P, ainsi que les droites illustrant le coût moyen pondéré du capital et la relation risque – rendement ; elle indique que le coût du capital de l'entreprise est de 16 % et son coefficient bêta de 1,2. Les deux critères de coût moyen du capital et de relation risque – rendement coïncident dans les deux cas suivants : ils donnent les mêmes résultats ou appréciations pour le projet M (accepté selon les deux critères) et pour le projet P (rejeté en vertu des deux critères). Par contre, les résultats sont contradictoires pour les projets L, N et O selon l'un ou l'autre des deux critères considérés. En effet, les projets N et O seraient adoptés selon le critère du coût moyen pondéré du capital, puisque leurs taux de rendement respectifs lui sont supérieurs, mais rejetés selon le critère de la relation risque – rendement, car leurs rendements respectifs sont inférieurs à ce que le marché des capitaux offre ou exige pour leurs catégories de risque respectives. Le projet L serait rejeté selon le critère du coût moyen pondéré du capital, mais accepté selon celui de la relation risque – rendement.

Figure 9.1

Coût moyen pondéré du capital et relation risque – rendement requis

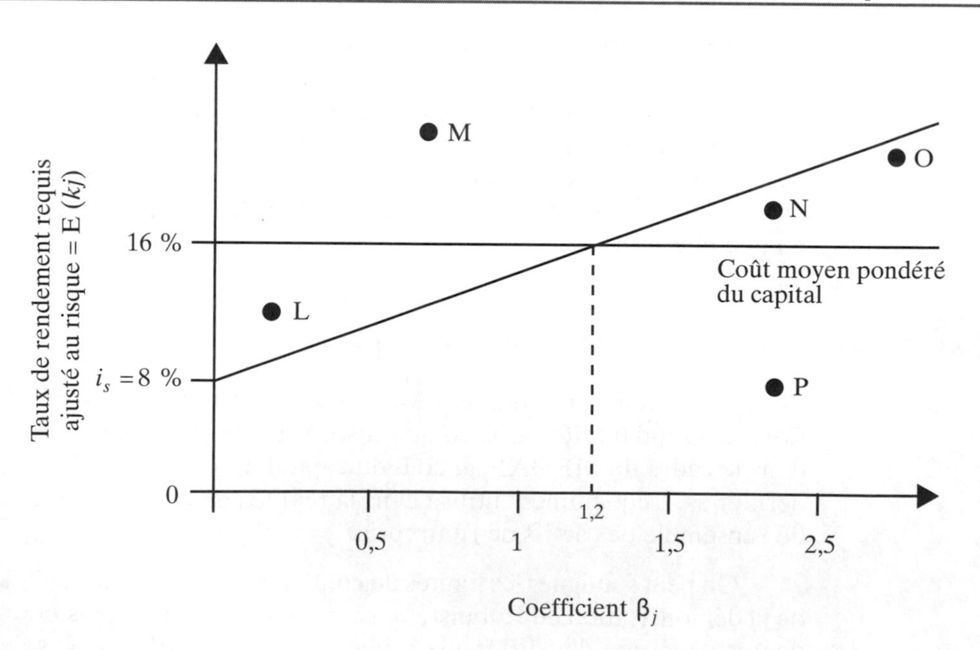

Le gestionnaire choisirait les projets L et M, et rejetterait les projets P, N et O à la lumière du critère du taux de rendement espéré ou de la relation risque – rendement. Le gestionnaire doit donc être conscient des limites sérieuses du critère du coût moyen pondéré du capital, qui correspond au risque moyen de l'entreprise, car :

- il ne tient pas compte des différences de risque entre les projets ;
- il défavorise les projets à faible risque, comme le projet L, mais dont les taux de rendement espérés font plus que compenser le risque qui les caractérise ;
- il favorise les projets à risque élevé, comme le projet O, dont les taux de rendement sont supérieurs au coût moyen du capital, mais pas assez élevés pour compenser de façon adéquate leurs risques tels qu'ils sont perçus par l'ensemble des investisseurs sur le marché des capitaux ;
- il n'a pas le caractère global du critère de la relation risque – rendement espéré, qui couvre tous les projets faisant partie de différentes catégories de risque plutôt que de se limiter à une seule.

9.1.1.6. La pratique de la détermination des catégories et des taux

Pour chaque catégorie ou classe de risque, un taux d'actualisation ajusté au risque est établi. Les différents projets étudiés par l'entreprise sont répartis dans une catégorie de risque qui correspond à leur nature, d'une part, et selon l'évaluation et la perception de leur risque individuel par le gestionnaire, d'autre part.

Le taux d'actualisation ajusté au risque est calculé en fonction du risque additionnel qui caractérise un projet, ou une catégorie donnée de risque, par rapport au risque moyen de l'ensemble des projets réalisés par l'entreprise auquel correspond le coût du capital. Tout projet nouveau à risque élevé par rapport au risque moyen des projets de l'entreprise se caractérisera par une prime élevée qui s'ajoutera au coût du capital afin d'obtenir le taux d'actualisation pertinent. C'est le cas d'une expansion de l'entreprise destinée à créer des produits nouveaux totalement différents des produits déjà fabriqués. Il s'agit d'une catégorie de risque très élevée. Si le coût du capital est de 18 %, une prime additionnelle de 14 % peut être nécessaire pour actualiser adéquatement les flux monétaires, soit un taux d'actualisation ajusté au risque de 32 %. Dans le cas où il s'agit de remplacer l'équipement avec certaines améliorations récentes de productivité et certaines modifications mineures du produit fabriqué, le nouveau projet appartient habituellement à la catégorie de risque moyen et le coût du capital de 18 % sert de taux d'actualisation. Par contre, s'il s'agit de renouveler l'équipement par du matériel beaucoup plus sophistiqué comportant une modification non négligeable du produit, le projet appartient normalement à une catégorie de risque assez élevé et, par conséquent, le taux d'actualisation sera, par exemple, de 26 % (18 % + 8 %).

Rappelons qu'au lieu de considérer le coût du capital comme point de départ de la détermination du taux d'actualisation ajusté au risque, on peut considérer le taux sans risque auquel s'ajouteraient des primes supplémentaires suffisamment élevées pour tenir compte du risque propre à chaque catégorie de projets. Il s'agit d'une différence de degré dans l'ajustement, puisque l'on se réfère au taux sans risque, qui est inférieur au coût du capital.

9.1.2. La méthode de l'équivalence de certitude

La méthode de l'équivalence de certitude est une approche indirecte de traitement du risque où le décideur attribue un certain degré au risque de façon subjective et intuitive. Il s'agit d'établir l'indifférence de l'agent économique entre un montant qu'il est assuré de toucher et un montant aléatoire. En d'autres termes, le gestionnaire accepterait qu'au montant assuré se substitue le montant aléatoire. Le coefficient d'équivalence de certitude s'obtient par le rapport entre le montant certain et le montant aléatoire pour une période donnée.

Supposons que le vice-président aux finances de la société Portaflex puisse recevoir, à la fin de la prochaine période, et ce de façon certaine, un montant de 7 000 $ et qu'il puisse encaisser à la fin de cette prochaine période un montant aléatoire de 10 000 $, défini ou établi par l'espérance mathématique d'une distribution de probabilités de flux monétaires.

Supposons également que le vice-président en question soit indifférent entre le montant assuré de 7 000 $ et le montant aléatoire de 10 000 $. Le coefficient d'équivalence de certitude pour la période 1 est :

$$\alpha_1 = \frac{\text{Montant certain}}{\text{Montant aléatoire*}} \tag{9.2}$$

* Une moyenne de distribution de probabilités de rendement.

Le coefficient d'équivalence de certitude varie entre zéro et l'unité, de façon inverse au degré de risque :

$\alpha_t = 1$, lorsque le risque qui caractérise le flux monétaire net est nul au temps t.

$\alpha_t = 0$, lorsque le risque est tellement élevé que la valeur du flux monétaire net est négligeable ou presque nulle.

Les différentes étapes de l'application de la méthode de l'équivalence de certitude sont les suivantes :

1. Déterminer les flux monétaires espérés annuels, ou considérer ceux qui sont les plus susceptibles de se produire ou toute autre valeur centrale d'une distribution de probabilités, la médiane par exemple.
2. Analyser et interpréter le degré de risque de chaque flux monétaire annuel espéré à la lumière de différents facteurs, notamment ses propres fluctuations ou variations.
3. Calculer les coefficients d'équivalence de certitude α_t de chaque période en sachant que le risque est d'autant plus élevé que α_t est petit.
4. Calculer la valeur actuelle nette espérée en utilisant le taux exempt de risque comme taux d'actualisation conformément à l'équation (9.3) ci-dessous.

Le coefficient d'équivalence de certitude d'une période donnée doit refléter la façon suivant laquelle le marché des capitaux convertit des montants risqués en montants équivalents certains. N'oublions pas que le gestionnaire doit maximiser la valeur de l'action en tenant compte de la façon dont l'ensemble des investisseurs exigent une compensation pour le risque, ainsi que peut l'illustrer le MEDAF. *L'ajustement au risque se fait en modifiant le flux monétaire de chaque période du coefficient d'équivalence de certitude établi pour cette période. Les flux monétaires nets, transformés en flux monétaires équivalents certains, c'est-à-dire dénués de risque, sont actualisés par le taux de rendement sans risque, c'est-à-dire en tenant compte de la seule valeur temporelle de l'argent.* Ce taux est habituellement celui du rendement des titres du gouvernement fédéral canadien ayant la même échéance que le flux monétaire à recevoir. L'ensemble des valeurs actuelles ainsi obtenues et additionnées constitue le résultat de l'application de la méthode d'équivalence de certitude. La valeur actuelle nette d'un projet d'investissement se calcule de la façon suivante :

$$\text{VAN} = \sum_{t=1}^{n} \frac{\alpha_t \cdot \text{FM}_t}{(1+i_S)^t} - \text{C}_0 \qquad (9.3)$$

où :

α_t = coefficient d'équivalence de certitude : $0 \leq \alpha_t \leq 1$;

FM_t = flux monétaire espéré, ou aussi estimé intuitivement, de la période t ;

i_s = taux sans risque ;

C_0 = investissement initial.

Nous avons supposé que l'investisseur avait une aversion pour le risque ; c'est pourquoi, face à une distribution donnée de probabilités de flux monétaires, tout gestionnaire se définira une valeur d'équivalence de certitude nécessairement inférieure à l'espérance mathématique de la distribution de probabilités considérée. La différence entre la valeur espérée de la distribution de probabilités et la valeur d'équivalence de certitude déterminée par le gestionnaire apporte un éclairage particulier sur son degré d'aversion pour le risque.

Le facteur risque a été séparé, ou détaché, du taux utilisé pour actualiser les flux monétaires, car l'ajustement au risque, selon la méthode de l'équivalence de certitude, concerne exclusivement ces derniers. Les flux monétaires exempts de risque sont actualisés au taux de rendement sans risque, selon la méthode de l'équivalence de certitude. Dans le cas où l'entreprise utilise le taux de rendement interne comme critère de sélection des projets, celui-ci doit être comparé au taux sans risque. En effet, il s'agit, dans un tel cas, de comparer la valeur actuelle des rentrées de fonds nettes selon la méthode de l'équivalence de certitude à la valeur actuelle des sorties de fonds selon cette même méthode. Un nouveau projet est accepté dans la mesure où le taux de rendement interne est égal ou supérieur au taux sans risque.

Notons que l'analyse peut être affinée par le calcul de coefficients α_t, d'équivalence de certitude, différents selon le degré de risque des diverses composantes des flux monétaires d'exploitation.

EXEMPLE

L'entreprise Sifra étudie la possibilité de produire un petit appareil photo ; l'investissement initial est de 200 000 $ et elle s'attend, pour les trois prochaines années, à recevoir les flux monétaires suivants en fin de période : 100 000 $, 175 000 $ et 200 000 $. Le taux des obligations du Canada est de 8 %. Sifra considère que le risque s'accroît avec le temps et que les coefficients d'équivalence de certitude sont respectivement, pour les trois prochaines années, de 0,95, 0,80 et 0,75. L'entreprise désire évaluer le nouveau projet à la lumière du critère de la valeur actuelle nette. La valeur actuelle nette (VAN) est la suivante :

$$\text{VAN} = -200\,000\,\$ + \frac{(0,95)(100\,000\,\$)}{(1,08)} + \frac{(0,80)(175\,000\,\$)}{(1,08)^2} + \frac{(0,75)(200\,000\,\$)}{(1,08)^3}$$

$$= 200\,000\,\$ + 87\,962,96\,\$ + 120\,027,43\,\$ + 119\,074,84\,\$$$

$$= 127\,065,23\,\$.$$

Comme la VAN d'équivalence de certitude est positive, le projet peut être adopté par Sifra.

9.1.3. La comparaison des méthodes du taux d'actualisation ajusté au risque et de l'équivalence de certitude

Notons que la méthode du taux d'actualisation ajusté au risque et la méthode de l'équivalence de certitude sont d'une utilisation simple et pratique dans l'entreprise lorsque le risque peut être classé de façon approximative en un nombre limité de catégories (par exemple, risque faible, risque moyen, risque élevé, risque très élevé). L'intuition et l'expérience du gestionnaire peuvent rendre ces deux méthodes accessibles et d'application relativement facile par les différents services de l'entreprise qui participent au développement et à la réalisation de nouveaux projets.

En réalité, il n'est pas logique ou raisonnable de considérer que le taux d'actualisation est toujours constant pour toutes les périodes de la vie d'un projet. En effet, même si le risque augmentait d'une période à l'autre, cette variation peut en fait être différente de celle à un taux constant. L'utilisation d'un seul taux d'actualisation pour tous les flux monétaires correspond à des facteurs d'équivalence de certitude qui décroissent à un taux constant d'une période à l'autre, comme nous allons maintenant le voir.

La méthode du taux d'actualisation ajusté au risque et la méthode de l'équivalence de certitude tiennent toutes deux compte du risque de façon indirecte et diminuent la valeur actuelle nette d'un projet de façon à l'ajuster le mieux possible au risque. Si les paramètres qui se rattachent à chacune de ces deux méthodes sont déterminés adéquatement, nous devrions aboutir à une même valeur actuelle nette ajustée au risque, en les appliquant respectivement pour traiter le risque d'un projet donné. Supposons que le taux ajusté au risque k et le taux sans risque i_s sont constants ; l'investissement initial peut être négligé dans la comparaison suivante des résultats de ces deux méthodes puisqu'il s'agit d'un même montant se rapportant à un même projet :

$$\sum_{t=1}^{n} \frac{\mathrm{FM}_t}{(1+k)^t} = \sum_{t=1}^{n} \frac{\alpha_t \cdot \mathrm{FM}_t}{(1+i_S)^t} \tag{9.4}$$

Ce qui revient à dire que les deux méthodes considérées auraient des résultats identiques, lorsque :

$$\frac{\mathrm{FM}_t}{(1+k)^t} = \frac{\alpha_t \cdot \mathrm{FM}_t}{(1+i_S)^t} \tag{9.4a}$$

La valeur actuelle du flux monétaire risqué du temps t, obtenue par le taux d'actualisation ajusté au risque k, devrait être égale à la valeur actuelle du flux monétaire exempt de risque calculée en utilisant le taux sans risque i_s.

L'égalité précédente permet la présentation suivante :

$$\frac{(1+i_S)^t}{(1+k)^t} = \frac{\alpha_t \cdot \text{FM}_t}{\text{FM}_t} \tag{9.4b}$$

et

$$\alpha_t = \frac{(1+i_S)^t}{(1+k)^t}$$

Il s'ensuit que pour la période $t + 1$, on peut écrire :

$$\alpha_{t+1} = \frac{(1+i_S)^{t+1}}{(1+k)^{t+1}}$$

Comme i_s est constant et k lui est nécessairement supérieur, il en résulte que α_{t+1} doit être inférieur à α_t. En effet, si $i_s = 6\ \%$ et $k = 10\ \%$, nous aurons :

$$\alpha_2 = \frac{(1{,}06)^2}{(1{,}10)^2} = \frac{1{,}123\,6}{1{,}21} = 0{,}928\,6$$

$$\alpha_3 = \frac{(1{,}06)^3}{(1{,}10)^3} = \frac{1{,}191\,0}{1{,}331} = 0{,}894\,8$$

$$\alpha_4 = \frac{(1{,}06)^4}{(1{,}10)^4} = \frac{1{,}262\,5}{1{,}464\,1} = 0{,}862\,3$$

Or, on constate que :

$$\frac{\alpha_3}{\alpha_2} = \frac{0{,}894\,8}{0{,}928\,6} = 0{,}963\,6$$

ce qui correspond à une diminution de α_3, coefficient d'équivalence de certitude de la période 3, de 3,64 % par rapport à α_2.

De même,

$$\frac{\alpha_4}{\alpha_3} = \frac{0{,}862\,3}{0{,}894\,8} = 0{,}963\,6$$

ce qui traduit une diminution de 3,64 % de α_4, coefficient d'équivalence de certitude de la période 4 par rapport à α_3 de la période 3. On voit bien que lorsque k est constant de même que i_s, le coefficient d'équivalence de certitude diminue à un taux constant dans le temps, c'est-à-dire que le risque s'accroît à un taux constant. Notons que l'on peut aussi établir la valeur de k connaissant i_s et α_t.

$$k = \frac{1+i_S}{\sqrt[t]{\alpha_t}} - 1$$

Nous avons prouvé qu'un taux d'actualisation ajusté au risque k constant traduisait un risque croissant à un taux constant dans le temps. Il correspond à des coefficients d'équivalence de certitude décroissants dans le temps et suppose que le risque augmente à un rythme constant d'une période à l'autre. Les gestionnaires doivent être prudents dans la détermination du taux k, car il se peut que le risque augmente à un taux ou à un rythme qui n'est pas constant d'une période à l'autre ; nous aurons alors pour une période donnée t:

$$k_t = \frac{1+i_S}{\sqrt[t]{\alpha_t}} - 1$$

Notons que la méthode de l'équivalence de certitude, basée essentiellement sur l'attitude des gestionnaires face au risque, est d'une application plus délicate que celle du taux d'actualisation ajusté au risque. La première méthode doit mettre en évidence les préférences des gestionnaires en matière de risque et les traduire ou les appliquer à une situation concrète. La méthode de l'équivalence de certitude est théoriquement supérieure à celle du taux d'actualisation ajusté au risque, car elle est susceptible, si elle est correctement appliquée, de mieux faire ressortir le risque propre à chaque période, c'est-à-dire de le mesurer de façon plus exacte pour une période donnée. Cependant, si l'ajustement des flux monétaires au risque par période ne présente pas de difficultés particulières pour des projets de vie plutôt courte, les difficultés peuvent par contre devenir insurmontables pour des projets de longue durée. Par ailleurs, les gestionnaires préfèrent utiliser la méthode du taux ajusté au risque. Ce taux de rendement destiné à compenser le risque est fixé approximativement et modulé selon, par exemple, quatre classes de risque (faible, moyen, élevé et très élevé). L'expérience et l'intuition du gestionnaire rendent la méthode du taux ajusté au risque non seulement utile dans la plupart des cas, mais aussi d'utilisation plus simple et plus rapide.

9.2. LA MÉTHODE DIRECTE D'ANALYSE ET D'AJUSTEMENT AU RISQUE PAR LES DISTRIBUTIONS DE PROBABILITÉS

La méthode du taux d'actualisation ajusté et la méthode de l'équivalence de certitude n'abordent pas directement le traitement et l'analyse du risque, comme dans le cas de l'utilisation et de l'exploitation des paramètres de distribution de probabilités des flux monétaires. Tout en considérant les avantages et l'utilité que ces deux méthodes représentent pour améliorer la prise de décision dans un contexte risqué, il reste que les gestionnaires peuvent éprouver des difficultés à établir le degré de risque d'un projet et à maintenir une position cohérente dans l'interprétation et la mesure du risque, soit entre des projets différents, soit d'une période à l'autre.

Parmi les méthodes les plus élaborées permettant de surmonter et de résoudre ce genre de problèmes figurent le traitement et l'exploitation directe des informations que livrent les distributions de probabilités des flux monétaires dans le temps. Les deux paramètres importants les plus utilisés dans les calculs qui contribuent à la décision sont l'espérance mathématique et la variance, ou l'écart type. La détermination de l'espérance des flux monétaires après impôt de chaque période est suivie du calcul de la valeur espérée de la distribution des probabilités des valeurs actuelles nettes d'un projet. Ainsi,

$$E(VAN) = \sum_{t=1}^{n} \frac{E(FM_t)}{(1+i_S)^t} - C_0 \tag{9.5}$$

où:

E(VAN) = valeur espérée de la valeur actuelle nette du projet;

$E(FM_t)$ = valeur espérée du flux monétaire de la période t;

i_s = taux d'actualisation exempt de risque;

C_0 = montant de l'investissement initial effectué au temps $t = 0$ que nous supposons connu avec certitude (dans le cas contraire, il faudrait construire une distribution de probabilités associée à l'investissement initial, calculer son espérance mathématique et en tenir compte dans la détermination de la valeur actuelle nette du projet).

Quel que soit le type de relation entre les flux monétaires successifs d'un projet, d'une période à l'autre, l'espérance de la valeur actuelle nette se calcule de la même façon, c'est-à-dire par l'équation (9.5). Par contre, la détermination de l'écart type de la distribution de probabilités des valeurs actuelles nettes espérées diffère selon le genre de relation entre les flux monétaires.

9.2.1. Les flux monétaires successifs sont totalement indépendants

Le flux monétaire aléatoire de la période précédente n'a pas d'influence sur la réalisation du flux monétaire de la période actuelle et ce d'une période à l'autre. Le risque se calcule au moyen de la formule suivante:

$$\sigma_{E(VAN)} = \sqrt{\sum_{t=1}^{n} \frac{\sigma_t^2}{(1+i_S)^{t\times 2}}} \tag{9.6}$$

où :

$\alpha_{(VAN)}$ = écart type de la distribution de probabilités des valeurs actuelles nettes possibles ;

α_t = écart type de la distribution de probabilités des flux monétaires possibles de la période t.

9.2.2. Les flux monétaires successifs d'un projet sont parfaitement corrélés

Le flux monétaire de la période actuelle dépend totalement du flux monétaire de la période précédente, avec pour conséquence une dispersion plus grande autour de l'espérance mathématique de la distribution de probabilités des flux monétaires, c'est-à-dire un risque plus élevé que celui de leur indépendance totale. Supposons que le flux monétaire FM_a de la période t se situe d'un chiffre égal à 1,5 écart type à gauche de l'espérance mathématique de la distribution des flux monétaires nets de cette même période. Il en sera de même des flux monétaires FM_a des périodes $t + 1$, $t + 2$ … $t + \text{n}$ qui se situeront à 1,5 écart type autour de l'espérance mathématique de leur distribution respective. Les flux monétaires dévient donc exactement de la même façon autour de la valeur centrale de la distribution qu'est l'espérance mathématique. Si le flux monétaire de la première période se révèle faible, la probabilité est élevée qu'il en soit ainsi pour les flux monétaires des années suivantes.

Le risque mesuré par l'écart type est calculé de la façon suivante :

$$\alpha_{E(VAN)} = \sum_{t=1}^{n} \frac{\alpha_t}{(1+i_S)^t} \qquad (9.7)$$

9.2.3. Les flux monétaires successifs d'un projet sont imparfaitement corrélés

Les flux monétaires ne sont ni totalement indépendants ni parfaitement corrélés dans le temps, mais sont partiellement dépendants, c'est-à-dire corrélés de façon limitée. Dans la réalité, un grand nombre de projets d'investissement se distinguent par des flux monétaires d'une période qui ne dépendent qu'en partie des flux monétaires des périodes antérieures.

Le calcul de la variance ou de l'écart type doit se faire de façon détaillée, car il n'existe pas de relation simple permettant les calculs rapides assurés par les formules (9.6) et (9.7) utilisées dans chacune des deux situations précédentes.

9.2.4. Pour un même projet, certains flux monétaires sont directement et étroitement dépendants ou corrélés, tandis que d'autres sont indépendants dans le temps (modèle de F. S. Hillier)

L'analyse du risque d'un projet d'investissement est fondée sur les distributions de probabilités des flux monétaires annuels, de façon à déterminer les distributions de probabilités des valeurs actuelles nettes ou des taux de rendement interne. Ces dernières distributions procurent au gestionnaire une meilleure perception du risque et lui permettent de limiter ses erreurs et ses pertes en matière de choix d'investissement. Un certain nombre de conjonctures ou d'environnements économiques possibles de la firme ou de son secteur d'activité sont définis et une probabilité d'occurrence est attribuée à chaque conjoncture ou état de la nature retenu. L'évaluation de ces probabilités se fait généralement de façon subjective, parfois de façon objective et aussi par une combinaison de ces deux approches.

Une illustration détaillée fait ressortir la marche à suivre dans l'une ou l'autre des quatre situations susmentionnées. Elle met en évidence l'avantage que le gestionnaire peut retirer de l'interprétation de l'information obtenue à partir des deux paramètres que sont l'espérance mathématique et la variance d'une distribution donnée de probabilités.

EXEMPLE 1

Si les flux monétaires annuels sont indépendants

L'entreprise qui étudie l'adoption d'un projet d'investissement Alpha désire établir le profil de son risque individuel. Supposons que l'investissement initial au temps $t = 0$ s'élève à 24 500 $ et est certain, que la durée de vie économique du projet est de trois ans et que les flux monétaires prévus sont indépendants et distribués différemment durant chacune de ces trois années considérées avec les probabilités suivantes :

Année 1		Année 2		Année 3	
Probabilités	**FM net**	**Probabilités**	**FM net**	**Probabilités**	**FM net**
0,25	8 000 $	0,20	10 000 $	0,30	12 000 $
0,50	12 000	0,60	9 000	0,40	12 000
0,25	10 000	0,20	11 000	0,30	13 000

Comme les distributions de probabilités des flux monétaires diffèrent d'une année à l'autre, il est donc nécessaire, dans une première étape, de calculer l'espérance des flux monétaires de chaque période ainsi que l'écart type autour de cette valeur espérée. Dans une seconde étape seront déterminés la valeur actuelle nette espérée du projet Alpha ainsi que l'écart type de la distribution des valeurs actuelles nettes possibles. Supposons que le taux sans risque soit de 8 % pendant toute la vie du projet Alpha.

L'espérance mathématique des flux monétaires nets annuels $E(FM_t)$ sera de :

$$E(FM_1) = (0{,}25 \times 8\,000\,\$) + (0{,}50 \times 12\,000\,\$) + (0{,}25 \times 10\,000\,\$)$$
$$= 2\,000\,\$ + 6\,000\,\$ + 2\,500\,\$$$
$$= 10\,500\,\$$$

$$E(FM_2) = (0{,}20 \times 10\,000\,\$) + (0{,}60 \times 9\,000\,\$) + (0{,}20 \times 11\,000\,\$)$$
$$= 2\,000\,\$ + 5\,400\,\$ + 2\,200\,\$$$
$$= 9\,600\,\$$$

$$E(FM_3) = (0{,}30 \times 12\,000\,\$) + (0{,}40 \times 12\,000\,\$) + (0{,}30 \times 13\,000\,\$)$$
$$= 3\,600\,\$ + 4\,800\,\$ + 3\,900\,\$$$
$$= 12\,300\,\$$$

L'écart type de la distribution des flux monétaires nets annuels (σ_t) sera de :

$$\sigma_1 = \sqrt{\left[(8\,000\,\$ - 10\,500\,\$)^2 \times 0{,}25\right] + \left[(12\,000\,\$ - 10\,500\,\$)^2 \times 0{,}50\right] + \left[(10\,000\,\$ - 10\,500\,\$)^2 \times 0{,}25\right]}$$
$$= \sqrt{1\,562\,500\,\$ + 1\,125\,000\,\$ + 62\,500\,\$}$$
$$= \sqrt{2\,750\,000\,\$}$$
$$= 1\,658{,}31\,\$$$

$$\sigma_2 = \sqrt{\left[(10\,000\,\$ - 9\,600\,\$)^2 \times 0{,}20\right] + \left[(9\,000\,\$ - 9\,600\,\$)^2 \times 0{,}60\right] + \left[(11\,000\,\$ - 9\,600\,\$)^2 \times 0{,}20\right]}$$
$$= \sqrt{32\,000\,\$ + 216\,000\,\$ + 392\,000\,\$}$$
$$= \sqrt{640\,000\,\$}$$
$$= 800\,\$$$

$$\sigma_3 = \sqrt{\left[(12\,000\,\$ - 12\,300\,\$)^2 \times 0{,}30\right] + \left[(12\,000\,\$ - 12\,300\,\$)^2 \times 0{,}40\right] + \left[(13\,000\,\$ - 12\,300\,\$)^2 \times 0{,}30\right]}$$
$$= \sqrt{27\,000\,\$ + 36\,000\,\$ + 147\,000\,\$}$$
$$= \sqrt{210\,000\,\$}$$
$$= 458{,}26\,\$$$

L'espérance de la valeur actuelle nette du projet sera de :

$$E(VAN) = \frac{10\,500\,\$}{(1+0{,}08)} + \frac{9\,600\,\$}{(1+0{,}08)^2} + \frac{12\,300\,\$}{(1+0{,}08)^3} - 24\,500\,\$$$
$$= 9\,722{,}22\,\$ + 8\,230{,}45\,\$ + 9\,764{,}14\,\$ - 24\,500\,\$$$
$$= 3\,216{,}81\,\$$$

L'écart type autour de l'espérance mathématique de la distribution des valeurs actuelles nettes du projet sera de :

$$\begin{aligned}
\sigma_{E(VAN)} &= \sqrt{\frac{(1658,31\$)^2}{(1+0,08)^{1\times 2}} + \frac{(800\$)^2}{(1+0,08)^{2\times 2}} + \frac{(458,26\$)^2}{(1+0,08)^{3\times 2}}} \\
&= \sqrt{\frac{2\,750\,000\$}{1,166\,4} + \frac{640\,000\$}{1,360\,5} + \frac{210\,002\$}{1,586\,8}} \\
&= \sqrt{2\,357\,681,76\$ + 470\,415,29\$ + 132\,343,08\$} \\
&= \sqrt{2\,960\,440,13\$} \\
&= 1\,720,59\$
\end{aligned}$$

Supposons que la distribution des valeurs actuelles nettes du projet Alpha soit normale ou à peu près. Notons que plusieurs variables distribuées de façon aléatoire peuvent être décrites par ce genre de distribution. On peut poser de façon formelle la relation suivante pour toute variable distribuée de façon normale sachant que, dans notre cas, la variable étudiée est la VAN du projet Alpha :

$$\text{VAN} \sim N(\mu, \sigma^2)$$

L'importance considérable d'une distribution normale provient de ce qu'elle permet, par l'utilisation des deux paramètres d'espérance mathématique (E(VAN) = 3 216,81 $) et d'écart type ($\sigma_{E(VAN)}$ = 1 720,59 $), d'obtenir des indications, voire des renseignements assez précis sur le profil de risque du projet Alpha. Une distribution normale de probabilités est définie lorsque sa moyenne et sa variance sont connues, ce qui est le cas du projet Alpha. En faisant ressortir les différences avec la moyenne, en termes d'écart type, on peut établir la probabilité que la valeur actuelle nette d'un projet soit supérieure ou inférieure à un montant précis, fixé à l'avance. On utilise la forme centrée réduite, qui est une transformation normale standard de la distribution normale :

$$Z = \frac{X - \mu}{\sigma}$$

Une VAN du projet Alpha égale ou supérieure à zéro aurait permis son adoption, sans réserve, en l'absence de risque. Tenir compte du risque consiste à reconnaître qu'il y a une probabilité que la VAN soit négative, même si l'espérance mathématique de la VAN est positive.

Figure 9.2

Distribution de probabilités des valeurs actuelles nettes

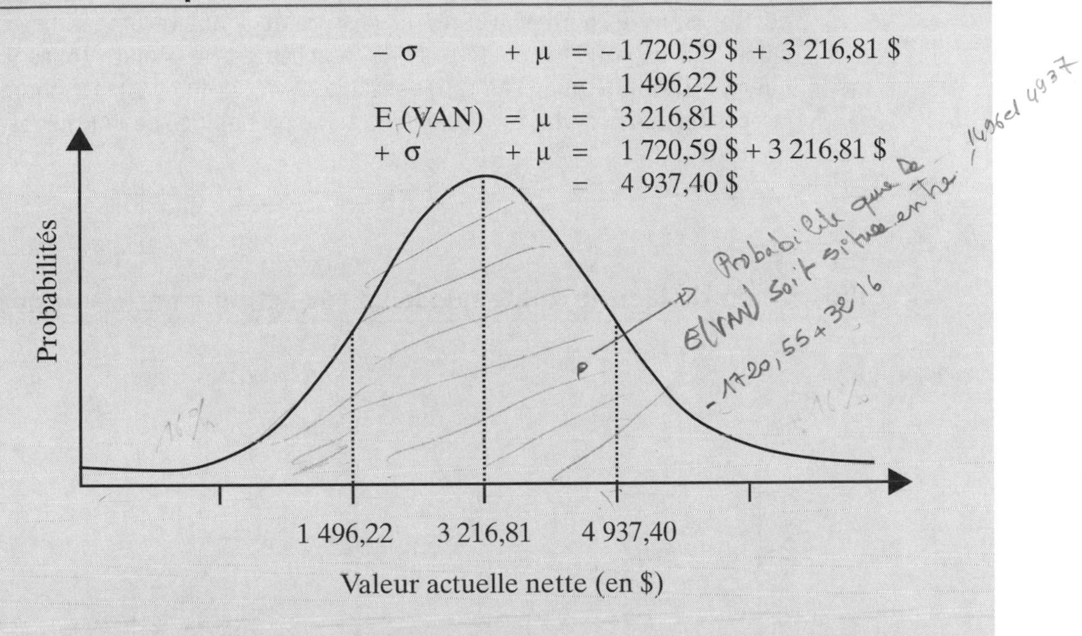

L'attitude du décideur face au risque s'exprime par la définition de sa propre tolérance au risque, soit entre autres par la formulation du seuil maximal de probabilités d'occurrence de la VAN négative qu'il peut accepter. En d'autres termes, le gestionnaire spécifie qu'il rejetterait une VAN dont la probabilité d'être négative est égale ou supérieure à un pourcentage donné. La distribution de probabilités des valeurs actuelles nettes du projet Alpha est représentée graphiquement par la figure 9.2.

Le décideur désire savoir si la probabilité de réalisation d'une valeur actuelle nette négative est égale ou supérieure à 5 %, car, dans un tel cas, il n'adoptera pas le projet, considérant son risque insupportable. Il s'agit de calculer la probabilité que la valeur actuelle nette soit plus petite ou égale à zéro (VAN ≤ 0). D'où,

$$Z = \frac{X - \mu}{\sigma}$$

$$= \frac{0 - 3216{,}81\$}{1720{,}59\$}$$

$$= -1{,}87$$

La table A-5 de la distribution normale (en appendice) indique que la probabilité que (VAN ≤ 0) est de 0,031 ou 3,1 %. Comme la tolérance au risque du gestionnaire lui permet d'accepter des projets dont la probabilité d'occurrence d'une VAN négative n'excède pas 5 %, il acceptera le projet Alpha. Il est évident que la probabilité que (VAN ≥ 0) est de (100 – 3,1 = 96,9 %). La figure 9.3 indique la portion de la courbe correspondant à une probabilité de VAN négative du projet Alpha.

Figure 9.3

Illustration de la probabilité que la valeur actuelle nette soit négative

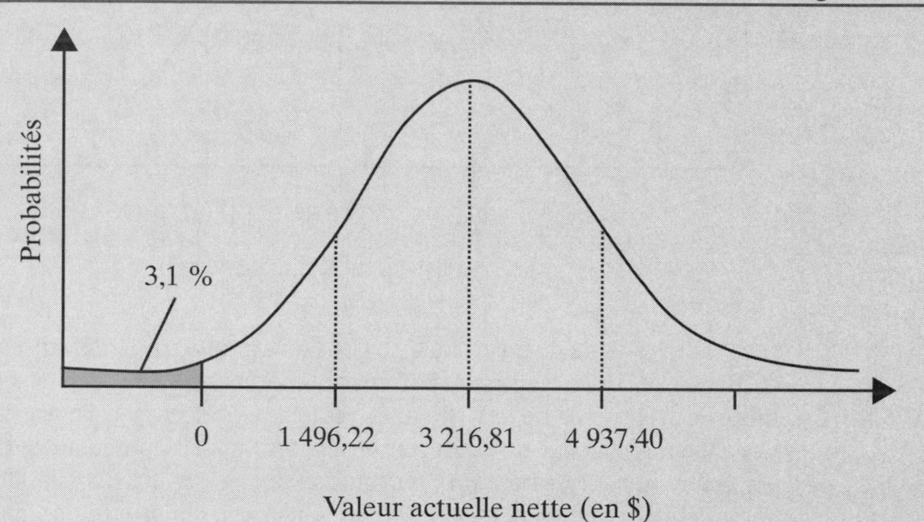

On constate le progrès sensible dû à la prise en compte du risque d'un projet à l'aide de la distribution de probabilités des VAN. Il ne suffit pas que la valeur espérée de la VAN soit positive, encore faut-il que la probabilité d'une VAN négative ne dépasse pas le seuil toléré par le gestionnaire. Ce dernier doit interpréter avec beaucoup de précautions ce genre de résultat en le nuançant par les enseignements de son expérience dans le secteur d'activité du nouveau projet, par son intuition et par sa propre formation.

Notons que le gestionnaire peut interpréter une distribution de probabilités des indices de rentabilité à partir de la distribution de probabilités de la VAN. Les appréciations sont alors de nature relative plutôt qu'absolue.

EXEMPLE 2

Si les flux monétaires sont parfaitement corrélés dans le temps ou s'ils sont totalement dépendants

Le risque du projet Alpha est nécessairement plus élevé dans le cas d'une étroite dépendance des flux monétaires dans le temps, tandis que l'espérance mathématique de la valeur actuelle nette reste inchangée.

L'écart type de la distribution des valeurs actuelles nettes se calcule selon la formule (9.7) :

$$\sigma_{E(VAN)} = \sum_{t=1}^{n} \frac{\alpha_t}{(1+i_S)^t} \tag{9.7}$$

$$= \frac{1658,31\$}{(1+0,08)} + \frac{800\$}{(1+0,08)^2} + \frac{458,26\$}{(1+0,08)^3}$$

$$= 1\,535,47\$ + 685,87\$ + 363,78\$$$

$$= 2\,585,12\$$$

EXEMPLE 3

Si les flux monétaires sont imparfaitement corrélés ou s'ils le sont conditionnellement ou partiellement

Si les résultats d'une première année sont excellents, les chances sont bonnes qu'ils le soient la seconde année. Cependant, il n'y a pas de relation automatique comme dans le cas de la dépendance totale des flux monétaires annuels, car les résultats peuvent être moins bons ou même mauvais, avec une faible probabilité, durant la deuxième année et les années subséquentes. En se basant sur l'exemple déjà utilisé, nous allons introduire un changement en considérant que la distribution de probabilités des flux monétaires de la deuxième année est fonction des flux monétaires de la première année et qu'une relation du même type existe entre la distribution des flux monétaires de la troisième année et les flux monétaires de la deuxième année.

Première année		Deuxième année, si						Troisième année, si					
		FM_1 = 8 000 $		FM_1 = 12 000 $		FM_1 = 10 000 $		FM_2 = 10 000 $		FM_2 = 9 000 $		FM_2 = 11 000 $	
p_i	FM_1	p_i	FM_2	p_i	FM_2	p_i	FM_2	p_i	FM_3	p_i	FM_3	p_i	FM_3
0,25	8 000	0,40	10 000	0,40	10 000	0,60	10 000	0,5	12 000	0,5	12 000	0,5	12 000
0,50	12 000	0,60	9 000	0,00	9 000	0,40	9 000	0,5	12 000	0,5	12 000	0,5	12 000
0,25	10 000	0,00	11 000	0,60	11 000	0,00	11 000	0,0	13 000	0,0	13 000	0,0	13 000

L'espérance de la valeur actuelle nette sera de :

Année 0	Année 1	Année 2	Année 3	VAN_i	p_i	$(VAN_i \times p_i)$
– 24 500	0,25 — 8 000 (7 407)	0,40 — 10 000 (8 573)	0,50 — 12 000 (9 526)	1 006	0,05	50 $
			0,50 — 12 000 (9 526)	1 006	0,05	50 $
		0,60 — 9 000 (7 716)	0,50 — 12 000 (9 526)	149	0,075	11 $
			0,50 — 12 000 (9 526)	149	0,075	11 $
	0,50 — 12 000 (11 111)	0,40 — 10 000 (8 573)	0,50 — 12 000 (9 526)	4 710	0,10	471 $
			0,50 — 12 000 (9 526)	4 710	0,10	471 $
		0,60 — 11 000 (9 431)	0,50 — 12 000 (9 526)	5 568	0,15	835 $
			0,50 — 12 000 (9 526)	5 568	0,15	835 $
	0,25 — 10 000 (9 259)	0,60 — 10 000 (8 573)	0,50 — 12 000 (9 526)	2 858	0,075	214 $
			0,50 — 12 000 (9 526)	2 858	0,075	214 $
		0,40 — 9 000 (7 716)	0,50 — 12 000 (9 526)	2 001	0,05	100 $
			0,50 — 12 000 (9 526)	2 001	0,15	100 $
					E(VAN) =	3 362 $

L'écart type autour de l'espérance de la valeur actuelle nette sera fonction de la variance qui est égale à :

$$\sigma^2\left[E(VAN)\right] = \sum_{i=1}^{n} \left[VAN_i - E(VAN)\right]^2 \times p_i$$

$[1\,006 - E(VAN)]^2 \times 0{,}05 = (1\,006 - 3\,362)^2 \times 0{,}05 = 277\,537$ \$

$[1\,006 - E(VAN)]^2 \times 0{,}05 = (1\,006 - 3\,362)^2 \times 0{,}05 = 277\,537$

$[\;\;149 - E(VAN)]^2 \times 0{,}075 = (\;149 - 3\,362)^2 \times 0{,}075 = 774\,253$

$[\;\;149 - E(VAN)]^2 \times 0{,}075 = (\;149 - 3\,362)^2 \times 0{,}075 = 774\,253$

$[4\,710 - E(VAN)]^2 \times 0{,}10 = (4\,710 - 3\,362)^2 \times 0{,}10 = 181\,710$

$[4\,710 - E(VAN)]^2 \times 0{,}10 = (4\,710 - 3\,362)^2 \times 0{,}10 = 181\,710$

$[5\,568 - E(VAN)]^2 \times 0{,}15 = (5\,568 - 3\,362)^2 \times 0{,}15 = 729\,965$

$[5\,568 - E(VAN)]^2 \times 0{,}15 = (5\,568 - 3\,362)^2 \times 0{,}15 = 729\,965$

$[2\,858 - E(VAN)]^2 \times 0{,}075 = (2\,858 - 3\,362)^2 \times 0{,}075 = 19\,051$

$[2\,858 - E(VAN)]^2 \times 0{,}075 = (2\,858 - 3\,362)^2 \times 0{,}075 = 19\,051$

$[2\,001 - E(VAN)]^2 \times 0{,}05 = (2\,001 - 3\,362)^2 \times 0{,}05 = 92\,616$

$[2\,001 - E(VAN)]^2 \times 0{,}05 = (2\,001 - 3\,362)^2 \times 0{,}05 = 92\,616$

$\sigma^2_{E(VAN)]} = 4\,150\,264$ \$

D'où

$$\sigma = \sqrt{4\,150\,264\,\$} \\ = 2\,037\,\$$$

EXEMPLE 4

Le modèle de Frederic S. Hillier

Les deux contextes d'indépendance et de corrélation parfaite sont retenus de façon simultanée par Hillier. Certains flux monétaires du projet d'investissement sont marqués par l'indépendance totale, tandis que d'autres sont parfaitement liés dans le temps. Un exemple de Hillier permet d'illustrer ce modèle. Une entreprise envisage de lancer sur le marché un nouveau produit, source de rentrées nettes pendant une période de cinq ans. Une incertitude plane quant à la réception que réserveront les consommateurs à ce produit. Les services de l'entreprise spécialisés en études de marché croient que si l'accueil du public est favorable durant la période initiale d'un an ou deux, il en sera de même, et dans les mêmes proportions, pour les années suivantes. On considère que les résultats nets des ventes, c'est-à-dire les ventes diminuées des dépenses de mise en marché et de publicité, sont étroitement liés dans le temps. La direction de l'entreprise retient en outre l'hypothèse que les dépenses engendrées par la fabrication de ce produit sont approximativement certaines, c'est-à-dire que le risque calculé par l'écart type est presque nul et que toute variation par rapport aux prévisions de dépenses est attribuable à des fluctuations aléatoires et sans influence sur les coûts des périodes successives. C'est le cas de l'indépendance totale. Le montant de l'investissement initial est aussi considéré comme un coût sûr et égal à 50 000 $.

Hillier fournit, dans le tableau 9.1, les données concernant les probabilités relatives au lancement du nouveau produit. Les distributions de probabilités de dépenses de production et de rentrées nettes de fonds (ou revenus nets après les dépenses de publicité et de mise en marché) sont normales. Le taux d'actualisation est égal à 10 %.

Tableau 9.1

Données du modèle de Hillier

Année	Valeur espérée des flux monétaires sortants (en milliers de dollars)	Valeur espérée des flux monétaires intrants (rentrées nettes de fonds dues aux ventes, en milliers de dollars)	Écart type (en milliers de dollars)
0	Investissement : 600		50
1	Dépense de production : 250		20
2	Dépense de production : 200		10
3	Dépense de production : 200		10
4	Dépense de production : 200		10
5	Dépense de production : 100		$10\sqrt{10}$
1		300 $	50
2		600	100
3		500	100
4		400	100
5		300	100

Source : F.S. Hillier (1966). « The Derivation of Probabilistic Information », dans F.S. Hillier, *Foundations for Financial Management*, Homewood (Illinois), Van Horne, Irwin, p. 310-326.

L'espérance mathématique de la valeur actuelle nette du nouveau projet à un taux de 10 % sera de :

$$E(VAN) = \sum_{t=1}^{n} \frac{FM_t}{(1+i)^t} - C_0$$

$$= -600\,\$ + \frac{300\,\$ - 250\,\$}{1,10} + \frac{600\,\$ - 200\,\$}{(1,10)^2} + \frac{500\,\$ - 200\,\$}{(1,10)^3}$$

$$+ \frac{400\,\$ - 200\,\$}{(1,10)^4} + \frac{300\,\$ - 100\,\$}{(1,10)^5}$$

$$= 262,20\,\$$$

Le risque mesuré par l'écart type de la valeur actuelle nette du projet nécessite un calcul un peu plus long, mais guère plus difficile que ceux effectués dans les cas de l'indépendance et de la corrélation parfaite prises séparément. La formule de l'écart type s'obtient de la façon suivante :

$$\sigma_{E(VAN)} = \sqrt{\sum_{t=0}^{n} \frac{\sigma_{yt}^2}{(1+i)^{2t}} + \sum_{k=1}^{m} (\sum_{t=0}^{n} \frac{\sigma_t^{(k)}}{(1+i)^t}} \qquad (9.8)$$

Il s'agit de tenir compte de deux séries de flux monétaires : l'une est constituée de flux monétaires indépendants alors que l'autre est composée de flux étroitement liés ou corrélés dans le temps.

Notons que :

σ_{yt}^2 = variance d'un flux monétaire indépendant au cours de la période t ;

$\sigma_t^{(k)}$ = écart type d'un flux monétaire en corrélation parfaite durant la période t ; une seule série de flux monétaires se distingue par la corrélation parfaite dans notre exemple, à savoir les rentrées nettes des ventes, d'où $k = 1$; k serait égal à 3 si les flux monétaires parfaitement corrélés étaient en nombre de 3.

Ainsi, en utilisant les données du tableau 9.1 :

$$\sigma_{E(VAN)} = \sqrt{\left[(50)^2 + \frac{(20)^2}{(1,10)^2} + \frac{(10)^2}{(1,10)^4} + \ldots + \frac{(10\sqrt{10})^2}{(1,10)^{10}} + \left(\frac{50}{1,10} + \frac{100}{(1,10)^2} + \ldots + \frac{100}{(1,10)^5}\right)^2\right]}$$

$$= 339\,\$$$

La direction de l'entreprise dispose ainsi de précieux renseignements sur la distribution de probabilités des valeurs actuelles nettes du projet, à savoir l'espérance mathématique de la VAN d'un montant de 262 000 $ et l'écart type autour d'elle d'un montant de 339 000 $. La direction peut alors déterminer la probabilité que la VAN soit inférieure à zéro et la comparer au seuil de risque qu'elle tolère. La direction peut aussi établir la probabilité que la VAN soit supérieure ou inférieure à un montant donné et décider de l'adoption ou du rejet du projet, en fonction de ses préférences pour le risque.

9.3. L'ANALYSE DE SENSIBILITÉ

L'analyse de sensibilité a pour objet d'établir dans quelle mesure une variable peut se caractériser par des fluctuations ou des inexactitudes tolérables pour le décideur, c'est-à-dire par des variations n'influant pas sur la décision d'investissement de l'entreprise. La durée de vie d'un projet, ses flux monétaires, sa valeur résiduelle, les coûts fixes ainsi que d'autres variables ont un profil ou un comportement donné qui servent à déterminer la valeur actuelle nette du projet. Par la suite, chacune des variables considérées, les flux monétaires par exemple, est modifiée, tandis que les autres restent inchangées ou constantes et la valeur actuelle nette est à nouveau calculée selon la méthode habituelle. Si cette dernière subit des variations majeures à la suite des modifications de la variable considérée, en l'occurrence les flux monétaires, le gestionnaire peut déduire qu'un approfondissement de l'analyse de cette variable sensible et de ses effets s'impose afin de mieux comprendre le risque qu'elle comporte et d'améliorer sa connaissance ou son intuition de l'ampleur du risque auquel le projet est exposé.

Supposons qu'un nouveau projet d'une durée de trois ans se distingue par les données suivantes :

- le coût de l'investissement = 90 000 $;
- les bénéfices annuels d'exploitation avant amortissement (BE) = 60 000 $;
- le taux d'impôt sur les bénéfices = 40 % ;
- la linéarité de l'amortissement ;
- le coût du capital = 10 % ;
- la valeur résiduelle nulle.

Chapitre 10. pas de problème.

La valeur actuelle nette du projet est de :

$$\begin{aligned}
\text{VAN} &= -C_0\left[\text{BE}(1-\text{T})+\left(\frac{C_0}{3}\right)(\text{T})\right]\times a_{3,0,10}\\
&= -90\,000+\left[60\,000\,\$(1-0,4)+\left(\frac{90\,000\,\$}{3}\right)(0,4)\right]\times a_{3,0,10}\\
&= -90\,000\,\$ + 48\,000\,\$ \times 2,487\\
&= -90\,000\,\$ + 119\,376\,\$\\
&= 29\,376\,\$
\end{aligned}$$

L'analyse de sensibilité consiste à modifier les valeurs d'une variable et à calculer ses effets sur la valeur actuelle nette. En d'autres termes, il s'agit d'établir combien la valeur actuelle nette est sensible aux modifications de cette variable, exprimées en pourcentages de variation ou en montants. Considérons que le coût de l'investissement est incertain et qu'il varie de 8 % autour de 90 000 $ et ensuite, de façon séparée, que le bénéfice d'exploitation varie de 8 %, et déterminons dans chaque cas, les autres variables restant constantes, les conséquences sur la valeur actuelle nette.

La valeur actuelle nette se chiffre respectivement à 24 564 $ ou à 34 188 $ à la suite d'un accroissement ou d'une diminution de 8 % du coût de l'investissement, et à 36 539 $ ou 22 213 $ lorsque le bénéfice d'exploitation s'accroît ou diminue de 8 %. Elle est représentée graphiquement en fonction des variables Coût de l'investissement et Bénéfice d'exploitation sur la figure 9.4. La pente de la droite indique le degré de sensibilité de la valeur actuelle nette aux modifications de la variable considérée. La valeur actuelle nette du projet est d'autant plus sensible à une modification de la variable considérée (une variable à la fois est modifiée) que la pente de la droite représentative est raide ; les résultats du projet sont donc d'autant plus risqués. La variation du bénéfice d'exploitation exerce, selon la figure 9.4, des effets plus importants sur la valeur actuelle nette. La VAN varie de ±24,38 % lorsque le bénéfice d'exploitation varie de ±8 %, tandis qu'elle varie de seulement ±16,38 % pour une variation de ±8 % du montant investi.

L'analyse de sensibilité présente l'avantage de faire ressortir les variables par rapport auxquelles le taux de rendement ou la VAN d'un projet est le plus sensible, c'est-à-dire que l'importance relative de chaque variable clé sur la rentabilité de l'investissement se trouve établie. Le gestionnaire est ainsi informé des variables dont l'influence est déterminante sur la performance du projet ; il devra leur accorder une attention particulière en effectuant une analyse détaillée et en exerçant une vérification et un contrôle permanents sur leur évolution et leurs effets quant à la rentabilité du projet.

Figure 9.4

Analyse de sensibilité de 8 % de variation du coût de l'investissement et du bénéfice d'exploitation

A – Coût de l'investissement

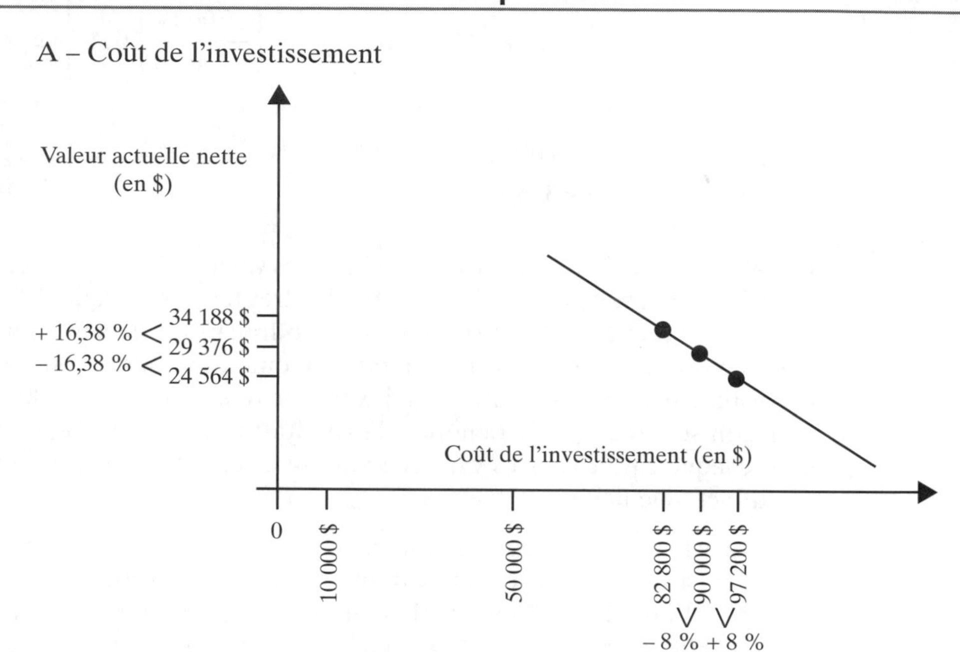

B – Bénéfice d'exploitation

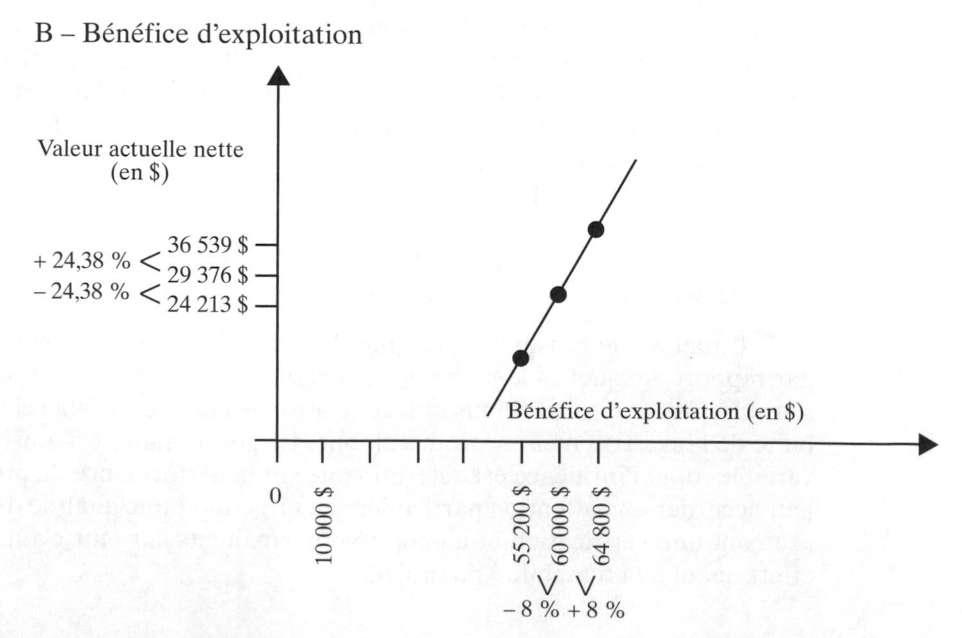

RÉSUMÉ

La décision d'investir est un acte qui engage l'avenir ; elle est marquée par le risque et l'incertitude. L'investisseur peut traiter le risque de différentes façons et l'incorporer dans la décision d'investir en utilisant des taux d'actualisation plus élevés lorsque les projets sont plus risqués ; une prime de risque est alors ajoutée au coût du capital de l'entreprise pour effectuer les calculs de rentabilité. La valeur actuelle nette est ensuite calculée selon la méthode habituelle.

Le gestionnaire peut aussi introduire le risque dans la série des flux monétaires projetés affectés d'un coefficient d'équivalent certain qui diminue avec le temps et les réduit d'autant. Les flux monétaires traités pour tenir compte du risque sont actualisés au taux sans risque.

Les paramètres statistiques d'espérance mathématique et d'écart type d'une distribution de probabilités sont largement utilisés pour améliorer le processus décisionnel. L'utilisation des probabilités dans la décision d'investir permet au gestionnaire de tenir compte de sa tolérance au risque. Quelques explications illustrent l'orientation moderne du traitement du risque par les probabilités.

L'analyse de sensibilité est au nombre des méthodes de traitement du risque ; elle mesure l'effet d'une variable sur le rendement d'un projet, les autres facteurs étant considérés constants. L'avantage de cette analyse est qu'elle identifie les variables les plus susceptibles de modifier la VAN ou le taux de rendement d'un projet afin d'éclairer et de guider le gestionnaire dans sa décision d'investir.

PROBLÈMES

1. LA SOCIÉTÉ ARBATOS

Cette société envisage d'acquérir une nouvelle machine dont la durée de vie est de cinq ans et le prix de 250 000 $. Les flux monétaires nets ainsi que les coefficients d'équivalence de certitude correspondants sont les suivants :

Année	Flux monétaires après impôts	Coefficient d'équivalence de certitude
1	80 000 $	0,9
2	80 000	0,8
3	80 000	0,6
4	80 000	0,5
5	80 000	0,5

■ **On demande :**

a) de calculer la valeur actuelle nette de ce projet et de déterminer si le projet doit être accepté, dans le cas où le taux de rendement des bons du Trésor est de 8 % ;

b) de déterminer si le projet serait acceptable dans le cas où la société utiliserait la méthode du taux d'actualisation ajusté en fonction du risque et si l'ajustement nécessaire du taux d'escompte était de 4 % au-dessus du taux sans risque ;

c) de comparer les deux méthodes précédentes et de déterminer laquelle est supérieure en expliquant pourquoi.

■ **Solutions suggérées :**

a) La valeur actuelle nette du projet Arbatos est :

$$\text{VAN} = -250\,000 + \frac{80\,000 \times 0{,}9}{1{,}08} + \frac{80\,000 \times 0{,}8}{(1{,}08)^2} + \frac{80\,000 \times 0{,}6}{(1{,}08)^3} + \frac{80\,000 \times 0{,}5}{(1{,}08)^4} + \frac{80\,000 \times 0{,}5}{(1{,}08)^5}$$

$$= -250\,000 + 66\,666{,}67 + 54\,869{,}68 + 38\,104{,}95 + 29\,401{,}17 + 27\,223{,}29$$

$$\text{VAN} = -250\,000 + 216\,265{,}81 = (33\,734{,}19\ \$)$$

Le projet est rejeté selon la méthode de l'équivalence de certitude.

b) Le taux d'actualisation ajusté est de 8 % + 4 % = 12 %.

La valeur actuelle nette calculée selon cette méthode tient compte du risque en dénominateur du rapport qui calcule la valeur actuelle des flux monétaires et non plus au numérateur.

$$\text{VAN} = -250\,000 + 80\,000\left[\frac{1-(1+0{,}12)^{-5}}{0{,}12}\right]$$

$$= -250\,000 + 80\,000 \times 3{,}604\,77 = -250\,000 + 288\,382$$

$$\text{VAN} = 38\,382\$$$

Le projet Arbatos est accepté selon la méthode du taux ajusté au risque.

c) La méthode de l'équivalence de certitude tient compte du risque propre à chaque période en tant que telle. De ce fait, elle serait plus précise et plus réaliste, d'autant qu'elle tient compte des préférences et de l'attitude du décideur face au risque.

La méthode du taux ajusté au risque permet de considérer un risque croissant (puisque le taux d'augmentation est constant d'une période à l'autre), ce qui n'est habituellement pas le cas dans la réalité.

Notons qu'il est plus difficile d'établir les coefficients d'équivalence de certitude puisqu'il faut déterminer des préférences personnelles envers le risque. D'où cette méthode, qui est théoriquement supérieure à celle du taux ajusté, est d'application plus laborieuse et plus délicate.

Remarquons que le taux ajusté peut aussi être calculé et adapté au risque propre de chaque période de la vie d'un projet d'investissement plutôt que de rester constant.

2. LA SOCIÉTÉ ATLAS INC.

La société Atlas étudie actuellement la possibilité d'investir dans un projet dont les rentrées de fonds nettes sont établies selon les distributions normales de probabilités suivantes :

Année 1		Année 2	
Rentrée de fonds	**Probabilités**	**Rentrée de fonds**	**Probabilités**
1 200 $	0,4	1 500 $	0,2
1 400	0,3	1 800	0,6
1 600	0,4	2 100	0,2

L'investissement initial est de 2 700 $ et le taux de rendement exempt de risque est de 10 % ; les rentrées de fonds nettes de la deuxième année sont totalement indépendantes de celles de la première année. Dans le cadre de ce premier problème sur le risque intégrant des distributions de probabilités, on ne tient pas compte des dispositions fiscales de la loi.

▪ On demande :

a) de déterminer la valeur actuelle nette espérée de ce projet ;

b) de calculer l'écart type de la distribution de la VAN ;

c) de calculer la probabilité que la VAN soit supérieure à zéro, d'une part, et comprise entre 500 $ et 1 200 $ d'autre part ;

d) de déterminer la probabilité que l'indice de rentabilité de ce projet soit supérieure à 1,1, en considérant toujours une distribution normale et le cas de l'indépendance entre les rentrées d'argent.

▪ Solutions suggérées :

a) Le calcul de la valeur actuelle nette espérée [E(VAN)] du nouveau projet de la compagnie Atlas suppose la connaissance préalable des espérances d'entrées de fonds nettes (E(FN)) de chacune des deux périodes de sa vie.

$$E(FN_1) = 1\,200 \times 0{,}4 + 1\,400 \times 0{,}3 + 1\,600 \times 0{,}4 = 480 + 420 + 640 = 1\,540\,\$$$

$$E(FN_2) = 1\,500 \times 0{,}2 + 1\,800 \times 0{,}6 + 2\,100 \times 0{,}2 = 300 + 1\,080 + 420 = 1\,800\,\$$$

$$E_{(VAN)} = -2\,700 + \frac{1\,540}{1{,}10} + \frac{1\,800}{(1{,}10)^2}$$

$$= -2\,700 + 1\,400 + 1\,487{,}60 = -2\,700 + 2\,887{,}60$$

$$= +187{,}60$$

b) Le calcul de l'écart type autour de l'espérance de la valeur actuelle nette [E(VAN)] exige la détermination préalable des écarts types des espérances d'entrées de fonds nettes annuelles :

$$\sigma = \left[(1\,200 - 1\,540)^2 \times 0{,}4 + (1\,400 - 1\,540)^2 \times 0{,}3 + (1\,600 - 1\,540)^2 \times 0{,}4\right]^{1/2}$$

$$= (115\,600 \times 0{,}4 + 19\,600 \times 0{,}3 + 3\,600 \times 0{,}4)^{1/2}$$

$$= (46\,240 + 5\,880 + 1\,440)^{1/2} = (53\,560\,\$)^{1/2}$$

$$= \underline{231{,}43\,\$}$$

$$\sigma^2 = \left[(1\,500 - 1\,800)^2 \times 0{,}2 + (1\,800 - 1\,800)^2 \times 0{,}6 + (2\,100 - 1\,800)^2 \times 0{,}2\right]$$

$$= (90\,000 \times 0{,}2 + 0 + 90\,000 \times 0{,}2)^{1/2}$$

$$= (18\,000 + 0 + 18\,000)^{1/2} = (36\,000)^{1/2}$$

$$\sigma^2 = 189{,}74\$$$

Nous pourrons maintenant calculer l'écart type autour de l'E(VAN) du projet en tenant compte du fait que les entrées de fonds nettes sont indépendantes dans le temps.

$$E(VAN) = \left(\sum_{t=1}^{2} \frac{\sigma_t^{\,2}}{(1 + i_s)^{t \times 2}}\right)^{1/2}$$

$$E(VAN) = \left(\frac{(231{,}43)^2}{(1 + 0{,}10)^{1 \times 2}} + \frac{(189{,}74)^2}{(1 + 0{,}10)^{2 \times 2}}\right)^{1/2}$$

$$= \left(\frac{53\,559{,}84}{1{,}21} + \frac{36\,001{,}27}{1{,}464\,1}\right)^{1/2}$$

$$= (44\,264{,}33\,\$ + 24\,589{,}35)^{1/2}$$

$$= (68\,853{,}68\,\$)^{1/2}$$

$$= 262{,}40\,\$$$

c) Il faut calculer la différence avec la moyenne en terme d'écart type pour établir la probabilité que la VAN soit supérieure à un montant alloué $Z = \frac{X - \mu}{\sigma}$; dans le cas où il s'agit de déterminer la probabilité que la VAN soit supérieure à zéro, on aura :

$$Z = \frac{0 - 187,60}{262,40} = -0,715$$

La table A-5 an annexe de ce livre indique que la probabilité que la VAN soit supérieure à zéro se situe entre (1 - 0,239) et (1 - 0,236) soit (1 - 0,237 5, c'est-à-dire 0,76, ou 76,2 %.

Déterminons la probabilité que la VAN soit supérieure à 500 $ et ensuite à 1 200 $. La différence donnera la probabilité que la VAN soit située entre 500 $ et 1 200 $:

$$Z = \frac{500 - 187,60}{262,40} = 1,19$$

La table A-5 indique que la probabilité que la VAN soit supérieure à 500 $ est de 11,7 %.

$$Z = \frac{1\ 200 - 187,60}{262,40} = 3,86$$

La table A-5 indique que la probabilité que la VAN soit supérieure à 1 200 $ est nulle.

D'où : 11,7–0=11,7 % ; la probabilité que la VAN soit située entre 500 $ et 1 200 $ est de 11,7 %.

d) Un indice de rentabilité de 1,1 signifie que la valeur actuelle des rentrées de fonds est de (2 700 $) (1,1) = 2 970 $.

D'où la valeur actuelle nette est égale à 2 970 $ - 2 700 $ = 270 $

$$Z = \frac{270 - 187,60}{262,40} = 0,314$$

La probabilité que la VAN soit supérieure à 270 $ ou que le seuil de rentabilité soit supérieur à 1,1 est approximativement de : $\frac{0,378 + 0,375}{2} = 0,376\ 5$ ou 37,65 %.

3. LA SOCIÉTÉ BARTINEX INC.

L'entreprise Bartinex inc. se propose de lancer un nouveau produit qui nécessiterait un investissement initial de 15 000 $ au terme $t = 0$. On sait que le taux d'impôt sur ses bénéfices est de 50 %, que le taux d'amortissement de l'équipement est de 30 % et que le taux d'intérêt sur les bons du Trésor est de 8 %. La distribution des flux monétaires de ce projet est la même pour chacune des trois années de la vie du projet. Il s'agit de flux monétaires avant amortissement et après impôt :

Probabilités	Flux monétaires
0,2	6 000 $
0,6	8 000
0,2	10 000

▪ **On demande :**

a) de calculer l'espérance de la valeur actuelle nette de ce projet dans le cas où les flux monétaires sont indépendants dans le temps. Le calcul de l'amortissement est effectué de façon dégressive ;

b) de calculer l'écart type autour de cette espérance mathématique de valeur actuelle nette ;

c) de déterminer la pertinence d'adopter le projet si les administrateurs ne peuvent accepter plus de 30 % de probabilité qu'une espérance de la valeur actuelle nette soit plus petite ou égale à zéro ;

d) quelle est la probabilité que l'espérance mathématique de la valeur actuelle nette soit ≥ 10 000 $;

e) de déterminer la probabilité que 9 000 $ ≤ E(VAN) ≤ 15 000 $.

f) de calculer E(VAN) et $\sigma_{[E(VAN)]}$ lorsque les flux monétaires sont dépendants.

▪ **Solutions suggérées :**

a) Calcul de l'espérance des entrées de fonds donnée avant amortissement et après impôt pour chacune des trois années de la durée du projet (il s'agit d'une annuité de 3 ans) :

$$\begin{aligned} E(FN) &= (6\,000\,\$)(0,2) + (8\,000\,\$)(0,6) + (10\,000\,\$)(0,2) \\ &= 1\,200\,\$ + 4\,800\,\$ + 2\,000\,\$ \\ &= 8\,000\,\$ \end{aligned}$$

Nous pourrons maintenant calculer la valeur actuelle nette du projet dans le cas où les flux monétaires annuels sont indépendants les uns des autres :

$$E(VAN) = -15\,000 + 8\,000 \times \left[\frac{1-(1+0,08)^{-3}}{0,08}\right] - \frac{(15\,000)(0,30)(0,50)\left(1+\frac{0,08}{2}\right)}{(0,08+0,30)(1+0,08)}$$

$$= -15\,000 + (8\,000)(2,577) + \frac{2\,340}{0,410\,4}$$

$$= -15\,000 + 20\,616 + 5701,75$$

$$= -15\,000 + 26\,317,75$$

$$= 11\,317,75\,\$$$

b) Calculons, dans une première phase, l'écart type autour de l'espérance des entrées de fonds annuelles de 8 000 $:

$$\sigma = \left[(6\,000-8\,000)^2 \times 0,2 + (8\,000-8\,000)^2 \times 0,6 + (10\,000-8\,000)^2 \times 0,2\right]^{1/2}$$

$$\sigma = \left[(-2\,000)^2 \times 0,2 + 0 + (2\,000)^2 \times 0,2\right]^{1/2}$$

$$= (800\,000 + 800\,000)^{1/2} = 1\,264,91\,\$$$

L'écart type autour de l'espérance de la valeur actuelle nette du projet dans le cas d'indépendance des flux monétaires dans le temps se calcule comme suit :

$$\sigma_{E(VAN)} = \left(\sum_{t=1}^{3} \frac{\sigma t^2}{(1+i_s)^{t \times 2}}\right)^{1/2}$$

$$= \left[\frac{(1\,264,91)^2}{(1+0,08)^{1\times2}} + \frac{(1\,264,91)^2}{(1+0,08)^{2\times2}} + \frac{(1\,264,91)^2}{(1+0,08)^{3\times2}}\right]^{1/2}$$

$$= \left[\frac{1\,600\,000}{1,1664} + \frac{1\,600\,000}{1,36049} + \frac{1\,600\,000}{1,58687}\right]^{1/2}$$

$$= \left[(1\,371\,742,11 + 1\,176\,055,51 + 1\,008\,274,15)\right]^{1/2}$$

$$= (3\,556\,071,77)^{1/2}$$

$$= 1\,885,75\,\$$$

c) $Z = \frac{X - \mu}{\sigma} = \frac{0 - 11\,317,75}{1\,885,75} = -6$

La probabilité que la VAN soit inférieure à zéro est de 0. Le projet sera donc adopté :

d) $Z = \frac{10\,000 - 11\,317,75}{1\,885,75} = -0,698 \text{ soit } -0,7.$

1 - 0,242=0,758 ou 75,8 % de probabilité que la VAN soit égale ou supérieure à 10 000 $.

e) $Z = \frac{9\,000 - 11\,317,75}{1\,885,75} = -1,229 \text{ soit } -1,2.$

La probabilité que la VAN soit égale ou supérieure à 9 000 $ est de :

1–0,109 = 0,891 ou 89,1 %

$$Z = \frac{15\,000 - 11\,317,75}{1\,885,75} = 1,952$$

La probabilité que la VAN soit supérieure à 15 000 $ est de 0,026 ou 2,6 %. D'où la probabilité que la VAN soit située entre 9 000 $ et 15 000 $ est de : 89,1 - 2,6=86,5 %

f) L'espérance de la VAN est toujours la même quelle que soit la nature des relations entre les flux monétaires dans le temps. Elle reste donc égale à 11 317,75 $.

Par contre, l'écart type autour de l'espérance de VAN est différent selon le degré de dépendance des flux monétaires d'une période à l'autre de la vie du projet ; il est calculé de la façon suivante :

$$\sigma_{E(VAN)} = \sum_{t=1}^{n} \frac{\sigma t}{\left(1 + i_s\right)^t}$$

$$= \frac{1\,264,91}{1 + 0,08} + \frac{1\,264,91}{\left(1 + 0,08\right)^2} + \frac{1\,264,91}{\left(1 + 0,08\right)^3}$$

$$= 1\,171,21 + 1\,084,46 + 1\,004,13$$

$$= 3\,259,80\,\$$$

Notons que cet écart type de 3 259,80 $ correspond au cas de dépendance totale des flux monétaires dans le temps et qu'il est normal qu'il soit plus élevé que celui de la situation d'indépendance des flux monétaires moins risquée où il s'élevait à 1 885,75 $.

4. LA FIRME SOLIDAIRE INC.

La direction de l'entreprise Solidaire inc. étudie un projet dont l'investissement initial est de 35 000 $ et la durée de trois ans. Le taux de rendement des bons du Trésor est de 12 % et le taux d'amortissement fiscal maximal accordé par la loi est de 20 %, appliqué de façon dégressive. La valeur résiduelle de l'équipement est de 10 000 $ à la fin de la troisième année du projet. Une même distribution de probabilités des flux monétaires est retenue pour chacune des trois années de la vie du projet (les flux monétaires en question sont considérés avant amortissement et après impôts). Le taux d'impôt sur les bénéfices de la société est de 50 %. La distribution de probabilités des flux monétaires nets est la suivante :

Probabilités	Flux monétaires
0,2	6 000 $
0,6	8 000
0,2	10 000

- **On demande :**

a) de calculer l'espérance de la valeur actuelle nette du projet considéré ainsi que l'écart type de la distribution de probabilités des valeurs actuelles nettes dans le cas où les flux monétaires sont parfaitement corrélés dans le temps ;

b) de déterminer la probabilité que la valeur actuelle nette soit égale ou supérieure à 5 000 $, d'une part, et celle qu'elle soit située entre 3 000 $ et 6 000 $, d'autre part ;

c) de dire si le projet doit être accepté dans le cas où la tolérance de la direction à une valeur actuelle nette négative n'est pas plus élevée que 20 %.

- **Solutions suggérées :**

a) Calcul de l'espérance des flux monétaires annuels qui sont déjà avant amortissement et après impôt :

$$\begin{aligned} E(FM_1) = E(M_2) = E(FM_3) &= (6\,000)(0,2) + 8\,000(0,6) + 10\,000(0,2) \\ &= 1\,200\,\$ + 4\,800\,\$ + 2\,000\,\$ \\ &= 8\,000\,\$ \end{aligned}$$

Détermination de l'espérance de VAN du projet :

$$E_{(VAN)} = 8\,000 \times \left[\frac{1-(1+0,12)^{-3}}{0,12}\right] + \frac{35\,000 \times 0,20 \times 0,5\left(1+\dfrac{0,12}{2}\right)}{(0,12+0,20)(1+0,12)}$$

$$+\frac{10\,000}{(1+0,12)} - \frac{10\,000 \times 0,20 \times 0,50}{(0,12+0,20)(1+0,12)^{3}} - 35\,000$$

$$= 8\,000 \times 2,401\,8 + \frac{3\,710}{0,358\,4} + 8\,929,57 - \frac{1\,000}{0,449\,5} - 35\,000$$

$$= 19\,214,4 + 10\,351,56 + 8\,929,57 - 2\,224,69 - 35\,000$$

$$= 36\,269,84\,\$ - 35\,000\,\$$$

$$= 1\,269\,\$$$

Détermination de l'écart type autour de l'espérance de la VAN : il faut d'abord calculer l'écart type autour de l'espérance du flux monétaire annuel.

$$\sigma_1 = \left[(6\,000-8\,000)^2 \times 0,2 + (4\,800-8\,000)^2 \times 0,6 + (10\,000-8\,000)^2 \times 0,2\right]^{1/2}$$

$$= (800\,000 + 6\,144\,000 + 800\,000)^{1/2}$$

$$= 2\,782,80\,\$$$

Comme nous avons une même distribution de probabilité des flux monétaires pour chacune des trois périodes de la vie du projet, on a :

$$\sigma_1 = \sigma_2 = \sigma_3 = 2\,782,80\,\$$$

Le calcul de l'écart type de la distribution des valeurs actuelles nettes s'obtient de la façon suivante lorsque les flux monétaires sont parfaitement arrêtés dans le temps :

$$\sigma_{E_{(VAN)}} = 2\,782,80\left[\frac{1-(1+0,12)^{-3}}{0,12}\right] = (2\,782,80)(2,401\,8)$$

$$= 6\,683,82\,\$$$

On peut déjà présumer qu'avec une E(VAN) aussi faible comparativement à un écart type aussi élevé autour de cette E(VAN), les probabilités d'avoir une VAN positive sont faibles.

b) $Z = \dfrac{X-\mu}{\sigma} = \dfrac{5\,000 - 34\,459,44}{6\,683,82} = -4,40$

La probabilité que la valeur actuelle nette du projet soit supérieure à 5 000 $ est nulle.

$$Z = \frac{X - \mu}{\sigma} = \frac{3\,000 - 34\,459,44}{6\,683,82} = -4,70$$

et

$$Z = \frac{6\,000 - 34\,459,44}{6\,683,82} = -4,25$$

La probabilité que la valeur actuelle nette soit située entre 3 000 $ et 6 000 $ est nulle.

$$Z = \frac{X - \mu}{\sigma} = \frac{0 - 34\,459,44}{6\,683,82} = -5,15$$

c. Le projet doit être rejeté.

L'analyse du risque et le choix des investissements – II[1]

L'une des méthodes de traitement du risque étudiées au chapitre 9 consistait en une approche directe par l'utilisation et l'exploitation des paramètres d'espérance mathématique et d'écart type d'une distribution de probabilités. D'autres méthodes directes d'analyse et de prise en compte du risque des projets d'investissement peuvent être retenues, notamment les modèles de simulation et les arbres de décision.

Nous compléterons l'exposé et l'illustration des méthodes directes de détermination du risque d'un projet par l'explication des caractéristiques et de la signification de la théorie de l'utilité pour l'analyse du risque.

1. F. Rassi (1989). « L'analyse du risque et le choix des investissements II », dans R. Belzile, G. Mercier et F. Rassi. *Analyse et gestion financière*, Québec, Presses de l'Université du Québec, p. 687-708.

10.1. LES MODÈLES DE SIMULATION

Les modèles de simulation ont pour objet d'incorporer le risque dans la décision d'investir. Plusieurs facteurs déterminent la valeur actuelle nette d'un projet comme le prix de vente, les coûts et les prévisions de vente. Les ordinateurs nous permettent de simuler plusieurs résultats de VAN en utilisant un grand nombre de variables, et ce avec une grande rapidité et de façon économique. Des calculs complexes seraient longs, fastidieux et très coûteux sans une telle aide puisqu'une distribution de probabilités est modifiée par chaque variable pertinente et qu'il peut y en avoir une dizaine et même davantage. Tous ces calculs aboutissent à la détermination d'une distribution de probabilités de la VAN susceptible d'améliorer l'évaluation du risque du projet par le gestionnaire. David B. Hertz[2] a développé un modèle combinant les paramètres économiques de base qui influencent la détermination de la VAN d'un projet : il s'agit du modèle de simulation Monte-Carlo, qui utilise comme intrants des variables aléatoires. Nous pourrons constater la supériorité d'un modèle de simulation par ordinateur sur les méthodes de l'équivalence de certitude et du taux ajusté au risque. Ces deux méthodes, aussi utiles soient-elles, ne procurent qu'une seule estimation du taux de rendement d'un projet d'investissement et sont basées sur une seule variable aléatoire, en l'occurrence le flux monétaire net. Or il peut exister une multitude de variables aléatoires telles que la durée de vie du projet et le coût de l'énergie. La technique de simulation de Hertz[3] règle les difficultés techniques de la manipulation d'un grand nombre de variables aléatoires. Le but est d'évaluer les investissements risqués à partir d'une distribution de probabilités de valeurs actuelles nettes ou de taux de rendement interne. Les deux paramètres d'espérance mathématique et d'écart type de la distribution améliorent l'estimation du risque d'un projet. Les étapes suivantes caractérisent le modèle et l'analyse de Hertz.

- Étape 1 : La détermination des variables clés susceptibles d'être marquées par le risque.

  Elles sont traitées comme des variables indépendantes et peuvent être endogènes ou exogènes. Leur nombre peut varier selon les caractéristiques propres aux projets étudiés. Plus le nombre de variables étudiées est élevé, plus l'élaboration de la distribution de la valeur actuelle nette ou du taux de rendement interne du projet devient complexe.

---

2. David B. Hertz (1964). « Risk Analysis in Capital Investment », *Harvard Business Review*, janvier-février, p. 95-106.
3. David B. Hertz (1968). « Investment Policies that Pay Off », *Harvard Business Review*, janvier-février, p. 96-108.

- Étape 2 : L'estimation aussi précise que possible, effectuée par la direction de l'entreprise, des valeurs probables de neuf variables clés et l'élaboration d'une distribution de fréquences de réalisation de ces valeurs.

  La direction est alors en mesure de construire les distributions de probabilités respectives des variables étudiées. Les neuf variables clés considérées sont regroupées en trois grandes catégories :

  1) Les variables d'analyse du marché, dont la combinaison des quatre composantes suivantes fournit différentes valeurs de ventes espérées : la taille du marché, le prix de vente, le taux de croissance du marché et la part du marché.

     Les problèmes financiers nécessitent parfois l'élaboration d'un système d'équations multiples pour les résoudre. Certaines variables utilisées dans le modèle explicatif sont déterminées, à partir de ce modèle, par la solution simultanée des équations. Ce sont des variables endogènes calculées, ou provenant du système même, tandis que les variables exogènes sont situées à l'extérieur du système où elles sont données. Si l'on retenait l'hypothèse d'un modèle expliqué par une seule équation, une variable endogène pourrait être perçue comme la variable dépendante, tandis que la variable exogène pourrait être assimilée à la variable indépendante.

  2) Les variables de la détermination du coût de l'investissement et de la prise en compte de facteurs technologiques comprenant le risque et l'incertitude, telles que la valeur de l'investissement et la valeur résiduelle de l'investissement.

  3) Les variables des coûts fixes et des frais d'exploitation, qui regroupent des renseignements concernant la fonction de production de l'entreprise, c'est-à-dire les coûts fixes, les frais d'exploitation et la durée de vie de l'équipement.

  L'expérience et la formation de la direction, son aptitude à prévoir ainsi que son intuition contribuent à l'élaboration des probabilités d'occurrence des valeurs possibles de chaque variable. Comme on peut le constater, l'élément subjectif joue aussi un rôle, souvent prépondérant, dans la formulation des estimations des différentes possibilités de résultats.

  Une représentation graphique des valeurs possibles de chaque variable et ses probabilités d'occurrence est établie par Hertz. Il y aura donc neuf distributions de probabilités des valeurs correspondant aux variables retenues dans l'analyse de Hertz dont quatre, déjà mentionnées, concernant l'analyse du marché, deux relatives à l'investissement et trois se rattachant aux coûts fixes et aux frais d'exploitation. La figure 10.1 illustre la distribution des frais d'exploitation établie à partir des données estimées contenues dans le tableau 10.1.

- Étape 3: La détermination du taux de rendement interne espéré ou de la valeur actuelle nette espérée, obtenu par la combinaison au hasard des neuf variables ou facteurs considérés plus haut.

Un exemple du processus de simulation peut être élaboré à partir de la distribution de probabilités des frais d'exploitation du tableau 10.1. Supposons que nous utilisions une roulette ayant 100 nombres. Ce jeu, de même nature que celui de la roulette au casino, se caractérise par des nombres de 1 à 10 représentant 200 000$ de frais d'exploitation; les nombres de 11 à 30, des frais d'exploitation de 300 000$; les nombres de 31 à 60, des frais d'exploitation de 550 000$; et ainsi de suite jusqu'à 100. Supposons qu'après qu'on a fait tourner la roue, la boule tombe sur le nombre 34, indiquant que des frais d'exploitation de 550 000$ doivent être intégrés au calcul de la valeur actuelle nette ou à celui du taux de rendement interne. On procède de la même façon pour les huit autres variables, sauf que la simulation devient plus longue et plus complexe à exécuter avec un jeu de roulette. C'est donc l'ordinateur qui choisira désormais au hasard une valeur pour chaque variable. Le processus est répété des centaines ou des milliers de fois par une simulation de valeurs au hasard assurée par l'ordinateur pour chacune des neuf variables. Il en résulte un calcul de VAN ou de taux de rendement de l'investissement effectué et se rapportant aux valeurs simulées. À chaque combinaison (ou itération) de valeurs établies pour les neuf variables correspond le taux de rendement de l'investissement qui lui est associé. Lorsque le gestionnaire estime que le nombre de tirages effectués peut fournir des résultats significatifs de taux de rendement ou de VAN, il dresse un tableau de la distribution de fréquences (tableau 10.2) et représente graphiquement la courbe de distribution de probabilités des taux de rendement (figure 10.2). Le projet auquel correspondent les différents résultats possibles figurant dans le tableau 10.2 aura un taux de rendement supérieur à 15 % avec une probabilité de 70 % (44 + 21 + 5). Si le taux requis, c'est-à-dire le taux minimal exigé par l'entreprise, est de 15 %, il y a 70 chances sur 100 que le projet produise un résultat satisfaisant aux exigences minimales de rentabilité, et donc 70 % de chances que le taux de rendement interne soit supérieur au coût du capital de 15 %. En d'autres termes, le projet aurait 70 chances sur 100 d'avoir une valeur actuelle nette positive.

Tableau 10.1

Distribution de probabilités de la variable Frais d'exploitation

Frais d'exploitation	Probabilité
Moins de 200 000 $	0,10
De 200 000 à 300 000 $	0,20
De 300 000 à 550 000 $	0,30
De 550 000 à 600 000 $	0,20
De 600 000 à 700 000 $	0,15
De 700 000 à 800 000 $	0,05

Figure 10.1

Distribution de probabilités de la variable Frais d'exploitation

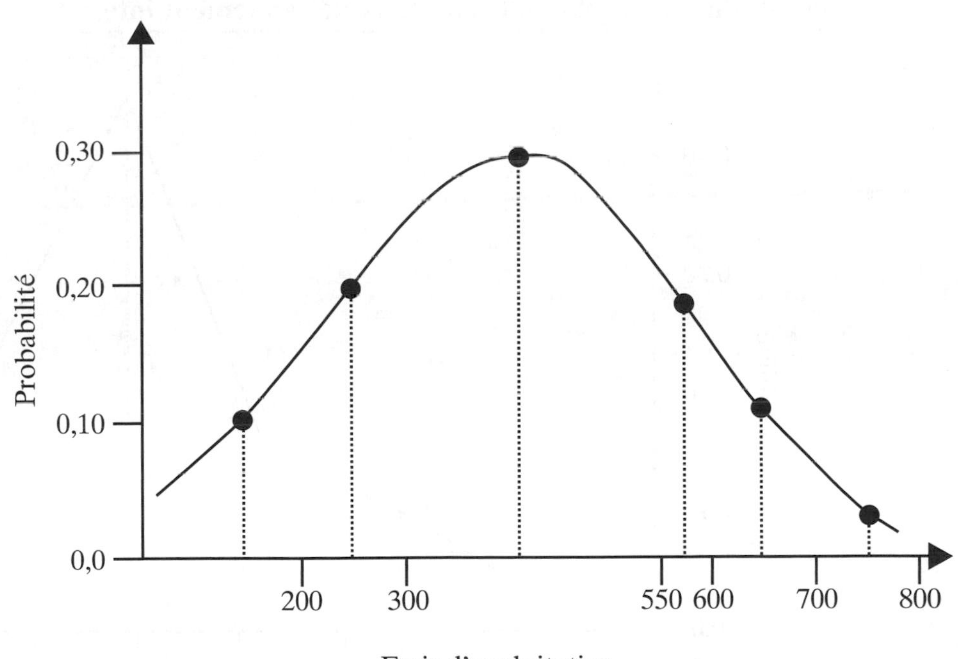

Tableau 10.2

Distribution de probabilités du taux de rendement interne

Probabilité	Taux de rendement interne
0,01	Moins de 20 %
0,05	De –20 % à –10 %
0,10	De –10 % à 0 %
0,14	De 0 % à 15 %
0,44	De 15 % à 30 %
0,21	De 30 % à 40 %
0,05	Plus de 40 %

Figure 10.2

Distribution de probabilités du taux de rendement interne

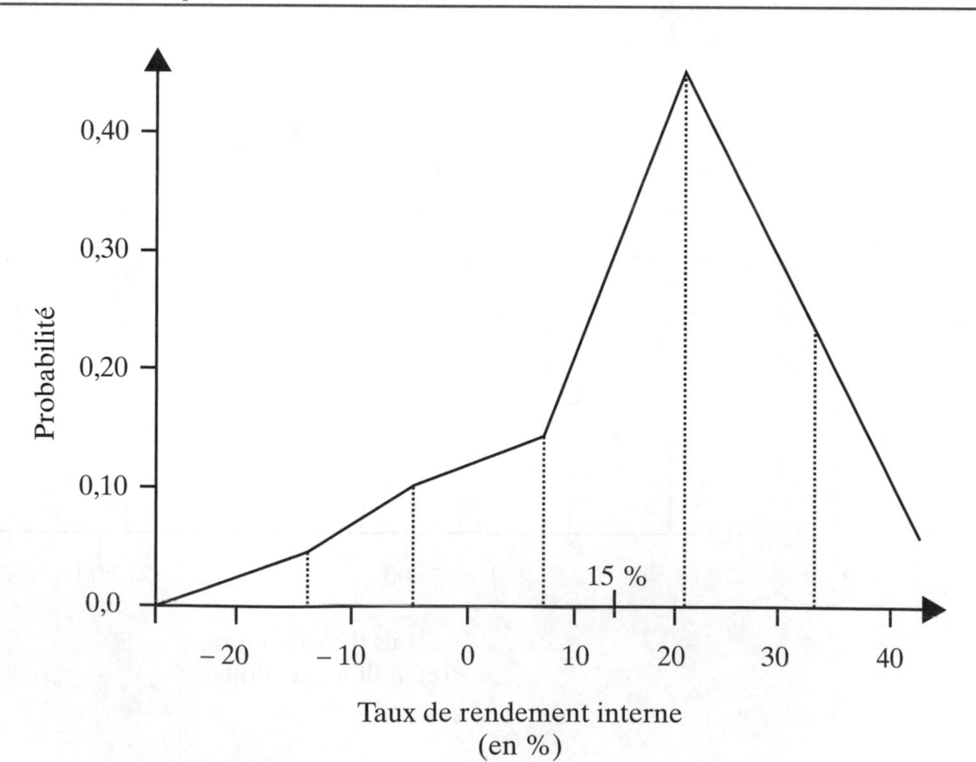

À partir de la distribution de probabilités du tableau 10.2, il devient possible de calculer l'espérance mathématique du taux de rendement interne ainsi que l'écart type de cette distribution. Le gestionnaire est alors en mesure d'établir avec précision la probabilité que le taux de rendement interne soit égal ou supérieur à un taux prédéterminé. Dans le chapitre 9, nous avons pu mesurer l'utilité que présente ce genre de calcul dans l'analyse du risque et dans la prise en considération du seuil de tolérance que le gestionnaire peut avoir face à un certain degré de risque. Les procédés de simulation constituent une approche directe d'un grand intérêt, car ils s'ajoutent aux différents traitements du risque d'un projet individuel ou unique déjà étudiés.

Les modèles de Hillier et de Hertz sont des modèles probabilistes; la méthode du premier comprend des techniques analytiques, tandis que celle du second intègre les procédures de la simulation. Les méthodes probabilistes sont supérieures aux méthodes de traitement du risque comme celle du taux d'escompte ajusté au risque, qui est cependant de nature et d'application plus simples et plus pratiques. La simulation est d'une grande utilité pour le gestionnaire qui obtient difficilement des résultats satisfaisants par les techniques analytiques.

Les figures 10.3 et 10.4 illustrent respectivement les distributions de probabilités des neuf variables clés établies par Hertz et les différentes étapes de la simulation d'une planification d'investissement. Le gestionnaire doit prendre certaines précautions lorsqu'il recourt aux procédés de simulation.

- Il existe parfois une interdépendance entre certaines des neuf variables considérées. Par exemple, la taille du marché en général et surtout la part du marché de l'entreprise en particulier exercent une certaine influence sur ses frais fixes par unité qui diminuent avec l'accroissement de la production. Ce type de relation de dépendance doit être intégré à la distribution de probabilités pour améliorer la fiabilité des résultats, même si la démarche et l'analyse du risque deviennent plus laborieuses et plus ardues. Hertz reconnaît la réalité de l'interdépendance entre les neuf variables, mais son modèle fonctionne comme si les liens d'interdépendance n'existaient pas.
- S'il est vrai que les procédés de simulation rendent le calcul très rapide et qu'ils simplifient et améliorent l'estimation du taux de rendement ou de la VAN, ils présentent cependant un inconvénient non négligeable. En effet, l'analyse de simulation ne permet pas de vérifier si la rentabilité du projet mesurée par l'espérance de sa VAN compense suffisamment son risque calculé par l'écart type ou par le coefficient de variation.

Figure 10.3

Distribution de probabilités des neuf variables clés

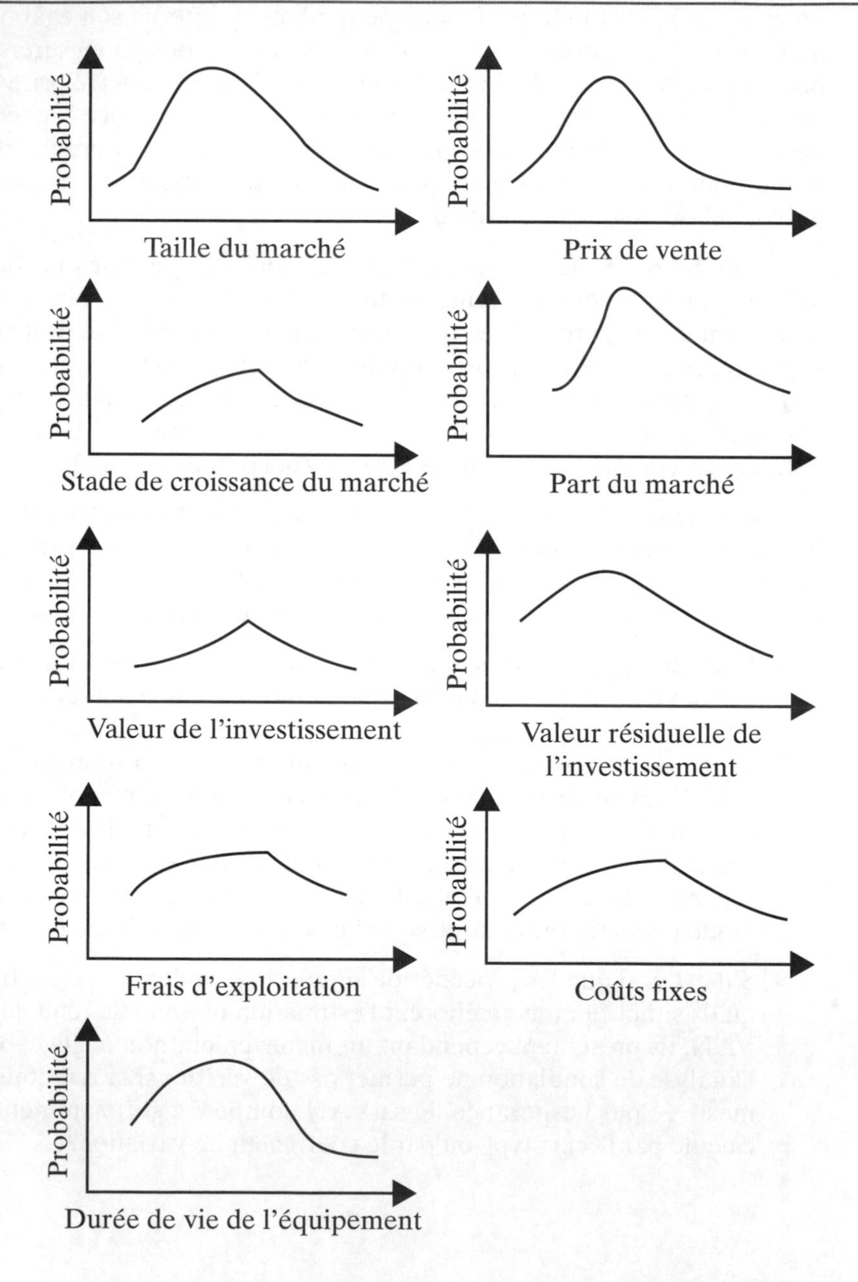

Source : David B. Hertz (1964). « Risk Analysis in Capital Investment », *Harvard Business Review*, janvier-février, p. 102.

Figure 10.4

Étapes détaillées de la simulation d'une planification d'investissement

1. Estimation des valeurs probables de chacune des neuf variables clés considérées.
2. Sélection au hasard d'une observation relative à chaque variable clé pour en former une combinaison donnée.
3. Détermination du taux de rentabilité interne (TRI) ou de la valeur actuelle nette (VAN) obtenue pour chaque combinaison.
4. Répétition de l'échantillonnage au hasard afin d'établir la dispersion des résultats ou le risque de l'investissement.
5. Représentation graphique de la distribution de probabilités du TRI ou de la VAN.

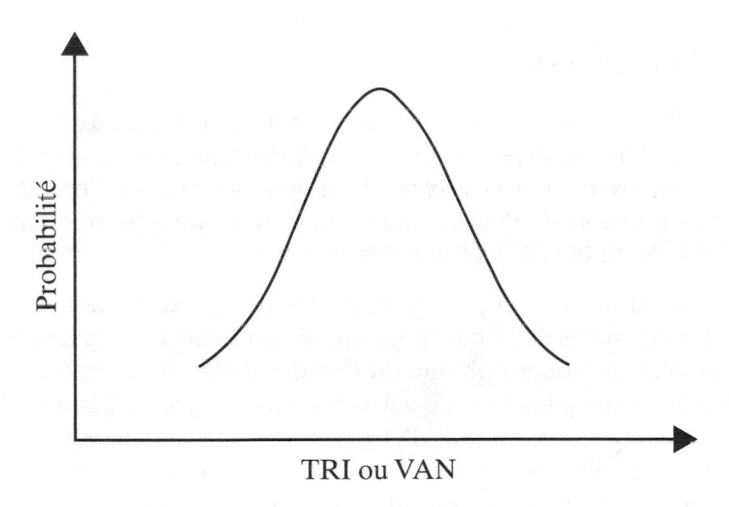

Source: David B. Hertz (1964), « Risk Analysis in Capital Investment », *Harvard Business Review,* janvier-février, p. 102

- La simulation permet d'affiner l'intuition du décideur ainsi que la connaissance et l'estimation des deux paramètres d'une distribution de probabilités que sont l'espérance mathématique et l'écart type. Elle ne peut cependant pas se substituer au jugement du gestionnaire qui s'étend à de multiples considérations comme celle de l'équilibre entre le risque et le rendement ou entre le risque et la VAN.
- La simulation s'applique aux projets de grande envergure en raison des coûts élevés et du temps requis par les ordinateurs ; avec les micro-ordinateurs, les coûts sont sensiblement réduits pour ce genre de calculs.

- Si l'analyse du risque propre à un seul projet est grandement améliorée par la simulation, il n'en demeure pas moins que le problème le plus important est celui de la détermination de l'impact marginal que le projet étudié peut avoir sur le risque global de l'entreprise. Établir de façon aussi précise que possible le risque individuel d'un projet par la simulation ne constitue qu'une étape, certes indispensable, au calcul des effets de la diversification d'un portefeuille. L'analyse du risque individuel d'un projet doit nécessairement être complétée par la détermination du risque additionnel que ce nouveau projet occasionne à l'ensemble de l'entreprise, avant que l'on prenne une décision finale quant à son adoption ou à son rejet. Ainsi, un projet peut se distinguer par des fluctuations de rendements élevés mais dont la corrélation est négative avec les rendements des autres projets de l'entreprise. Même si le risque propre du nouveau projet est élevé, il peut être favorable à l'entreprise, dont il pourra réduire le risque global.

10.2. L'ARBRE DE DÉCISION

Un projet d'investissement se présente parfois avec des choix séquentiels dans le temps. Les décisions arrêtées au cours d'une étape donnée dépendent de celles prises antérieurement et vice versa. L'analyse des projets d'investissement ne se limite plus à une seule décision liée à un seul et unique moment, mais s'étend plutôt à un ensemble de décisions successives.

L'évaluation des projets devient plus complexe lorsqu'à l'incertitude de l'avenir s'ajoutent des décisions de nature séquentielle. L'arbre de décision consiste en une représentation graphique du flux des différentes actions possibles et de probabilités conditionnelles d'occurrence aux différentes étapes d'un projet. Il illustre les actions susceptibles d'être déployées et aide le gestionnaire à mieux percevoir les différents aspects des possibilités qui se présentent, par étape, en quantifiant les résultats respectifs des différentes actions ou décisions envisagées. Un large éventail de résultats chiffrés accroît la connaissance et améliore l'intuition du gestionnaire quant à l'évolution d'un projet dans un contexte risqué.

La structure d'un arbre de décision se caractérise par plusieurs branches émanant d'un tronc initial. Un exemple permet d'illustrer comment la technique de l'arbre de décision facilite l'analyse des différentes actions ou mesures possibles. Supposons qu'une entreprise désire fabriquer un produit nouveau. L'incertitude caractérise la demande de ce produit. À des fins de simplification, cette demande est considérée élevée ou faible, avec pour conséquence la construction d'une grande ou d'une petite usine au temps $t = 0$. Ce n'est qu'au temps $t = 1$ qu'il sera possible de déterminer l'ampleur exacte de la demande : importante ou faible. Face à l'incertitude de la situation de la demande qui prévaudrait au temps $t = 1$, l'entreprise doit décider au temps $t = 0$ si l'usine doit être de grande ou de petite taille. L'établissement des probabilités futures de la demande contribue au choix de la dimension de l'usine en début d'activité.

Supposons que le coût initial de l'usine de grande dimension soit de 15 M$ au temps $t = 0$, tandis que celui de la petite usine s'élève à 10 M$. On retient, dans chaque cas, la probabilité que la demande soit élevée (0,7) ou faible (0,3) à la fin de la première période ainsi que des flux monétaires nets que l'on actualisera à un taux de 12 %. La figure 10.5 indique que si la grande usine était construite, les flux monétaires nets correspondant à une forte demande se chiffreraient à 5 M$ (soit 4,464 millions en valeur actualisée), tandis que dans le cas d'une demande faible, ils se limiteraient à 2 M$ (soit 1,786 million en valeur actualisée). Supposons, pour simplifier et pour accélérer les calculs, que la valeur actuelle des flux monétaires nets des périodes subséquentes à celle de la fin de la période 1 soit de 30 M$ dans le contexte d'une forte demande, et de 14 millions dans celui d'une faible demande si la grande usine est construite au temps $t = 0$. Dans le cadre de l'analyse du projet de construction d'une petite usine dès le début, c'est-à-dire au temps $t = 0$, il faut envisager, pour la fin de la première période, une décision d'agrandissement ou celle de son maintien dans ses proportions modestes initiales. Le niveau de la demande déterminera l'action à entreprendre.

Si la demande est élevée en première période, il faut tenir compte de l'éventualité d'un investissement C_1 additionnel requis au temps $t = 1$, que l'on supposera égal à 6 M$ et qui s'ajoutera à l'investissement initial de la petite usine de 10 millions. Nous supposons que dans le cas de la construction d'une petite usine à $t = 0$, la valeur des flux monétaires nets de la fin de la première période s'établirait à 3 millions (2,678 millions en valeur actuelle) si la demande est forte, et à 2 millions (1,786 million en valeur actuelle) si la demande est faible.

Dans le cas de l'agrandissement de l'usine au temps $t = 1$ et dans l'hypothèse d'une demande forte pour les périodes subséquentes à la première année, on suppose que la valeur actuelle des flux monétaires de toutes ces périodes s'élève à 30 M$. Dans le cas où on n'a pas procédé à l'agrandissement de l'usine et que la demande est forte, on considère que la valeur actuelle des flux monétaires des périodes postérieures à la première année s'élèverait à 18 M$.

Figure 10.5

Exemple d'un arbre de décision pour le choix entre une grande et une petite usine

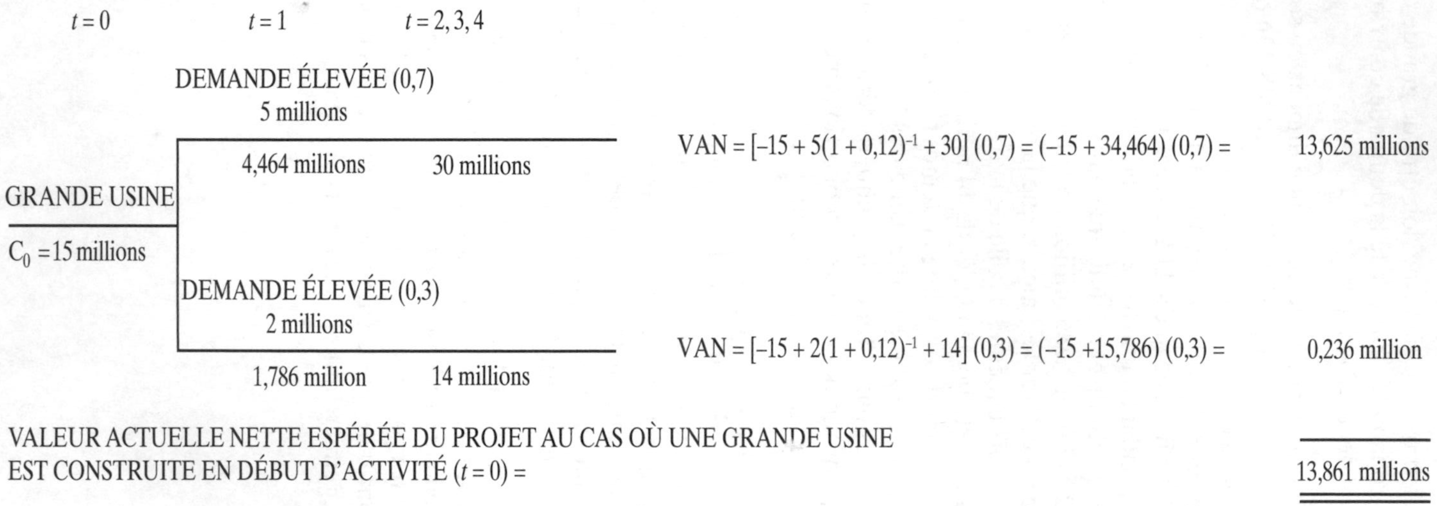

$t = 0$ $t = 1$ $t = 2, 3, 4$

GRANDE USINE

$C_0 = 15$ millions

DEMANDE ÉLEVÉE (0,7)
5 millions

4,464 millions 30 millions

VAN = $[-15 + 5(1 + 0{,}12)^{-1} + 30]$ (0,7) = (–15 + 34,464) (0,7) = 13,625 millions

DEMANDE ÉLEVÉE (0,3)
2 millions

1,786 million 14 millions

VAN = $[-15 + 2(1 + 0{,}12)^{-1} + 14]$ (0,3) = (–15 +15,786) (0,3) = 0,236 million

VALEUR ACTUELLE NETTE ESPÉRÉE DU PROJET AU CAS OÙ UNE GRANDE USINE EST CONSTRUITE EN DÉBUT D'ACTIVITÉ ($t = 0$) = 13,861 millions

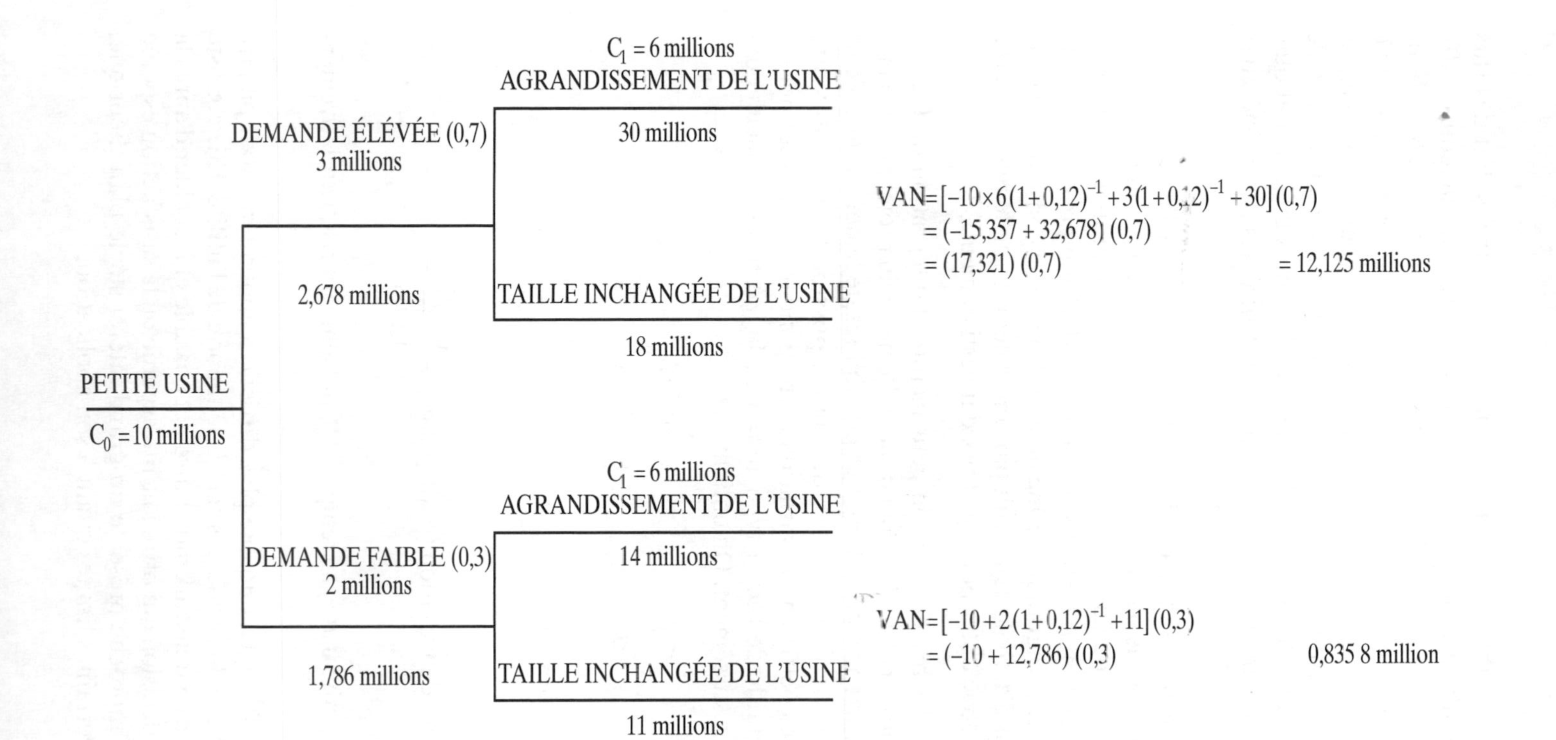
C1 = 6 millions
AGRANDISSEMENT DE L'USINE
30 millions
DEMANDE ÉLEVÉE (0,7)
3 millions
VAN=[−10×6(1+0,12)−1 +3(1+0,12)−1 +30](0,7)
= (−15,357 + 32,678) (0,7)
= (17,321) (0,7)
= 12,125 millions
2,678 millions
TAILLE INCHANGÉE DE L'USINE
18 millions
PETITE USINE
C0 =10 millions
C1 = 6 millions
AGRANDISSEMENT DE L'USINE
DEMANDE FAIBLE (0,3)
2 millions
14 millions
VAN=[−10+2(1+0,12)−1 +11](0,3)
= (−10 + 12,786) (0,3)
0,835 8 million
1,786 millions
TAILLE INCHANGÉE DE L'USINE
11 millions
VALEUR ACTUELLE NETTE ESPÉRÉE DU PROJET EN DÉBUT D'ACTIVITÉ (t = 0) ET EN SUPPOSANT LA MEILLEURE
ACTION POSSIBLE AU TEMPS t = 1
= 12,96 millions

Si la demande est faible en première période avec pour résultat des flux monétaires nets de 2 millions (soit 1,786 million en valeur actuelle au temps $t = 0$), il faut en outre retenir l'éventualité d'un investissement C_1 au coût de 6 millions au temps $t = 1$ pour agrandir la petite usine construite au temps $t = 0$ ainsi que celle de maintenir sa taille inchangée à ce moment-là. Supposons que dans le cas de l'agrandissement de l'usine à $t = 1$, on obtienne des flux monétaires nets de 14 millions, en valeur actuelle, pour les périodes subséquentes du projet et que, dans le cas où l'agrandissement de l'usine n'a pas été réalisé, les flux monétaires nets en valeur actuelle se chiffrent à 11 M$.

L'arbre de décision de la figure 10.5 indique une valeur actuelle nette espérée de 13,861 millions dans le cas où une grande usine est construite au temps $t = 0$. La valeur actuelle nette espérée du projet s'élèverait à 12,96 millions si la petite usine était construite au temps $t = 0$ et si la meilleure décision possible avait été arrêtée au temps $t = 1$ entre agrandir l'usine ou non. Comme la construction de la grande usine en début d'activité se traduit par une valeur actuelle nette espérée plus élevée, il faudra donc opter pour ce choix d'investissement.

La technique de l'arbre de décision peut faciliter l'intégration du facteur risque dans la méthode de calcul de la valeur actuelle nette du projet en associant des probabilités d'occurrence aux différentes possibilités de la demande. L'écart type de la valeur actuelle nette espérée de chaque possibilité peut alors être établi, de même que le coefficient de variation correspondant. Le lecteur pourra effectuer le calcul détaillé de l'écart type autour de la VAN pour chacune des deux possibilités d'investissement. On obtient :

$$\sigma_{(\text{VAN grande usine})} = 7{,}465 \text{ M\$}$$

$$\sigma_{(\text{VAN petite usine})} = 6{,}677 \text{ M\$}$$

$$\text{Coefficient de variation (grande usine)} = \frac{7{,}465}{13{,}861} = 0{,}539$$

$$\text{Coefficient de variation (petite usine)} = \frac{6{,}677}{12{,}96} = 0{,}513$$

La construction de la petite usine, au temps $t = 0$, présente un risque relativement moins élevé.

Une approche différente, quoique plus difficile à appliquer, aurait pu être utilisée pour tenir compte du risque : il s'agit de la théorie de l'utilité. Elle consiste à attribuer une utilité à chaque flux monétaire net possible et à décider d'après la branche de l'arbre de décision qui offre l'utilité espérée ou la satisfaction espérée la plus élevée. Cette approche présente un grand intérêt sur le plan théorique, mais elle souffre de certaines limites quant à son application.

L'analyse d'un projet d'investissement qui se distingue par une suite ou une séquence de décisions dans le temps est grandement facilitée par l'utilisation de la technique de l'arbre de décision. Plus la chaîne de décision est complexe, plus le recours à l'arbre de décision est utile et s'impose en conséquence, fournissant au gestionnaire un instrument d'analyse précieux et favorisant de meilleures décisions.

10.3. LA THÉORIE DE L'UTILITÉ ET LA DÉCISION D'INVESTIR

La majorité des agents économiques, que ce soit des individus ou des entreprises, ont une aversion pour le risque. Entre deux projets présentant le même rendement espéré, l'investisseur rationnel préférera le projet qui se distingue par le risque le plus faible, tandis que celui à qui le jeu de la roulette est familier, par exemple, choisira le projet à risque plus élevé.

Le critère du rendement espéré ne suffit pas en matière de choix de projet d'investissement. Le critère de l'utilité espérée est plus complet et plus satisfaisant, donc susceptible de remplacer avantageusement le critère du rendement espéré. Notons que le critère de l'utilité espérée utilise ou intègre les résultats ou rendements monétaires d'un projet. *La théorie de l'utilité présente l'avantage supplémentaire de traiter simultanément de la rentabilité et du risque d'un projet en tenant compte des préférences individuelles.* Elle permet également de comprendre la nature de l'attitude de la majorité des investisseurs face au risque, à savoir leur aversion au risque. Un exemple permet d'illustrer le concept d'utilité. Précisons que l'individu vise à maximiser son utilité espérée.

L'utilité est mesurée en valeur utile. Supposons qu'à deux valeurs monétaires représentant des résultats extrêmes de richesse tels que zéro dollar et 1 000 000$ correspondent respectivement les valeurs utiles de 0 et 1. Supposons l'existence d'un jeu de hasard ou d'une loterie quelconque offrant la possibilité d'y participer selon les modalités suivantes: 50 % des chances d'obtenir zéro dollar et 50 % des chances de recevoir 1 000 000$.

Si le droit de participation à un tel jeu dépendait de la seule décision de l'individu qui le fixerait à 400 000$, on attribuerait une valeur utile de 0,5 à 400 000$. En d'autres termes, l'individu précise de cette façon l'équivalent certain qui le rend indifférent entre la somme de 400 000$ et le jeu ou la loterie mentionnée.

Supposons que l'individu en question ait un autre choix, soit 35 % des chances d'obtenir 400 000$ et 65 % des chances de recevoir 1 000 000$. Si cet individu estimait son droit de participation à ce nouveau jeu à 600 000$, il deviendrait alors possible d'établir la valeur utile de ce montant de 600 000$:

$$U(600\,000\$) = (0{,}35)U(400\,000\$) + (0{,}65)U(1\,000\,000\$)$$
$$= (0{,}35)\,(0{,}5) + (0{,}65)\,(1)$$
$$= 0{,}825 \text{ valeur utile}$$

Supposons qu'un autre jeu soit présenté au même individu offrant une probabilité de 0,25 de recevoir la somme de zéro dollar et de 0,75 de recevoir 400 000$. Si l'individu accepte de régler pour 200 000$ son droit de participer à ce jeu, la valeur utile de ce montant s'élèvera à:

$$U(200\,000\$) = 0{,}25\;U(0) + 0{,}75\;U(400\,000\$)$$
$$= (0{,}25)\,(0) + (0{,}75)\,(0{,}5)$$
$$= 0{,}375 \text{ valeur utile}$$

La fonction d'utilité de la richesse de cet individu peut être définie et représentée graphiquement. Il s'agit de répéter des jeux de loterie de même nature un nombre assez élevé de fois pour obtenir suffisamment de données. La courbe d'utilité de l'individu est établie au moyen de ces données et chacun des points de cette courbe représente son utilité en fonction d'un niveau donné de richesse. La courbe illustre une utilité marginale décroissante (figure 10.6). L'individu retire dans ce cas une satisfaction moindre par dollar additionnel obtenu. En d'autres termes, l'utilité augmente à un taux décroissant lorsque la richesse de l'individu s'accroît, ce qui est compatible avec l'aversion au risque qui caractérise habituellement l'investisseur. *L'aversion au risque fait qu'un individu ne participera à un jeu donné que dans la mesure où le prix, ou droit d'entrée, est inférieur à la valeur espérée des résultats de ce jeu.* Cet individu optera pour un investissement dénué de risque plutôt qu'un investissement ayant un rendement espéré égal mais incertain. Nous savons que dans le cadre du jeu initial, la valeur espérée des résultats s'établissait à 500 000$, soit (0,5)(0) + (0,5)(1 000 000$). La somme de 400 000$ fixée par l'individu pour participer au jeu initial est bien inférieure à la valeur espérée de 500 000$ des résultats dudit jeu; une telle attitude traduit l'aversion au risque d'un investisseur.

L'individu est supposé rationnel, c'est-à-dire caractérisé par la cohérence dans ses préférences et dans ses choix et susceptible d'exprimer de façon correcte et précise son indifférence entre deux possibilités. Nous supposons par ailleurs sa fonction d'utilité comme elle apparaît dans la figure 10.6.

La construction de la fonction d'utilité détermine l'utilité espérée qu'un agent économique peut obtenir d'un investissement donné. La satisfaction espérée correspond à la somme des produits de la valeur utile de chaque résultat par sa probabilité d'occurrence.

Figure 10.6

Courbe d'utilité de la richesse d'un individu ayant une aversion pour le risque

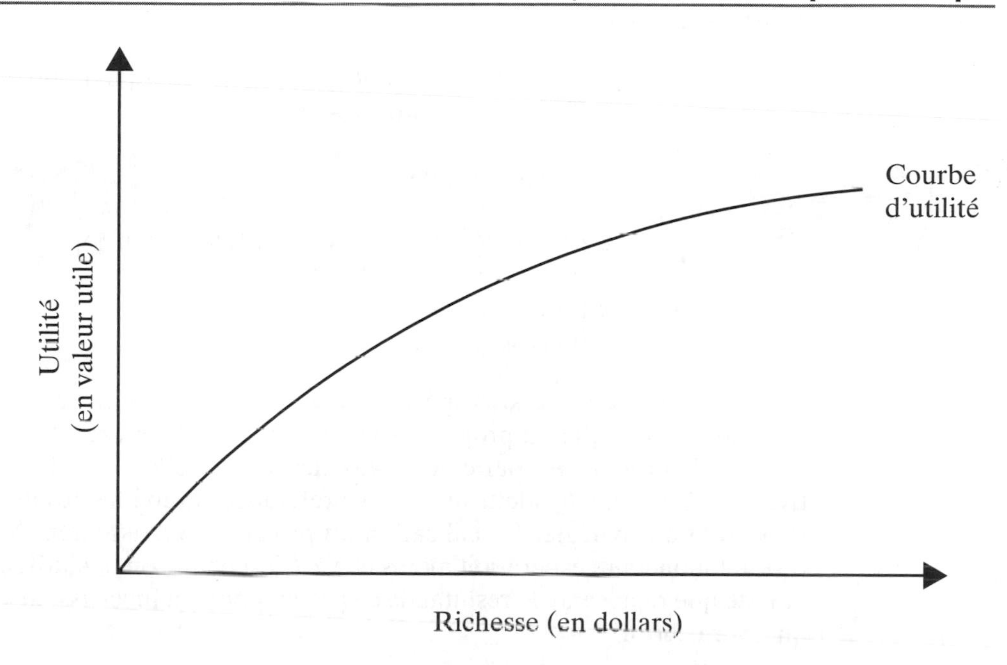

Supposons deux projets d'investissement X et Y dont les distributions de probabilités de flux monétaires sont les suivantes:

	Flux monétaires nets	Probabilité
Projet X	0 $	0,3
	400 000	0,2
	1 000 000	0,5
Projet Y	400 000 $	0,35
	600 000	0,65

L'espérance de résultat est de:

pour le projet X:

$$(0{,}3)(0) + (0{,}2)(400\,000\,\$) + (0{,}5)(1\,000\,000\,\$) = 580\,000\,\$$$

pour le projet Y:

$$(0{,}35)(400\,000\,\$) + (0{,}65)(600\,000\,\$) = 530\,000\,\$$$

L'investisseur a une aversion pour le risque et sa fonction d'utilité est établie en conséquence. Supposons en outre que sa fonction d'utilité est celle utilisée dans l'exemple précédent. Les projets X et Y auront, dans ces conditions, les utilités espérées suivantes :

$$\begin{aligned} U_X &= 0{,}3[U(0)] + (0{,}2)[U(400\,000\,\$)] + (0{,}5)[U(1\,000\,000\,\$)] \\ &= (0{,}3)(0) + (0{,}2)(0{,}5) + (0{,}5)(1) \\ &= 0{,}1 + 0{,}5 \\ &= 0{,}6 \text{ valeur utile} \end{aligned}$$

$$\begin{aligned} U_Y &= (0{,}35)[U(400\,000\,\$)] + (0{,}65)[U(600\,000\,\$)] \\ &= (0{,}35)(0{,}5) + (0{,}65)(0{,}825) \\ &= 0{,}175 + 0{,}536 \\ &= 0{,}711 \text{ valeur utile} \end{aligned}$$

On peut constater que si l'espérance des résultats monétaires du projet X est plus élevée que celle du projet Y, soit 580 000 $ par rapport à 530 000 $, l'utilité espérée du projet Y est par contre plus élevée que celle du projet X, soit respectivement 0,711 et 0,6 valeur utile. Les préférences individuelles de l'investisseur le portent à privilégier la réalisation du projet d'investissement Y quoique son résultat monétaire espéré soit moins élevé. C'est en raison de l'utilité espérée plus grande que représente le résultat de ce projet, pour cet investisseur en particulier, qu'il sera choisi.

Le critère de l'utilité espérée permet d'améliorer l'intuition du décideur en matière de choix de projets d'investissement en attribuant des pondérations différentes à chacun des résultats monétaires possibles. Notons la difficulté de déterminer la forme de la fonction d'utilité d'un investisseur et, par conséquent, celle de calculer les utilités espérées. Ce processus se complique davantage si l'on considère que le nombre d'actionnaires d'une société peut être élevé, chacun se distinguant par sa propre fonction d'utilité. Le concept d'utilité et ses règles d'application constituent cependant un excellent exercice intellectuel qui facilite la compréhension d'autres méthodes d'analyse et de choix des investissements et améliore l'intuition de l'investisseur ou du gestionnaire en matière de sélection de projets.

RÉSUMÉ

Les flux monétaires nets d'un projet risqué peuvent être illustrés par une distribution de probabilités définie et pouvant être utilisée à des fins d'analyse et d'interprétation lorsque sa moyenne, ou espérance mathématique, est calculée et son écart type, mesure du risque, déterminé.

L'analyse de simulation et l'interprétation d'un arbre de décision sont deux méthodes de prise en charge du risque. L'analyse de simulation vise à établir la distribution de probabilités des flux monétaires nets d'un investissement à partir de la distribution de probabilités des variables économiques qui les conditionnent. La méthode de l'arbre de décision établit, par une représentation graphique, les différentes possibilités ou options offertes par un investissement ainsi que les conséquences attendues de chacune d'elles, surtout dans le cas où le projet étudié se caractérise par des décisions de nature séquentielle. Ces deux méthodes permettent d'améliorer la qualité de l'information et de clarifier les caractéristiques propres aux projets soumis au choix de l'entreprise. Une meilleure perception des différences entre projets accroît l'intuition du gestionnaire quant à la sélection des investissements à retenir et lui permet d'améliorer son processus de prise de décision.

Si l'estimation des distributions de probabilités de taux de rendement interne ou de valeur actuelle nette de projet est de qualité supérieure, il n'en demeure pas moins que la simulation par ordinateur ou l'arbre de décision ne peuvent se substituer au jugement du gestionnaire. En effet, ces deux dernières méthodes, quoique très puissantes, ne suffisent pas à résoudre le problème du compromis nécessaire entre le risque et la rentabilité d'un investissement, c'est-à-dire, par exemple, le rendement supplémentaire exigé pour un risque additionnel à partir d'une position initiale d'équilibre.

La théorie de l'utilité enrichit la démarche de l'analyse et du choix des projets risqués en affectant des poids différents à des résultats monétaires différents. Même si la théorie de l'utilité se caractérise par des difficultés d'application, elle améliore l'intuition du gestionnaire et la qualité de sa décision.

PROBLÈMES

1. CASTOR INC.

L'entreprise Castor inc. se propose de construire une usine de fabrication de pneus d'automobiles, sachant que la décision d'investissement doit se faire en plusieurs étapes. Les dirigeants de l'entreprise font face à l'alternative suivante au temps $t = 0$: d'une part, construire une usine de grande dimension représentant un investissement de 8 M$; d'autre part, construire une usine de petite dimension exigeant 3 millions d'actifs immobilisés.

Les probabilités d'une demande de marché respectivement forte, moyenne et faible, sont établies à 0,4, 0,2, et 0,4, par une firme d'experts en analyse de marché et en études prévisionnelles pour les 10 prochaines années. Dans le cas où la grande usine serait construite, la valeur actuelle nette des flux monétaires nets pour la durée du projet s'élèverait à 20 M$ avec une probabilité de 0,4, à 12 M$ avec une probabilité de 0,2, et à 4 M$ avec une probabilité de 0,4.

Si l'option de la petite usine était retenue, la valeur actuelle nette des flux monétaires nets du projet se chiffrerait à 13 M$ avec une probabilité de 0,4, à 8 M$ avec une probabilité de 0,2 et à 4 M$ avec une probabilité de 0,4.

- **On demande :**

a) de calculer l'espérance mathématique de la valeur actuelle nette dans le cas de la construction de la grande usine et dans celui de la petite usine ;

b) de déterminer l'écart type et le coefficient de variation dans chacune des deux situations considérées ;

c) quel sera le choix de l'entreprise. Commenter.

- **Solutions suggérées :**

a) Détermination de la valeur actuelle nette par l'arbre de décision

Montant de l'inves-tissement (1)	**Condition de la demande (2)**	**Probabilité (3)**	**Valeur actuelle des flux monétaires nets (4)**	**Valeur actuelle espérée des flux monétaires nets (3) x (4)**
	Demande forte	(0,4)	20 000 000 $	8 000 000 $
Grande usine	Demande moyenne	(0,2)	12 000 000	2 400 000
C_0 = 8 millions				
	Demande faible	(0,4)	4 000 000	1 600 000
			Valeur actuelle des flux monétaires nets	12 000 000
			Coût de l'investissement	8 000 000
			Valeur actuelle nette espérée	4 000 000 $
	Demande forte	(0,4)	13 000 000 $	5 200 000 $

Montant de l'investissement (1)	Condition de la demande (2)	Probabilité (3)	Valeur actuelle des flux monétaires nets (4)	Valeur actuelle espérée des flux monétaires nets (3) x (4)
Petite usine	Demande moyenne	(0,2)	8 000 000	1 600 000
C_0 = 3 millions				
	Demande faible	(0,4)	4 000 000	1 600 000

Valeur actuelle des flux monétaires nets	8 400 000 $
Coût de l'investissement	3 000 000
Valeur actuelle nette espérée	5 400 000 $

L'arbre de décision indique que la valeur actuelle nette du projet serait plus élevée si l'entreprise construisait une petite usine au temps t = 0 plutôt qu'une grande, soit respectivement de 5 400 000 $ et 4 000 000 $.

b) Analyse du risque et du rendement de l'investissement

i. Construction d'une grande usine de 8 M$

VAN (1)	Probabilité (2)	(3) = (1) x (2)	VAN – E(VAN) (4)	[VAN – E(VAN)]²(5)	(6) – (2) x (5)
12 000 000 $*	0,4	4 800 000 $	8 000 000 $**	$6{,}4 \times 10^{13}$ $	$2{,}56 \times 10^{13}$ $
4 000 000	0,2	800 000	0	0	0
(4 000 000)	0,4	(1 600 000)	(8 000 000)	$6{,}4 \times 10^{13}$	$2{,}56 \times 10^{13}$
		E(VAN) = 4 000 000			σ^2 = $5{,}12 \times 10^{13}$

* La VAN de 12 000 000 $ est la différence entre la valeur actuelle des flux monétaires nets de 20 000 000 $ et l'investissement initial de 8 000 000 $.

** La colonne (4) représente l'écart à la moyenne en termes de VAN. Ainsi, lorsque la VAN est de 12 M$ (avec une probabilité de réalisation de 0,4) et que l'E(VAN) = 4 M$, on obtient: VAN – E(VAN) = 12 – 4 = 8 M$. Dans le cas où la VAN est de 4 M$ l'écart à la moyenne devient zéro (= 4 – 4 millions).

$$\sigma = \left(\sigma^2\right)^{1/2} = \left(5{,}12 \times 10^{13}\right)^{1/2} = 7\,155\,417{,}53\ \$$$

Le coefficient de variation = $CV = \dfrac{\sigma}{E(VAN)} = \dfrac{7\,155\,417{,}53\ \$}{4\,000\,000} = 1{,}788$

ii. Construction d'une grande usine de 3 M$

VAN (1)	Probabilité (2)	(3) = (1) x (2)	VAN – E(VAN) (4)	[VAN – E(VAN)]^2(5)	(6) = (2) x (5)
10 000 000 $*	0,4	4 000 000 $	4 600 000 $**	2 116 x 10^{10}	846,4 x 10^{10}
5 000 000	0,2	1 000 000	(400 000)	16 x 10^{10}	3,2 x 10^{10}
(1 000 000)	0,4	400 000	(6 400 000)	4 096 x 10^{10}	1 638,4 x 10^{10}
		E(VAN) = 5 400 000			σ^2 = 2,488 x 10^{13}

$$\sigma = \left(\sigma^2\right)^{1/2} = \left(2,488 \times 10^{13}\right)^{1/2} = 4\,987\,985,56\,\$$$

Le coefficient de variation = $CV = \dfrac{\sigma}{E(VAN)} = \dfrac{4\,987\,985,56\,\$}{5\,400\,000} = 0,923\,701$

Le coefficient de variation de la petite usine est de 0,924, c'est-à-dire inférieur à celui de la grande usine qui est de 1,788. Donc, le risque de la petite usine est plus faible.

c) Comme l'espérance de la valeur actuelle nette de la petite usine est supérieure à celle de la grande usine et que le risque de la petite usine est moindre, le projet de la petite usine est plus attrayant selon les deux paramètres considérés.

DÉCISIONS DE FINANCEMENT À LONG TERME

Droits de souscription, bons de souscription et titres convertibles

Les innovations financières des dernières décennies ont ajouté aux titres traditionnels de financement des sociétés des caractéristiques qui procurent plus de flexibilité à la société émettrice d'actions ordinaires, d'obligations ou d'actions privilégiées. Ce chapitre sera consacré aux options d'achat. Ces dernières peuvent accompagner l'émission des trois titres de financement mentionnés, et ce, pour deux objectifs différents : le premier consiste à protéger l'actionnaire ordinaire actuel contre la dilution du bénéfice par action et contre la diminution de son contrôle sur le capital de la société émettrice (il s'agit des droits de souscription attachés à une nouvelle émission d'actions ordinaires). Un deuxième objectif consiste, d'une part, à éviter à une société qui recherche un nouveau financement d'émettre des actions ordinaires quand le prix de l'action est temporairement déprimé et, d'autre part, à verser une rémunération plus faible sur le nouveau financement en obligations, en actions privilégiées ou en titres convertibles en contrepartie d'un espoir de gain en capital sur des actions ordinaires si les bons de souscription sont exercés ou si les titres convertibles sont transformés en actions ordinaires.

11.1. LES DROITS DE SOUSCRIPTION

11.1.1. Caractéristiques générales

Les droits de souscription ainsi que les bons de souscription sont des options d'achat. Ils présentent, cependant, une différence essentielle par rapport aux options d'achat habituellement négociées sur le marché indépendamment d'une société et sans conséquence ou influence sur son capital-actions. Les options d'achat comme les droits de souscription et les bons de souscription sont émises en relation avec le capital-actions d'une société donnée. Cette dernière émet de nouvelles actions ordinaires, lors de l'exercice des droits de souscription et des bons de souscription, qui amènent de l'argent frais dans ses coffres, contrairement aux options dites « standard » transigées entre agents économiques sur le marché sans aucune participation ou implication que ce soit de la part de la société à laquelle se réfère ce type d'options.

Une société peut choisir de vendre de nouvelles actions ordinaires soit à l'ensemble du public, sur le marché, soit en se limitant aux actionnaires ordinaires actuels en leur offrant un prix de faveur appelé prix de souscription. Il s'agit de nouveaux actionnaires dans le premier cas et d'actionnaires participant déjà aux bénéfices de la société depuis une certaine période dans le deuxième cas. La société émettrice désire protéger ces derniers contre une baisse de leur part relative de contrôle de la société. C'est aussi une protection contre les effets défavorables de la dilution du profit par action résultant d'une nouvelle émission d'actions ordinaires. Les moyens utilisés à cette fin consistent à donner aux actionnaires actuels la priorité pour l'acquisition de nouvelles actions au prix de souscription. Ce dernier est inférieur au prix du marché de l'action déjà en circulation.

Une « convention de placement garanti » a pour objet d'assurer à la société émettrice l'obtention des montants projetés initialement par l'émission de nouvelles actions, accompagnée d'une offre de droits de souscription. Parfois les fonds tardent à parvenir à la société distributrice des droits de souscription. Le courtier est tenu dans le cas de l'existence d'une « convention de placement garanti » (courtier qui devient un preneur ferme) conclue avec la société émettrice, d'acheter les actions non écoulées sur le marché, au prix de souscription. Une commission est versée au courtier. Elle équivaut à une prime d'option de vente acquise par la société émettrice. Cette option sera exercée, au prix de souscription, pour le nombre d'actions ordinaires que le courtier n'a pu écouler au prix de souscription initialement prévu.

Un droit de souscription est émis avant toute nouvelle émission d'actions ordinaires pour chaque action ordinaire déjà en circulation. Chaque actionnaire reçoit donc un droit de souscription pour chaque action déjà détenue. L'actionnaire qui reçoit des droits de souscription ne réalise ni gain, ni perte, qu'il exerce ses droits et achète de nouvelles actions ordinaires au prix de souscription qui est un prix de faveur ou qu'il les vende sur le marché.

Il faut retenir quatre dates en matière d'émission de droits de souscription :

- La date X d'annonce par la société d'une émission nouvelle d'actions ordinaires pour une date ultérieure V. La société offre des droits de souscription aux actionnaires actuels à un prix de faveur.
- La date de clôture Y à partir de laquelle les actions en circulation se vendent ex-droits, c'est-à-dire sans droits.
- La date d'inscription Z à partir de laquelle les actionnaires actuels recevront les droits de souscription qui leur reviennent. La société émettrice aura déterminé (un exemple ci-après, sous 11.1.2, permettra de l'illustrer) le nombre de droits requis pour qu'un actionnaire actuel puisse acquérir une action nouvelle à un prix favorable.
- La date d'émission V des actions ordinaires.

L'échéance d'un droit de souscription est courte, c'est-à-dire de plusieurs semaines, soit, d'une manière générale, entre quatre et huit semaines. Une fois la date d'émission des actions ordinaires passée, les droits qui n'ont pas été exercés deviennent sans valeur.

Un droit de souscription est donc une option d'achat donnant le droit mais non l'obligation d'acquérir un certain nombre d'actions ordinaires à un prix avantageux, fixé à l'avance, et ce, pour une échéance donnée au-delà de laquelle cette option expire. La société émettrice aurait pu vendre des actions ordinaires directement à de nouveaux actionnaires. Cependant, elle peut choisir d'offrir ses actions aux actionnaires actuels accompagnées d'une offre de souscription.

11.1.2. Exemple d'émission de droits de souscription et de détermination des conditions d'une offre de droits

Supposons que la société Zéphyr inc. s'apprête à faire une émission de nouvelles actions ordinaires accompagnée d'une offre de droits de souscription à ses actionnaires actuels. Cette société présente les données financières suivantes :

1. Elle a déjà deux millions d'actions ordinaires en circulation cotées en Bourse à 150 $ chacune.
2. Elle prépare une nouvelle émission d'actions ordinaires à un prix de souscription de 100 $ l'unité dans le but de lever 20 M$ de fonds pour financer un nouveau projet.

La société Zéphyr inc. doit clarifier les trois points suivants afin de réaliser dans les meilleures conditions son offre de droits de souscription, à savoir :

1. la répartition des droits de souscription entre les actionnaires actuels. En d'autres termes, il s'agit d'établir le nombre de droits de souscription nécessaire pour acheter une nouvelle action ordinaire au prix de faveur de 100 $;
2. les conséquences de cette offre de droits sur le prix de l'action ordinaire en circulation de Zéphyr inc. ;
3. le calcul du prix d'un droit de souscription.

Première condition à satisfaire: La détermination du nombre de droits (N_D) requis pour l'acquisition d'une nouvelle action ordinaire au prix de souscription.

La relation suivante permet d'établir le nombre de droits nécessaire pour acheter une nouvelle action ordinaire à 100 $.

$$N_D = \frac{\text{Nombre d'actions ordinaires avant la nouvelle émission } (N_A)}{\text{Nombre d'actions ordinaires nouvelles } (N_N)} \tag{11.1}$$

$$= \frac{2\,000\,000}{20\,000\,000\,\$/100\,\$} =$$

$$= \frac{2\,000\,000}{200\,000} = 10 \text{ droits de souscription requis}$$

Le détenteur d'actions ordinaires de la société Zéphyr inc. doit détenir 10 droits de souscription pour être en mesure d'acheter une nouvelle action au prix favorable de 100 $. Notons que le prix de l'action en circulation de cette société est de 150 $ avant la nouvelle émission d'actions ordinaires projetée.

Deuxième condition à satisfaire: Calcul du prix d'un droit de souscription.

a) La détermination du prix d'un droit de souscription avant l'expiration des droits, c'est-à-dire lorsque l'action se vend cum-droit (ou avec droits).

$$V_D = \frac{P_{cum} - P_s}{N_D + 1} \tag{11.2}$$

$$= \frac{150\,\$ - 100\,\$}{10 + 1}$$

$$= 50/11 = 4{,}545\,\$$$

où :

V_D = valeur d'un droit de souscription ;

P_{cum} = prix de l'action ordinaire avec droits, avant l'expiration des droits soit le prix cum-droit avant la date de clôture ;

P_s = prix de souscription de l'action ordinaire ;

N_D = nombre de droits requis pour acheter une nouvelle action ordinaire au prix de souscription.

b) La détermination de la valeur marchande de l'action ordinaire après l'expiration des droits (ex-droits), comme préalable au calcul du droit de souscription :

$$V_{ex} = \frac{\text{Valeur marchande des actions en circulation avant l'émission}}{\text{Nombre d'actions en circulation avant l'émission}} + \frac{\text{Valeur marchande des actions nouvelles}}{\text{Nombre d'actions nouvelles}} \tag{11.3}$$

$$= \frac{VM_A + VM_N}{N_A + N_N}$$

où :

VM_A = capitalisation boursière des actions ordinaires avant la nouvelle émission ;

VM_N = valeur marchande ou capitalisation boursière des actions ordinaires nouvelles ;

N_A = nombre d'actions ordinaires en circulation avant l'émission ;

N_N = nombre d'actions ordinaires nouvelles.

$$V_{ex} = \frac{(150\,\$)(2\,000\,000) + (100\,\$)(200\,000)}{2\,000\,000 + 200\,000}$$

$$= \frac{320\text{ M\$}}{2{,}2\text{ millions d'actions}}$$

$$= 145{,}45\,\$$$

Le prix de l'action ordinaire ex-droits s'élève ainsi à 145,45 $. L'actionnaire de Zéphyr inc. bénéficie, en raison du privilège d'achat à 100 $ l'action, d'une économie qui compensera la baisse de la valeur marchande de l'action de 150 $ à 145,45 $, soit :

$$145{,}45\,\$ - 100\,\$ = 45{,}45\,\$$$

La valeur de chaque droit est donc égale à :

$$V_D = \frac{45{,}45\,\$}{10 \text{ droits}}$$
$$V_D = 4{,}545\,\$$$

c) Prix d'un droit de souscription lorsque l'action ordinaire se vend ex-droits (ou sans droits).

$$V_D = \frac{P_{ex} - P_s}{N_D} \quad (11.4)$$
$$= \frac{145{,}45\,\$ - 100\,\$}{10}$$
$$= 45{,}45\,\$/10$$
$$= 4{,}545\,\$$$

où :

P_{ex} = prix de l'action ordinaire sans droits ou ex-droits, c'est-à-dire à partir de la date de clôture ;

P_s = prix de souscription ;

N_D = nombre de droits requis pour acheter une nouvelle action ordinaire.

11.1.3. L'impact d'une émission de droits de souscription sur la position financière de l'actionnaire ordinaire

L'actionnaire ordinaire de Zéphyr inc. a le choix entre l'exercice de ses droits de souscription et leur vente. On sait déjà que le prix de l'action de Zéphyr inc. baisse en raison de l'offre de droits. L'objet de ces derniers est de protéger l'actionnaire actuel contre les aspects défavorables de la dilution résultant d'une nouvelle émission d'actions ordinaires. Il est utile d'illustrer à l'aide d'un exemple numérique comment l'actionnaire ne subira pas de perte et ne réalisera pas de bénéfice, qu'il exerce ses droits ou qu'il les vende.

EXEMPLE

Supposons que l'actionnaire Pierre possède déjà 30 actions ordinaires de Zéphyr inc., achetées 150 $ chacune. L'investissement total de Pierre s'élève donc à :

$$(30)\ (150\ \$) = 4\ 500\ \$$$

Première stratégie possible

Une première démarche consiste en l'exercice des 30 droits de souscription détenus par Pierre afin d'acquérir trois nouvelles actions ordinaires (soit 30/10 droits) de Zéphyr inc..

Examinons l'investissement total de Pierre dans la société Zéphyr inc. ainsi que sa position financière après qu'il a exercé ses droits :

Investissement		Position financière	
1. Investissement initial :	= 4 500 $	33 actions à 145,45 $: (33) (145,45 $)	= 4 800 $
2. Achat de 3 nouvelles actions ordinaires : (3) (100 $)	= 300 $		
Total	4 800 $	Total	4 800 $

Deuxième stratégie possible

La deuxième démarche possible est la vente des 10 droits de souscription détenus par Pierre.

Investissement		Position financière	
1. Investissement initial : (30 actions) (150 $)	= 4 500 $	30 actions (145,45 $)	= 4 363,50 $
		(30 droits) (4,545 $)	= 136,35
Total	4 500 $	Total	4 500 $

On constate que dans les deux cas mentionnés, soit l'exercice des droits et la vente des droits, Pierre se retrouve chaque fois avec un investissement égal à la position financière finale. Pierre n'enregistre donc ni gain, ni perte, qu'il exerce ses droits ou qu'il les vende. Il a été seulement protégé contre les effets négatifs de la dilution à l'aide des droits de souscription à un prix de faveur.

11.2. LES BONS DE SOUSCRIPTION (*WARRANTS*)

11.2.1. Caractéristiques générales

Les bons de souscription sont des options d'achat attachées, dans la plupart des cas, à une nouvelle émission d'obligations ou d'actions privilégiées. Ces titres peuvent aussi être liés à une nouvelle émission d'actions ordinaires et peuvent être émis séparément, sans lien avec des émissions de dette ou d'actions, afin de lever directement de l'argent frais et de récompenser les institutions financières ou les investisseurs qui facilitent le lancement et le financement d'entreprises.

Le bon de souscription, en tant qu'option d'achat, offre la possibilité ou le droit, mais non l'obligation, d'acquérir un certain nombre d'actions ordinaires d'une société à un prix donné fixé à l'avance, pour une échéance précise. Plusieurs autres traits distinctifs caractérisent un bon de souscription.

- Il a une échéance assez longue de plusieurs années, comparativement à la courte échéance de plusieurs semaines d'un droit de souscription.
- Dans la grande majorité des cas, il est lié à une nouvelle émission d'obligations ou d'actions privilégiées, tandis qu'un droit de souscription est surtout offert à l'occasion d'une nouvelle émission d'actions ordinaires.
- Il peut être séparé de l'obligation ou de l'action privilégiée à laquelle il était attaché, lors de l'émission, et faire l'objet de transactions en tant que telles sur le marché.
- L'exercice des bons de souscription entraîne l'émission d'actions ordinaires nouvelles, tandis que l'exercice d'options dites « standard » relativement à une société X, transigées sur le marché entre agents économiques, de façon non reliée à cette société, n'affecte pas son capital-actions. L'exercice des bons de souscription se traduit donc par une injection de nouveaux capitaux dans la société X, ce qui n'est pas le cas avec des options « standard » ou normalisées.

11.2.2. Objectifs de l'offre de bons de souscription

Plusieurs buts sont poursuivis par une société pour émettre des obligations ou des actions privilégiées munies de bons de souscription :

a) Attirer des investisseurs qui ont une préférence pour les actions ordinaires. Le prix de ces dernières est temporairement trop bas pour procéder à une émission de droits de souscription. On attache alors des bons de souscription à des émissions de dette, par exemple, afin d'offrir aux investisseurs qui les acquièrent la possibilité de participer éventuellement, à l'avenir, à des plus-values sur les actions ordinaires, par l'exercice de bons de souscription. Il est évident que les gains en capital ne sont réalisables que dans la mesure où le prix de l'action ordinaire aurait suffisamment augmenté, plus tard, pour dépasser le prix d'exercice du bon de souscription.

Les bons de souscription ont donc pour objet de rendre des émissions d'obligations et d'actions privilégiées plus attrayantes en accordant aux investisseurs un espoir de gain en capital sur des actions ordinaires.

b) Offrir un taux de rendement plus faible aux acquéreurs d'obligations et d'actions privilégiées. La baisse de la rémunération de ces capitaux externes est justifiée par l'avantage de perspectives de plus-values futures dont pourrait bénéficier l'actionnaire ordinaire grâce à l'exercice des bons de souscription.

c) Éviter une nouvelle émission d'actions ordinaires si l'action subit une baisse de prix passagère. Sinon, l'effet de dilution des bénéfices serait encore plus fort.

11.2.3. La valeur théorique d'un bon de souscription

Un bon de souscription a une valeur marchande et une valeur théorique. La valeur marchande est habituellement plus élevée que la valeur théorique en raison de la volatilité du prix de l'action ordinaire, du niveau des taux d'intérêt et de l'échéance du bon de souscription.

La valeur théorique d'un bon de souscription est déterminée selon la relation suivante :

$$\begin{aligned} V_t &= \left[\text{Cours de l'action ordinaire} - \text{Prix d'exercice}\right]\begin{pmatrix}\text{Nombre d'actions qu'un}\\ \text{bon permet d'acheter}\end{pmatrix} \\ &= \left[P_t - P_s\right](N) \\ &= \left[P_t - E\right](N) \qquad (11.5) \end{aligned}$$

où :

P_t = prix au marché de l'action ordinaire ;

E ou P_s = prix d'exercice du bon de souscription ou prix de souscription ;

N = nombre d'actions ordinaires qu'un bon de souscription permet d'acheter.

EXEMPLE

Supposons que le prix de l'action ordinaire sur le marché soit de 24 $ deux ans après l'émission des bons, le prix d'exercice du bon de souscription, de 20 $, et qu'un bon permette d'acquérir une seule action ordinaire. Il est utile de préciser que lors d'une émission d'obligations ou d'actions privilégiées munies de bons de souscription, le prix d'exercice est fixé à l'origine de 15 à 20 % au-dessus du prix de l'action ordinaire. On obtient la valeur théorique suivante :

$$V_t = (24\,\$ - 20\,\$)\,(1) = 4\,\$$$

Considérons les deux cas où le prix de l'action est égal ou inférieur au prix d'exercice du bon de souscription de 20 $.

Si $P_t = 20\,\$$, on aura

$$V_t = (20\,\$ - 20\,\$)\,(1) = 0\,\$$$

Et si $P_t = 15\,\$$, on aura aussi :

$$V_t = (15\,\$ - 20\,\$)\,(1) = 0\,\$$$

car il n'existe pas de prix négatif.

On constate que, dans la mesure où le prix de l'action est égal ou inférieur au prix d'exercice, la valeur théorique est égale à zéro. En réalité, la valeur marchande d'un bon de souscription est, en général, supérieure à zéro en raison de probabilité de plus-value de l'action. Cela est vrai, même si cette dernière est égale ou inférieure au prix d'exercice. Tout cela est bien sûr conditionnel, d'une part, aux fluctuations en hausse du marché et, d'autre part, à la probabilité que l'action finisse par excéder le prix d'exercice avant la date d'expiration du bon de souscription.

Le bon de souscription bénéficie d'une prime égale à la différence entre sa valeur marchande ou réelle et sa valeur théorique. D'où :

$$V_{\text{réelle}} > V_t$$

$$\text{Et : Prime} = V_{\text{réelle}} - V_t \qquad (11.6)$$

Cette prime dépend de plusieurs facteurs dont :

- la différence entre la valeur marchande de l'action et le prix d'exercice du bon ;
- la proximité de l'échéance du bon de souscription ;
- la politique de dividendes de la société.

Cette prime s'explique aussi par l'effet de levier important dont le détenteur du bon de souscription peut bénéficier comparativement à l'action ordinaire lorsque le prix de l'action augmente au-delà du prix d'exercice du bon.

EXEMPLE

Supposons que le prix de l'action augmente progressivement de 24 $ à 42 $. Déterminons la valeur théorique nouvelle et comparons le taux d'accroissement de la valeur théorique du bon à celui du prix de l'action.

$$V_t = (42\$ - 20\$)(1)$$
$$= 22\$$$

La valeur théorique du bon devient:

$$\frac{22\$}{4\$} = \text{soit 5,5 fois plus.}$$

La valeur de l'action devient:

$$\frac{42\$}{24\$} = \text{soit 1,75 fois plus.}$$

La valeur du bon s'apprécie de 3,14 fois $\left(= \frac{550\,\%}{175\,\%}\right)$ plus que le prix de l'action ordinaire. L'effet de levier se traduit par une augmentation plus forte du prix du bon de souscription à la suite d'un accroissement donné du prix de l'action ordinaire.

11.2.4. La répartition du prix d'émission d'une obligation de 1 000 $ de valeur nominale entre sa valeur intrinsèque et celle du bon de souscription qui y est attaché

Considérons la société Y qui émet de nouvelles obligations à 1 000 $ de valeur nominale le 15 mars 2006, d'un taux de coupon de 8 % et d'une échéance de 10 ans. La société Y attache 10 bons de souscription à chaque obligation, selon la recommandation de ses courtiers. Chaque bon donne le droit d'acheter une action ordinaire de la société Y à un prix d'exercice de 30 $. La date d'échéance de ces bons est le 15 mars 2009. La société Y aurait dû, en l'absence de bons de souscription, rémunérer ces obligations à un taux de coupon de 10 %.

Trois étapes de calcul doivent être complétées pour établir les valeurs respectives de l'obligation (valeur intrinsèque) et du bon de souscription.

a) la valeur de l'obligation sans bon de souscription :

$$= \left[\frac{(8\,\%)(1\,000\,\$)}{2}\right]\left(a_{10\times2;\,0,10/2}\right) + 1\,000\,\$\left(1+0,10/2\right)^{-10\times2}$$

$$= (40\,\$)\left(a_{20;\,0,05}\right) + 1\,000\,\$(1,05)^{-20}$$

$$= (40\,\$)(12,46) + (1\,000\,\$)(0,37889)$$

$$= 498,40\,\$ + 378,89\,\$$$

$$= \underline{\underline{877,29\,\$}}$$

b) la valeur des 10 bons de souscription :

$$= 1\,000\,\$ - 877,29$$

$$= 122,71\,\$$$

c) *la* valeur d'un bon de souscription :

$$\frac{122,71\,\$}{10} = \underline{\underline{12,271\,\$}}$$

11.2.5. Les facteurs qui affectent le prix d'un bon de souscription

On peut mentionner plusieurs facteurs qui agissent sur le prix d'un bon de souscription, à savoir :

a) Le prix de l'action ordinaire : plus ce prix est faible, plus le prix du bon de souscription est faible, et vice versa, toutes choses égales.

b) Le niveau du prix d'exercice : plus le prix d'exercice est élevé, plus le prix du bon est faible, et vice versa, toutes choses égales.

c) L'échéance du bon de souscription : plus l'échéance est longue, plus le prix du bon est élevé, car plus les chances sont grandes, en raison de la volatilité du prix de l'action ordinaire, qu'elle atteigne un prix favorable afin d'exercer le bon et de réaliser des gains en capital sur les nouvelles actions acquises, toutes choses égales.

d) Une plus grande volatilité de l'action ordinaire favorise le prix du bon de souscription pour deux raisons :

– Le prix du bon de souscription ne peut évidemment pas, en cas de baisse de l'action ordinaire, devenir négatif, se situant à un plancher de zéro dollar à la limite.

– Le prix du bon peut augmenter considérablement si le prix de l'action ordinaire fluctue sensiblement à la hausse.

La variabilité du prix de l'action ordinaire se traduit, d'une part, par une protection à la baisse pour le bon de souscription étant donné le plancher de zéro dollar et, d'autre part, par un espoir d'augmentation substantielle du prix du bon de souscription.

e) Toute distribution de dividendes aux actionnaires ordinaires défavorise la valeur d'un bon de souscription si ses détenteurs n'obtiennent aucune compensation ni ajustement à cet égard.

f) Le niveau des taux d'intérêt: tout accroissement des taux d'intérêt favorise la valeur marchande du bon de souscription, toutes choses égales. Une augmentation des taux d'intérêt diminue la valeur actuelle du prix d'exercice (situé à l'avenir, car le bon sera éventuellement exercé plus tard). Selon *b*), plus haut, le prix au marché du bon de souscription doit alors augmenter.

11.2.6. La comparaison entre un bon de souscription et une option d'achat normalisée

Il a déjà été expliqué que l'exercice d'un bon de souscription d'une société X, par exemple, au prix de 60$, donne lieu à la création d'actions ordinaires nouvelles et à l'apport de fonds nouveaux, avec pour conséquence l'augmentation du capital-actions de ladite société.

Par contre, l'exercice d'une option d'achat normalisée («standard») concernant la société X donne le droit d'acheter une de ses actions au prix de 60$ d'un autre agent économique. Ce dernier soit détient déjà une action, soit l'acquiert plus tard pour la livrer à l'acheteur qui choisit d'exercer son option d'achat d'une action concernant la société X. L'exercice de l'option d'achat normalisée a pour résultat le transfert de propriété d'une action ordinaire de la société X déjà en circulation, d'un agent économique à un autre, sans affecter son capital-actions et sans lui apporter de l'argent frais. En général, le prix de l'action sur le marché n'est pas affecté par ce genre de transaction. Illustrons par un exemple numérique les explications fournies ci-haut sur les caractéristiques d'une option normalisée et sur l'impact de l'exercice d'un bon de souscription sur le financement et sur le capital-actions d'une société.

Supposons que la société Émeraude possède une quantité d'émeraudes dont la valeur s'élève à 10 000$ et que cette société appartienne à Pierre et Jacques à parts égales, soit 5 000$ chacun, totalisant deux parts.

Considérons deux opérations distinctes impliquant deux sortes d'options d'achat, soit l'option d'achat normalisée et le bon de souscription, et analysons les conséquences de l'exercice de ces deux options sur le capital-actions et sur le financement de la société Émeraude.

11.2.6.1. L'exercice d'une option d'achat normalisée

Considérons le cas où Jacques vend une option d'achat à Jean, sur sa propre part, à un prix d'exercice de 6 000$ pour une échéance de 9 mois. Si le prix de l'émeraude augmente de telle sorte que la valeur de la société s'accroît pour atteindre 14 000$, chacune des deux parts vaudra 7 000$ et si Jean choisit d'exercer son option, il versera à Jacques 6 000$ et recevra en contrepartie sa part de la société Émeraude, qui vaut maintenant 7 000$. Les conséquences de l'exercice de l'option d'achat normalisée par Jean sont les suivantes :

- Le nombre de parts de la société Émeraude ne change pas. Le capital est toujours formé de deux parts appartenant maintenant à Jean, après l'exercice de l'option d'achat par ce dernier.
- La société Émeraude ne reçoit point de nouveaux capitaux à l'occasion de l'exercice de cette option d'achat normalisée.

11.2.6.2. L'exercice d'un bon de souscription

Supposons maintenant que la société Émeraude émette plutôt un bon de souscription à Jean lui accordant le droit d'acquérir une part à 6 000$. Si le prix d'une part d'Émeraude atteint 7 000$ et que Jean opte pour l'exercice du bon de souscription qu'il détient, cette société émettra une nouvelle part à 6 000$ destinée à Jean, qui lui versera 6 000$. Le capital de la société Émeraude est maintenant formé de 3 parts avec une valeur marchande totale de :

$$(7\,000\$)\ (2 \text{ parts}) + 6\,000\$ \text{ d'encaisse} = 20\,000\$$$

Chaque part de la société Émeraude vaut maintenant :

$$20\,000\$/3 = 6\,666{,}67\$$$

Jean réalise par l'exercice du bon de souscription un gain de :

$$6\,666{,}67\$ - 6\,000\$ = 666{,}67\$$$

Le gain réalisé par Jean grâce à l'exercice du bon de souscription, soit 666,67 $, est inférieur à celui réalisé par l'exercice de l'option d'achat normalisée, qui s'élève à 1 000 $. C'est l'effet de dilution du prix (et du bénéfice par action et du contrôle de la société) résultant de l'exercice du bon de souscription qui explique cette différence.

11.2.7. Le bon de souscription comme mode de financement

Le bon de souscription est un mode de financement souple pour les raisons suivantes :

- Il permet de différer une émission d'actions ordinaires afin d'obtenir de meilleures conditions de prix plus tard, puisque le prix d'exercice est fixé de 15 à 20 % au-dessus du cours de l'action ordinaire qui a temporairement baissé lors de l'émission de l'obligation ou de l'action privilégiée.
- Le prix de l'action ordinaire augmente et dépasse le prix d'exercice dans la mesure où l'entreprise prospère et fait des bénéfices intéressants. Si, par surcroît, l'entreprise prend de l'expansion, elle aura besoin de fonds nouveaux que les détenteurs de bons de souscription lui apportent en exerçant leur droit.
- L'entreprise n'aura pas besoin d'argent frais si le prix de l'action ne varie que très peu, sans excéder le prix d'exercice, en raison d'une performance insuffisante et de ventes et de profits qui plafonnent. De toute façon, les détenteurs de bons de souscription n'exercent pas leurs droits tant que le prix de l'action est inférieur au prix d'exercice.

11.3. LES TITRES CONVERTIBLES

11.3.1. Caractéristiques générales

Les titres convertibles présentent les traits distinctifs suivants :

- Les titres convertibles sont soit des obligations soit des actions privilégiées qui peuvent être échangées, au gré du détenteur, en actions ordinaires de la firme émettrice. Des conditions précises sont fixées à l'avance, tel le ratio de conversion de l'obligation ou de l'action privilégiée convertible en actions ordinaires. Une obligation convertible est la combinaison d'une obligation ordinaire et d'une option d'achat sur une action ordinaire. Il s'agit d'un financement par actions ordinaires différé en raison du prix sous-évalué de ces dernières lors de l'émission des titres convertibles.

- Le ratio de conversion indique le nombre d'actions ordinaires obtenues par le détenteur du titre convertible lorsqu'il exerce son option de conversion.

$$RC = VN / PC \quad (11.7)$$

où :

RC = ratio de conversion ;

VN = valeur nominale du titre convertible ;

PC = prix de l'action ordinaire fixé pour la conversion.

Supposons qu'une obligation convertible soit émise à 1 000 $ et que le prix de conversion prévu soit de 20 $. Nous obtenons le ratio de conversion suivant :

$$RC = 1\,000\,\$ / 20\,\$ = 50 \text{ actions ordinaires}$$

- La société émettrice bénéficie d'une clause de rappel ou d'option d'achat des titres convertibles. La société a alors le droit de forcer la conversion pour un nombre donné d'actions ordinaires à un prix déterminé à l'avance, compte tenu d'une prime de 12 %, par exemple. Si la valeur nominale d'une obligation convertible est de 1 000 $ et la prime accordée à ses détenteurs de 12 %, l'entreprise a le droit de rappeler les obligations convertibles à partir de 1 120 $. La prime est fonction de la santé financière de la société émettrice et de ses perspectives de croissance. La prime peut atteindre 20 % si la société est solide et si le marché prévoit une augmentation sensible de ses activités et une progression rapide de ses profits.
- Par contre, la prime baisse autour de 10 % pour les sociétés de croissance modeste et de perspectives moyennes de profit.
- La période de conversion est, en général, autour de cinq ans, parfois aussi courte que deux ans après l'émission du titre convertible. La date à partir de laquelle la conversion devient possible est fonction de la stratégie de financement à long terme de la société.
- Le prix de conversion est fixé lors de l'émission des titres convertibles, entre 15 et 20 % au-dessus du cours de l'action ordinaire à cette époque. C'est le prix attribué à l'action ordinaire à l'occasion de l'opération de conversion.
- La valeur de conversion d'un titre convertible s'obtient par le produit de la valeur marchande (le prix) de l'action ordinaire de la société par le ratio de conversion :

$$\text{Valeur de conversion} = (RC)\,(P_t) \quad (11.8)$$

où :

RC = ratio de conversion ;

P_t = prix de l'action sur le marché au temps *t*.

La valeur de conversion est évidemment donnée par le montant en dollars reçu par un détenteur de titre convertible qui procède à sa conversion en actions ordinaires pour les vendre aussitôt au prix du marché de l'action.

Un titre comme l'obligation convertible est un titre hybride, car il présente à la fois des caractéristiques d'une obligation sans privilège de conversion et celles d'une action ordinaire.

- Le prix « standard » ou valeur normalisée est obtenu par l'actualisation des flux monétaires de l'obligation convertible au taux de rendement du marché d'une obligation comparable qui ne possède pas le privilège de conversion. La valeur normalisée de l'obligation convertible est une valeur minimale de ce titre, à moins que le prix de l'action ordinaire ait tellement baissé qu'il fasse de la valeur de conversion la valeur plancher.
- La prime de conversion du marché :

  La prime de conversion du marché est égale à la différence entre la valeur marchande et la valeur de conversion du titre convertible.
- La prime normalisée du marché :

  La prime normalisée du marché est égale à la différence entre la valeur marchande et la valeur normalisée du titre convertible.
- Les titres convertibles sont classés dans une catégorie de passif subordonnée à celle des autres prêteurs, car, en raison de leur nature hybride, ils s'apparentent aux actions ordinaires.

11.3.2. Les objectifs de l'émission de titres convertibles

Il est utile d'expliquer les objectifs multiples qui distinguent une émission de titres convertibles d'autres sortes de titres de financement :

- Faciliter l'émission d'obligations et d'actions privilégiées en accordant à l'investisseur la possibilité d'acquérir, à l'avenir, des actions ordinaires susceptibles d'engendrer un gain en capital.
- Offrir à l'investisseur, en contrepartie de l'avantage de perspectives de plus-values boursières, un taux d'intérêt ou un dividende plus faible. Un coût de financement plus faible assuré par l'émission de titres convertibles a pour conséquence un coût de capital moins élevé pour la société émettrice.

- Éviter d'émettre de nouvelles actions ordinaires aujourd'hui, car leur prix est temporairement sous-évalué. La société émettrice évite ainsi une dilution excessive du profit par action. L'émission d'un titre convertible se fait en fixant un prix de conversion, déterminé à l'avance, supérieur au prix d'émission d'une nouvelle action ordinaire ce jour-là. Ainsi s'explique pourquoi une émission de titres convertibles à la place d'une nouvelle émission d'actions ordinaires, qui aurait été exécutée aujourd'hui à un prix momentanément affaibli, évite une trop grande dilution du profit par action.

11.3.3. Les différentes valeurs d'une obligation convertible

Les titres convertibles en circulation sont souvent des obligations non garanties appelées débentures. Rappelons que l'obligation convertible est la combinaison d'une obligation ordinaire, c'est-à-dire sans privilège de conversion, et d'une option d'achat sur une action ordinaire. L'attrait d'un titre convertible réside dans le fait que 1) les pertes sur ce placement sont limitées ou minimisées, 2) tandis que des possibilités de plus-values existent et 3) qu'un flux de revenu constant est assuré par les intérêts ou dividendes reçus par l'investisseur. Trois valeurs du titre convertible, comme l'obligation par exemple, sont analysées :

1. la valeur de l'obligation sans privilège de conversion, ou valeur « standard » ;
2. la valeur de conversion ;
3. la valeur marchande.

11.3.3.1. La valeur « standard » ou valeur de l'obligation ordinaire sans privilège de conversion

La valeur « standard » d'une obligation convertible correspond à son prix en l'absence d'une possibilité de conversion due au fait que le prix de l'action ordinaire de la société émettrice est considéré trop faible, de façon durable. Le prix de l'obligation atteint une valeur minimale sur le marché, dite valeur plancher, déterminée par la valeur actuelle des flux monétaires (intérêts plus la valeur nominale de l'obligation récupérée à l'échéance) générés par une obligation non convertible comparable quant au risque d'insolvabilité, à l'échéance et au taux de rendement à l'échéance. Ce dernier facteur dépend de plusieurs éléments, dont le niveau général des taux d'intérêt, lequel est influencé par le taux d'inflation anticipé.

Considérons une obligation convertible dont le taux de coupon est de 10 %, le taux de rendement à l'échéance d'une obligation non convertible comparable égal à 12 % et la période qui la sépare de l'échéance égale à 10 ans.

La valeur « standard » est obtenue en actualisant les 20 montants d'intérêts semestriels et la valeur nominale au taux de rendement à l'échéance semestriel de 6 % de l'obligation non convertible comparable :

$$\text{Valeur « standard » } (VS_t) = \sum_{t=1}^{n\times 2} \frac{\left(C/2\right)_t}{\left(1+{r_n}/{2}\right)^t} + VN\left(1+{r_n}/{2}\right)^{n\times 2} \qquad (11.9)$$

$$= \sum_{t=1}^{n\times 2} \left(C/2\right)_t \left(a_{n\times 2;\, r_n/2}\right) + VN\left(1+{r_n}/{2}\right)^{n\times 2}$$

où :

n = échéance de l'obligation convertible en nombre d'années ;
VN = valeur nominale de l'obligation convertible ;
r_n = taux de rendement à l'échéance d'une obligation comparable ;
C/2 = le montant d'intérêt semestriel en dollar versé par l'obligation convertible ;
$C/2 = (VN)\left(c\,\%/2\right)$
c % = le taux de coupon annuel.

D'où :

$$\text{Valeur « standard » } (VS_t) = \sum_{t=1}^{20} \frac{50\,\$}{(1{,}06)^t} + 1\,000\,\$\,(1+0{,}06)^{-20}$$

$$= (50\,\$)(a_{20;\,0{,}06}) + 1\,000\,\$\,(0{,}31180)$$

$$= (50\,\$)(11{,}47) + 1\,000\,\$\,(0{,}31180)$$

$$= 573{,}50\,\$ + 311{,}80\,\$$$

$$= 885{,}30\,\$$$

Ce montant de 885,30 $ représente le prix de l'obligation non convertible comparable selon le taux de rendement à l'échéance et le risque qui la caractérisent.

La valeur « standard » de 885,30 $ de cette obligation convertible est le prix auquel elle serait négociée sur le marché si le prix de l'action ordinaire de la société émettrice X avait tellement baissé que l'espoir d'une conversion deviendrait quasiment nul. Cette valeur minimale de l'obligation convertible peut varier pour deux raisons essentielles :

- Le taux de rendement à l'échéance peut changer de façon notable à cause de l'évolution macroéconomique. Une augmentation générale des taux d'intérêt due à un taux d'inflation attendu à la hausse affecte à la baisse la valeur de tous les instruments financiers dont celle de l'obligation convertible.
- Le risque d'insolvabilité de la société émettrice peut être affecté par des modifications à sa santé financière et donc par des variations de sa valeur marchande. Cette dernière recule avec l'accroissement du risque et entraîne une baisse de la valeur «standard» de l'obligation convertible.

11.3.3.2. La valeur de conversion

La valeur de conversion est celle obtenue par une conversion rapide de l'obligation convertible en actions ordinaires de la société émettrice. Elle est déterminée par le produit du ratio de conversion (nombre d'actions ordinaires reçu par obligation convertible lors de la conversion) par le prix de l'action ordinaire sur le marché.

$$VC_t = (RC)\,(P_t) \tag{11.10}$$

où:

VC_t = valeur de conversion au temps t;

RC = ratio de conversion;

P_t = prix de l'action ordinaire au temps t.

Supposons que le ratio de conversion de l'obligation convertible de la société X soit de 40 et que le prix de l'action ordinaire sous-jacente soit égal à 19,75 $. La valeur de conversion devient:

$$\begin{aligned} VC_t &= (RC)(P_t) \\ &= (40)(19{,}75\,\$) \\ &= 790\,\$ \end{aligned}$$

On constate que l'obligation convertible peut avoir une valeur minimale autre que la valeur «standard». La valeur de conversion et la valeur «standard» peuvent atteindre, l'une ou l'autre, la valeur plancher, selon le comportement des variables qui les influencent.

11.3.3.3. La valeur marchande

La valeur marchande de l'obligation convertible est normalement supérieure, à la fois à sa valeur «standard» et à sa valeur de conversion. Cette différence représente la valeur de l'option de conversion et celle de l'espoir de plus-value sur l'action ordinaire, ainsi que la protection vers le bas qu'offre l'obligation convertible. Ceci explique pourquoi la valeur marchande excède la valeur « standard » et la valeur de conversion.

11.3.4. Les primes de l'obligation convertible

La prime de conversion représente la différence entre la valeur marchande et la valeur de conversion. Supposons que la valeur marchande de l'obligation convertible s'élève à 925,70 $. On obtient pour l'obligation convertible de la société X la prime de conversion suivante :

$$\begin{aligned} P_c &= 925{,}70\,\$ - 790\,\$ \\ &= 135{,}70\,\$ \end{aligned}$$

La prime « standard » est obtenue par la différence entre la valeur marchande et la valeur « standard », soit :

$$\begin{aligned} P_s &= 925{,}70\,\$ - 885{,}30\,\$ \\ &= 40{,}40\,\$ \end{aligned}$$

11.3.5. Les clauses protectrices des titres convertibles contre la dilution

La présence de clauses protectrices des titres convertibles contre la dilution permet d'assurer des mesures correctives quant au prix de conversion et au ratio de conversion dans le cas où une action ordinaire est émise ou vendue à un prix inférieur au prix de conversion.

L'ajustement du prix de conversion et, par conséquent, du ratio de conversion doit être fait dans les trois cas suivants afin de protéger les intérêts des détenteurs de titres convertibles, à savoir :

- une situation de fractionnement d'actions ordinaires ;
- une distribution de dividendes en actions ordinaires ;
- une émission de droits de souscription destinée à accompagner une nouvelle émission d'actions ordinaires à un prix de souscription plus faible que le prix de l'action déjà en circulation.

Le prix de conversion sera réduit et donc le ratio de conversion augmenté dans la même proportion du fractionnement d'actions ou de la distribution de dividendes en actions. À titre d'exemple, supposons que le prix de conversion d'une obligation convertible soit de 50 $ et le ratio de conversion de 20. Supposons que la société émettrice décide un fractionnement d'actions de 2 pour 1. L'ajustement susceptible de protéger les titres convertibles contre la dilution est le suivant :

- Le prix de conversion devient : 50 $ ÷ 2 = 25 $.
- Le ratio de conversion est ajusté de la façon suivante : 20 × 2 = 40 actions ordinaires.

11.3.6. La comparaison entre les bons de souscription et les titres convertibles

1. Les bons de souscription sont utilisés à l'occasion de placements privés (obligations ou actions privilégiées avec bons de souscription), tandis que la plupart des obligations et actions privilégiées convertibles sont émises publiquement.
2. Les bons de souscription peuvent être détachés et transigés sur le marché, c'est-à-dire vendus séparément. L'investisseur détient alors seulement l'obligation ou l'action privilégiée, tandis que l'option de conversion de l'obligation ou de l'action privilégiée convertible ne peut être séparée du titre.
3. Des bons de souscription peuvent être émis en tant que tels dans le but :
   a) de compenser des banques d'affaires ou d'investissement pour les services d'émission offerts ;
   b) de compenser par des stimulants financiers les directeurs de sociétés en leur offrant ces options d'achat à long terme d'actions ordinaires (quoique ces options n'aient pas l'appellation de bons de souscription).
4. L'exercice des bons de souscription attachés à des obligations ou actions privilégiées amène de l'argent frais à la société émettrice.

   Par contre, la conversion de titres convertibles se limite à un échange de l'obligation convertible en actions ordinaires, sans apport de fonds.

   Les bons de souscription et les titres convertibles ont ainsi des conséquences différentes sur la structure de capital et sur les flux monétaires concernant le financement d'une société.
5. Les bons de souscription et les titres convertibles ont pour objet de rendre les titres de financement d'une entreprise plus attrayants à l'investisseur et de réduire le coût de financement ou coût de capital de la société.
6. Il n'existe en général pas de clause de rappel pour les bons de souscription, tandis que les titres convertibles se distinguent par cette clause de rachat. Une société ne peut donc pas rappeler ou racheter ses bons de souscription, contrairement à ce qui est possible avec les titres convertibles.

7. Notons par ailleurs que même si une société peut accroître ses dividendes versés aux actionnaires ou faire baisser le prix d'exercice afin d'inciter les détenteurs de bons de souscription à les exercer, il demeure plus facile de faire cesser ou d'interrompre l'option ou le privilège de conversion, pour les titres convertibles, en les rappelant.

11.3.7. La comparaison entre les bons de souscription et les droits de souscription

1. Les similitudes : les bons de souscription et les droits de souscription sont des options d'achat d'actions ordinaires dont le nombre est fixé à l'avance. Le délai d'expiration de ces options d'achat est aussi préalablement stipulé.

2. Les différences :

   - Quant à la date d'échéance : elle est de quelques semaines pour les droits de souscription jusqu'à plusieurs mois à quelques années pour les bons de souscription.
   - Quant au financement de l'entreprise :
     - Les droits de souscription fournissent très rapidement de nouveaux fonds.
     - Les bons de souscription procurent éventuellement des fonds plus tard dans le cas où la société en a besoin. Si la société fait des profits et prend de l'expansion, le prix de l'action augmente. Les bons de souscription sont exercés si cette augmentation porte le prix de l'action au-dessus du prix d'exercice, et apportent alors le financement nécessaire à l'expansion de l'entreprise. Si les ventes et les profits de la société régressent, elle n'aura très probablement pas besoin d'un financement additionnel. Comme habituellement le prix de l'action ne serait pas favorable dans de tels cas (c'est-à-dire un prix en dessous du prix d'exercice), les bons de souscription ne seront pas exercés.
   - Quant aux titres auxquels ces options d'achat sont attachées :
     - Les droits de souscription sont en général émis à l'occasion d'une nouvelle émission d'actions ordinaires afin de protéger les actionnaires actuels contre la dilution des profits et du contrôle.
     - Les bons de souscription sont attachés à des obligations ou à des actions privilégiées afin de rendre leur émission plus attrayante, d'éviter d'émettre immédiatement des actions ordinaires dont le prix est bas et enfin de réduire le coût du financement en offrant un taux d'intérêt ou un dividende moindre.

RÉSUMÉ

Les droits de souscription, les bons de souscription et les titres convertibles sont des instruments financiers dont les caractéristiques essentielles sont inspirées de la théorie des options.

Les droits de souscription ont pour objet de protéger les anciens actionnaires ordinaires contre la dilution et rétablissent l'équilibre entre l'investissement de l'actionnaire et sa position financière après une nouvelle émission d'actions ordinaires. Les droits de souscription sont des options d'achat attachées à une émission d'actions ordinaires et leur échéance est relativement courte, soit quelques semaines.

L'émission d'obligations ou d'actions privilégiées munies de bons de souscription ainsi que celle d'obligations convertibles sont attrayantes pour l'investisseur qui espère obtenir une plus-value, plus tard, sur l'action ordinaire, après l'exercice des bons ou la conversion de l'obligation convertible. L'avantage pour la société émettrice réside essentiellement dans le fait de reporter une émission d'actions ordinaires car le prix de l'action est trop faible et, aussi, d'offrir un taux de coupon ou un taux de dividende plus faible sur des obligations et actions privilégiées ainsi que sur le titre convertible.

La société émettrice peut rappeler les obligations convertibles et forcer la conversion quand la valeur de conversion excède la valeur de rachat d'approximativement 15 %. La firme peut forcer la conversion, après un délai de quatre ans par exemple, en spécifiant dès le début cette augmentation ou prime de rachat basée sur le prix de conversion fixé initialement lors de l'émission des titres convertibles.

Il en résulte une baisse du ratio de conversion, qui incite les détenteurs de l'obligation convertible à convertir en actions ordinaires, dans la mesure ou la conversion est attrayante, c'est-à-dire que la valeur de conversion est supérieure à la valeur « standard » ou valeur de l'obligation comparable sans privilège de conversion. Il est évident que la société émettrice ne peut forcer la conversion si le détenteur de l'obligation convertible n'y trouve pas avantage.

On attribue au titre convertible trois valeurs, à savoir la valeur « standard », qui représente habituellement sa valeur plancher, la valeur de conversion, qui dépend du prix de l'action sous-jacente, et enfin la valeur marchande, en général supérieure aux deux valeurs précédentes d'une prime de marché.

Les variations de taux d'intérêt, la modification des perspectives de profit ainsi que la détérioration du risque de la société émettrice de l'obligation convertible influencent sa valeur « standard » et ses possibilités de conversion.

Les bons de souscription sont attachés à une nouvelle émission d'obligations ou d'actions privilégiées pour les rendre plus intéressantes à l'investisseur. La société émettrice bénéficie, en contrepartie, de la possibilité de l'avantage de gain en capital accordé à l'actionnaire ordinaire, d'un coût de financement plus faible et du report d'une nouvelle émission d'actions ordinaires dont le prix est trop bas lors de la création des bons de souscription.

Les bons de souscription peuvent être négociés séparément en Bourse et se distinguent des titres convertibles par le fait que la société reçoit de l'argent frais quand ils sont exercés par leurs détenteurs. Ils entraînent aussi une dilution du bénéfice par action et une baisse du contrôle relatif des anciens actionnaires sur le capital de la société.

Le bon de souscription se distingue par une valeur théorique dont le plancher est zéro dollar et par une valeur marchande qui est, en général, supérieure à zéro en raison des attentes de gains en capital.

Un bon de souscription a une échéance de plusieurs années, de même que l'obligation convertible dont l'échéance peut excéder 10 ans, pour atteindre 15 ou 20 ans.

QUESTIONS

1. Expliquer en quoi consiste un droit de souscription.
2. Quelles sont les différentes méthodes de détermination de la valeur d'un droit de souscription ?
3. En quoi consiste l'objectif poursuivi par une société par la distribution de droits de souscription aux anciens actionnaires ?
4. Pour quelle raison la valeur marchande d'un bon de souscription excède-t-elle sa valeur théorique ?
5. Quels sont les motifs d'une émission d'obligations accompagnée de bons de souscription ainsi que ceux d'une émission de titres convertibles ?
6. Pourquoi une société émet-elle des obligations ou des actions privilégiées convertibles ? Expliquer plusieurs raisons.
7. Expliquer les raisons pour lesquelles une société prévoit et fixe à l'avance des clauses protectrices des titres convertibles.
8. Expliquer les points communs ainsi que les différences entre un titre convertible et les bons de souscription qui sont des options d'achat d'actions ordinaires.

9. Exprimer la relation du ratio de conversion et expliquer sa signification.

10. En quoi consistent la valeur « standard » et la valeur de conversion d'une obligation convertible ?

11. Illustrer par un exemple numérique le calcul de la valeur de conversion.

12. Illustrer par un exemple numérique la détermination de la valeur « standard » d'une obligation convertible.

13. Expliquer la différence entre une option émise par une société et celle émise par des agents économiques indépendamment de cette société.

14. Définir la prime de conversion et la prime « standard » d'un titre convertible.

15. Quelles sont les conséquences de la conversion de titres convertibles sur la structure financière d'une société ?

16. Quel est l'impact de l'exercice des bons de souscription sur la structure de capital d'une société ?

17. Expliquer les effets de la conversion de titres convertibles en actions ordinaires ainsi que l'exercice des bons de souscription sur le bénéfice par action.

18. Comment se comporte le prix d'une obligation convertible si le taux de rendement d'une obligation comparable sans privilège de conversion augmente ?

PROBLÈMES

1. LA SOCIÉTÉ MARBELLE INC.

La société Marbelle inc. a déjà une émission d'obligations convertibles en circulation d'une échéance de 20 ans, émise il y a cinq ans et dont la valeur nominale est de 1 000 $ et le taux de coupon, de 10 %. La baisse du prix des actions ordinaires de Marbelle inc. est durable et ce prix s'élève aujourd'hui à 22 $. Le prix de conversion de ce titre est fixé à 25 $. Le prix de l'obligation convertible est de 960 $ sur le marché.

- **On demande :**

a) de déterminer la valeur « standard » de l'obligation convertible ainsi que la prime « standard », sachant que le taux de rendement à l'échéance d'une obligation comparable sans privilège de conversion s'élève à 11 %. Expliquer la signification de la valeur « standard » et calculer la prime « standard » ;

b) d'établir la valeur de conversion de l'obligation convertible ainsi que la prime de conversion;

c) d'expliquer pourquoi la valeur marchande d'une obligation convertible excède habituellement les valeurs «standard» et de conversion.

■ Solutions suggérées :

a) La valeur «standard» V_s de l'obligation convertible correspond à un prix de l'action de Marbelle inc. trop faible. En outre, le marché considère que cette baisse du prix de l'action est durable et que la possibilité de la conversion de l'obligation convertible devient pratiquement nulle de sorte que sa valeur rejoint celle d'une obligation non convertible comparable, c'est-à-dire de même risque et de même taux de rendement à l'échéance. La valeur «standard» est l'une des valeurs minimales que peut atteindre l'obligation convertible.

$$\begin{aligned} V_s &= \left(\frac{0,10}{2}\right)(1\,000\,\$)\left(a_{15\times 2;\ 0,11/2}\right) + 1\,000\,\$\left(1+\frac{0,11}{2}\right)^{-15\times 2} \\ &= (50\,\$)(14,53) + 1\,000\,\$(0,200\,64) \\ &= 726,50\,\$ + 200,64\,\$ \\ &= 927,14\,\$ \end{aligned}$$

La prime «standard» (P_s) représente l'excédent de la valeur marchande sur la valeur «standard» de l'obligation convertible :

$$\begin{aligned} P_s &= V_m - V_s \\ &= 960\,\$ - 927,14\,\$ \\ &= 32,86\,\$ \end{aligned}$$

b) La valeur de conversion est celle que le détenteur de l'obligation convertible obtiendrait s'il la convertissait en actions ordinaires et vendait ces dernières au prix du marché de l'action aujourd'hui. La valeur de conversion est égale au produit du ratio de conversion par le prix de l'action :

$$\begin{aligned} V_c &= (RC)(P_t) \\ &= \left(\frac{1\,000\,\$}{25}\right)(22\,\$) \\ &= (40)(22\,\$) \\ &= 880\,\$ \end{aligned}$$

La valeur de conversion est l'une des deux valeurs planchers que peut prendre l'obligation convertible. La prime de conversion est égale à l'excédent de la valeur marchande de l'obligation convertible sur sa valeur de conversion :

$$
\begin{aligned}
P_c &= V_r - V_c \\
&= 960\,\$ - 880\,\$ \\
&= 80\,\$
\end{aligned}
$$

c) La valeur marchande de l'obligation convertible est en général supérieure à sa valeur «standard» et à sa valeur de conversion en raison de l'espoir de plus-value sur les actions ordinaires obtenues lors de la conversion. Rappelons que le prix de conversion fixé à l'occasion de l'émission de l'obligation convertible se situe entre 25 et 20% au-dessus du prix de l'action considéré alors trop faible. L'acquéreur d'une obligation convertible espère que Marbelle inc. deviendra assez prospère pour dépasser le prix de conversion. L'obligation convertible sera alors transformée en actions ordinaires avec pour conséquence des gains en capital pour le détenteur de l'obligation convertible.

2. LA SOCIÉTÉ PERFORMANTE

L'action ordinaire de la société Performante vaut 80 $ sur le marché. Cette société se propose de procéder à une nouvelle émission d'actions ordinaires au prix de souscription de 60 $. Quatre actions anciennes permettent d'acquérir une action nouvelle au prix de faveur de 60 $.

- **On demande:**

a) de calculer la valeur de chaque droit de souscription et du prix de l'action ordinaire ex-droits;

b) d'établir selon chacune des deux stratégies suivantes leurs conséquences respectives sur la situation financière d'un actionnaire actuel (c'est-à-dire qui possédait déjà des actions de la société Performante avant la nouvelle émission d'action projetée). Cet actionnaire détenait 200 actions ordinaires:

b.1 l'actionnaire en question vend ses deux cents droits,

b.2 l'actionnaire en question exerce 100 droits et vend les 100 autres.

- **Solutions suggérées:**

a) Calcul de la valeur d'un droit de souscription (V_d) et du prix de l'action ordinaire ex-droits:

$$
\begin{aligned}
V_d &= \frac{P_{cum} - P_s}{N_D + 1} \\
&= \frac{80\,\$ - 60\,\$}{4+1} \\
&= \frac{20\,\$}{5} = 4\,\$
\end{aligned}
$$

Le prix de l'action ordinaire ex-droits devient:

$$\begin{aligned} P_{ex} &= P_{cum} - V_d \\ &= 80\,\$ - 4\,\$ \\ &= 76\,\$ \end{aligned}$$

b) Impact de l'émission de droits de souscription sur la fortune ou la situation financière de l'actionnaire ancien (en fait actuel, avant la nouvelle émission d'actions ordinaires) mentionné :

b.1 L'actionnaire vend ses 200 droits de souscription. La comparaison de la situation financière de l'actionnaire, compte tenu de la vente de ses 200 droits, à son investissement initial permet de constater l'évolution de la valeur de son investissement dans la société Performante à la suite de la nouvelle émission d'actions ordinaires et de la vente de ses droits.

Investissement initial		**Situation financière**	
(80 $) (200 actions) =	16 000 $	(200 actions) (76 $) =	15 200 $
		(200 droits) (4 $) =	800 $
Total	16 000 $		16 000 $

b.2 La deuxième stratégie consiste à vendre 100 droits et à exercer les 100 autres droits.

Investissement initial		**Situation financière**	
(80 $) (200) =	16 000 $	(225 actions) (76 $) =	17 100 $
$\left(\dfrac{100}{4}\right)(60\,\$) =$	1 500 $	(100 droits) (4 $) =	400 $
Total	17 500 $		17 500 $

On constate que, quelle que soit la stratégie adoptée, notre actionnaire n'enregistre ni gain, ni perte. Ceci prouve que les droits de souscription liés à une nouvelle émission d'actions ordinaires ont pour objet de protéger l'ancien actionnaire contre les effets défavorables de la dilution résultant d'une nouvelle émission d'actions ordinaires.

3. LA SOCIÉTÉ ALAMBIC INC.

La société Alambic inc. a un capital-actions de 6 000 actions ordinaires ainsi que 3 000 bons de souscription, de longue échéance, qui donnent le droit d'acquérir deux nouvelles actions ordinaires chacun. Ces bons de souscription sont protégés contre la dilution de sorte que le prix d'exercice serait ajusté si Alambic inc. émettait de nouvelles actions ordinaires à un prix de faveur inférieur au prix d'exercice de 60 $. La société Alambic inc. décide d'émettre de nouvelles actions ordinaires accompagnées de droits de souscription permettant d'acquérir une nouvelle action ordinaire au prix de faveur de 52 $ à condition de détenir 3 actions anciennes. Le prix de l'action ordinaire cum-droits (avec droits) est de 68 $.

- **On demande :**

a) de déterminer la valeur théorique des bons de souscription avant que l'action ordinaire ne se vende ex-droits ;

b) de calculer le nouveau prix d'exercice des bons de souscription après la nouvelle émission d'actions ordinaires.

- **Solutions suggérées :**

a) La détermination de la valeur d'un bon de souscription :

$$V_{BS} = (P_t - P_s) \times N = (P_t - E) \times N$$
$$= (68\,\$ - 60\,\$) \times 2 = 16\,\$$$

Ce montant de 16 $ est la référence par rapport à laquelle va s'ordonner l'ajustement du prix de souscription ou prix d'exercice E.

b) La détermination du nouveau prix d'exercice E se fait en deux étapes :

b.1 Le prix de l'action ex-droits (P_{ex}) ou sans droits, à l'occasion d'une émission de droits de souscription, est égal à :

$$P_{ex} = P_{cum} - V_d$$
$$= \text{Prix de l'action avec droits} - \text{Valeur d'un droit de souscription}$$

On sait que le prix de souscription P_s est de 52 $ et que le nombre de droits requis, pour acquérir une action nouvelle au prix de souscription, est de 3. D'où la valeur V_d d'un droit est égale à :

$$V_d = \frac{P_{cum} - P_s}{N+1}$$
$$= \frac{68\$ - 52\$}{3+1}$$
$$= \frac{16\$}{4} = 4\$$$

D'où le prix de l'action ordinaire ex-droits devient:

$$P_{ex} = 68\$ - 4\$$$
$$= 64\$$$

b.2 Le nouveau prix d'exercice E est calculé selon la relation suivante:

$$(64\$ - E)(2) = 16\$$$

$$\text{Et: } E_{nouveau} = (128\$ - 16)/2 = 56\$$$

4. LA SOCIÉTÉ MATREX INC.

Un ensemble d'actionnaires détient 56 % des 1 000 000 d'actions ordinaires de la société Matrex inc. Cette dernière a des projets d'expansion qui requièrent un nouveau financement de 5 000 000 $. Le groupe détenant déjà 56 % des actions ne désire participer à aucune modalité nouvelle de financement afin de diversifier ses investissements ailleurs. Une nouvelle émission d'actions ordinaires semble exclue, car le prix est trop bas à l'heure actuelle. La clientèle acheteuse des titres de financement de Matrex inc. préfère placer ses fonds habituellement en actions ordinaires. La direction de cette société décide donc d'émettre des obligations en les rendant attrayantes aux actionnaires ordinaires selon l'une des deux modalités suivantes avec pour objectif le maintien du contrôle du groupe qui détenait initialement 56 % des actions:

- une émission d'obligations convertibles de valeur nominale de 1 000 $, d'une échéance de 20 ans, dont le prix de conversion est de 40 $;
- une émission d'obligations de valeur nominale de 1 000 $ accompagnée de 5 bons de souscription par obligation, chaque bon donnant le droit d'acquérir 4 actions ordinaires au prix d'exercice de 30 $.

■ **On demande** d'établir les effets des deux modalités de financement indiquées ci-haut:

a) sur la participation relative du groupe détenant initialement la majorité de 56 % ainsi que sur le choix de la modalité de financement qui lui permet de maintenir son contrôle;

b) sur la structure de capital de Matrex inc.

■ **Solutions suggérées:**

a.1 La détermination du nombre de nouvelles actions ordinaires en circulation après la conversion des titres convertibles:

$$= (\text{Nombre d'obligations convertibles émises})\,(\text{Ratio de conversion})$$
$$= \left(\frac{5\,000\,000\,\$}{1\,000\,\$}\right)\left(\frac{1\,000\,\$}{40\,\$}\right)$$
$$= 125\,000 \text{ actions ordinaires}$$

La participation relative du groupe d'actionnaires sera la suivante après la conversion des obligations:

$$\frac{(56\,\%)(1\,000\,000 \text{ actions})}{1\,000\,000 + 125\,000} = \frac{560\,000}{1\,125\,000} = 49{,}77\,\%$$

Le groupe perd le contrôle de la majorité des actions de Matrex inc. Cette modalité de financement est rejetée.

a.2 La détermination du nombre de nouvelles actions ordinaires après l'exercice des bons de souscription.

$$= \left(\frac{5\,000\,000\,\$}{1\,000\,\$}\right) \times (5 \times 4)$$
$$= 100\,000 \text{ actions ordinaires}$$

La participation relative du groupe devient:

$$\frac{560\,000}{1\,000\,000 + 100\,000} = \frac{560\,000}{1\,100\,000} = 50{,}91\,\%$$

Le groupe maintient son contrôle sur la société Matrex inc. avec l'émission de bons de souscription attachés à une nouvelle émission d'obligations. Le choix de la société Matrex inc. se portera sur l'émission d'obligations munies de bons de souscription.

b.1 Les conséquences de la conversion des obligations sur la structure de capital de Matrex inc.:

- Le capital-actions de cette société augmente sans cependant bénéficier d'une infusion d'argent frais.
- Les obligations disparaissent du fait de leur conversion en actions ordinaires. Donc, le niveau de la dette diminue et celui du capital-actions augmente sans apport de nouveaux fonds.

b.2 Les conséquences de l'exercice des bons de souscription :

- Le capital-actions augmente, accompagné cette fois d'argent frais.
- Le niveau des obligations convertibles de la société Matrex inc. demeure inchangé.

Donc, le niveau de la dette demeure inchangé, celui du capital-actions augmente avec un apport de nouveaux fonds selon cette formule de financement qui est retenue.

5. LA FIRME EXPANSION INC.

La firme Expansion inc. a 1 280 000 actions ordinaires en circulation dont la valeur marchande est de 160 $ chacune. Un nouveau projet d'investissement nécessite un apport de nouveaux capitaux de 20 000 000 $ de dollars. Expansion inc. étudie la possibilité d'émettre de nouvelles actions ordinaires pour lever ces fonds nouveaux. Le prix de souscription est fixé à 125 $ l'action ordinaire. Des droits de souscription seront distribués aux actionnaires actuels, selon le nombre d'actions qu'ils détiennent, afin de les protéger contre les effets défavorables de la dilution résultant d'une nouvelle émission d'actions ordinaires.

- **On demande :**

a) d'établir la répartition des droits de souscription entre les actionnaires ordinaires actuels, c'est-à-dire la détermination du nombre de droits requis pour acquérir une nouvelle action ordinaire au prix de souscription ;

b) de calculer le prix d'un droit de souscription selon trois méthodes différentes ;

c) de déterminer l'impact d'une émission d'actions ordinaires accompagnée de droits de souscription sur la position financière de Jean, qui détient 400 actions anciennes, qu'il vende ses droits ou qu'il les exerce.

- **Solutions suggérées :**

a) La détermination du nombre de droits requis pour acheter une action ordinaire au prix de faveur de 125 $:

$$N_D = \frac{\text{Nombres d'actions anciennes}}{\text{Nombre d'actions nouvelles}}$$

$$= \frac{1\,280\,000 \text{ actions}}{20\,000\,000\,\$/125\,\$}$$

$$= \frac{1\,280\,000 \text{ actions anciennes}}{160\,000 \text{ actions nouvelles}}$$

$$= 8 \text{ actions ordinaires anciennes ou droits requis}$$

L'actionnaire ordinaire doit déjà posséder 8 droits, soit 8 actions actuellement afin d'avoir le droit d'acheter une action nouvelle à 125 $.

b) Calcul du prix d'un droit:

b.1. Après l'expiration des droits et en fonction du prix cum-droits et du prix ex-droits:

$$P_{ex} = V_{ex} = (VM_A + V_N) / (N_A + N_N)$$

où:

P_{ex} = prix de l'action ex-droits;

VM_A = valeur marchande des anciennes actions ordinaires toujours en circulation;

V_N = montant de la nouvelle émission;

N_A = nombre d'actions ordinaires anciennes (ou actuelles avant l'émission de nouvelles actions);

N_N = nombre d'actions ordinaires nouvelles.

$$P_{ex} = V_{ex} = \frac{(1\,280\,000\,\$ \times 160) + 20\,000\,000\,\$}{1\,280\,000 + 160\,000}$$

$$= \frac{204\,800\,000\,\$ + 20\,000\,000\,\$}{1\,280\,000 + 160\,000}$$

$$= \frac{224\,800\,000}{1\,440\,000}$$

$$= 156{,}111\,\$$$

Le prix de l'action ordinaire baisse de 160 $ à 156,11 $ en raison de l'effet de dilution. Nous savons que le prix de souscription est de 125 $ entraînant, pour l'actionnaire actuel, une économie, par nouvelle action, de:

$$156{,}11\,\$ - 125\,\$ = 31{,}11\,\$$$

Comme le nombre de droits requis est de 8, on aura comme valeur d'un droit:

$$V_d = \frac{31{,}11\,\$}{8} = 3{,}89\,\$$$

Ou aussi:

$$V_d = P_{cum} - P_{ex}$$

$$= 160\,\$ - 156{,}11\,\$$$

$$= 3{,}89\,\$$$

b.2 Prix d'un droit avant l'expiration des droits lorsque l'action se vend cum-droits (P_{cum}) :

$$V_d = \frac{P_{cum} - P_s}{N_D + 1} = \frac{160 - 125}{8 + 1} = \frac{35\$}{9\$} = 3{,}89\$$$

b.3 Prix d'un droit lorsque l'action ordinaire se vend ex-droits :

$$V_d = \frac{P_{ex} - P_s}{N_D} = \frac{156{,}11 - 125}{8} = \frac{31{,}11}{8} = 3{,}89\$$$

c) L'impact d'une émission d'actions ordinaires avec droits de souscription sur la position financière de Jean, qui possède 400 actions anciennes :

Jean a le choix :

c.1 soit d'exercer ses 400 droits :

Jean peut alors acheter $\frac{400}{8} = 50$ nouvelles actions ordinaires au prix de souscription de 125 $.

Investissement initial		Position financière	
(400 actions) (160 $) =	64 000 $	(450 actions) (156,11 $) =	70 250 $
(50 actions) (125 $) =	6 250		
Total	70 250 $		70 250 $

L'exercice des 400 droits de souscription a effectivement permis à Jean de préserver sa richesse contre les effets négatifs de la dilution des bénéfices et de la baisse consécutive du prix de l'action ordinaire résultant d'une nouvelle émission d'actions ordinaires.

c.2 soit de vendre ses 400 droits :

Investissement initial		Position financière	
(400 actions) (160 $) =	64 000 $	(400 actions) (156,11 $) =	62 444 $
		Vente de 400 droits : (400 droits) (3,89 $) =	1 556
Total	64 000 $		64 000 $

On constate que la position financière de Jean est encore préservée s'il vend ses 400 droits.

Jean ne réalise ni gain ni perte quand la firme Expansion inc. lui distribue 400 droits de souscription. L'objectif d'une émission de droits de souscription consiste à protéger la valeur de l'investissement de Jean contre la dilution.

Location ou achat-emprunt – refinancement

La location est un moyen d'obtenir par contrat, pour un certain temps, l'utilisation économique d'un bien, par le locataire, sans pour autant en détenir le titre de propriété qui appartient au locateur. Le locataire bénéficie des services d'un ou de plusieurs actifs et doit effectuer en contrepartie des versements périodiques de loyer au locateur. Le loyer périodique est une dépense pour le locataire, qui pourra le déduire de ses revenus imposables. Par contre, les loyers reçus par le locateur sont ajoutés à son assiette fiscale.

La location est un moyen de financement que l'on compare à un achat d'actif, tel celui d'un équipement financé par emprunt, car l'on retrouve dans les deux cas des versements périodiques fixes. La location d'équipement, d'automobile, de terrain, de téléphone et d'immeuble remonte aux années 1960. Il y a plusieurs motifs ou raisons qui sont à l'origine de l'essor considérable que connaît la location depuis une quarantaine d'années. Il s'agit essentiellement d'avantages que le locataire obtient de l'utilisation du bien loué.

12.1. LOCATION OU ACHAT-EMPRUNT

12.1.1. Les avantages de la location

a) La différence entre le taux d'imposition des bénéfices du locateur et le taux d'imposition du locataire.

Le locateur est, en général, une grande entreprise comme un manufacturier d'équipement ou une société d'assurance, à titre d'exemple. Son taux d'imposition est plus élevé que celui des petites entreprises et de certaines de taille moyenne. Le locateur peut ainsi faire bénéficier le locataire d'une partie de ses avantages fiscaux provenant de la déductibilité de l'amortissement de l'assiette fiscale, car ils sont supérieurs à ceux qu'obtiendraient la petite et la moyenne entreprise si elles achetaient l'équipement au lieu de le louer.

Le locataire bénéficierait alors d'une partie des épargnes fiscales sur amortissement du locateur sous la forme d'une réduction de versements de loyer.

b) La possibilité pour le locataire de bénéficier de certaines économies d'exploitation du locateur. Le locateur loue un grand nombre d'équipements du même genre et, de ce fait, réalise des économies d'échelle, c'est-à-dire un coût d'exploitation moyen par unité d'équipement plus faible que le coût d'exploitation d'un seul équipement s'il était acheté plutôt que loué par le locataire. Le locateur peut aussi, dans ce cas, transférer au locataire une partie de ses économies de coût d'exploitation sous forme de réduction de loyer.

c) La possibilité dans le cas de la location d'éviter de longues procédures de faillite par le locateur lorsque le locataire ne fait plus les versements de loyer.

La saisie de l'équipement, qui appartient toujours au locateur, est beaucoup plus rapide que dans le cas où le locataire aurait acheté l'équipement en le finançant par emprunt.

d) La possibilité pour le locataire de transférer une partie du risque de désuétude de l'équipement au locateur par entente contractuelle. La possibilité d'échanger un équipement ou de l'améliorer durant la vie du contrat si l'évolution technologique dans ce domaine est trop rapide comme dans le cas des ordinateurs.

e) Une grande souplesse en matière de financement d'actifs dont le coût d'acquisition n'est pas élevé. La location de ces actifs évite à l'entreprise de procéder à une émission d'obligations plus coûteuse et plus complexe à réaliser.

f) L'obtention d'un financement à 100 % comparativement à l'achat financé par emprunt, qui nécessite une mise de fonds initiale de près de 25 %. La location constitue un financement complet.

g) L'amélioration du fonds de roulement de l'entreprise dans le cas de la formule cession-bail, où la firme vend l'équipement et le loue ensuite. Cependant, l'avantage d'une meilleure liquidité est réduit par les paiements constants et périodiques de loyer.

h) Des contraintes moins rigoureuses que celles qui caractérisent un emprunt.

i) L'obtention d'un meilleur service ou appui technique de la part d'un locateur fabriquant de l'équipement comparé à celui que l'entreprise pourrait elle-même assurer si elle achetait le matériel.

j) Une grande souplesse, d'une manière générale, dans l'élaboration du contrat de location de sorte qu'il satisfasse les critères de rentabilité et les besoins de production et de service des parties concernées.

k) Certains experts assimilent la location à un financement hors-bilan qui soustrait du bilan le poids d'une dette équivalente. Il est vrai qu'alors le ratio d'endettement dette/actif est plus favorable dans le cas de la location comparativement à celui de l'achat-emprunt. Deux facteurs limitent cet avantage :

- Si le ratio dette/actif est plus favorable avec la location, il n'en demeure pas moins que le ratio de couverture des frais fixes enregistre les frais de la location au même titre que les charges financières d'une dette et indique ou enregistre qu'une plus grande partie du bénéfice avant intérêts et impôts est absorbée par une charge fixe additionnelle représentée par les versements de location.
- Les experts des marchés des capitaux sont assez perspicaces pour déceler rapidement l'impact d'un élément hors-bilan comme la location sur les coûts de l'entreprise et, en fin de compte, sur ses flux monétaires. Ils l'associent aux conséquences comparables des intérêts payés sur la dette et expliquent l'effet de la location sur la situation de la liquidité et sur la rentabilité de l'entreprise.

12.1.2. Le taux d'actualisation

Le choix du taux d'actualisation est fonction du niveau du risque des différentes sortes de flux monétaires que l'on retrouve dans les transactions de location et dans celle d'un achat financé par emprunt. On considère les flux monétaires suivants :

a) Les loyers sont connus à l'avance et font l'objet d'une disposition contractuelle. Ce sont des flux monétaires certains qui doivent être actualisés au coût d'une dette garantie après impôt, soit :

$$k_d = r_d\left(1 - T_c\right) \tag{12.1}$$

où :

r_d = taux d'intérêt sur la dette ;

T_c = taux d'impôt sur le bénéfice des sociétés.

b) Les économies d'impôt sur l'allocation du coût en capital constituent un élément d'une assez grande certitude pour une entreprise relativement bien gérée qui se distingue par des revenus imposables suffisamment élevés. C'est le cas de la plupart des entreprises de la réalité, car elles sont souvent profitables, et dans les situations où elles sont moins rentables pendant un an ou deux, elles peuvent bénéficier de déductions fiscales relatives à l'allocation du coût en capital sur des années passées et sur l'avenir. Le coût de la dette après impôt est par conséquent le taux pertinent d'actualisation, soit $r_d\,(1 - T_c)$.

c) Le taux d'actualisation utilisé pour la valeur de revente ou valeur résiduelle de l'équipement est le coût du capital, éventuellement ajusté au risque du nouveau projet s'il était différent du risque moyen de l'entreprise. Il en est de même pour l'actualisation des pertes d'économies d'impôt correspondant à la valeur de revente, qui est un flux monétaire risqué dont l'estimation est aléatoire. D'où la justification du coût du capital comme taux d'actualisation de la valeur résiduelle risquée.

12.1.3. Les différentes sortes de contrats de location

On considère surtout trois catégories de contrats de location :

- la location-exploitation ;
- la location financière ;
- et la cession-bail.

a) Ce chapitre sera consacré à la location financière, qui décrit les modalités de fonctionnement de la fourniture de services d'un gros équipement en général sur une longue période. Les frais d'entretien, les coûts d'assurance et les taxes sont, en général, à la charge du locateur. La location financière est alors une location dite nette. Les termes de ce contrat sont irrévocables, dans la grande majorité des cas, n'offrant aucune possibilité d'annulation par le locataire si l'équipement loué devient désuet avant la fin de la vie du contrat de location. La clause d'irrévocabilité du contrat de location financière ainsi que les versements constants périodiques de loyer rapprochent ce type de contrat d'une dette à long terme, caractérisée par des dispositions rigoureuses stipulant des paiements d'intérêt fixes périodiques. Deux autres éléments du contrat de location financière permettent de l'associer à une dette à long terme :

1. le fait que la location, par l'engagement ferme de versements périodiques de loyer, accroît le risque financier de la firme et, en fin de compte, le risque de faillite ;
2. le fait que le non-paiement de loyer peut entraîner la saisie du bien loué ainsi qu'une action en justice par le locateur.

b) Par contre, la location-exploitation est un contrat de courte durée qui offre habituellement la souplesse d'être annulé rapidement, protégeant ainsi le locataire contre le risque de désuétude résultant d'innovations importantes intégrées dans les équipements les plus récents sur le marché. Cet avantage de l'annulation du contrat de location-exploitation permet à l'entreprise de changer d'équipement afin de bénéficier des technologies nouvelles et de rester compétitive. C'est le cas des camions légers, des voitures, des téléphones et des ordinateurs. Le locataire est en mesure de transférer totalement au locateur le risque d'obsolescence. Le locateur prend à sa charge les frais d'entretien du bien loué lorsqu'il s'agit d'un contrat de location-exploitation.

c) Une troisième façon de bénéficier des services d'un bien tel que l'immeuble commercial, sans le posséder, consiste à le vendre et à le louer immédiatement après. C'est la formule de cession-bail ou de vente-location. Le motif du recours à la vente-location est d'améliorer la liquidité de l'entreprise. L'avantage d'une meilleure liquidité est cependant tempéré par l'obligation des versements fixes de loyer.

12.1.4. L'évaluation d'un contrat de location et d'un contrat d'achat-emprunt

Quelques remarques d'ordre général s'imposent avant de traiter de l'estimation du coût de la location et du coût de l'achat financé par emprunt :

a) Les modalités de financement par location et par achat-emprunt se caractérisent par des flux monétaires périodiques.

b) La décision d'investissement est déjà prise avant la détermination du coût de la location et du coût de l'achat financé par emprunt. La valeur actuelle nette du projet pour lequel le nouvel actif doit être utilisé est censée être positive. La rentabilité du nouvel investissement est favorable et le projet, déjà accepté.

c) Il reste à trouver la formule de financement la moins coûteuse, c'est-à-dire choisir entre la location de l'équipement et l'achat-emprunt.

d) Il faut déterminer la valeur actuelle du coût net de location (VACNL).

e) Il faut établir la valeur actuelle du coût net d'achat (VACNA).

f) L'entreprise achète l'équipement et le finance par emprunt dans le cas où :

$$\text{VACNA} < \text{VACNL}$$

g) Ou aussi, présenté différemment, dans le cas où l'avantage net de la location (ANL) est négatif, c'est-à-dire :

$$\text{ANL} = \text{VACNA} - \text{VACNL} < 0$$

h) L'entreprise loue l'équipement dans le cas où :

$$\text{VACNL} < \text{VACNA}$$

i) Ou aussi, présenté d'une autre façon, dans le cas où l'avantage net de la location est positif, c'est-à-dire :

$$\text{ANL} = \text{VACNA} - \text{VACNL} > 0$$

12.1.5. La valeur actuelle du coût net de location (VACNL)

La détermination de la valeur actuelle du coût net de location tient compte de deux situations relatives au moment du versement du premier loyer :

a) Les loyers sont (en général) versés en début de période.

Les économies d'impôt sur loyers sont reçues un an plus tard que les versements des loyers. La séquence de ces deux flux monétaires est différente. L'entreprise doit calculer la valeur actuelle des loyers après impôt en séparant la détermination de la valeur actuelle des loyers de celle de la valeur actuelle des économies d'impôt.

D'où :

Valeur actuelle des loyers après impôt ou valeur actuelle du coût net de location :

VACNL = Loyers actualisés – Valeur actuelle des économies d'impôt sur loyers

$$= \text{L}(a_{n;i})(1+i) - \text{L}(\text{T}_c)(a_{n;k_d}) \qquad (12.2)$$

où :

L = montant du loyer versé périodiquement ;

$a_{n;k_d}$ = facteur d'actualisation d'une périodicité de n périodes actualisée au taux de la dette après impôt $k_d = r_d\,(1 - T_c)$;

T_c = Taux d'impôt sur le bénéfice des corporations.

EXEMPLE

Supposons qu'un loyer annuel de 100 000 $ soit versé en début de période. Le contrat de location est d'une durée de 10 ans et le taux de la dette de l'entreprise est de 13,33 %. On demande d'établir la valeur actuelle du coût net de location, sachant que le taux d'impôt sur le bénéfice des sociétés s'élève à 40 %.

Notons que le coût de la dette après impôt k_d = 13,33 % (1 - 0,40) = 8 %.

$$
\begin{aligned}
\text{VACNL} &= (100\,000\,\$)(a_{10;8\%})(1+0{,}08) \\
&= -(100\,000\,\$)(0{,}40)(a_{10;8\%}) \\
&= (100\,000\,\$)(6{,}71)(1{,}08) - (100\,000\,\$)(0{,}40)(6{,}71) \\
&= 724\,680\,\$ - 268\,400\,\$ \\
&= \underline{\underline{456\,280\,\$}}
\end{aligned}
$$

b) Les loyers sont versés en fin de période.

La relation de la valeur actuelle des loyers après impôt est alors la suivante :

$$\text{VACNL} = \text{L}(1 - \text{T}_c)(a_{n;k_d}) \qquad (12.3)$$

EXEMPLE

Considérons les données de l'exemple précédent avec une différence : le versement de loyer est maintenant effectué en fin de période.

$$
\begin{aligned}
\text{VACNL} &= (100\,000\,\$)(1 - 0{,}40)(a_{10;8\,\%}) \\
&= (100\,000\,\$)(0{,}60)(6{,}71) \\
&= \underline{\underline{402\,600\,\$}} \text{ en arrondissant}
\end{aligned}
$$

12.1.6. La valeur actuelle du coût net de l'achat (VACNA) financé par emprunt

La valeur actuelle du coût net de l'achat regroupe les flux monétaires suivants :

VACNA = la valeur actuelle du coût de l'emprunt après impôt ;

Plus : la valeur actuelle des frais d'entretien après impôt ;

Moins : la valeur actuelle des économies d'impôt sur l'allocation du coût en capital (ACC). Les épargnes fiscales sur l'ACC viennent, dans ce cas, réduire le coût de l'achat financé par emprunt ;

Moins : la valeur actuelle de la valeur de revente (la valeur résiduelle). Cette entrée de fonds diminue le coût de l'achat-emprunt ;

Plus : la valeur actuelle de la perte d'économie d'impôt, liée à la valeur de revente, qui constitue un flux monétaire négatif qui accroît le coût de l'achat par emprunt.

La relation de la VACNA est la suivante :

$$\begin{aligned} \text{VACNA} = {} & \text{Montant de l'emprunt} \\ & + E(1-T_c)\left(a_{n;k_d}\right) \\ & - \frac{(C)(d)(T_c)\left(\frac{1+k_d}{2}\right)}{(k_d+d)(1+k_d)} \\ & - \frac{VR_n}{(1+k_o)^n} \\ & + \frac{(VR_n)(d)(T_c)}{(k_o+d)(1+k_o)^n} \end{aligned} \qquad (12.4)$$

où :

E = frais d'entretien annuels ;

C = coût de l'actif acheté ;

d = taux d'amortissement sur l'actif acheté ;

k_d = coût de la dette après impôt, utilisé pour actualiser les flux monétaires relativement certains ;

k_o = coût du capital pour actualiser les flux monétaires risqués ;

VR_n = valeur de revente de l'actif fixe à la fin de l'année n (fin de la vie du projet).

La valeur actuelle du coût de l'emprunt après impôt:

Cette valeur actuelle est égale au montant même de l'emprunt; c'est-à-dire égale à la valeur actuelle des versements périodiques (capital + intérêts) diminués de la valeur actuelle des économies d'impôt, résultant de la déductibilité des intérêts des revenus imposables de l'entreprise.

Illustrons par des exemples.

EXEMPLE 1

La société Brabant inc.

La société Brabant inc. a un projet d'investissement, formé d'un ensemble d'équipements dont la valeur actuelle nette est déjà positive. La société Brabant inc. cherche à ajouter une valeur supplémentaire à ce nouveau projet en choisissant le mode de financement le moins onéreux: soit en achetant les équipements par un financement par dette, soit en les louant. Ledit projet a une durée de vie de 10 ans, l'amortissement fiscal maximum est de 30%, appliqué de façon constante sur le solde dégressif, et la valeur totale d'acquisition des actifs s'élève à 2 000 000$. Notons que la valeur résiduelle des équipements est de 600 000$ et le taux marginal de l'impôt sur les bénéfices de Brabant inc., de 40%. Son coût du capital est de 20% et le taux exigé sur sa dette s'élève à 12%. Une formule de location a été proposée à Brabant inc.: 10 versements annuels de 410 000$. On sait que, dans le cas de l'achat, les frais annuels d'entretien s'élèveraient à 60 000$. On demande d'établir la modalité de financement la moins coûteuse.

Solution suggérée:

1. Location

Le coût de la dette après impôt = 12% (1 – 0,40) = 7,2%

La valeur actuelle nette du coût net de location est égale à:

$$\begin{aligned} VACNL &= 410\,000\$\left(a_{10;7,2\%}\right)(1+0,072) - 410\,000\$(0,40)\left(a_{10;7,2\%}\right) \\ &= 410\,000\$(6,959\,1)(1,072) - 410\,000\$(0,40)(6,959\,1) \\ &= 3\,058\,664\$ - 1\,141\,292\$ \\ &= 1\,917\,372\$ \text{ en arrondissant} \end{aligned}$$

2. Achat-emprunt

La valeur actuelle du coût net d'achat s'élève à :

$$\text{VACNA} = 2\,000\,000\,\$ - \frac{(2\,000\,000\,\$)(0,30)(0,40)\left(1+\dfrac{0,072}{2}\right)}{(0,072+0,30)(1+0,072)} - \frac{600\,000\,\$}{(1+0,20)^{10}}$$
$$+ \frac{(600\,000\,\$)(0,30)(0,40)}{(0,20+0,30)(1+0,20)^{10}}$$
$$+ (60\,000\,\$)(1-0,40)(6,959\,1)$$
$$= 2\,000\,000\,\$ - 623\,470\,\$ - 96\,903\,\$ + 23\,257\,\$ + 250\,528\,\$$$
$$= 1\,553\,412\,\$ \text{ en arrondissant}$$

La firme Brabant inc. choisit l'achat financé par emprunt, toutes choses égales par ailleurs.

L'écart entre la VACNL (1 917 372 $) et la VACNA (1 720 450 $) est trop large, soit de 196 922 $. La VACNL a un coût de près de 10 % supérieur à la VACNA, indiquant probablement que le locateur facture des loyers que l'on peut comparer à des intérêts trop élevés, toutes choses égales par ailleurs.

EXEMPLE 2

La société X

La société X envisage d'emprunter 1 000 000 $ à 10 % pour une période de 10 ans afin d'acheter un équipement dont l'utilisation sera de 10 ans. Le taux d'amortissement sur cet actif est de 30 % appliqué de façon dégressive. Le taux d'impôt sur les bénéfices de la société X est de 50 %. La valeur résiduelle de l'équipement est estimée à 350 000 $. La société X peut aussi louer le même matériel à 150 000 $ par an avec une option d'achat de 240 000 $ dans 10 ans. Le coût du capital de cette firme est de 18 %. Quel choix de financement est le plus favorable à la société X ?

Solution suggérée :

1. Location

Le coût de la dette après impôt = 10 % (1 – 0,50) = 5 %

La valeur actuelle du coût net de location

VACNL = Valeur actuelle des loyers
– Valeur actuelle de l'économie d'impôt sur intérêts
– Valeur actuelle du gain en capital
+ Valeur actuelle de l'impôt sur le gain en capital

$$\begin{aligned}
\text{VACNL} &= (150\,000\,\$)(a_{10;5\,\%})(1,05) \\
&\quad - (150\,000\,\$)(0,50)(a_{10;5\,\%}) \\
&\quad - \frac{[350\,000\,\$ - 240\,000\,\$]}{(1,18)^{10}} + \frac{(350\,000\,\$ - 240\,000\,\$)(0,50)(0,50)}{(1,18)^{10}} \\
&= (150\,000\,\$)(7,721\,7)(1,05) \\
&\quad - (150\,000\,\$)(0,50)(7,721\,7) \\
&\quad - (110\,000\,\$)(0,191\,1) + (27\,500\,\$)(0,191\,1) \\
&= 1\,216\,167\,\$ - 579\,128\,\$ \\
&\quad - 21\,021\,\$ + 5\,255\,\$ \\
&= 621\,273\,\$
\end{aligned}$$

2. Achat-emprunt

$$\begin{aligned}
\text{VACNA} &= 1\,000\,000\,\$ - \frac{(1\,000\,000\,\$)(0,30)(0,50)\left(1 + \dfrac{0,05}{2}\right)}{(0,30 + 0,05)(1 + 0,05)} \\
&\quad - \frac{(350\,000\,\$)}{(1,18)^{10}} + \frac{(350\,000\,\$)(0,30)(0,50)}{(0,30 + 0,18)(1 + 0,18)^{10}} \\
&= 1\,000\,000\,\$ - 418\,367\,\$ - 66\,873\,\$ \\
&\quad + 20\,898\,\$ \\
&= 535\,658\,\$
\end{aligned}$$

L'entreprise X opte pour l'achat financé par emprunt au coût de 535 658 \$ comparé à 621 273 \$ pour la location.

En d'autres termes, l'achat financé par emprunt est plus favorable, car l'avantage net de location (ANL) est négatif:

$$\begin{aligned}
\text{ANL} &= \text{VACNA} - \text{VACNL} \qquad (12.5) \\
&= 535\,658\,\$ - 621\,273\,\$ \\
&= (85\,615\,\$)
\end{aligned}$$

12.1.7. L'aspect fiscal de la location

Un contrat de location doit être clairement établi afin que sa légitimité ne soit point remise en question par le fisc. Pour cela, les conditions suivantes doivent être remplies :

a) Que le loyer ne puisse être assimilé à un remboursement de capital et à un versement d'intérêt. Les loyers ne sont pas déductibles des revenus imposables s'ils correspondent à des versements à tempérament d'un actif que l'on achèterait. Seule la portion d'intérêt serait déductible, comparativement à une vraie location où la totalité du loyer est déductible.

b) Que le locataire ne puisse acquérir l'actif à la fin de la vie du projet à un prix bien inférieur à sa juste valeur marchande. Une telle situation augmente la probabilité d'achat de l'actif à la fin de la vie du contrat et empêche la déductibilité du loyer du revenu imposable du locataire.

c) Que les versements de loyer ne s'étendent pas sur une période bien plus courte que la vie économique réelle de l'actif. Le fisc n'admet pas cette accélération des déductions fiscales.

d) Que l'actif ne puisse être obligatoirement acquis pendant la durée ou à la fin du contrat de location.

Le défaut de respecter l'une des quatre conditions mentionnées ci-haut aboutit à considérer un contrat de loyers capitalisés du point de vue fiscal. Le locataire peut alors déduire l'allocation du coût en capital ainsi que les intérêts sur le montant du coût d'acquisition de l'actif loué. En fait, on a un même traitement fiscal, que l'on se retrouve dans le cas de loyers capitalisés ou dans celui de l'achat financé par emprunt.

12.1.8. Les inconvénients de la location

a) Des coûts éventuellement élevés d'intérêt ou de financement intégrés au loyer. En effet, le coût de financement, en tant que tel, de la location n'est pas affiché. Le locataire doit l'établir pour savoir s'il est justifié. Si le locataire juge que le coût du financement de la location est trop élevé, il optera pour l'achat financé par emprunt.

b) L'absence dans le contrat de location d'une clause d'annulation possible avant la fin de ce contrat pour cause de désuétude de l'actif loué. Le locataire est tenu, à moins d'une disposition d'annulation par contrat, de verser des loyers jusqu'à son terme même s'il n'utilise plus cet actif ou s'il continue à l'utiliser malgré des conditions défavorables de productivité comparativement à des concurrents qui bénéficient d'une nouvelle technologie.

c) L'accroissement de la valeur du bien loué pendant la durée du contrat, comme c'est le cas avec la location de terrains et d'immeubles. Le bénéfice de la plus-value sur l'actif loué revient au locateur propriétaire et non au locataire puisqu'il a loué le bien au lieu de l'acquérir par la modalité d'achat-emprunt.

d) Les dispositions légales financières d'un contrat de location à long terme sont aussi contraignantes que celles d'une dette. Le fait que le contrat de location est représenté comme un financement hors-bilan, et que ses caractéristiques font l'objet d'une note aux états financiers n'enlève rien à sa parenté avec une dette à long terme. Le risque financier de l'entreprise augmente comme avec une nouvelle dette, même si l'aspect financier du contrat de location ne figure pas au bilan.

e) Le locataire ne peut évidemment pas bénéficier des économies d'impôt sur l'allocation du coût en capital puisqu'il ne possède pas l'actif.

f) La location se distingue, d'une manière générale, par un coût plus élevé que celui de l'emprunt. Ce sont surtout les petites et moyennes entreprises qui utilisent le financement par location en raison de difficultés d'accès aux marchés de l'argent à long terme. Or, ces PME sont parmi les entreprises les plus risquées avec pour conséquence un coût de location plus onéreux que celui de l'emprunt. Ceci explique pourquoi le taux implicite de la location excède le taux d'un emprunt à long terme.

12.2. LE REFINANCEMENT

12.2.1. La marche à suivre du refinancement d'une dette à long terme

Les entreprises procèdent parfois à des émissions de débentures même si les taux d'intérêt et l'inflation deviennent trop élevés parce que l'on a une valeur actuelle nette de nouveaux projets d'investissement qui demeure toujours positive malgré un coût élevé de la dette. L'entreprise se demande lorsque, plus tard, les taux d'intérêt baissent, s'il est avantageux de recourir à un refinancement des débentures existantes par l'émission de nouvelles débentures à un taux d'intérêt plus faible. Il faut alors procéder à la détermination de la valeur actuelle nette du refinancement de la dette.

La valeur actuelle nette d'un projet de refinancement d'une émission ancienne de débentures ou d'actions privilégiées (avec la différence significative que les dividendes privilégiés sont non déductibles du revenu imposable, tandis que les intérêts sur la dette le sont) met en évidence toutes les étapes à franchir afin de conclure à l'acceptation ou au refus du projet de refinancement.

Les étapes suivantes doivent être considérées :

I. Les coûts nets du refinancement après impôt :
   - la prime de remboursement, qui est cependant non déductible de la matière imposable ;
   - les frais d'émission, légaux et de souscription, qui peuvent être amortis sur plusieurs années ;
   - le montant d'intérêt sur la vieille émission de débentures, portant sur une période de chevauchement des deux émissions de débentures (l'ancienne et la nouvelle), moins le revenu du placement du montant de la nouvelle émission pour cette même période.

II. Les économies annuelles d'intérêt attendues après impôt (EAIAI), soit :

$$\left[\begin{array}{c}\text{Montant annuel d'intérêt}\\ \text{de l'ancienne émission}\end{array} - \begin{array}{c}\text{Montant annuel d'intérêt}\\ \text{de la nouvelle émission}\end{array}\right]\left(1-\mathrm{T}_c\right) \quad (12.6)$$

III. La valeur actuelle de la rubrique (II), c'est-à-dire de l'annuité des EAIAI actualisée au taux d'intérêt après impôt $[r_d\,(1-\mathrm{T}_c)]$ de la nouvelle émission soit :

$$\mathrm{VAA} = \mathrm{EAIAI}\left[\frac{1-\left[1+r_d\left(1-\mathrm{T}_c\right)\right]^{-n}}{r_d\left(1-\mathrm{T}_c\right)}\right] \quad (12.7)$$

où :

r_d = taux d'intérêt ou taux de coupon de la nouvelle dette ;
T_c = taux d'impôt sur le bénéfice des corporations ;
EAIAI = économie annuelle d'intérêt après impôt ;
n = nombre de périodes de versement de loyer.

IV. La comparaison des coûts nets du refinancement après impôt (I) à la valeur actuelle de l'annuité des économies d'intérêt après impôt (III) permet de décider de l'adoption ou du rejet de la politique de refinancement proposée :
   - Si (III) > (I), l'entreprise refinance les débentures existantes.
   - Si (III) < (I), l'ancienne émission de débentures est maintenue.

12.2.2. Un exemple de refinancement d'une émission d'obligations

La société Simard inc. a 30 M$ de débentures en circulation d'une échéance résiduelle de 15 ans, dont le taux de coupon est de 12 %. Les taux d'intérêt à long terme viennent de baisser à 9 %. Le taux d'impôt sur les bénéfices de l'entreprise est de 40 %. Le gestionnaire financier de Simard inc. étudie la possibilité d'un refinancement de la dette existante afin de profiter de la baisse des taux d'intérêt. Une prime de remboursement par anticipation de 10 % au-dessus de la valeur nominale est prévue. Les frais légaux, les frais d'émission, de courtage et de placement se chiffrent à 1 400 000 $. Ces derniers peuvent être répartis sur quatre ans de façon linéaire et sont déductibles sur le plan fiscal.

Le gestionnaire financier considère une période de chevauchement de 60 jours entre la date de la vente de la nouvelle émission de débentures et la date de rachat de celles actuellement en circulation. Le taux d'intérêt à court terme s'élève à 7 %. Le gestionnaire financier tente d'établir par la démarche suivante si Simard inc. doit racheter ses débentures actuelles et refinancer cette dette :

		Avant impôt	Après impôt
I.	Les coûts nets de refinancement		
1.	Prime de remboursement (non déductible) (30 000 000 $) (0,10) =	3 000 000 $	3 000 000 $
2.	Versement d'intérêt pour un chevauchement de deux mois $(30\ 000\ 000\,\$)(0,12)\left(\frac{2 \text{ mois}}{12}\right)=$	600 000 $	360 000 $
	moins		
3.	Revenu de placement à court terme sur le produit de la nouvelle émission $(30\ 000\ 000\,\$)(0,07)\left(\frac{2 \text{ mois}}{12}\right)=$	(350 000 $)	(210 000 $)
4.	Les différents frais d'émission, de placement, les frais légaux et de courtage. Le montant de 1 400 000 $ amorti sur 4 ans et déductible d'impôt a une valeur actuelle de :		
	$(350\ 000\,\$)(1-0,40)\left(a_{4;5,4\,\%}\right)=$	1 400 000 $	
	$(210\ 000\,\$)(3,51325)=737\ 782,50\,\$$		737 782,5 $
5.	Coût nets totaux du refinancement	4 650 000 $	3 887 782,5 $
II.	L'économie annuelle nette d'intérêt pendant 15 ans : (30 000 000 $) (12 % – 9 %) = 900 000	900 000 $	
	après impôt = (900 000 $) (1 – 0,40) = 540 000 $		540 000 $
III.	La valeur actuelle des économies annuelles d'intérêt au taux de 5,4 % [= (9 %) (1 – 0,40)] (540 000 $) ($a_{15;5,4\%}$) = (540 000 $) (10,104 6) =		5 456 484 $
IV.	La décision : La valeur actuelle nette du projet de refinancement est de : VAN = – 3 887 782,5 $ + 5 456 484 $ = + 1 568 701,50 $		

La VAN étant positive, le projet de refinancement des débentures existantes est accepté.

12.2.3. Un exemple de refinancement d'une émission d'actions privilégiées

La société Tremblay inc. a des actions privilégiées en circulation de 20 M$ de valeur nominale totale à raison de 100$ l'unité. Cette société distribue 10$ de dividende par action privilégiée. Le gestionnaire constate que le marché offre actuellement 9$ par valeur nominale de 100$ pour une action privilégiée appartenant à la même classe de risque que celle de Tremblay inc. L'entreprise pourrait écouler 20 M$ d'actions privilégiées, à 100$ de valeur nominale. Le coût total d'émission, de souscription, de conseils légaux et de placement s'élève à 1 M$. L'entreprise prévoit une période de chevauchement de 60 jours entre la date de la vente de la nouvelle émission d'actions privilégiées et celle du rachat des actions privilégiées existantes. Le taux d'impôt sur le bénéfice des sociétés est de 40 % et Tremblay inc. offre une prime de remboursement de 5 %.

Les frais d'émission, de souscription et autres frais peuvent être répartis sur quatre ans et déduits de la matière imposable de Tremblay inc.

On demande d'établir si le refinancement serait avantageux pour Tremblay inc.

	Avant impôt	Après impôt
I. Les coûts nets du refinancement		
• La prime de remboursement	1 000 000,00 $	1 000 000,00 $
• Les frais d'émission, de souscription et autres, soit le montant de 1 000 000 $ amorti sur 4 ans et déductible d'impôt: $\left(\frac{1\,000\,000\,\$}{4}\right)(1-0,40)\left(a_{4;5,4\,\%}\right)=$	1 000 000,00 $	
$(250\,000\,\$)(0,60)(3,51325)=526\,987,50\,\$$		526 987,50 $
• Versement de dividendes pour un chevauchement de deux mois $(20\,000\,000\,\$)(0,10)\left(\frac{2\text{ mois}}{12}\right)=333\,333,33\,\$$	333 333,33 $	333 333,33 $
Coûts nets totaux du refinancement	2 333 333,33 $	1 860 321,00 $
II. L'économie annuelle de dividendes (20 000 000 $) (0,10 – 0,09) = 200 000 $		
III. La valeur actuelle de l'économie annuelle de dividendes, à perpétuité, au taux de 9 %:	2 222 222,00 $	2 222 222,00 $
IV. La décision La valeur actuelle nette du projet de refinancement des actions privilégiées est de: VAN = –1 860 321 $ + 2 222 222 $ = +361 901 $		

Le projet de refinancement des actions privilégiées existantes est accepté, car la VAN du refinancement est positive.

QUESTIONS

1. En quoi consiste la location?
2. Expliquer les caractéristiques de trois sortes de contrats de location.
3. Quels sont les motifs qui favorisent la location financière?
4. Comment peut-on expliquer que la location soit un moyen de financement?
5. Est-ce qu'un contrat de location financière se distingue par une protection automatique contre la désuétude de l'équipement?
6. Comparer un contrat de location financière à un emprunt à long terme.
7. Quels sont les avantages et les inconvénients de la location financière?
8. Expliquer les principales précautions prises par le fisc pour légitimer un contrat de location en tant que tel, dans le but d'éviter d'en faire un contrat de location capitalisable.
9. Quelles sont les principales composantes de la détermination de la valeur actuelle du coût net de la location?
10. Quelles sont les principales composantes de la détermination de la valeur actuelle du coût net d'achat?
11. Expliquer en quoi consistent les différents taux d'actualisation utilisés dans le calcul de la valeur actuelle du coût net de location et dans celui de la valeur actuelle du coût net d'achat.
12. Quelles sont les principales composantes de l'analyse du refinancement d'une émission d'obligations non garanties (débentures)?
13. Quelles sont les caractéristiques qui différencient le refinancement d'une émission de débentures de celle d'une émission d'actions privilégiées?

PROBLÈMES

1. LA SOCIÉTÉ DREYFUS INC.

La société Dreyfus inc. projette l'expansion de sa capacité de production et l'amélioration de la qualité de ses produits. De nouveaux équipements, intégrant une technologie de pointe porteuse d'avenir, font leur apparition sur le marché. La société Dreyfus inc. étudie la possibilité d'adjoindre ces nouvelles machines au coût de 2 M$. S'y ajoutent des frais de transport, d'aménagement et d'installation se chiffrant à 30 % du prix d'achat. Les renseignements suivants sont disponibles :

- la vie économique utile des nouvelles machines est de six ans ;
- le projet est plus risqué que le risque moyen de l'entreprise ;
- la valeur résiduelle, au bout de six ans, est de 360 000 $;
- le taux d'amortissement fiscal maximal des nouvelles machines est de 35 %, appliqué de façon dégressive sur le solde non amorti ;
- le taux d'impôt sur les bénéfices des sociétés est de 40 %.

Le taux de rendement d'un financement à long terme, par dette, s'élève à 12 % remboursable en six ans ; il fournirait la totalité des fonds requis pour l'achat des nouvelles machines. Le coût du capital de la société Dreyfus inc. est de 12 %. Le risque élevé du nouveau projet justifie qu'une prime additionnelle de rendement de 6 % soit exigée.

La société Dreyfus inc. espère, grâce aux nouveaux équipements, que ses coûts de production diminueront et que sa production et sa qualité augmenteront. Les données suivantes sont disponibles :

– Réduction du coût des matières premières		300 000 $
– Réduction du coût de la main-d'œuvre		350 000 $
– Accroissement en dollars de la valeur de la production		450 000 $
		1 100 000 $
Les coûts suivants sont considérés :		
– Salaire d'un ingénieur additionnel spécialisé dans la technologie nouvelle	80 000 $	
– Amortissement linéaire des nouvelles machines	143 000 $	
– Charges financières ou coût des intérêts sur la dette	60 000 $	
– Frais fixes de l'usine pour toute sa surface occupée	80 000 $	
– Matériaux d'emballage spéciaux additionnels	28 000 $	
– Matériaux divers spécifiques à la production de la nouvelle machine	32 000 $	
	423 000 $	423 000 $
		677 000 $

- **On demande :**

a) de déterminer si la firme en question devrait adopter ce nouveau projet d'investissement;

b) d'étudier l'éventualité, dans le cas où le nouveau projet serait accepté, d'une location des nouveaux équipements. La location coûterait 560 000 $ par année, payée trimestriellement et n'offrirait pas d'option d'achat à la fin de la sixième année. Par ailleurs, la firme considérée doit prendre en charge les frais d'aménagement et d'installation de la nouvelle machine. Déterminer, à la lumière d'une analyse de financement si la société Dreyfus inc. devrait recourir à l'emprunt qui est disponible ou à la location. On suppose que, dans le cas de la location, les frais de transport, d'aménagement et d'installation des nouvelles machines peuvent être considérés comme des dépenses de la première année sur le plan fiscal. Par ailleurs, le financement de ces frais ne doit pas être retenu dans la comparaison des deux modalités de financement envisagées, car il devrait être assuré par une même autre source dans les deux cas.

Ce cas est une version adaptée et améliorée du cas de la Société des Instruments Fiables.

Économie d'impôt

- **Solutions suggérées :**

a) Analyse de la rentabilité de l'investissement

Le taux d'actualisation des flux monétaires ajusté au risque du nouveau projet est égal à : 12 % + 6 % = 18 %.

a1. Flux monétaires autres que ceux de l'exploitation :

- L'investissement net = 2 000 000 $ + (0,30) (2 000 000 $) = 2 600 000 $

moins :

- La valeur actuelle des économies d'impôt (VAEI) sur l'allocation du coût en capital (ACC)

$$= \frac{(2\,600\,000\,\$)(0{,}35)(0{,}40)\left(1 + {}^{0{,}18}\!/_{2}\right)}{(0{,}18 + 0{,}35)(1 + 0{,}18)} = \quad 634\,410\,\$$$

moins :

- La valeur actuelle de la valeur résiduelle =

$$(360\,000\,\$)\ (1 + 0{,}18)^{-6} = \frac{(360\,000\,\$)(0{,}35)(0{,}40)}{(0{,}18 + 0{,}35)(1 + 0{,}18)^{6}} = \quad -\,133\,355\,\$$$

plus :

- La valeur actuelle des pertes d'économies d'impôt liée à la valeur résiduelle (VAPEI) = + 35 226 $

égale:
Montant net des flux monétaires autres que ceux de l'exploitation = 1 867 461 $

a.2 Valeur actuelle des flux monétaires de l'exploitation avant intérêt et amortissement et après impôt.

- Réduction du coût des matières premières: 300 000 $
- Réduction du coût de la main-d'œuvre: 350 000 $
- Accroissement de la valeur de la production: 450 000 $
- Salaire d'un ingénieur additionnel: (80 000 $)
- Matériaux d'emballage additionnels: (28 000 $)
- Matériaux divers (32 000 $)

  960 000 $
- Impôt (40 %) 384 000 $
- Flux monétaire d'exploitation après impôt 576 000 $
- Valeur actuelle nette des FM de l'exploitation =
  $(576\,000\,\$)(a_{6;18\,\%}) = (576\,000\,\$)(3,49) =$ 2 010 240 $

a.3 Valeur actuelle nette:

$$\text{VAN} = 2\,010\,240\,\$ - 1\,867\,461\,\$ = 142\,779\,\$$$

La valeur actuelle nette de cet investissement est positive. Il sera donc adopté. Il convient de trouver dans une deuxième étape la formule de financement la plus intéressante, c'est-à-dire la moins coûteuse.

b. Analyse des modalités de financement d'achat-emprunt et de location

b.1 La formule de l'achat-emprunt

Le taux d'actualisation des flux peu risqués =
12 % (1 – 0,40) = 7,2 %

Le taux d'actualisation des flux risqués =
12 % + 6 % = 18 %

La valeur actuelle du coût net d'achat (VACNA) =

b.1.1. Valeur actuelle des versements sur l'emprunt = 2 000 000

b.1.2. moins:

$$\text{VAEI sur l'ACC} = \frac{(2\,600\,000\,\$)(0,35)(0,40)\left(1+\dfrac{0,072}{2}\right)}{(0,35+0,072)(1+0,072)} = -\ 833\,593\,\$$$

b.1.3 moins:

Valeur actuelle de la valeur résiduelle =
(360 000 $) (1 + 0,18)$^{-6}$ = – 133 355 $

b.1.4 plus:

Valeur actuelle des pertes d'économies d'impôt (VAPEI) =

$$\frac{(360\,000\,\$)(0,35)(0,40)}{(0,18+0,35)(1+0,18)^{6}} = \qquad + 35\,226\,\$$$

b.1.5 Valeur actuelle du coût net de l'achat (VACNA) =
en arrondissant 1 068 278 $

b.2. La formule de la location

Il faut d'abord déterminer le taux d'actualisation pertinent après impôt compte tenu d'un loyer annuel réglé en quatre versements trimestriels égaux:

$$\frac{12\,\%(1-0,40)}{4} = \frac{0,072}{4} = 0,018$$

La valeur actuelle du coût net de location:

b.2.1 La valeur actuelle du coût du loyer trimestriel après impôt s'élève à:

$$\left(\frac{560\,000\,\$}{4}\right)(a_{24;1,8\,\%})(1+0,018) - \left(\frac{560\,000\,\$}{4}\right)(0,40)(a_{24;1,8\,\%}) =$$

$$(140\,000\,\$)(19,349)(1,018) - (140\,000\,\$)(0,40)(19,34) =$$

$$2\,757\,619\,\$ - 1\,083\,040\,\$ = 1\,674\,579\,\$ \text{ en arrondissant}$$

b.2.2 moins:

La valeur actuelle des économies d'impôt sur les frais de transport, d'aménagement et d'installation:

$(600\,000\,\$)\ (0,40)\ (1 + 0,072)^{-1} =$ 223 881 $

Valeur actuelle du coût net de location (VACNL)= 1 450 698 $

La formule de l'achat-emprunt (1 068 278 $) est moins coûteuse que celle de la location (1 450 698 $) et sera donc choisie pour financer le projet.

En effet, l'avantage net de la location (ANL) est négatif:

$$\text{ANL} = \text{VACNA} - \text{VACNL} = 1\,068\,278\,\$ - 1\,450\,698\,\$ = (382\,420\,\$)$$

Soit une économie de coût de financement de 382 420 $ par le recours à l'achat financé par emprunt.

2. LA SOCIÉTÉ TOPAZ INC.

La société Topaz inc. a étudié la rentabilité d'un projet B d'investissement dont les derniers résultats d'analyse indiquent que sa valeur actuelle nette est positive sans financement externe. Les équipements requis pour le projet B ont une valeur de 960 000 $. La vie de ce projet est de 5 ans, le taux de l'amortissement fiscal maximum autorisé est de 30 %, appliqué de façon dégressive. La valeur résiduelle des équipements est évaluée à 350 000 $, le taux marginal de l'impôt sur les bénéfices de la société Topaz inc. est de 40 % et son coût du capital s'élève à 18 %. Le coût de la dette de la société Topaz inc. est de 14 %. L'analyse du risque du projet B indique qu'une prime de rendement supplémentaire de 6 % compenserait adéquatement le risque propre au projet mentionné.

Par ailleurs, la société Topaz inc. reçoit une proposition de location des équipements nécessaires à la réalisation du projet B, à savoir un loyer trimestriel de 100 000 $.

- **On demande :**

quel choix de mode de financement entre la location et l'achat financé par emprunt serait plus favorable à Topaz inc. sachant, d'une part, que dans le cas de l'achat les frais annuels d'entretien s'élèveraient à 40 000 $ et, d'autre part, qu'une option d'achat de 250 000 $ est offerte par Location-Efficace à la firme Topaz inc.

- **Solution suggérée :**

Le taux de la dette après impôt, sur une base trimestrielle, s'élève à :

$$\frac{14\,\%\left(1-0,40\right)}{4}=2,1\,\%$$

C'est le taux d'actualisation des flux monétaires peu risqués tels les loyers, les économies d'impôt sur l'allocation du coût en capital et les frais d'entretien.

Le taux d'actualisation des flux risqués tels que la valeur résiduelle de l'actif et la perte d'économie d'impôt correspondante est, sur une base trimestrielle, de :

$$\frac{18\,\%+6\,\%}{4}=6\,\%$$

a) Détermination de la valeur actuelle nette du coût de location (VACNL):

VACNL = Loyers de début de période actualisés

moins:

Valeur actuelle des économies d'impôt sur loyers

moins:

Valeur actuelle du gain en capital

plus:

Valeur actuelle de l'impôt sur le gain en capital

$$= (100\,000\,\$)(a_{20;0,021})(1,021) - (100\,000\,\$)(0,40)(a_{20;0,021})$$

$$- \frac{(350\,000\,\$ - 250\,000\,\$)}{(1,06)^{20}} + \frac{(100\,000\,\$)(0,50)(0,40)}{(1,06)^{20}}$$

$$= 1\,652\,999\,\$ - 971\,400\,\$ - 31\,180\,\$ + 6\,236\,\$$$

$$= \underline{\underline{656\,655\,\$}}$$

b) Calcul de la valeur actuelle du coût net d'achat (VACNA):

VACNA = Valeur actuelle de l'emprunt (= Montant de l'emprunt)

moins:

Valeur actuelle des économies d'impôt sur l'ACC à un taux trimestriel de: $[14\,\%(1 - 0,40)]/4 = 2,1\,\%$; sur $5 \times 4 = 20$ trimestres

moins:

Valeur actuelle de la valeur résiduelle à un taux trimestriel de: $(18\,\% + 6\,\%)/4 = 6\,\%$

plus:

Valeur actuelle de la perte d'économies d'impôt résultant de la présence d'une valeur résiduelle

plus:

Valeur actuelle des frais d'entretien, après impôt, considérés sur une base trimestrielle:

$$= 960\,000\,\$ - \frac{(960\,000\,\$)(0,30)(0,40)\left(1 + \frac{0,021}{2}\right)}{(0,021 + 0,30)(1 + 0,021)}$$

$$- \frac{350\,000\,\$}{(1,06)^{20}} + \frac{(350\,000\,\$)(0,30)(0,40)}{(0,06 + 0,30)(1 + 0,06)^{20}} + \frac{40\,000\,\$(1 - 0,40)}{4} \times a_{20;0,021}$$

$$= 960\,000\,\$ - 355\,188\,\$ - 109\,132\,\$ + 36\,377\,\$ + 97\,168\,\$$$

$$= \underline{\underline{629\,225\,\$}}$$

c) Décision

La VACNA de 629 225 $ étant inférieure à la VACNL de 656 655 $, l'entreprise « Topaz Inc. » choisira le financement par achat-emprunt, toutes choses égales par ailleurs.

En effet, l'avantage net de la location (ANL) est négatif selon la relation suivante :

ANL = VANCA – VANCL
= 629 225 $ – 656 655 $
= (27 430 $)

3. LA SOCIÉTÉ Y

La société Y inc. a des débentures de 20 000 000 $ de valeur nominale en circulation dont le taux de coupon est de 10 % et l'échéance de 10 ans.

Les informations suivantes sont disponibles :

- Les taux d'intérêt à long terme ont récemment baissé à 8 %.
- Tout remboursement anticipé de l'émission de débentures fait bénéficier les détenteurs de ces titres d'une prime de 5 % sur la valeur nominale, non déductible des revenus imposables.
- Les frais légaux, d'émission et de souscription s'élèvent à 600 000 $ et peuvent être amortis sur 4 ans.
- Le taux d'impôt est de 45 %.
- Le taux d'intérêt à court terme s'élève à 7 %.

■ **On demande :**

d'établir si Y inc. doit refinancer son émission de débentures existantes.

■ **Solution suggérée :**

a) Détermination des coûts nets de financement	Avant impôt	Après impôt
– Frais légaux, d'émission et de souscription	600 000 $	297 000 $

– Le montant de 600 000 $, après impôt, amorti sur quatre ans et actualisé s'élève à :

$$\left(\frac{600\ 000\ \$}{4}\right)(1-0,45)\left(a_{4;4,4\ \%}\right)=$$

$$\left(\frac{600\ 000\ \$}{4}\right)(0,55)(3,60)=297\ 000\ \$$$

– Prime de remboursement (5 %) (20 000 000 $) =	1 000 000 $	1 000 000 $
– Montant d'intérêts pour chevauchement de 2 mois :		
Avant impôt :		
$(20\,000\,000\,\$)(7\,\%)\left(\frac{2 \text{ mois}}{12}\right) = 333\,333\,\$$	333 333 $	
Après impôt : (333 333 $) (1 – 0,45) = 183 333 $		183 333 $
moins :		
– Revenus de placement à court terme du produit de la nouvelle émission :		
Avant impôt		
$(20\,000\,000\,\$)(0{,}07)\left(\frac{2 \text{ mois}}{12}\right) = 233\,333\,\$$	233 333 $	
Après impôt : (233 333 $) (1 – 0,45) = 128 333 $		128 333 $
Coût net total de refinancement	1 700 000 $	1 351 667 $

b) Économie annuelle d'intérêt après impôt

$$(20\,000\,000\,\$)(0{,}10 - 0{,}08)(1 - 0{,}45) = 220\,000\,\$$$

c) Valeur actuelle de l'économie annuelle d'intérêt sur 10 ans à 4,4 %
8 % (1 – 0,45) = 4,4 %

$$(220\,000\,\$)\left(a_{10;4,4\,\%}\right) = 220\,000\,\$\left[\frac{1-(1+0{,}044)^{-10}}{0{,}044}\right]$$

$$= \underline{\underline{1\,750\,188\,\$}}$$

d) Décision

Le refinancement des débentures existantes est recommandé, car la valeur actuelle des économies d'intérêt, soit 1 750 188 $, est supérieure à la valeur actuelle des coûts totaux de refinancement de 1 351 667 $.

Le coût du capital

Le financement d'une entreprise provient de sources internes et externes. Le financement externe est nécessaire, dans la plupart des cas, car les bénéfices de l'entreprise et l'amortissement ne suffisent pas à satisfaire ses besoins d'investissements productifs. Le financement externe prend surtout la forme d'actions ordinaires, d'obligations, de débentures (des obligations non garanties), d'actions privilégiées et de titres convertibles. La détermination du coût moyen de ces différentes sources de financement est essentielle au choix des investissements. Il constitue un des critères les plus fiables de la sélection des projets.

Le coût du capital d'une entreprise exprime le taux de rendement exigé par les fournisseurs de fonds, à la marge, compte tenu des frais d'émission des titres et de l'impôt. Le coût du capital d'un nouveau projet d'investissement est le taux de rendement minimum requis, de sorte que la valeur marchande des actions de l'entreprise demeure inchangée, c'est-à-dire que la richesse des actionnaires ne soit pas affectée. C'est le cas où le nouveau projet a un taux de rendement égal au coût des fonds et, par conséquent, rémunère exactement, selon leurs exigences, les différentes sources de financement.

La richesse de l'entreprise et des actionnaires s'accroît si le nouveau projet se distingue par un taux de rendement supérieur au coût du capital. Par contre, l'entreprise et ses actionnaires s'appauvrissent si une erreur de calcul ou de jugement aboutit à l'adoption d'un nouveau projet dont le taux de rendement est en réalité inférieur au coût du capital. Le calcul précis du coût du capital est une condition *sine qua non* d'une décision rationnelle en matière d'adoption des projets d'investissement.

L'analyse du coût du capital porte d'abord sur l'origine de cette notion, qui se trouve du côté du secteur réglementé, et s'étend par la suite au secteur privé. Un exemple de calcul du coût du capital moyen pondéré, selon les différentes composantes du financement et en fonction de leurs proportions respectives, permet de récapituler le calcul détaillé de chaque coût et d'en faire la synthèse dans le cadre d'une structure de capital optimale. Le coût du capital de l'entreprise est utilisé pour actualiser les flux monétaires des nouveaux projets qui présentent le même risque que celui de l'entreprise. Il est ajusté à la hausse ou à la baisse si, respectivement, le risque du nouveau projet est supérieur ou inférieur au risque moyen de l'entreprise.

13.1. L'ORIGINE DE LA NOTION DE COÛT DE CAPITAL : LE SECTEUR RÉGLEMENTÉ

Le concept du coût du capital fut élaboré en premier lieu pour juger de la pertinence des augmentations de tarifs réclamées par les firmes d'utilité publique réglementées comme Hydro-Québec au Canada. Les autorités publiques fixent les tarifs des entreprises réglementées dans le respect des deux facteurs suivants :

1. s'assurer que l'entreprise d'utilité publique sera en mesure de couvrir les coûts de son exploitation ;
2. fournir une compensation satisfaisante aux différentes catégories de fournisseurs de capitaux.

Il est évident que les investisseurs exigent des taux de rendement d'autant plus élevés que les risques de l'exploitation ou de l'actif sont élevés. Or, les taux de rendement élevés requis par l'investisseur sont des coûts élevés pour la firme. Ceci explique pourquoi les audiences publiques concernant la tarification des firmes d'utilité publique font l'objet de vives discussions et parfois de grandes controverses quant à la détermination et à l'interprétation de la notion du coût du capital. Une société d'utilité publique comme Bell Canada considère que son coût de capital est élevé, nécessitant des tarifs élevés, tandis que les consommateurs de la téléphonie jugent que les tarifs sont déjà assez élevés. Les autorités de réglementation évaluent les flux monétaires qu'Hydro-Québec ou Bell doivent recevoir, afin de couvrir adéquatement leurs coûts d'exploitation et d'offrir un rendement convenable, susceptible de satisfaire et d'attirer les bailleurs de fonds.

La détermination du coût du capital d'un nouveau projet d'investissement est d'autant plus précise et facile à établir lorsque le risque de l'exploitation d'une entreprise est stable ou fluctue légèrement en passant d'un projet d'investissement à un autre, et que les modalités de financement sont à peu près les mêmes. Les nouveaux projets d'investissement de Bell Canada, qui se situent dans le domaine de la téléphonie, satisfont souvent ces deux conditions de similitude de risque d'exploitation et de structure de capital par rapport au financement de l'entreprise et quant à l'ensemble de son activité.

Une certaine stabilité du risque d'exploitation des entreprises du secteur d'utilité publique, ainsi que l'utilisation des mêmes moyens de financement et dans les mêmes proportions que celles pratiquées par l'entreprise, facilite le calcul du coût du capital des nouveaux projets d'investissement et permet de l'établir avec une précision et une fiabilité satisfaisantes.

13.2. L'UTILISATION DU CONCEPT DE COÛT DU CAPITAL PAR LE SECTEUR PRIVÉ

Les entreprises du secteur privé ont toujours recherché un moyen de calculer le coût moyen de leur financement pour évaluer leurs nouveaux projets d'investissement et déterminer la valeur marchande des entreprises à acquérir.

La formule du coût du capital utilisée dans les entreprises d'utilité publique leur parut attrayante par sa simplicité et par la rapidité du calcul. Même si les entreprises du secteur privé ne sont pas soumises aux réglementations d'usage qui s'appliquent à celles du secteur d'utilité publique, elles doivent générer suffisamment de flux monétaires pour couvrir les coûts d'opération, récupérer le capital investi et assurer un taux de rendement acceptable aux investisseurs et aux créanciers.

Un ensemble de précautions doivent cependant être prises pour que le transfert et le calcul du coût du capital du secteur d'utilité publique au secteur privé soient pertinents.

13.2.1. Première précaution : les cinq hypothèses restrictives

Le coût du capital de l'entreprise peut être utilisé comme taux d'actualisation des flux monétaires d'un nouveau projet d'investissement du secteur privé si les cinq conditions suivantes sont satisfaites :

1. Le nouveau projet présente le même risque d'exploitation que celui de l'ensemble de l'entreprise et, par conséquent, son adoption ne modifie pas le risque global de cette entreprise.
2. Le nouveau projet est financé selon les mêmes modalités que celles qu'utilise habituellement l'entreprise : mêmes sources de financement, selon les mêmes proportions, c'est-à-dire que la structure optimale de capital reste inchangée.
3. Les résultats du nouveau projet n'affectent pas la politique de dividende, sinon le taux de rendement servi aux actionnaires changerait et, par conséquent, le coût de capital aussi.
4. L'entreprise n'est pas soumise au rationnement du capital.
5. La dette de l'entreprise est censée être renouvelée jusqu'à l'infini.

13.2.2. Deuxième précaution : le calcul précis du coût du capital

Un calcul aussi précis que possible du coût du capital est indispensable à une sélection rigoureuse des projets d'investissement. L'entreprise s'assure ainsi de choisir des projets rentables en comparant le coût du capital, qui est le taux de rendement minimum exigé (k_o), au taux de rendement interne (TRI) du nouveau projet.

Le tableau suivant reflète trois cas de relations entre le coût du capital (k_o) et le taux de rendement interne (TRI) d'un projet, ainsi que les décisions correspondantes et les conséquences sur le prix de l'action ordinaire (P_o) de l'entreprise, dans chaque cas, toutes choses égales.

Tableau 13.1

Les relations entre k_o, le TRI, la décision d'investir et le prix de l'action ordinaire

	Décision	**Impact sur le prix (P_o) de l'action ordinaire**
(a) $k_o <$ TRI	Adoption du projet	Augmentation de P_o
(b) $k_o =$ TRI	Adoption du projet	P_o reste inchangé
(c) $k_o >$ TRI	Rejet du projet	Sinon baisse de P_o en cas d'adoption du projet

Une estimation aussi précise que possible du coût du capital est très importante, car l'entreprise risque de choisir des projets dont le taux de rendement est insuffisant pour couvrir les différents coûts du projet si l'estimation du coût du capital est, par exemple, trop faible avec pour conséquence la baisse de sa valeur marchande.

13.2.3. Troisième précaution: la prise en considération d'une structure optimale de capital

Le financement par dette, effectué dans des proportions normales, conforme, à titre d'exemple, au ratio d'endettement moyen du secteur de l'entreprise, réduit le coût du capital et accroît la valeur marchande de l'entreprise par rapport à l'entreprise non endettée, tel que l'indique l'exemple suivant.

Les composantes du bilan sont exprimées en pourcentage du total de l'actif selon deux structures de capital différentes:

1. la structure de capital 1 se caractérise par un financement total de l'actif par l'avoir des actionnaires (les fonds propres);
2. la structure de capital 2 est composée à moitié de dettes et à moitié de l'avoir des actionnaires.

EXEMPLE

Supposons que k_{ao}, le taux de rendement exigé sur les actions ordinaires (les capitaux ou fonds propres), soit égal à 25 %, le taux d'intérêt de la dette r_d = 12 % et le taux d'impôt sur le bénéfice des corporations T_c = 50 %.

Structure du capital 1			Structure du capital 2		
	Dette =	0 %		Dette =	50 %
Actif = 100 %	AA = (r_{ao} = 25 %)	100 %	Actif = 100 %	(r_d = 12 %)	
				AA =	50 %
				(r_{ao} = 25 %)	100 %
100 %		100 %	100 %		100 %

Le coût de capital k_{01}, qui correspond à la structure de capital 1, est évidemment 25 %, c'est-à-dire le coût des actions ordinaires qui constitue, dans ce cas, la seule source de financement de l'entreprise.

Le coût de capital k_{02} de la structure de capital 2, formée à part égale de dettes et de fonds propres, est égal à :

$$k_{02} = r_d \left(1 - T_c\right)\left(\frac{\text{Dette}}{\text{Actif}}\right) + r_{a0}\left(\frac{\text{CP}}{\text{Actif}}\right) \quad (13.1)$$

où :

CP = capitaux propres

$$= (12\,\%)\ (1 - 0{,}50)\,(0{,}50) + (25\,\%)\ (0{,}50)$$
$$= 3\,\% + 12{,}5\,\%$$
$$= 15{,}5\,\%$$

La baisse du coût moyen pondéré du capital de 25 % à 15,5 % signifie que le taux d'actualisation des flux monétaires est plus faible en présence de dettes, la valeur actuelle nette du projet analysé plus élevée de même que la valeur de l'entreprise. La baisse du coût du capital se poursuit avec l'accroissement de la proportion de la dette dans le financement total, jusqu'à une certaine limite, correspondant à un ratio d'endettement optimal au-delà duquel tout accroissement de la proportion de la dette a pour conséquence une augmentation du coût du capital. Le ratio d'endettement optimal correspond à une structure de capital caractérisée par un coût de capital minimum. Le calcul du coût du capital est effectué sur la base d'une structure de financement optimale. Une telle structure de capital minimise le coût du capital et maximise la valeur de l'entreprise.

Tableau 13.2

Structure de capital, coût de capital k_o et valeur marchande de l'entreprise V_m

0 % de dettes	50 % de dettes (structure optimale de capital)	100 % de dettes
◆ Le coût de capital k_o diminue avec l'augmentation de la proportion de la dette de 0 à 50 %.	◆ k_o atteint son minimum	◆ k_o augmente avec l'accroissement de la proportion de la dette de 50 à 100 %.
◆ La valeur marchande (V_m) de l'entreprise augmente avec la diminution de k_o.	◆ V_m atteint son maximum	◆ V_m baisse avec l'augmentation de k_o.

Le tableau 13.2 ci-dessus démontre que l'entreprise doit œuvrer de manière à bénéficier des avantages de l'endettement dans le respect de la structure de capital optimale, que l'on considère égale à 50 % de dette dans ce cas.

13.3. LE COÛT DES DIFFÉRENTES SOURCES DE CAPITAL À LONG TERME, COMPTE TENU DES FRAIS D'ÉMISSION ET DE SOUSCRIPTION ET APRÈS IMPÔT

13.3.1. Le coût d'une nouvelle émission d'actions ordinaires

La détermination du coût du capital d'une nouvelle émission d'actions ordinaires se fait sur la base d'un modèle d'évaluation comme celui de Gordon, qui repose sur la prévision des dividendes, ou aussi en utilisant le modèle de l'évaluation des actifs financiers (MEDAF).

13.3.1.1. Le coût d'une nouvelle action ordinaire selon le modèle de Gordon

Il a déjà été établi que le prix de l'action ordinaire P_o d'une entreprise dont la politique de distribution de dividendes consiste en une augmentation des dividendes à un taux annuel constant g, se calcule de la façon suivante :

$$P_o = \frac{D_1}{r_{ao} - g} \qquad (13.2)$$

Le taux de rendement exigé r_{ao} par les actionnaires devient, selon cette relation :

$$r_{ao} = \frac{D_1}{P_0} + g \qquad (13.3)$$

où :

$\frac{D_1}{P_o}$ = taux de rendement du dividende de fin d'année 1 ;

g = taux de croissance à taux constant du prix de l'action ordinaire, des profits et des dividendes à perpétuité.

L'utilisation d'un taux de croissance g est d'autant plus acceptable quand l'investisseur croit que l'entreprise pourra le maintenir année après année. Ce taux constant g devient encore plus réaliste si l'entreprise a maintenu une politique de dividende cohérente avec un taux de croissance moyen g depuis 10 ans, par exemple, et qu'elle pense toujours pouvoir l'appliquer à l'avenir.

Les frais d'émission et de souscription doivent être intégrés dans le calcul du coût des actions ordinaires après impôt, k_{ao}. Ce coût, calculé selon la relation de Gordon, est établi de la façon suivante :

$$k_{ao} = \frac{D_1}{P_o\left[1 - f\left(1 - T_c\right)\right]} + g \qquad (13.4)$$

où :

f = frais d'émission et de souscription en pourcentage du prix d'émission P_o;

T_c = taux d'impôt sur les bénéfices de la société.

EXEMPLE

Considérons les données suivantes de l'entreprise Haroux :

Taux de croissance prévu des profits de l'entreprise et des dividendes	10 %
Dernier dividende distribué	3 $
Prix de l'action ordinaire P_o aujourd'hui sur le marché	60 $
Frais d'émission et de souscription	6 %
Taux d'impôt sur le bénéfice des sociétés	40 %

Le coût d'une nouvelle émission d'actions ordinaires est ainsi calculé :

$$k_{ao} = \frac{3\left(1 + 0,10\right)}{60\left[1 - 0,06\left(1 - 0,40\right)\right]} + 10\,\%$$

$$= 5,71\,\% + 10\,\%$$

$$= 15,71\,\%$$

L'utilisation du modèle de Gordon incite à la prudence, car tel que nous l'avons déjà expliqué, il n'est pertinent que dans la mesure où la croissance du dividende à un taux constant est raisonnablement réaliste.

Qu'en est-il du coût de l'action ordinaire d'une entreprise qui ne distribue pas de dividendes, lorsqu'il est estimé à partir du modèle de Gordon ? Les actions ordinaires de ces entreprises circulent sur le marché et sont transigées comme toute autre action qui verse un dividende, sauf que le taux de rendement obtenu par l'actionnaire est exclusivement formé du gain en capital ou du taux d'accroissement du prix g. Les praticiens recourent à une simplification pour établir une valeur approximative de g par la moyenne de la croissance des prix passés de l'action ordinaire, dans la mesure où l'investisseur est confiant que cette croissance se poursuivra de façon durable à l'avenir. Ce taux de croissance passé g du prix de l'action ordinaire est utilisé comme une approximation du taux de rendement que les investisseurs anticipent à partir des gains en capital prévus sur l'action et, par conséquent, l'investisseur l'accepte comme taux de rendement de l'action ordinaire.

13.3.1.2. Le coût d'une nouvelle action ordinaire selon le MEDAF

Le modèle d'équilibre des actifs financiers est basé sur le risque du marché ou risque systématique bêta de la firme j, selon la relation suivante :

$$r_{ao} = \mathrm{E}(r_j) = r_f + \beta_j \left[\mathrm{E}(r_m) - r_f\right] = r_f + (\beta_j) \times (\lambda) \qquad (13.5)$$

Taux de rendement exigé par le marché = Taux sans risque + [Niveau du risque du marché β] × [Prime de rendement du marché par unité de risque systématique]

Le taux sans risque r_f est établi à partir du taux de rendement des bons du Trésor d'un an d'échéance du gouvernement central. Le coefficient bêta est la pente de la droite représentant les taux de rendement passés d'un titre coté en Bourse en fonction des taux de rendement passés du marché représentés par un indice boursier. La prime par unité de risque du marché est établie en calculant la différence entre le taux de rendement d'un indice boursier comme celui de la Bourse de Toronto et le taux de rendement des bons du Trésor, selon une moyenne s'étendant sur plusieurs décennies.

Le coût des actions ordinaires est déterminé en tenant compte des frais d'émission et de souscription après impôt :

$$k_{ao} = \frac{\mathrm{E}(r_j)}{1 - f(1 - \mathrm{T}_c)} = \frac{r_f + (\beta_j)\,(\lambda)}{1 - f(1 - T_c)} \qquad (13.6)$$

où :

λ = prime pour unité de risque, soit $\mathrm{E}(r_m) - r_f$.

EXEMPLE

Supposons que les données suivantes caractérisent l'entreprise Haroux:

Bêta de Haroux	1,5
Prime par unité de risque du marché	5,80 %
Frais d'émission et de souscription	6 %
Taux sur les bons du Trésor à un an	6 %
Taux d'impôt	40 %

L'application de la relation du MEDAF, à l'aide de l'information financière concernant l'entreprise Haroux, permet de calculer le coût d'une nouvelle émission d'actions ordinaires:

$$k_{ao} = \frac{6\,\% + 1{,}50\ (5{,}80\,\%)}{1 - 0{,}06(1 - 0{,}40)} = \frac{14{,}70\,\%}{0{,}964}$$
$$= 15{,}24\,\%$$

13.3.2. Le coût des bénéfices non répartis

Ces bénéfices sont retenus par l'entreprise pour y être réinvestis plutôt que d'être distribués en dividendes aux actionnaires. L'actionnaire qui ne reçoit pas cette partie des profits réalisés par l'entreprise ne peut les investir ailleurs et, de ce fait, renonce au taux de rendement d'une alternative de placement de risque équivalente qui représente son coût d'option. En effet, l'entreprise va habituellement réinvestir ses profits dans des projets dont les taux de rendement sont égaux ou supérieurs au coût d'option ou au taux de rendement que l'actionnaire pourrait obtenir ailleurs que dans l'entreprise, dans des projets appartenant à la même classe de risque. Ce coût d'option, qui est le coût des bénéfices non répartis, est l'une des composantes du coût du capital. Il est inférieur au coût d'une nouvelle émission d'actions ordinaires, car l'entreprise ne subit pas de frais d'émission et de souscription dans ce cas. On utilise toujours soit le modèle de Gordon, soit le MEDAF pour estimer le coût des bénéfices non répartis.

Le modèle de Gordon permet de calculer le coût des bénéfices non répartis de la façon suivante:

$$k_r = \frac{D_1}{P_0} + g \qquad (13.7)$$

En utilisant les données financières de l'entreprise Haroux, on obtient le coût des bénéfices non répartis, qui s'élève à :

$$k_r = \frac{3\%(1+0,10)}{60} + 10\%$$
$$= 5,50\% + 10\%$$
$$= 15,50\%$$

Un calcul plus précis du coût des bénéfices non répartis consiste à tenir compte des effets de l'impôt des particuliers et des frais et commissions de courtage de la façon suivante :

$$k'_r = \left(\frac{D_1}{P_o} + g\right)(1 - T_p)(1 - b) \tag{13.8}$$

où :

T_p = taux d'impôt des particuliers ;
b = frais et commissions de courtage.

Cette façon de procéder considère que les actionnaires reçoivent leurs dividendes nets d'impôt et qu'à l'occasion du réinvestissement de ces dividendes, ils doivent payer des frais et commissions de courtage.

On adopte cependant, en réalité, l'estimation conservatrice de 15,50 % établie pour le coût des bénéfices non répartis de la société Haroux en faisant abstraction de l'impact de la fiscalité des particuliers et des frais et commissions de courtage. Il est, en effet, difficile d'estimer le taux moyen d'impôt des particuliers ainsi que les frais et commissions de courtage, quoique la difficulté soit moins grande pour la rémunération des courtiers.

L'utilisation du MEDAF donne les résultats suivants :

$$k_r = r_f + (\beta)(\lambda) \tag{13.9}$$
$$= 6\,\% + 1,50\,(5,80\,\%)$$
$$= 6\,\% + 8,70\,\%$$
$$= 14,70\,\%$$

13.3.3. Le coût de la dette à long terme

Le coût de la dette d'une nouvelle émission d'obligations est égal au taux de rendement promis ou au taux de rendement à l'échéance exigé par le marché sur des obligations comparables, c'est-à-dire de même risque et de même échéance que ceux de l'émission de cette dette projetée par l'entreprise. La détermination du coût de la dette se fait en tenant compte des frais d'émission et de souscription f calculés après impôt :

$$k_d = \frac{r_d\left(1 - T_c\right)}{1 - f\left(1 - T_c\right)} \qquad (13.10)$$

où :

k_d = coût de la dette après frais d'émission et de souscription après impôt ;

r_d = taux de rendement à l'échéance de l'obligation, soit son taux promis lors de l'émission ;

f = frais d'émission et de souscription en pourcentage du prix d'émission.

EXEMPLE

Supposons que l'entreprise Haroux se prépare à émettre une nouvelle émission d'obligations dont le taux de rendement requis par le marché (r_d) s'élève à 8,5 % pour des obligations comparables de quinze ans d'échéance. Les frais d'émission et de souscription s'élèvent à 2 % du prix d'émission, et le taux d'impôt sur les bénéfices de la société est toujours de 40 %. Le coût de cette nouvelle émission d'obligations est égal à :

$$k_d = \frac{r_d\left(1-T_c\right)}{1-f\left(1-T_c\right)} = \frac{0,085\ \left(1 - 0,40\right)}{1-0,002\ \left(1 - 0,40\right)}$$

$$= \frac{0,051\,0}{0,998\,8}$$

$$= 5,11\,\%$$

Précisons que le taux de rendement r_d promis sur la nouvelle émission d'obligations est déterminé par le calcul du taux de rendement à l'échéance d'une obligation de risque comparable et de même échéance en circulation sur le marché. Ce taux de rendement à l'échéance est calculé par la méthode du taux de rendement interne.

Une pratique courante du monde des affaires consiste à déterminer le coût d'une dette à long terme en faisant abstraction du calcul du taux de rendement à l'échéance des flux monétaires de cette dette. Le numérateur de la relation suivante consiste en une moyenne des sorties de fonds annuelles occasionnées par cette dette et le dénominateur par la moyenne du nouvel endettement.

$$\text{Coût de la dette} = k_d = \frac{C + \dfrac{1\,000\,\$ - M_n}{n}}{\dfrac{M_n + 1\,000\,\$}{2}} \quad (13.11)$$

où :

C = montant du coupon ou intérêt annuel versé en dollars ;

n = échéance de la dette à long terme ;

M_n = montant net résultant de la vente des titres de la dette à long terme sur le marché ;

$\frac{1\,000\,\$ - M_n}{n}$ = amortissement annuel de toute prime ou escompte.

Le calcul du coût de la dette selon la relation ci-dessus s'effectue avant impôt. Une mesure plus précise du coût de cette dette doit tenir compte de l'impact fiscal.

13.3.4. Le coût des actions privilégiées

Il faut distinguer, dans le cas de l'estimation du coût des actions privilégiées, entre celles qui ont une échéance bien définie et celles qui ne comportent pas d'échéance.

- Le coût d'une action privilégiée d'une échéance bien définie :

  Le calcul du coût d'une action privilégiée d'une échéance donnée s'effectue sur le même modèle que celui d'une dette, avec toutefois une différence importante résultant du fait que le dividende privilégié n'est pas déductible d'impôt pour la firme. Il ne doit donc pas être calculé après impôt.

- Le coût d'une action privilégiée ne comportant pas d'échéance :

  Il a déjà été établi que le prix P_o d'une action privilégiée ne comportant d'échéance se calculait comme une perpétuité de la façon suivante :

$$P_o = \frac{D_p}{r_p} \quad (13.12)$$

ou aussi, en isolant r_p :

$$r_p = \frac{D_p}{P_o} \quad (13.13)$$

où:

D_p = dividende annuel distribué aux actionnaires privilégiés;

r_p = taux de rendement exigé par des actionnaires privilégiés pour une même classe de risque.

Le coût des actions privilégiées pour l'entreprise est calculé compte tenu des frais d'émission et de souscription, après impôt, selon la relation suivante:

$$k_p = \frac{D_p}{P_o\left[1-f\left(1-T_c\right)\right]} \quad (13.14)$$

L'entreprise s'inspire d'une de ses émissions d'actions privilégiées en circulation, présentant les mêmes caractéristiques que celles de la nouvelle émission qu'elle projette, pour établir le coût de cette dernière. À défaut de posséder une émission équivalente déjà en circulation, une moyenne pondérée des autres émissions d'actions privilégiées en circulation peut constituer un point de départ pour estimer le coût de la nouvelle émission.

EXEMPLE

Supposons que la société Haroux ait déjà en circulation une émission d'actions privilégiées dont le dividende annuel s'élève à 6 $ et dont le prix de l'action sur le marché est de 70 $. Les frais d'émission et de souscription sont de 4 % de la valeur marchande de l'action privilégiée et le taux d'impôt sur les bénéfices de la corporation est toujours de 40 %. Le coût d'une nouvelle émission d'actions privilégiées s'établirait au taux suivant:

$$k_p = \frac{6\$}{70\left[1 - 0,04\left(1 - 0,40\right)\right]}$$

$$= 6 / 68,32$$

$$= 8,78\ \%$$

13.3.5. Le coût des provisions pour amortissement et pour d'autres rubriques du passif

L'amortissement des sociétés constitue une partie importante des flux monétaires qui ne donnent pas lieu à des sorties de fonds. Il représente une source importante de financement. Le coût de l'amortissement est considéré égal au coût moyen pondéré du capital. On suppose que si les fonds ne sont pas réinvestis dans des projets de l'entreprise, ils pourraient être distribués aux détenteurs de ses différents titres de financement, selon leur proportion respective dans le financement total. C'est pour cette raison que le coût de l'amortissement se confond avec le coût du capital et qu'il n'est pas nécessaire de l'intégrer dans le calcul de ce dernier.

On ne tient donc pas compte du coût de l'amortissement dans le calcul du coût du capital de l'entreprise, car il revient à tous les bailleurs de fonds selon l'importance relative de leur contribution au financement.

Les impôts reportés et les réserves à long terme ont, comme l'amortissement, un coût approximativement égal au coût du capital et, de ce fait, ne doivent pas être considérés dans le calcul du coût du capital.

13.3.6. Le coût des contrats de location à long terme (*kl*)

La détermination du taux d'actualisation (*kl*), qui fait en sorte que la valeur actuelle des déboursés liés à la location soit égale à la valeur de l'actif, permet d'établir le coût des locations à long terme. Illustrons par un exemple le calcul du coût d'une location-exploitation.

Considérons les données suivantes relatives à l'achat-emprunt et à la location et dont le traitement financier permettra de calculer le coût de location *kl*:

Équipement:	380 000$
Allocation du coût en capital:	20 %
Durée du projet:	10 ans
Valeur de rebut:	nulle
Frais annuels identiques dans les deux cas	
Loyer (de fin de période):	100 000$ / année (60 000$ après impôts)
Taux d'impôt:	40 %

Le calcul du coût d'un contrat de location à long terme *kl* est celui du taux de rendement interne selon la relation suivante:

$$C = L\,(1 - T_c)\,(a_{n,kl}) + \frac{(C)(d)(Tc)}{(kl + d)} \cdot \frac{(1 + (kl)/2)}{(1 + kl)} \qquad (13.15)$$

c'est-à-dire:

$$380\,000\$ = 60\,000\$(a_{10,kl}) + \frac{(380\,000\$)(0{,}20)(040)}{(kl + 0{,}20)} \cdot \frac{(1 + kl/2)}{(1 + kl)}$$

Par essais et erreurs: *kl* est d'environ 16 % (après impôts).

Où :

L $=$ montant du loyer périodique versé ;
T_c $=$ taux d'impôt sur le bénéfice des corporations ;
$a_{n,kl}$ $=$ facteur d'actualisation de n périodicités de loyers au taux kl ;
kl $=$ coût d'un contrat de location à long terme ;
d $=$ taux d'amortissement ;
C $=$ valeur de l'actif tel que l'équipement et le matériel roulant utilisé.

13.4. QUELQUES REMARQUES D'IMPORTANCE

13.4.1. Le coût de financement du capital

Le coût d'une source de financement est pondéré par la proportion de ce financement dans l'ensemble de la structure de capital. Les valeurs marchandes des titres de financement de l'entreprise plutôt que leurs valeurs comptables sont utilisées afin d'établir les pondérations des coûts de la dette, des actions ordinaires et des actions privilégiées respectivement. Il en est de même des différents coûts de financement en tant que tels. Les titres cotés sur le marché peuvent cependant fluctuer considérablement. Le gestionnaire de l'entreprise doit exercer son jugement dans un tel cas et s'inspirer d'une moyenne de valeurs marchandes des titres ou aussi de la tendance de l'évolution des prix. Le gestionnaire peut aussi s'inspirer, avec prudence, des valeurs comptables dans le cas où les prix des titres varient beaucoup, afin d'estimer au mieux les pondérations qui seront affectées aux différents coûts de financement.

13.4.2. Le calcul du coût du capital

Il est utile de préciser quelques notions de base avant d'illustrer par un exemple concret le calcul du coût du capital d'une entreprise. Le coût du capital se distingue par les caractéristiques suivantes :

- C'est un taux de rendement minimum exigé par l'ensemble des pourvoyeurs de fonds.
- C'est le taux d'actualisation des flux monétaires d'un nouveau projet dont le risque et la structure optimale de capital sont identiques à ceux de l'entreprise, et dont la dette a une échéance infinie.

- Ce nouveau projet n'affecte pas la politique de dividende de l'entreprise et il est adopté en l'absence de rationnement de capital.
- C'est un coût moyen pondéré (CMPC) des coûts futurs de financement; les coûts passés ou historiques, étant non pertinents, ne sont pas retenus dans ce genre de calcul.
- La pondération des différents coûts des titres de financement se fait selon les valeurs marchandes et conformément à la structure de capital optimale. Le CMPC atteint alors sa valeur minimale, et la valeur de l'entreprise devient maximale, comme l'indiquent les figures 13.1 et 13.2 ci-après.
- C'est le coût marginal de chaque dollar additionnel de dettes, d'actions privilégiées et d'actions ordinaires, établi après impôt.
- C'est un taux de rendement que le gestionnaire utilise pour évaluer les nouveaux projets ainsi que la valeur marchande des entreprises pour fins d'acquisition et de fusion, et afin d'établir les tarifs des entreprises réglementées.

Figure 13.1

La valeur de la firme en fonction du ratio d'endettement et du coût du capital moyen pondéré

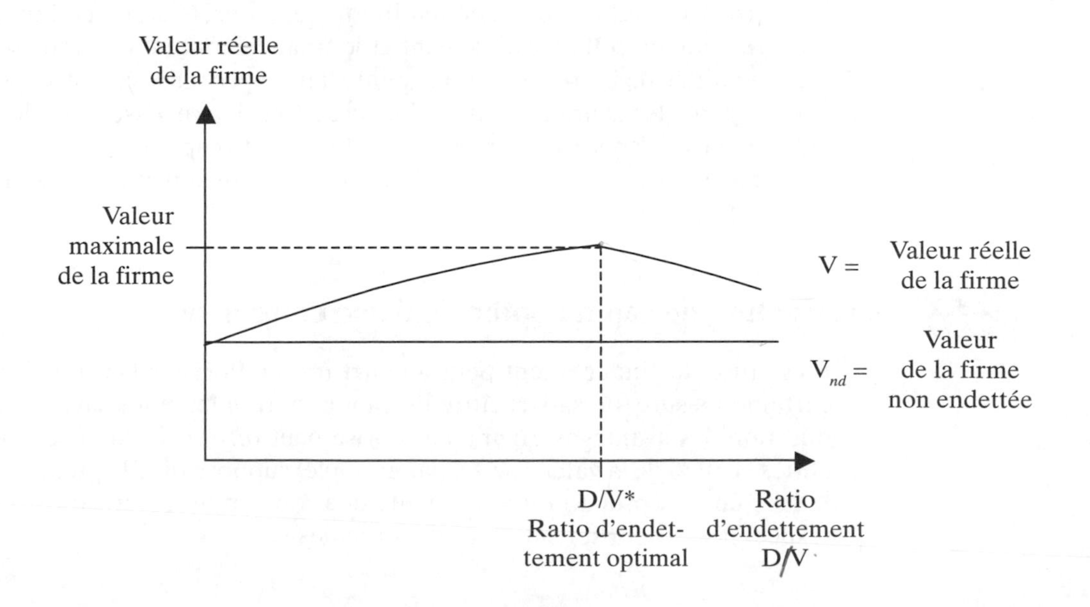

Figure 13.2

Le coût du capital en fonction du ratio d'endettement

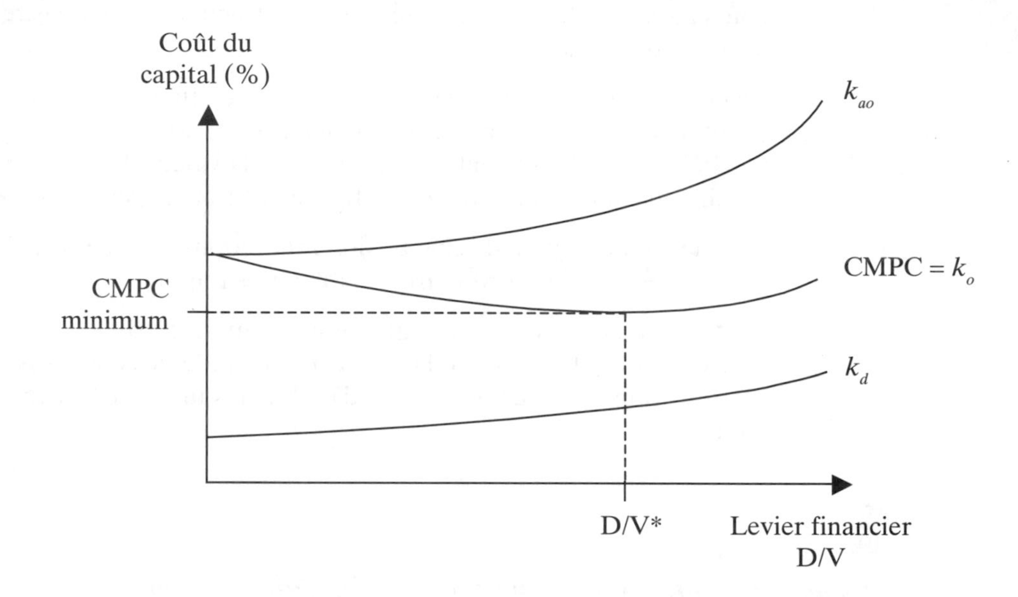

- Le coût du capital est calculé après impôt. Il tient compte des avantages fiscaux résultant de la déductibilité des intérêts et, de ce fait, établit une relation entre l'investissement et le financement de l'entreprise. L'analyse détaillée de la structure du capital, dans le prochain chapitre, permettra de séparer les avantages financiers créés par l'investissement des avantages fiscaux qu'apporte le financement. Le coût du capital intègre ces deux sortes d'avantages en une seule mesure en faisant un lien entre l'investissement et le financement.

13.4.3. La structure de capital optimale d'une entreprise

La réalité du financement peut à court terme éloigner l'entreprise, dans une certaine mesure, de sa structure de capital optimale. Nous savons que la maximisation des avantages qu'une entreprise peut retirer du financement (50 % de dettes et 50 % de la valeur nette, par exemple) suppose qu'elle prenne des mesures telles que tout projet nouveau, quelle que soit son ampleur, soit réalisé dans le respect des proportions de capital optimales.

Or, certaines contraintes dictées par les frais d'émission et de courtage, ainsi que par la situation et l'attitude des marchés financiers quant au financement de projets de petites tailles, peuvent éloigner l'entreprise, temporairement, de la structure de capital optimale.

La réalité du financement est ainsi parfois différente de la combinaison optimale souhaitée par la firme. D'où l'existence de structures réelles de capital qui tendent parfois à diverger de la structure optimale fixée par la firme. Le coût moyen pondéré du capital qui correspond à la structure optimale de capital ne doit pas pour autant être abandonné comme taux d'actualisation des flux monétaires, car le CMPC est une notion d'analyse de projets d'investissement à long terme qui ne doit pas être affectée par des modifications temporaires de la structure de capital résultant de considérations passagères d'ordre pratique.

13.4.4. La formule du coût moyen pondéré du capital

La relation suivante met en évidence l'expression formelle du CMPC:

$$k_o = (k_d)\left(\frac{D}{V}\right) + (k_p)\left(\frac{AP}{V}\right) + (k_{ao})\left(\frac{AO}{V}\right) \quad (13.15)$$

où:

- tous les coûts sont exprimés compte tenu des frais d'émission et de souscription et après impôt;
- les pondérations ou proportions sont exprimées:
  - soit selon les valeurs marchandes qui constituent l'approche la plus valable dans la mesure où l'information financière requise est disponible,
  - soit selon les valeurs aux livres, lorsque les prix des titres de financement fluctuent beaucoup;
- D, AP, AO et V expriment respectivement les valeurs de la dette, des actions privilégiées, des actions ordinaires et de l'actif total.

13.4.5. La fréquence du calcul du coût moyen pondéré du capital

Les firmes calculent leur coût moyen pondéré du capital avec une fréquence qui varie de un an à trois ans. Deux critères peuvent guider les firmes au calcul périodique du coût du capital:

- le changement des proportions des sources de financement;
- l'évolution des conditions économiques générales.

Le calcul du CMPC s'impose au moins une fois par année si les proportions de financement et les conditions économiques subissent des changements importants et rapides. Les firmes qui ne calculaient pas assez souvent le coût du capital dans les années 1980, marquées par une forte inflation, risquaient de se retrouver avec un coût du capital sous-estimé. Par contre, c'est l'inverse qui s'est produit au début des années 1990 avec l'inflation qui baissait, entraînant une surestimation du coût du capital si la firme espaçait trop dans le temps le calcul de son coût du capital.

13.5. UN EXEMPLE SIMPLE ET CONCRET DE COÛT DU CAPITAL POUR UNE FIRME

La firme Théosos offre 5 $ pour son prochain dividende, le prix de son action ordinaire est de 100 $ et son taux de croissance annuel est estimé à 8 % pour l'avenir.

On fournit des renseignements supplémentaires :

- Les frais d'émission et de souscription de nouvelles actions ordinaires sont de 10 % du prix de l'action.
- Le taux de rendement à l'échéance de la dette est de 10 % et les frais d'émission et de souscription s'élèvent à 6 % de la valeur nominale de l'obligation.
- Les actions privilégiées ont un taux de rendement de 12 % sur le marché, les frais de courtage s'élevant à 8 % de la valeur au marché de l'action privilégiée de 50 $.
- Le taux de l'impôt sur les bénéfices des sociétés est de 50 %.
- La structure de financement suivante est considérée optimale :

Dettes obligataires	200 000 000 $	20 %
Actions privilégiées	100 000 000	10 %
Capital-actions ordinaires	700 000 000	70 %
	1 000 000 000 $	

- La firme projette de réaliser 75 M$ de bénéfice net pour l'année suivante, c'est-à-dire en 1998. Ce montant sera attribué de la façon suivante :

35 M$ seront payés en dividendes,
40 M$ seront réinvestis dans la firme
(bénéfices non répartis ou BNR).

On demande :

a) de calculer le coût marginal du capital dans la mesure où les bénéfices réinvestis suffisent, du côté de la valeur nette, à financer les nouveaux projets de la firme. Calculez dans une première étape le montant du nouveau capital susceptible d'être réuni sur la base des bénéfices réinvestis de l'année ;

b) de calculer le coût marginal de capital pour la tranche d'un financement additionnel qui excède celle trouvée sous a.

Solutions suggérées :

a) Déterminons le montant du nouveau capital total (comprenant toutes les sources de financement) susceptible d'être obtenu sur la base des bénéfices réinvestis de 40 M$, qui représentent dans ce cas la seule contribution des fonds propres au financement nouveau de la firme. L'émission de nouvelles actions ordinaires est exclue dans cette première hypothèse, car les bénéfices réinvestis suffisent au financement du côté des fonds propres. Le nouveau capital total, réuni sur la base des bénéfices réinvestis (BNR) de l'année, dans le respect de la structure optimale de capital, est de :

$$\text{BNR} = (0{,}70) \times \text{Nouveau capital}$$

d'où :

$$\text{Nouveau capital} = \frac{\text{BNR}}{0{,}70} = \frac{40}{0{,}70} = 57{,}14 \text{ M\$}$$

La structure de capital optimale doit être maintenue dans une perspective de long terme. Le nouveau capital de 57,14 M$ sera donc réparti de la façon suivante :

- 40 M$ de BNR ;
- 5,71 M$ d'actions privilégiées (= 57,14 × 0,10) ;
- 11,43 M$ de dettes (= 57,14 × 0,20).

Déterminons le coût de chaque source de financement pour la firme.

Le coût des BNR est estimé selon la relation (13.7) suivante :

$$k_r = \frac{D_1}{P_o} + g$$

$$= \frac{5}{100} + 0{,}08 = 0{,}13 \text{ ou } 13\,\%$$

Le coût de la dette s'établit selon la relation (13.10) à :

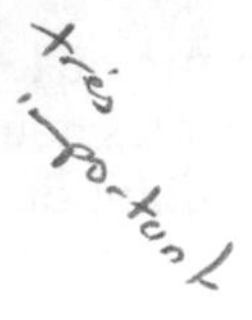

$$
\begin{aligned}
k_d &= \frac{(r_d)(1 - T_c)}{1 - f(1 - T_c)} \\
&= \frac{0{,}10(1 - 0{,}50)}{1 - 0{,}06(1 - 0{,}50)} \\
&= 0{,}0515 \text{ ou } 5{,}15\,\%
\end{aligned}
$$

Le coût des actions privilégiées est déterminé conformément à la relation (13.14) :

$$
\begin{aligned}
k_p &= \frac{D_p}{P_o\left[1 - f(1 - T_c)\right]} \\
&= \frac{(0{,}12)(50\,\$)}{50\,\$\left[1 - 0{,}08(1 - 0{,}50)\right]}
\end{aligned}
$$

ou aussi :

$$
\begin{aligned}
k_p &= \frac{r_p}{1 - f(1 - T_c)} \\
&= \frac{0{,}12}{1 - 0{,}08(1 - 0{,}50)} \\
&= 0{,}125 \text{ ou } 12{,}5\,\%
\end{aligned}
$$

Le coût de chaque nouveau dollar de capital obtenu est de 11,38 %, jusqu'à concurrence de 57,14 M$, calculé de la façon suivante :

$$
\begin{aligned}
k_o &= (13\,\%)\,(0{,}70) + (5{,}15\,\%)\,(0{,}20) + (12{,}5\,\%)\,(0{,}10) \\
&= \underline{\underline{11{,}38\,\%}}
\end{aligned}
$$

b) Une émission de nouvelles actions ordinaires s'impose dans le cas où les besoins de financement de la firme Théosos excèdent 57,14 M$. Nous savons que les actions ordinaires coûtent plus cher à Théosos que les bénéfices réinvestis en raison des frais de courtage et d'émission. Le coût des bénéfices non répartis n'est plus pertinent, car ils ont été totalement utilisés pour assurer le nouveau financement considéré sous a. Ce sont les nouvelles actions ordinaires qui seules, du côté de l'avoir des actionnaires, vont contribuer au financement nouveau au-delà de 57,14 M$.

Le coût des nouvelles actions ordinaires est calculé de la façon suivante selon la relation (13.4):

$$k_{ao} = \frac{D_1}{P_0\left[1 - f(1 - T_c)\right]} + g$$

$$= \frac{5\$}{100\$\left[1 - 0{,}10(1 - 0{,}5)\right]} + 0{,}08$$

$$= 0{,}052\,6 + 0{,}08 = 0{,}132\,6 \text{ ou } 13{,}26\,\%$$

Le nouveau coût marginal de capital devient:

$$k_o = (13{,}26\%)\ (0{,}7) + (5{,}15\%)\ (0{,}20) + (12{,}5\%)\ (0{,}10)$$

$$= \underline{\underline{11{,}56\,\%}}$$

13.6. UN EXEMPLE DE DÉTERMINATION APPROXIMATIVE DE LA STRUCTURE DE CAPITAL OPTIMALE

La société Canamac se propose d'établir sa structure de capital optimale. Les données financières suivantes sont disponibles quant à l'équilibre de la relation risque – rendement des actionnaires d'une part, et des obligataires d'autre part. On constate que les taux de rendement exigés par les bailleurs de fonds de l'entreprise augmentent avec la proportion de l'endettement et que le CMPC diminue cependant, dans une première phase, mais augmente par la suite de la façon suivante:

Ratio d'endettement (Dettes/Actifs)	Taux de rendement exigé sur les obligations	Taux de rendement exigé par les actionnaires	CMPC
0 %	0 %	13 %	13 %
20 %	8 %	13,40 %	11,68 %
33,33 %	8,25 %	13,50 %	10,54 %
50 %	9 %	14,50 %	9,95 %
66,66 %	10 %	20 %	10,62 %
80 %	14 %	24 %	11,52 %

Le taux d'impôt sur les bénéfices des sociétés est de 40 %.

On vous demande, à titre d'expert financier, de faire le travail qui consiste à calculer et à représenter graphiquement le coût du capital de la firme en fonction de son ratio d'endettement en ne tenant pas compte, pour les fins de simplification, des frais d'émission et de souscription, et en considérant les obligataires et les actionnaires ordinaires comme seuls bailleurs de fonds.

Calcul du coût du capital k_o en fonction du ratio d'endettement, abstraction faite des frais d'émission et de souscription :

- Cas de l'endettement nul :
  $k_o = 13\,\%$
- Cas d'un endettement à 20 % :
  $k_o = (8\,\%)\ (1 - 0{,}40)\ (0{,}20) + (13{,}40\,\%)\ (0{,}80) = 11{,}68\,\%$
- Cas d'un endettement à 33,33 % :
  $k_o = (8{,}25\,\%)\ (1 - 0{,}40)\ (0{,}33) + (13{,}50\,\%)\ (0{,}66) = 10{,}54\,\%$
- Cas d'un endettement à 50 % :
  $k_o = 9{,}95\,\%$
- Cas d'un endettement à 66,66 % :
  $k_o = 10{,}62\,\%$
- Cas d'un endettement à 80 % :
  $k_o = 11{,}52\,\%$

La figure 13.3 représente graphiquement le coût du capital en fonction du ratio d'endettement de l'entreprise, et indique que le coût de capital minimum est approximativement de 9,90 % et qu'il correspond à une structure de capital optimale formée d'à peu près 54 % de dettes et de 46 % d'avoir des actionnaires. Les taux de rendement exigés sur les obligations et ceux sur les actions ordinaires, correspondant aux différentes structures de capital considérées par la société Canamac, sont ceux de titres équivalents (quant au risque et quant à l'échéance) qu'elle a déjà émis et qui sont en circulation sur le marché. Il s'agit de titres pour lesquels l'information financière est disponible, déterminée objectivement par le marché.

La structure de capital optimale, qui assure le coût de capital le plus faible possible et une valeur marchande maximale de la firme, est obtenue par des essais successifs. En effet, il n'existe pas encore de relation formelle pour calculer le coût du capital.

Figure 13.3

Coût de capital et structure de capital optimale

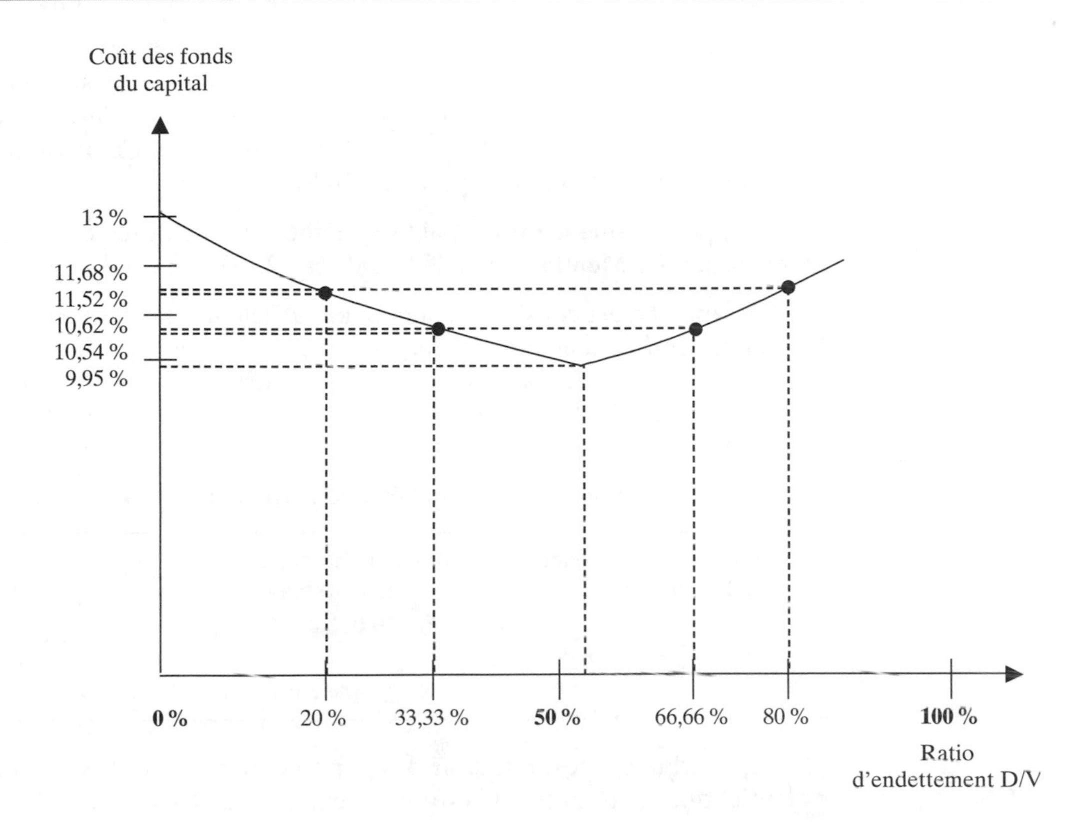

13.7. LES CONSÉQUENCES DU NON-AJUSTEMENT DU COÛT MOYEN PONDÉRÉ DU CAPITAL AU RISQUE D'UN NOUVEAU PROJET

Supposons que la société Mentha évalue tous ses projets nouveaux, qu'ils soient plus risqués ou moins risqués que le risque moyen de tous ses projets, selon le coût moyen pondéré du capital.

Considérons que la société Mentha veuille construire une nouvelle usine afin de réaliser le projet Cablo Systèmes, qui se distingue par un risque beaucoup plus faible que celui de l'ensemble de la société Mentha. Le coût de Cablo Systèmes est par conséquent inférieur au CMPC de la société Mentha. Des arbitrages interviendraient, dans un marché non concurrentiel, de la façon suivante :

- acquisition de Cablo Systèmes;
- création d'une nouvelle société qui serait formée uniquement de ce projet de risque moindre que le risque moyen de la société Mentha.

Supposons que le coût moyen pondéré de la société Mentha soit de 18 %, et que les arbitragistes estiment un taux de rendement exigé sur le projet Cablo Systèmes de 10 %, en fonction du risque qui lui est propre. L'investissement de la société Mentha totalise 20 M$ avant l'adoption du projet Cablo Systèmes, lequel entraîne un investissement nouveau de 10 M$.

Supposons que le projet Cablo Systèmes ait une durée de vie d'une année et que la société Mentha puisse le liquider à 12 M$ à la fin de cette période.

Le marché est considéré comme non efficient pour les fins de la démonstration des conséquences de l'intervention des arbitragistes. Il actualise les flux monétaires du projet Cablo Systèmes au CMPC de la société Mentha, soit à 18 % plutôt qu'à 10 %, le taux que l'on devrait exiger pour un projet de risque équivalent.

Le marché non concurrentiel évalue la firme Mentha de la façon suivante:

Valeur de Mentha, incluant Cablo Systèmes	=	Valeur de Mentha avant Cablo Systèmes	+	Valeur de Cablo Systèmes
	=	20 000 000 $	+	$\frac{12\,000\,000\,\$}{1{,}18}$
	=	30 169 491 $		

Les arbitragistes, qui sont des experts en matière de détermination du potentiel que représente un actif, profitent des insuffisances et des failles d'un marché non efficient pour faire des profits. Ils achètent la société Mentha pour 30 169 491 $, et procèdent à sa restructuration en créant deux sociétés distinctes et indépendantes juridiquement:

- la firme Mentha, abstraction faite du projet Cablo Systèmes, dont la valeur est toujours de 20 000 000 $;
- une nouvelle firme composée du projet Cablo Systèmes, évaluée selon le taux d'actualisation de 10 % avec le résultat suivant:

$$\frac{12\,000\,000\,\$}{1{,}10} = 10\,909\,090\,\$$$

Les arbitragistes qui achètent la firme à 30 169 491 $ la revendent, après restructuration, en deux entités séparées d'une valeur totale de 30 909 090 $ = (20 000 000 $ + 10 909 090 $), réalisant un profit d'arbitrage de 739 599 $.

13.8. SYNTHÈSE DU COÛT DU CAPITAL

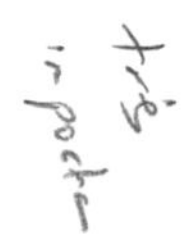

Le coût du capital est le taux de rendement moyen pondéré qu'une société doit offrir sur ses titres de financement, de sorte que sa valeur marchande reste inchangée ; par conséquent, c'est le taux de rendement minimum exigé sur les nouveaux projets. La société est en mesure, dans un tel cas, d'assurer aux créanciers et aux actionnaires le même taux de rendement qu'ils obtiendraient ailleurs pour un risque équivalent.

Le coût moyen pondéré du capital sert de taux d'actualisation des flux monétaires dans la méthode de la valeur actuelle nette (VAN). C'est un taux de rendement épreuve dans le cadre de la méthode du taux de rendement interne (TRI). Le TRI est comparé au CMPC pour sélectionner et pour classer les nouveaux projets d'investissement.

Le CMPC s'applique aux nouveaux projets dont le risque est égal à celui de l'entreprise et dont la structure de capital est similaire, sinon il doit être ajusté pour tenir compte du risque et des modalités de financement différents de ceux de l'entreprise. L'utilisation du CMPC comme seul critère d'évaluation des nouveaux projets peut, en effet, conduire à des erreurs de jugement et à de mauvaises décisions.

La figure 13.4 met en évidence les inconvénients d'une application systématique du CMPC au choix des nouveaux projets sans tenir compte de leur risque individuel et de leurs différentes modalités de financement.

L'utilisation du MEDAF peut contribuer à l'amélioration des décisions relatives à la sélection des projets. Considérons que le CMPC s'élève à 15 % et que l'entreprise doit décider de l'adoption ou du rejet des projets d'investissement A et B de la figure 13.4, dont les taux de rendement respectifs se situent en dessous de 15 % pour le premier et au-dessus de 15 % pour le second. Le projet A aurait été rejeté selon le critère du CMPC s'il était considéré comme seule référence de la firme pour sélectionner les projets. Or, ce projet est accepté selon les exigences des investisseurs en se basant sur le MEDAF, car son taux de rendement r_A est supérieur du taux de rendement $E(r_A)$ exigé par le marché pour un risque systématique β_A. La firme perd une occasion d'investissement intéressante en rejetant le projet A sur la base du seul critère du CMPC.

La firme accepterait le projet B selon le critère du CMPC, puisque son taux de rendement est supérieur au CMPC de 15 %, mais devrait en réalité le rejeter si elle se basait sur le MEDAF, car il est situé en dessous de la ligne d'équilibre des titres, offrant ainsi un taux de rendement inférieur à celui exigé par le marché pour son risque systématique.

Figure 13.4

L'utilité du MEDAF en matière de choix des investissements

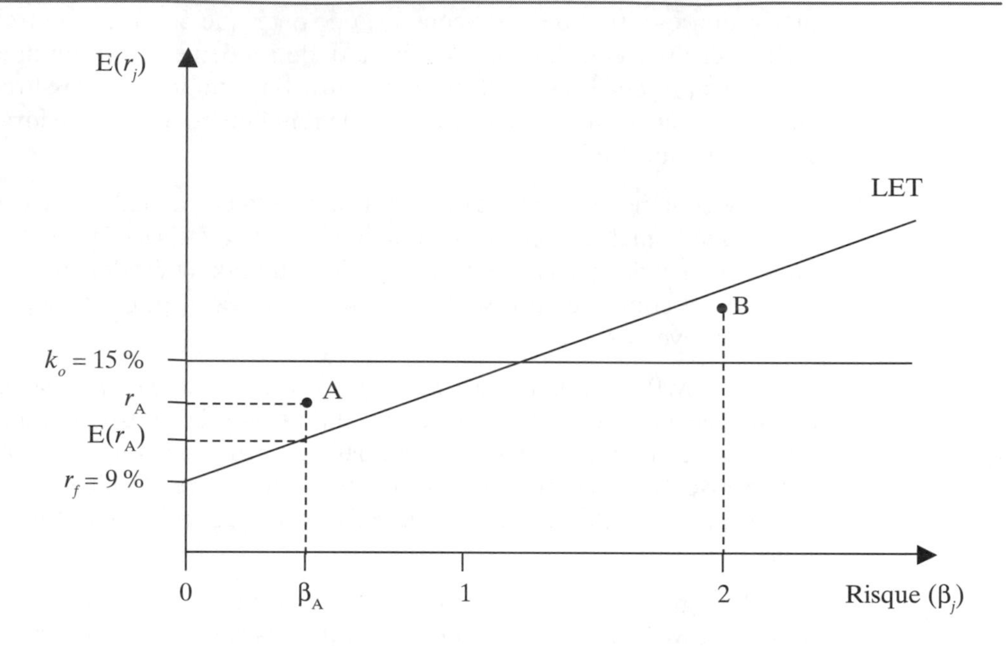

Notons par ailleurs qu'il n'est pas toujours facile d'établir la relation risque-rendement d'un nouveau projet surtout s'il est caractérisé, par exemple, par les nouvelles technologies. La détermination du taux de rendement exigé sur de tels projets relève aussi bien de l'art que de la science, aussi bien du jugement que de la technique du décideur.

RÉSUMÉ

Le coût du capital est un coût d'option (coût d'opportunité). C'est le taux de rendement de l'alternative de placement la meilleure, ailleurs, sacrifiée en faveur d'investissements dans l'entreprise. Le coût du capital est le taux de rendement minimum requis pour maintenir le prix de l'action de l'entreprise inchangé.

Le calcul du coût moyen pondéré du capital suppose l'accomplissement des démarches suivantes:

- le calcul du coût des différentes sources de financement après impôt;
- la détermination de la proportion de chaque source de financement par rapport à l'ensemble du financement, soit selon leurs valeurs marchandes ou selon une structure de capital cible, si les valeurs marchandes des différentes sources de financement fluctuent trop.

Le calcul du coût du capital doit être aussi précis que possible, car il contribue à plusieurs décisions importantes de l'entreprise:

- la détermination de la structure de capital (de financement) de l'entreprise;
- la sélection des projets d'investissement;
- le refinancement de la dette;
- la gestion du fonds de roulement;
- le choix entre le financement de l'acquisition d'équipements par location ou par dette.

QUESTIONS

1. Expliquer l'origine de la notion du coût du capital et de son calcul.
2. Pourquoi le calcul du coût du capital pour les entreprises du secteur privé est-il plus compliqué que son calcul pour les entreprises du secteur public?
3. En quoi consiste le coût des actions ordinaires, ainsi que celui des bénéfices non répartis?
4. Quelle particularité représente le coût de la dette par rapport au coût des actions ordinaires et au coût des bénéfices non répartis?
5. Expliquer la notion de structure optimale de capital d'une entreprise.
6. Quelles sont les conséquences du non-ajustement du coût moyen pondéré du capital au risque d'un nouveau projet?
7. Expliquer, par un exemple, comment le MEDAF peut améliorer les décisions concernant le choix des investissements.

PROBLÈMES

1. LA SOCIÉTÉ TRANSCONTINENTALE INC.

La société Transcontinentale inc. vous demande de déterminer son coût moyen pondéré du capital afin de l'utiliser comme taux d'actualisation des flux monétaires et comme taux épreuve auquel sera comparé le taux de rendement interne.

La structure financière de Transcontinentale inc. présente les rubriques suivantes au 31 décembre 2005 :

Fournisseurs	3 000 000 $
Emprunt à court terme (14 %)	6 000 000 $
Obligations (8 %) ; n= 10 ans ; Valeur nominale = 1000 $	20 000 000 $
Actions privilégiées (10 %) Valeur nominale (100 $)	10 000 000 $
Capital-actions émis (1 500 000 unités)	45 000 000 $
Bénéfices non répartis	25 000 000 $
	109 000 000 $

La société Transcontinentale inc. a une structure de capital optimale conforme à celle de la moyenne de l'industrie à laquelle elle appartient ; les pondérations moyennes de l'industrie sont les suivantes :

Obligations	25 %
Actions privilégiées	10 %
Capital-actions ordinaires	50 %
Bénéfices non répartis	15 %
	100 %

Les informations suivantes sont disponibles :

1. Le taux d'impôt sur les bénéfices de la société est de 40 %.
2. Le gestionnaire financier considère que le taux de croissance du dividende a été stable depuis 10 ans et s'attend à ce que cette stabilité se maintienne pour les années à venir. Le dividende distribué par Transcontinentale inc. est passé de 3 $ il y a 10 ans à 6,55 $ au dernier versement.

3. Les obligations comparables à celle de Transcontinentale inc. ont dix ans d'échéance, une valeur au marché de 900 $ et se distinguent par des frais d'émission de 3 % de la valeur nominale (soit de 1 000 $ par obligation) de la nouvelle émission.
4. Le prix au marché de l'action ordinaire est de 50 $ et les frais d'une nouvelle émission de 6 % du prix actuel du marché.
5. Le prix des actions privilégiées est de 90 $ et les frais d'une nouvelle émission se chiffrent à 4 % de la valeur marchande.

- **On demande :**

a) de calculer le coût de chaque source de financement à partir du taux de rendement exigé sur le marché ;

b) d'établir le coût moyen pondéré du capital conformément aux proportions de la structure de capital de l'industrie à laquelle appartient Transcontinentale inc. ;

c) de déterminer le coût moyen pondéré du capital en fonction de proportions établies selon la valeur marchande des titres de financement de la société ;

d) de décrire la marche à suivre adoptée par les sociétés afin d'établir la structure de capital optimale ;

e) de justifier pourquoi ces sociétés utilisent, plus qu'on ne le croit habituellement, les pondérations des différentes sources de financement selon leurs valeurs comptables respectives.

N.B.

1. Faire les calculs sur une base annuelle.
2. Les taux de rendement exigés par le marché sur les différents titres de financement doivent servir de base pour le calcul de leurs coûts respectifs, que l'on utilise les valeurs aux livres ou les valeurs marchandes afin de déterminer les pondérations de la structure du capital.

- **Solutions suggérées :**

a) Le calcul des coûts des différentes sources de financement après impôt et compte tenu des frais d'émission après impôt.

a.1 Notons que le financement à court terme est exclu du calcul du coût du capital, car il est incompatible, en termes d'échéance, avec les investissements à long terme.

a.2 Le coût des obligations

Il faut d'abord établir le taux de rendement à l'échéance de l'obligation comparable, sachant qu'elle présente le même taux de coupon que ceux de l'obligation de la société Transcontinentale inc..

D'où :

$$900\,\$ = (80\,\$)\,(a_{10;rd}) + 1\,000\,\$\,(1 + r_d)^{-10}$$

On obtient par l'interpolation ou par la calculatrice :

$$r_d = \underline{9{,}599\ 7\,\%}$$

et :

$$k_d = \frac{9{,}599\ 7\,\%\,(1 - 0{,}40)}{\left[1 - 0{,}03(1 - 0{,}40)\right]}$$

$$= 5{,}757\ 8 \div 0{,}982$$

$$k_d = \underline{5{,}863\ 3\,\%}$$

a.3 Le coût des actions privilégiées

$$k_p = \frac{\mathrm{D}}{1 - f(1 - \mathrm{T}_c)} = \frac{\mathrm{D}}{\mathrm{P}\left[1 - f(1 - T_c)\right]}$$

$$= \frac{10\,\$}{90\,\$ - (90)\,(0{,}04)(1 - 0{,}40)} = \frac{10\,\$}{87{,}84\,\$}$$

$$k_p = \underline{11{,}38\,\%}$$

a.4 Le coût des bénéfices non répartis (BNR)

$$k_r = \frac{\mathrm{D}_1}{\mathrm{P}_0} + g = r_{ao}$$

Nous savons que :

$$6{,}55 = 3\,\$\,(1 + g)^{10}$$

$$1 + g = \left(\frac{6{,}55}{3}\right)^{1/10} = 1{,}081\ 2$$

$$g = 8{,}12\,\%$$

d'où

$$r_{ao} = k_r = \frac{6,55\,(1,081\,2)}{50} + 8,12\,\%$$
$$= 14,16\,\% + 8,12\,\%$$
$$= \underline{\underline{22,28\,\%}}$$

a.5 Le coût des actions ordinaires

$$k_{ao} = \frac{D_1}{\left[P_o - P_o\,(f)(1 - T_c)\right]} + g$$
$$= \frac{6,55\,\$(1 + 0,0812)}{50 - (50)(0,06)(1 - 0,40)} + 8,12\,\%$$
$$= \frac{7,082\,\$}{48,2\,\$} + 8,12\,\%$$
$$= 14,69\,\% + 8,12\,\%$$
$$= 22,81\,\%$$

b) Le coût moyen pondéré du capital (CMPC) selon la structure de capital de l'industrie s'élève à :

$$\text{CMPC} = k_o = (w_d)\,(k_d) + (w_p)(k_p) + (w_i)(k_r) + (w_{ao})(k_{ao})$$
$$= (0,25)\,(5,8633\,\%) + (0,10)\,(11,57\,\%) + (0,15)(22,28\,\%) + (0,50)(22,81\,\%)$$
$$= 1,465\,8\,\% + 1,157\,\% + 3,342\,\% + 11,405\,\%$$
$$= \underline{17,369\,8\,\%}$$

c) Le coût moyen pondéré du capital selon la valeur marchande des titres.

Il faut d'abord calculer la valeur marchande totale de chaque titre de financement, ensuite faire la somme totale de ces valeurs marchandes :

Obligations	(20 000)(900)	18 000 000 $
Actions privilégiées	(100 000)(90)	9 000 000 $
Actions ordinaires	(1 500 000)(50)	75 000 000 $
		102 000 000 $

$$w_d = 18\,000\,000 \,/\, 102\,000\,000 = 0,176\,5$$
$$w_p = 9\,000\,000 \,/\, 102\,000\,000 = 0,088\,23$$
$$w_{ao} = 75\,000\,000 \,/\, 102\,000\,000 = 0,735\,3$$
$$k_o = (0,176\,5)\,(5,863\,3\,\%) + (0,088\,23)(11,57\,\%) + (0,735\,3)(22,81\,\%)$$
$$= 1,034\,9\,\% + 1,020\,8\,\% + 16,772\,0\,\%$$
$$= \underline{18,827\,7\,\%}$$

d) La structure de capital optimale est établie en adoptant des proportions de plus en plus grandes de dette dans le financement total de la société. C'est la proportion de dette qui correspond au coût moyen pondéré de capital le plus faible possible qui définit la structure de capital optimale. Le ratio d'endettement optimal (D*/V) du secteur d'activité de la société est un point de départ intéressant pour établir la structure de capital optimale d'une société donnée.

Le risque financier et le risque de faillite augmentent lorsque la proportion de la dette par rapport au financement total excède la structure optimale du capital ou ratio d'endettement optimal (D*/V). Les fournisseurs de fonds, actionnaires ordinaires et obligataires, de même que les actionnaires privilégiés exigent alors, au-delà de la limite D*/V, des taux de rendement qui augmentent rapidement avec l'accroissement relatif de la dette. Le résultat se traduit par une augmentation du coût du capital.

e) Les valeurs marchandes sont plus pertinentes que les valeurs comptables des titres de financement pour établir la structure optimale de capital. Les fonds propres exprimés en valeurs marchandes ont une proportion beaucoup plus grande, car le prix de l'action ordinaire en Bourse dépasse, en général, largement sa valeur comptable.

Le coût de capital sera donc plus élevé, car le taux de rendement exigé par l'actionnaire ordinaire est bien plus élevé que celui d'autres sources de financement. Si le prix de l'action fluctue souvent de façon importante, les sociétés déterminent une moyenne du prix de l'action mais calculent aussi les pondérations selon les valeurs comptables des titres de financement afin d'obtenir une information supplémentaire en déterminant le coût du capital sur cette base.

2. LA SOCIÉTÉ DREYFUS INC.

La société Dreyfus inc. prévoit enregistrer pour l'an prochain un montant de 30 000 000$ de bénéfice net après impôt, dont 30 % seront versés en dividendes. La structure de capital optimale de Dreyfus inc. est la suivante :

Obligations	20 %
Actions privilégiées	20 %
Fonds propres	60 %
	100 %

Le taux de rendement exigé sur des obligations comparables à celles de la société « Dreyfus inc. » s'élève à 10 %. Les actions privilégiées nouvelles peuvent être émises à 12 % et les actions ordinaires nouvelles, à 20 %. Les frais d'émission respectifs, en pourcentage, sont de 3 %, 4 % et 5 %.

■ **On demande:**

a) de calculer le montant maximum que la firme peut investir sans avoir recours à de nouvelles actions ordinaires;

b) de calculer le coût de capital pour un investissement égal ou inférieur à ce montant maximum;

c) de calculer le coût de capital pour le montant des investissements qui excède ce montant maximum.

■ **Solutions suggérées:**

a) La détermination du montant total ou maximal d'investissement possible:

La première étape consiste à calculer le montant des BNR disponibles à l'investissement l'an prochain:

$$30\,000\,000\,\$\ (1 - 0{,}30) = 21\,000\,000\,\$$$

La deuxième étape consiste à déterminer l'investissement total en fonction des seuls BNR (à l'exclusion de nouvelles actions ordinaires du côté des fonds propres):

BNR (fonds propres) = 21 000 000 $; proportion: 0,60

Total du financement = X; " " 1

Donc:

21 000 000 $	0,60
X	1

D'où le montant total X du financement avec les seuls BNR du côté des fonds propres s'élève à:

$$X = \frac{21\,000\,000\,\$\ (1)}{0{,}60} = \underline{\underline{35\ \text{M}\$}}$$

b) Le coût de capital pour un investissement égal ou inférieur à 35 M$:

Le coût des obligations k_d pour la firme, après impôt, et compte tenu des frais d'émission après impôt, est égal à:

$$k_d = \frac{10\,\%(1-0{,}40)}{1-0{,}03(1-0{,}40)} = 6{,}101\,\%$$

Le coût des actions privilégiées k_p, après impôt, et compte tenu des frais d'émission:

$$k_p = \frac{12\,\%}{1-0{,}04\,(1-0{,}4)} = \underline{12{,}295\,1\,\%}$$

Le coût des actions ordinaires k_{ao} égale :

$$k_{ao} = \frac{20\,\%}{1 - 0{,}05(1 - 0{,}40)} = \underline{20{,}62\,\%}$$

Le coût des BNR k_r se confond avec le taux de rendement de 20 % exigé par les actionnaires ordinaires, puisqu'il n'y a pas de frais d'émission dans ce cas.

Le coût moyen pondéré k_o basé sur les seuls BNR du côté des fonds propres devient :

$$\begin{aligned} k_o &= 6{,}101\,\%\ (20\,\%) + 12{,}295\ 1\,\%\ (20\,\%) + 20\,\%(60\,\%) \\ &= 1{,}220\ 2\,\% + 2{,}459\ 0\,\% + 12{,}000\ 0\,\% \\ k_o &= 15{,}679\ 2\,\% \end{aligned}$$

c) Le coût de capital pour une tranche d'investissement supérieure à 35 M$ se situe à :

$$\begin{aligned} k_0 &= 1{,}220\ 2\,\% + 2{,}459\ 0\,\% + 20{,}62\,\%\ (60\,\%) \\ &= 1{,}220\ 2\,\% + 2{,}459\ 0\,\% + 12{,}372\,\% \\ k_0 &= 16{,}05\,\% \end{aligned}$$

NB

3. LA FIRME TREMPLIN INC.

La firme Tremplin inc. désire établir un plan de financement pour un nouveau projet de risque égal à celui du risque moyen de l'entreprise et présentant les mêmes modalités de financement.

Tremplin inc. projette d'émettre des obligations d'une échéance de 15 ans. Une obligation comparable se transige à 1 060 $ actuellement et son taux de coupon est de 10 % versé semestriellement. Les frais d'émission en pourcentage de la valeur nominale seraient de 3 %.

Tremplin inc. a actuellement des actions privilégiées en circulation dont le dividende annuel est de 10 $. Les frais d'émission de ces titres s'élèveraient à 4 % et le prix d'une action privilégiée est aujourd'hui de 100 $. La firme possède 8 000 actions privilégiées à l'heure actuelle.

Le dernier dividende sur actions ordinaires de Tremplin inc. était de 2 $, son accroissement annuel moyen depuis 10 ans de 10 %. Le prix en Bourse de l'action ordinaire est de 30 $ et les frais d'émission en pourcentage sont de 10 %. Le taux de rendement sur les bons du Trésor est de 7 %, la prime de rendement moyenne historique par unité de risque du marché (risque systématique) est de 6,6 %.

Le risque systématique bêta de Tremplin inc. est de 1,40. Tremplin inc. a 80 000 actions ordinaires en circulation. Le taux d'impôt sur le bénéfice des corporations est de 40 % Les valeurs comptables des titres de financement à long terme de la société Tremplin inc. sont disponibles dans le passif de Tremplin inc. :

Comptes fournisseurs	3 000 000 $
Emprunt bancaire à court terme (18 %)	4 000 000 $
Obligations à long terme (10 %) (10 000 unités à 10 % chaque)	10 000 000 $
Actions privilégiées (80 000 unités à 100 $ chaque)	8 000 000 $
Actions ordinaires (800 000 unités)	8 000 000 $
Bénéfices non répartis	10 000 000 $
	43 000 000 $

■ **On demande :**

a) d'établir le coût des différentes sources de financement de Tremplin inc. selon les valeurs du marché ;

b) de déterminer le coût moyen pondéré du capital de Tremplin inc. selon les valeurs comptables des titres de financement à long terme ;

c) de calculer le coût moyen pondéré du capital selon la valeur marchande des titres de financement à long terme ;

d) d'expliquer pourquoi Tremplin inc. retient la notion de coût moyen pondéré du capital et non celle du coût marginal pour analyser le nouveau projet d'investissement.

■ **Solutions suggérées :**

a) Le coût des différentes sources de financement de Tremplin inc. selon les valeurs du marché :

a.1. Le coût de la dette obligataire :

La marche à suivre pour déterminer le coût en pourcentage d'une obligation consiste :

- à établir le taux de rendement à l'échéance de cette obligation par l'interpolation ou à l'aide d'une calculatrice sur une base semestrielle, et ensuite sur une base annuelle, en multipliant par deux ;
- à calculer, sur une base annuelle, le coût de la dette après impôt compte tenu des frais d'émission après impôt.

La relation de la valeur marchande d'une obligation est basée sur le taux de rendement à l'échéance r_d qu'il faut calculer pour ensuite établir k_d (le coût de la dette après impôt et compte tenu des frais d'émission après impôt).

$$1\,060\,\$ = (50\,\$)\,(a_{15x2\,;\,rd/sem}) + 1\,000\,\$\,(1 + r_{d/sem})^{-15x2}$$

On obtient par interpolation en arrondissant ou par la calculatrice :

$$r_{d/sem} = 4,61\,\%$$

et

$$r_{d/annuel} = (4,61\,\%)(2) = 9,22\,\%$$

Le coût de la dette k_d après impôt est établi selon l'expression suivante :

$$k_d = \frac{r_d(1-T_c)}{1-f(1-T_c)} = \frac{9,22\,\%(1-0,40)}{1-0,03(1-0,40)} = 5,633\,\%$$

où :

k_d = coût de la dette après impôt ;

r_d = taux de rendement à l'échéance de l'obligation ;

T_c = taux d'impôt sur le bénéfice des corporations ;

f = frais d'émission de cette obligation en pourcentage.

a.2. Le coût des actions privilégiées :

La relation suivante permet d'établir k_p compte tenu des frais d'émission en pourcentage après impôt :

$$\begin{aligned} k_p &= D_p\,P_o\,[1 - f\,(1 - T_c)] = r_p\,[1 - f\,(1 - T_c)] \\ &= 10\,\$\;100\,\$\;[1 - 0,04\,(1 - 0,40)] \\ &= 0,102\,4 \text{ ou } \underline{10,24\,\%} \end{aligned}$$

où :

k_p = coût des actions privilégiées compte tenu des frais d'émission en pourcentage après impôt ;

D_p = montant du dividende privilégié en dollars ;

P_o = prix d'une action privilégiée sur le marché en dollars ;

f = frais d'émission en pourcentage ;

T_c = taux d'impôt sur le bénéfice des corporations ;

r_p = D_p / P_o = taux de rendement exigé par le marché sur les actions privilégiées.

a.3. Le coût d'une nouvelle action ordinaire :

La détermination du coût d'une nouvelle action ordinaire est plus complexe que le calcul du coût de financement par dette ou par action privilégiée, car les flux monétaires pertinents (les dividendes) sont difficilement prévisibles. Il y a deux modèles d'évaluation qui sont retenus soit le modèle de Gordon, d'une part, et le modèle d'évaluation des actifs financiers (MEDAF), d'autre part.

LE MODÈLE DE GORDON
(Basé sur l'actualisation des dividendes anticipés)

Le modèle de Gordon est le suivant, pour le calcul du coût d'une action ordinaire k_{ao}, compte tenu des frais d'émission d'une nouvelle émission d'actions ordinaires après impôt :

$$k_{ao} = \frac{D_1}{P_o\left[1 - f\left(1 - T_c\right)\right]} + g$$

où :

D_1 = prochain dividende ordinaire en dollars ;

P_o = cours de l'action ordinaire en Bourse ;

f = frais d'émission en pourcentage ;

g = taux de croissance annuel du dividende.

En appliquant la relation ci-haut, on obtient :

$$k_{ao} = \frac{2\,(1{,}10)}{30\left[1 - 0{,}10\,(1 - 0{,}40)\right]} + 0{,}10$$

$$= \frac{2{,}20\,\$}{28{,}50\,\$} + 0{,}10$$

$$= 0{,}077 + 0{,}10 = \underline{\underline{17{,}7\,\%}}$$

Ce modèle n'est valable que si l'on a des raisons sérieuses de croire que la croissance moyenne passée du dividende est réaliste et qu'elle peut représenter une bonne moyenne de ce qui se passera à l'avenir.

LE MEDAF
(basé sur la ligne d'équilibre des titres)

$$k_{ao} = r_f + [E\,(R_m) - r_f]\;\beta_i\,[1 - f\,(1 - T_c)\,]$$

$E\,(R_m) - r_f$ = la prime par unité de risque systématique. Cette prime moyenne est d'approximativement 6,6 %.

β est la lettre grecque bêta ; le bêta est calculé à partir d'une analyse de régression basée sur 60 taux de rendement mensuels passés de l'action de la société Tremplin inc. et de 60 taux de rendement mensuels passés d'un indice boursier représentatif, tel que celui de la Bourse de Toronto.

$$f = 10\,\%$$

$$T_c = \text{Toujours } 40\,\%$$

$$\beta_{\text{(de Tremplin inc.)}} = 1{,}40$$

d'où

$$k_{ao} = \frac{7\,\% + (6,6\,\%)\,(1,40)}{1 - 0,10\,(1 - 0,40)}$$
$$= \underline{\underline{17,27\,\%}}$$

---

a.4. Le coût des bénéfices non répartis (BNR)

C'est le taux de rendement que pourrait réaliser l'actionnaire sur un placement d'une même catégorie de risque que celle de l'entreprise. Ce taux correspond au taux de rendement exigé sur les actions ordinaires de l'entreprise, abstraction faite des frais d'émissions f, car l'utilisation des BNR, pour le financement, ne nécessite évidemment pas d'émission de nouvelles actions ordinaires.

$$k_r < k_{ao}$$

$$k_r = \frac{D_1}{P_o} + g = r_{ao}$$

Ou aussi, selon le MEDAF:

$$k_r = r_f + [E\,(R_m) - r_f]\,\beta$$

Donc, pour la société Tremplin inc. :

$$k_r\,(\text{selon Gordon}) = \frac{2\,(1,10)}{30} + 0,10 = \underline{\underline{17,33\,\%}}$$

$$k_r\,(\text{selon le MEDAF}) = 7\,\% + (6,6\,\%)\,(1,40) = \underline{\underline{16,24\,\%}}$$

où :

k_r = coût des BNR ou taux de rendement r_{ao} exigé sur les actions ordinaires ;

k_{ao} = coût des actions ordinaires en tenant compte des frais d'émission après impôt ;

D_1 = prochain dividende ordinaire ;

P_o = prix de l'action ordinaire sur le marché.

b) La détermination du coût moyen pondéré du capital en fonction de pondérations selon les valeurs comptables des titres de financement à long terme.

Les pondérations des différents titres de financement à long terme, c'est-à-dire leurs proportions individuelles dans l'ensemble du financement de l'entreprise, sont établies soit selon leur valeur comptable, lorsque le prix de l'action ordinaire fluctue fréquemment et de façon importante, soit selon leur valeur marchande, qui fera l'objet de la sous-question c qui suit.

Le calcul du coût moyen pondéré du capital en fonction de pondérations déterminées selon les valeurs aux livres des différents titres de financement à long terme suppose l'exclusion du financement à court terme.

On retient seulement les rubriques suivantes pour la détermination du coût du capital:

– Obligations à long terme (10 %) (10 000 unités à 1000 $ chacune)	10 000 000 $
– Actions privilégiées (10 %) (80 000 unités à 100 $ chacune)	8 000 000
– Actions ordinaires (800 000 unités à 10 $)	8 000 000
– Bénéfices non répartis	10 000 000
Total	36 000 000 $

Le calcul des pondérations selon la valeur aux livres:

$$w_d = \frac{10\ 000\ 000\ \$}{36\ 000\ 000\ \$} = 0{,}277\ 7$$

$$w_p = \frac{8\ 000\ 000\ \$}{36\ 000\ 000\ \$} = 0{,}222\ 2$$

$$w_s = \frac{8\ 000\ 000\ \$}{36\ 000\ 000\ \$} = 0{,}222\ 2$$

$$w_r = \frac{10\ 000\ 000\ \$}{36\ 000\ 000\ \$} = 0{,}277\ 7$$

Le coût moyen pondéré du capital devient:

$$k_o = \text{CMPC} = (0{,}277\ 7)\ (5{,}633\ \%) + (0{,}222\ 2)\ (10{,}24\ \%) + (0{,}222\ 2)\ (17{,}8\ \%) + (0{,}277\ 7)\ (17{,}33\ \%)$$

$$= 1{,}564\ 3\ \% + 2{,}275\ 3\ \% + 3{,}955\ 2\ \% + 4{,}812\ 5\ \%$$

$$= 12{,}61\ \%$$

c) Le calcul du coût moyen pondéré du capital en fonction de pondérations établies selon les valeurs marchandes (VM) des titres de financement à long terme.

Titres		Unités × VM	Valeurs marchandes totales
Obligations		10 000 × 1 060 $	10 600 000 $
A	P	80 000 × 100 $	8 000 000 $
A	O	800 000 × 30 $	24 000 000 $
		Total	42 600 000 $

Détermination des pondérations selon les valeurs marchandes des titres de financement :

w_d = 10 600 000 $ / 42 600 000 $ = 0,248 8

w_p = 8 000 000 $ / 42 600 000 $ = 0,187 8

w_{ao} = 24 000 000 $ / 42 600 000 $ = 0,563 4

Le coût moyen pondéré du capital devient :

k_o = CMPC = (0,248 8) (5,633 %)+(0,187 8) (10,24 %)+(0,563 4) (17,8 %)
= 1,401 5 % + 1,923 1 % + 10,028 5 %
= 13,353 1 %

d) La signification du CMPC : On utilise le CMPC pour analyser le nouveau projet de Tremplin inc., car il présente le même risque que celui de l'entreprise et parce que ses modalités de financement sont les mêmes. Par contre, si le nouveau projet était plus (ou moins) risqué que l'entreprise le CMPC aurait été ajusté à la hausse (ou à la baisse) pour tenir compte de la différence de risque par rapport au risque moyen de Tremplin inc.

La structure du capital

Les figures 1 et 2 du chapitre précédent, consacré au coût du capital, montrent bien qu'il existe des interrelations entre le coût du capital, la structure de financement et la valeur marchande de l'entreprise. Le calcul du coût du capital suppose que la structure de financement à long terme adoptée par la firme soit optimale, avec pour conséquence, toutes choses égales d'ailleurs, que les accroissements futurs de dettes, d'actions privilégiées et d'actions ordinaires soient dans les mêmes proportions que celles de la structure optimale de capital.

La théorie de la structure du capital a toujours été un sujet de grande controverse à savoir si la valeur marchande de l'entreprise peut être affectée par les modalités de financement, notamment par celles de la dette. Si l'on peut établir que cette dernière influence réellement la valeur de l'entreprise, il s'agira ensuite de trouver la structure d'endettement optimale qui permettrait de maximiser la valeur de la firme.

Modigliani et Miller (MM)[1] ont élaboré, à la suite d'études empiriques, une explication convaincante des effets de la structure du capital sur la valeur de la firme en 1958 et en 1963 respectivement, dans le cadre de marchés parfaits et de marchés imparfaits. Ces deux auteurs ont été précédés, avant 1958, par les tenants de la théorie de l'évaluation de la firme basée sur le bénéfice net d'exploitation, d'une part, et par celle des traditionalistes, d'autre part. Ces deux dernières théories n'ont cependant pas la rigueur du cadre analytique de MM puisqu'elles n'ont pas été testées empiriquement.

Il y a cependant des limites et des coûts à l'endettement de l'entreprise. La dette donne lieu à des charges financières fixes avec pour conséquence des fluctuations plus grandes de résultats pour les actionnaires, résultant du niveau d'activité de l'ensemble de l'économie. Le rendement espéré et le risque de ces actionnaires s'accroissent avec la dette, car cette dernière accroît les profits lorsque la situation économique générale est florissante et les réduit, et même parfois occasionne des pertes, lorsque l'activité économique se détériore.

Nous analyserons aussi la décision de la firme quant aux modalités de financement fondées sur la valeur du bénéfice par action en fonction du bénéfice avant intérêts et impôt. Le ratio du bénéfice avant intérêts et impôt en pourcentage de l'actif total (BAII % / Actif total), comparé au coût de la dette (le taux de coupon c), constitue une référence privilégiée pour déterminer si l'utilisation de la dette est justifiée.

La décision de financement est étudiée, abstraction faite des autres décisions de la firme, telles la décision d'investissement et la politique de dividende. La valeur de la société financée totalement par ses actionnaires sera comparée à sa valeur en présence de dettes afin de mieux cerner la contribution de la dette à l'augmentation de la valeur de l'entreprise.

14.1. LES THÉORIES DE LA STRUCTURE DU CAPITAL PRÉCÉDANT CELLE DE MODIGLIANI ET MILLER (MM)

La théorie de l'évaluation d'une entreprise basée sur la notion de bénéfice net d'exploitation ainsi que celle des traditionalistes (qui sont des spécialistes du monde des affaires financières) exposent le comportement du coût moyen pondéré du capital en fonction du ratio d'endettement et déterminent son impact sur la valeur de l'entreprise. Ces deux théories qui précèdent celle de MM ne présentent pas la même rigueur scientifique, car elles n'ont pas fait l'objet de vérifications empiriques définitives.

1. F. Modigliani et M. Miller (1958). «The Cost of Capital, Corporation Finance and the Theory of Investment», *American Economic Review*, vol. 48, juin, p. 261-296.

14.1.1. La théorie de la valeur basée sur le bénéfice net d'exploitation

Les caractéristiques de cette théorie sont les suivantes, en considérant les ventes, le bénéfice net d'exploitation et la dette comme des valeurs perpétuelles :

- le coût moyen pondéré du capital (CMPC) demeure inchangé, quel que soit le niveau de la dette ;
- le coût des fonds propres augmente avec l'emprunt ;
- le coût de la dette reste à peu près inchangé ;
- le CMPC demeure constant malgré l'augmentation de la dette, car l'accroissement du coût des fonds propres est neutralisé par le fait que le coût de la dette est assez stable malgré l'accroissement de l'emprunt ;
- la valeur de l'entreprise n'est pas affectée par un accroissement de la dette puisque le CMPC demeure inchangé.

EXEMPLE

Considérons les données financières suivantes d'une entreprise :

- le bénéfice net d'exploitation est égal à 60 000 $, par période, jusqu'à l'infini ;
- la dette a une valeur marchande de 80 000 $;
- le taux d'emprunt est égal à 10 %, entraînant une charge financière annuelle de (80 000)(0,10) = 8 000 $;
- le coût moyen pondéré du capital est égal à 20 %.

On peut établir la valeur marchande des fonds propres ou de l'avoir des actionnaires de la façon suivante :

Bénéfice net d'exploitation	60 000 $
Le taux d'actualisation de 20 % donne une valeur marchande de l'entreprise de 60 000 ÷ 0,20 =	300 000 $
Moins la valeur marchande de la dette =	80 000 $
Égale : valeur marchande de l'avoir des actionnaires =	220 000 $

Le coût des fonds propres s'élève à :

$$(60\,000\,\$ - 8\,000\,\$) \;/\; 220\,000\,\$ = 23{,}63\,\%$$

Si l'entreprise substitue une partie de ses actions ordinaires par une dette additionnelle de 75 000 $, on aura une nouvelle valeur marchande des actions ordinaires de 65 000 $, établie sur la base des calculs suivants :

Bénéfice net d'exploitation	60 000 $
Taux d'actualisation de 20 % donnant une valeur marchande de l'entreprise de 60 000 ÷ 0,20 =	300 000 $
Moins la valeur marchande de la dette 80 000 + 75 000 =	155 000 $
Égale : valeur marchande de l'avoir des actionnaires =	145 000 $

Le taux de rendement exigé par les actionnaires augmente avec la dette et devient égal à :

[60 000 $ – (155 000 $) (0,10)] / 145 000 $
= (60 000 $ – 15 500 $) / 145 000 = 30,68 %

Cet exemple illustre bien les caractéristiques indiquées plus haut de la théorie de la valeur fondée sur le bénéfice net d'exploitation.

14.1.2. L'approche traditionnelle

Notons que chaque firme a une structure de capital optimale représentée par un ratio d'endettement optimal. L'émission d'une dette nouvelle ne doit pas entraîner un risque financier tel que son coût excède l'avantage fiscal résultant de la déductibilité des intérêts. Cette situation est assurée tant que le ratio d'endettement de la firme n'excède pas une certaine limite définie comme optimale (voir la figure 14.2).

Il importe de savoir que le coût de la dette ainsi que le coût de la valeur nette (les fonds propres) sont affectés par les coûts inhérents au risque financier. Les détenteurs d'obligations exigent un rendement plus élevé avec l'augmentation du risque financier, d'où l'augmentation du coût de la dette pour la firme ainsi que le taux de rendement exigé par les actionnaires.

Le coût de l'action ordinaire, qui s'élève aussi avec l'accroissement des charges financières, s'explique par le fait que les probabilités de faillite augmentent. Les actionnaires exigent une compensation additionnelle de rendement pour le risque supplémentaire que constitue, à leurs yeux, l'engagement de la firme à payer des intérêts obligataires plus élevés, c'est-à-dire des montants fixes périodiques plus élevés.

Figure 14.1

La théorie de la valeur fondée sur le bénéfice net d'exploitation

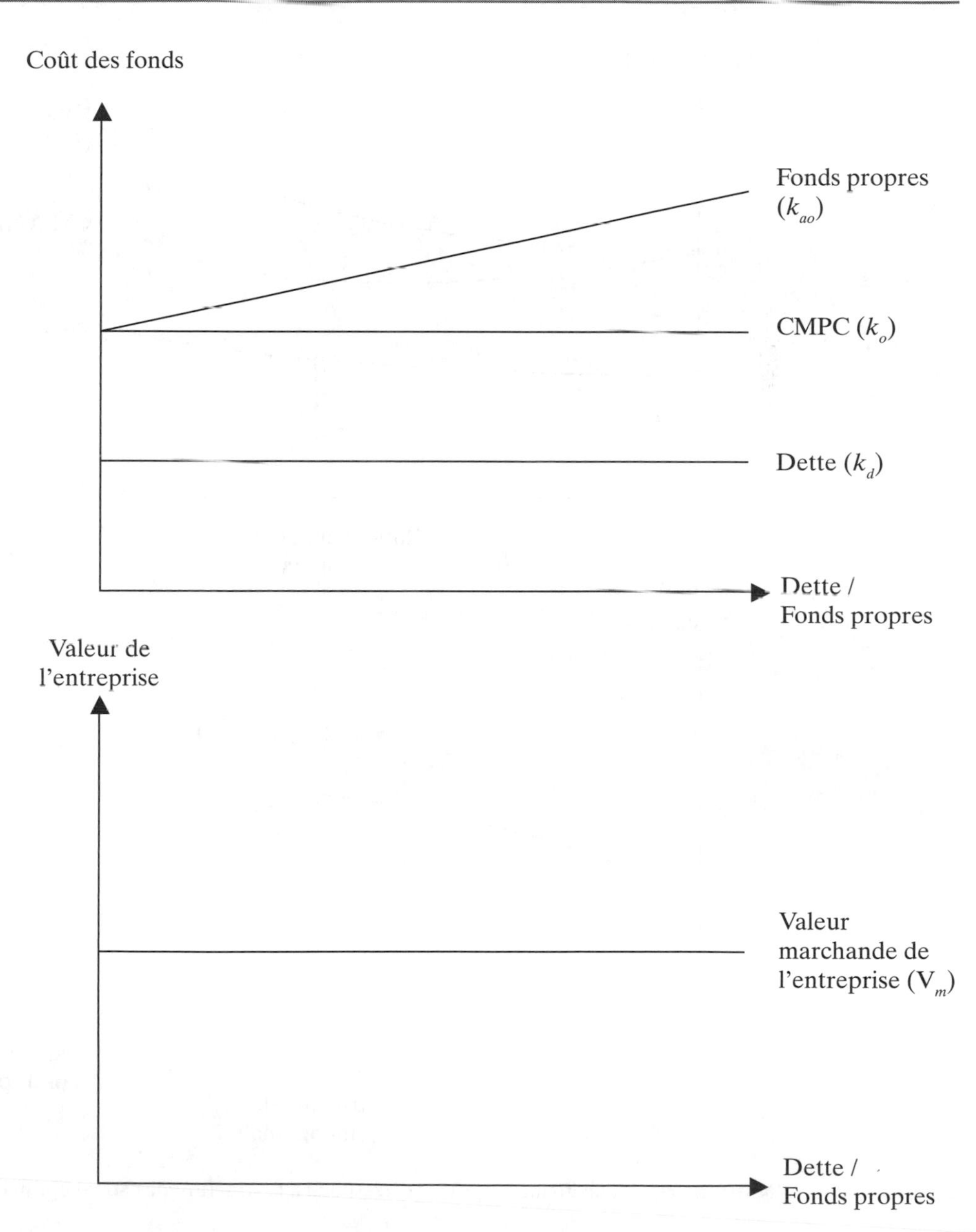

Figure 14.2

La théorie de la valeur fondée sur l'approche traditionnelle

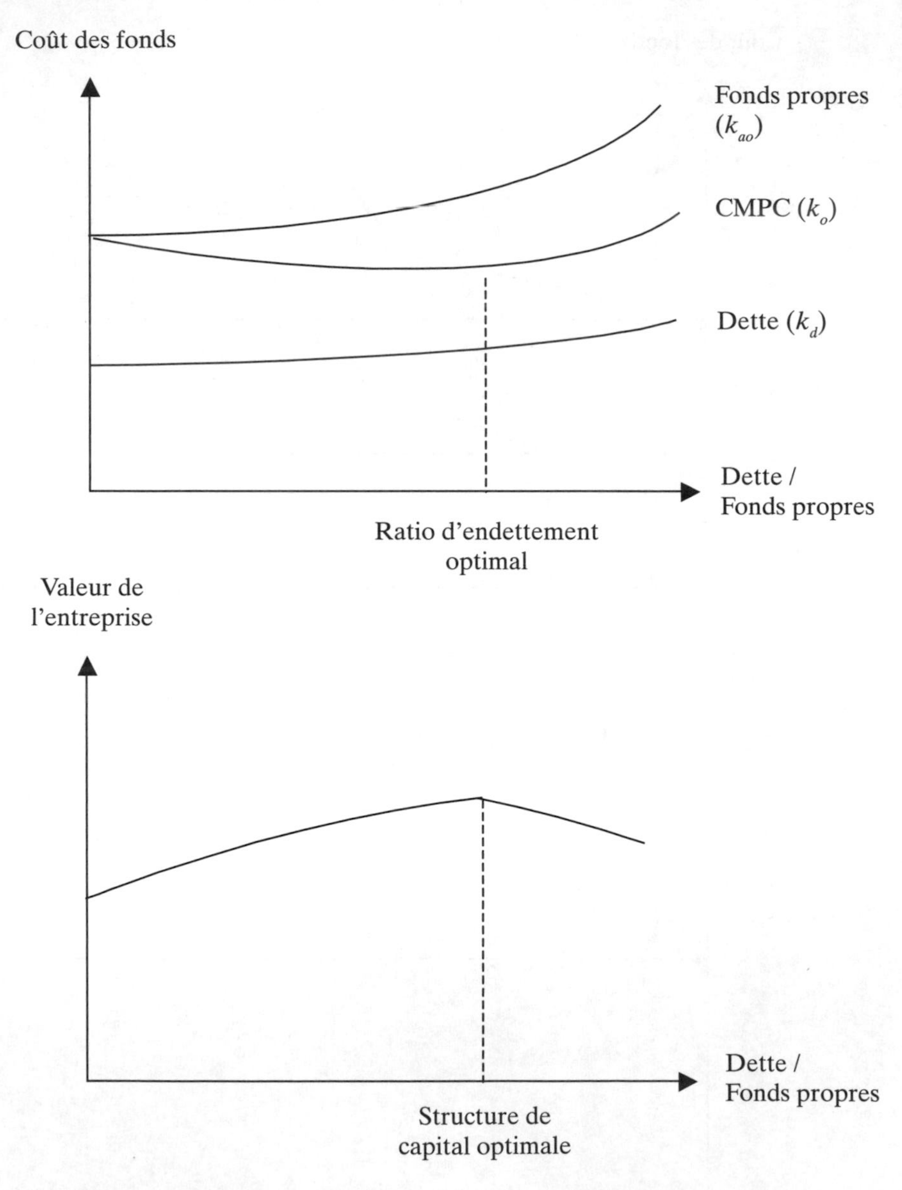

N.B. : Le ratio d'endettement optimal correspond à la structure de capital optimale.

Précisons que tant que la dette n'excède pas un ratio prudent d'endettement, tel que le ratio moyen du secteur, par exemple, l'augmentation de la dette a pour conséquence :

- une augmentation du taux de rendement exigé par les actionnaires, plus modérée cependant que celle préconisée par l'approche du bénéfice net d'exploitation ;
- une diminution du coût moyen pondéré du capital ;
- un accroissement de la valeur marchande de la firme qui atteint son maximum lorsque le CMPC atteint sa valeur minimale.

Notons qu'au-delà du ratio prudent d'endettement, qui correspond à la structure du capital optimale, le risque financier augmente rapidement avec la dette, résultant en un accroissement sensible des exigences de taux de rendement des créanciers et des actionnaires et une hausse du CMPC, accompagnée d'une baisse de la valeur marchande de l'entreprise. La figure 14.2 ci-dessus illustre les caractéristiques de la théorie de la valeur fondée sur l'approche traditionnelle.

14.2. LES RELATIONS ENTRE LA STRUCTURE D'ENDETTEMENT ET LE TAUX DE RENDEMENT DE L'AVOIR DES ACTIONNAIRES

Le recours à l'emprunt peut améliorer le taux de rendement obtenu par les actionnaires à condition que le bénéfice avant intérêts et impôts (BAII) de l'entreprise soit supérieur au coût de la dette. On peut illustrer cette relation entre endettement et rentabilité des fonds propres en considérant trois entreprises présentant chacune un bilan total de un million de dollars, mais présentant des modalités d'endettement différentes. Il faudrait aussi envisager, selon le tableau 14.1, différentes possibilités de bénéfice avant intérêts et impôts ainsi que leur impact respectif, selon la modalité d'endettement choisie, sur la rentabilité des fonds propres. Le taux d'impôt est de 40 % et le taux d'intérêt sur l'emprunt s'élève à 10 %.

Tableau 14.1

Structure d'endettement des sociétés X, Y et Z

	X	Y	Z
Ratio d'endettement	0 %	40 %	60 %
Dette	0 $	400 000 $	600 000 $
Fonds propres	1 000 000 $	600 000 $	400 000 $
Total du bilan	1 000 000 $	1 000 000 $	1 000 000 $

La rentabilité prévue de l'actif, selon le BAII, a été établie de la façon suivante, selon les données du tableau 14.2:

Tableau 14.2

Différentes possibilités de BAII

BAII en pourcentage de l'actif	BAII
4%	40 000$
10%	100 000$
15%	150 000$
20%	200 000$
36%	360 000$
50%	500 000$

Procédons au calcul du taux de rendement des fonds propres pour les différentes possibilités de BAII énoncées ci-haut. Les résultats figurent dans les tableaux 14.3, 14.4 et 14.5 qui suivent.

Tableau 14.3

Taux de rendement des fonds propres de la société X (absence d'emprunt)

BAII	40 000$	100 000$	150 000$	200 000$	360 000$	500 000$
Charges financières	0	0	0	0	0	0
	40 000$	100 000$	150 000$	200 000$	360 000$	500 000$
Impôt sur les bénéfices (40%)	16 000$	40 000$	60 000$	80 000$	144 000$	200 000$
Montant attribuable aux actionnaires	24 000$	60 000$	90 000$	120 000$	216 000$	300 000$
Rendement des fonds propres	2,4%	6%	9%	12%	21,6%	30%

Tableau 14.4

Taux de rendement des fonds propres de la société Y (emprunt: 40 %)

BAII	40 000 $	100 000 $	150 000 $	200 000 $	360 000 $	500 000 $
Charges financières (10 %)	40 000	40 000	40 000	40 000	40 000	40 000
	0 $	60 000 $	110 000 $	160 000 $	320 000 $	460 000 $
Impôt (40 %)	0	24 000	44 000	64 000	128 000	184 000
Montant attribuable aux actionnaires	0 $	36 000 $	66 000 $	96 000 $	192 000 $	276 000 $
Taux de rendement des fonds propres	0 %	6 %	11,10 %	16 %	32 %	46 %

Tableau 14.5

Taux de rendement des fonds propres de la société Z (emprunt: 60 %)

BAII*	40 000 $	100 000 $	150 000 $	200 000 $	360 000 $	500 000 $
Charges financières (10 %)	60 000	60 000	60 000	60 000	60 000	60 000
	(20 000) $	40 000 $	90 000 $	140 000 $	300 000 $	440 000 $
Impôt (40 %)	(8 000)	16 000	36 000	56 000	120 000	176 000
Montant attribuable aux actionnaires	(12 000) $	24 000 $	54 000 $	84 000 $	180 000 $	264 000 $
Taux de rendement des fonds propres	(3 %)	6 %	13,5 %	21 %	45 %	66 %

BAII*: Bénéfice avant intérêts et impôts.

Les tableaux 14.3, 14.4 et 14.5 indiquent que pour un BAII de 100 000 $, et quelle que soit la proportion de l'emprunt, les sociétés X, Y et Z ont un même taux de rendement des fonds propres. Ce BAII d'indifférence de 100 000 $ explique pourquoi, à ce niveau, le taux de rendement des fonds propres est de 6 % pour n'importe laquelle des trois entreprises considérées ; il représente un taux de rendement de 10 % de l'actif, c'est-à-dire un taux égal au coût de la dette de 10 %.

On constate aussi que pour tout BAII inférieur au BAII d'indifférence (BAII*), l'entreprise doit plutôt émettre du capital-actions, tandis que dans le cas contraire (lorsque le BAII obtenu grâce au nouveau financement est supérieur au BAII* d'indifférence), c'est le recours à l'emprunt qui favorise le taux de rendement des actionnaires ordinaires.

14.3. LA DÉTERMINATION DE LA VALEUR DE L'ENTREPRISE

La détermination de la valeur de l'entreprise est essentielle à la démonstration de la théorie de la structure du capital de Modigliani et Miller ou, plus précisément, permet d'établir les effets de l'endettement sur la valeur marchande de l'entreprise. Cette dernière valeur (V_o) est égale à la somme de la valeur marchande de la dette (D) et à celle de la valeur marchande des actions ordinaires (AO) :

$$V_d = D + AO \tag{14.1}$$

Si l'on pose k_o égal au taux de rendement exigé sur l'entreprise, représenté par le coût du capital et FM égal au flux monétaire annuel constant généré par l'entreprise jusqu'à l'infini, on aura, en présence de dettes, l'expression suivante de la valeur de l'entreprise :

$$V_d = FM / k_o \tag{14.2}$$

où :

V_d = valeur de l'entreprise endettée.

Il a déjà été établi que, dans le cas où le financement de l'entreprise se limite à la dette et à l'avoir des actionnaires, le coût moyen pondéré du capital k_o est égal à :

$$k_o = (k_d)\left(\frac{D}{V_d}\right) + (k_{ao})\left(\frac{AO}{V_d}\right)$$

$$= (k_d)\left(\frac{D}{D + AO}\right) + (k_{ao})\left(\frac{AO}{D + AO}\right) \tag{14.3}$$

On peut aussi présenter cette relation de la façon suivante :

$$(V_d)\,(k_o) - (k_d)\,(D) + (k_{ao})\,(AO)$$
$$= (k_d)\left(\frac{I}{r_d}\right) + k_{ao}\left(\frac{P}{r_{ao}}\right)$$

où :

I = montant annuel en dollars des intérêts payés par l'entreprise sur sa dette ;
k_{ao} = coût des actions ordinaires ;
P = profits ou bénéfices nets disponibles aux actionnaires ;
k_d = coût de la dette après impôt ;
V_d = valeur de l'entreprise endettée ;
k_o = coût du capital.

Posons que :

$$P = BAII - I \qquad (14.4)$$

où :

BAII = bénéfice avant intérêts et impôts

On peut établir, conformément à la relation 14.2, que :

$$V_d = BAII/k_o$$

La relation ci-dessus peut prendre la forme suivante :

$$\begin{aligned}(V_d)\,(k_o) &= I + P \qquad (14.5)\\ &= I + BAII - I\\ &= BAII\end{aligned}$$

d'où :

$$V_d = \frac{BAII}{k_o} = (BAII)\left(\frac{1}{k_o}\right) \qquad (14.6)$$

La valeur marchande d'une entreprise s'obtient par la capitalisation (le taux de capitalisation étant donné par $1/k_o$, soit la réciproque du taux d'actualisation) des flux financiers générés par son actif. Les flux financiers sont constitués par le bénéfice avant intérêts et impôts (BAII), et le facteur de capitalisation est représenté par l'inverse du taux de rendement exigé sur l'ensemble de la firme.

L'analyse du coût du capital k_o devient centrale pour l'évaluation des conséquences de la structure du capital sur la valeur marchande de la firme, étant donné que nous avons considéré le BAII annuel constant jusqu'à l'infini.

En effet, toute structure de capital est supérieure dans le mesure où elle peut assurer une réduction de k_o, car elle aura pour effet d'accroître la valeur de la firme dans le cas d'un BAII périodique constant jusqu'à l'infini. L'analyse des modifications de la structure de capital et de ses effets sur la valeur de l'entreprise sera conduite en deux étapes :

- la première dans un contexte d'absence d'impôt ou de marchés parfaits ;
- la deuxième en présence d'impôt, c'est-à-dire sur des marchés imparfaits.

14.4. LA CONTRIBUTION DE MODIGLIANI ET MILLER (MM) À LA THÉORIE DE LA STRUCTURE DU CAPITAL

Modigliani et Miller ont développé leur théorie de la structure du capital dans le cadre de marchés parfaits en 1958, et l'ont complétée en 1963 en tenant compte de l'impôt sur les sociétés.

Modigliani et Miller (MM) ont entrepris leur recherche sur la structure du capital dans le but d'analyser dans quelle mesure et selon quelles circonstances le financement par dette influence la valeur de l'entreprise.

En d'autres termes, l'objectif poursuivi consistait à établir comment le marché évalue les effets de différentes structures d'endettement, afin d'être en mesure de prévoir les conséquences d'une restructuration du capital sur la valeur totale de l'entreprise.

14.4.1. Les propositions de MM en l'absence d'impôt (1958)

Les recherches de MM aboutissent, en 1958, à la conclusion que la structure du capital n'est pas pertinente dans le cadre de marchés parfaits, car elle n'affecte pas la valeur totale des titres de financement de l'entreprise. MM ont aussi établi que la politique de dividende n'est pas pertinente sur des marchés parfaits.

Précisons les caractéristiques des marchés parfaits ainsi que d'autres hypothèses de base sur lesquelles reposent la démonstration et l'explication de MM de 1958 :

- l'offre et la demande déterminent les prix ;
- l'information est immédiatement disponible à tous gratuitement ;
- il existe un seul et unique taux d'emprunt et de prêt (un seul taux d'intérêt) ;

- il n'existe ni impôts ni coûts de transaction ;
- les coûts de faillite et d'autres coûts du financement par dette comme les difficultés financières sont nuls, c'est-à-dire qu'ils ne sont pas considérés dans l'analyse ;
- les anticipations des investisseurs sont homogènes, c'est-à-dire qu'ils ont la même perception de la relation risque-rendement.

Les autres hypothèses retenues par MM concernent l'évaluation de la structure du capital abstraction faite de toutes les autres décisions de la firme, à savoir :

- que les revenus périodiques (BAII) sont constants jusqu'à l'infini ;
- que la croissance de la firme est nulle ;
- que la dette est perpétuelle.

MM ont formulé deux propositions fondamentales basées sur une démonstration scientifique rigoureuse :

14.4.1.1. Première proposition

Les modifications de la structure de capital résultant d'un changement des proportions des différentes sources de financement ne modifient pas la valeur de l'entreprise. Deux entreprises qui présenteraient le même risque d'exploitation auraient la même valeur marchande même si leur structure de capital était différente. D'où, en l'absence d'impôt, on aura :

$$V_d = V_{nd}$$

où :

V_d = valeur de l'entreprise avec dette (*leveraged*) ;
V_{nd} = valeur de l'entreprise non endettée (*unleveraged*).

On obtient la valeur d'une entreprise en capitalisant son BAII espéré à l'aide du facteur multiplicateur égal à l'inverse du taux de rendement exigé pour une classe de risque équivalente à celle de l'entreprise. On aura la relation suivante pour une entreprise non endettée :

$$V_{nd} = \frac{\text{BAII}}{r_{ao}} = \frac{\text{BAII}}{k_{ond}} \qquad (14.7)$$

où :

r_{ao} = taux de rendement exigé par les actionnaires ordinaires ;
k_{ond} = coût du capital d'une entreprise non endettée.

D'une manière générale, la valeur r_{ao}, qui est le taux de rendement exigé sur les actions ordinaires d'une entreprise, calculée selon la première proposition de MM, indique qu'elle est indépendante du niveau de l'endettement. On peut en tirer les conséquences suivantes :

- le coût du capital d'une firme, en l'absence d'impôt, ne dépend pas de sa structure de capital ;
- ce coût de capital est égal au coût du capital d'une firme endettée de même classe de risque ;
- la première proposition de MM est conforme à la théorie du revenu ou bénéfice net d'exploitation (*net operating income* : NOI) concernant l'évaluation d'une entreprise. Deux entreprises présentant les mêmes caractéristiques sur tous les plans, sauf sur celui de la structure du capital, doivent avoir la même valeur marchande totale, sinon l'arbitrage fera en sorte qu'elles finissent par afficher un même prix.

14.4.1.2. Deuxième proposition de MM

Le coût de la valeur nette d'une entreprise endettée est une fonction linéaire du ratio Dettes/Valeur nette ou capitaux propres. La prime de risque, qui s'ajoute au coût des capitaux propres d'une entreprise non endettée, est croissante avec le niveau d'endettement selon la relation suivante :

$$k_{ao} = k_{ond} + \text{Prime de risque} \quad (14.8)$$

où :

k_{ao} = coût des capitaux propres ou coût de l'avoir des actionnaires d'une entreprise endettée ;
k_{ond} = coût des capitaux propres d'une entreprise non endettée.

De façon plus explicite, on a :

$$k_{ao} = k_{ond} + \left(k_{ond} - r_d\right)\left(\frac{\text{D}}{\text{AO}}\right) \quad (14.9)$$

Il est important de noter que les rubriques du bilan sont exprimées en valeurs marchandes et que le ratio d'endettement utilisé dans la démonstration de MM portant sur la structure du capital, est donné par le ratio de la dette sur l'avoir des actionnaires ou les capitaux propres (D/AO) et non par le rapport de la dette sur la valeur de l'entreprise (D/V) que l'on retrouve dans la formule du coût moyen pondéré du capital.

Figure 14.3

La valeur de la firme et le coût du capital en l'absence d'impôt selon MM

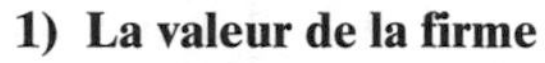

1) La valeur de la firme

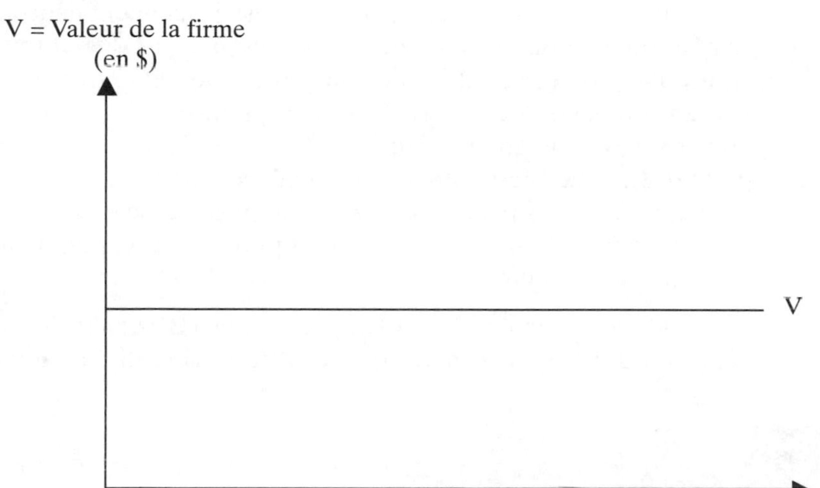

2) Le coût du capital

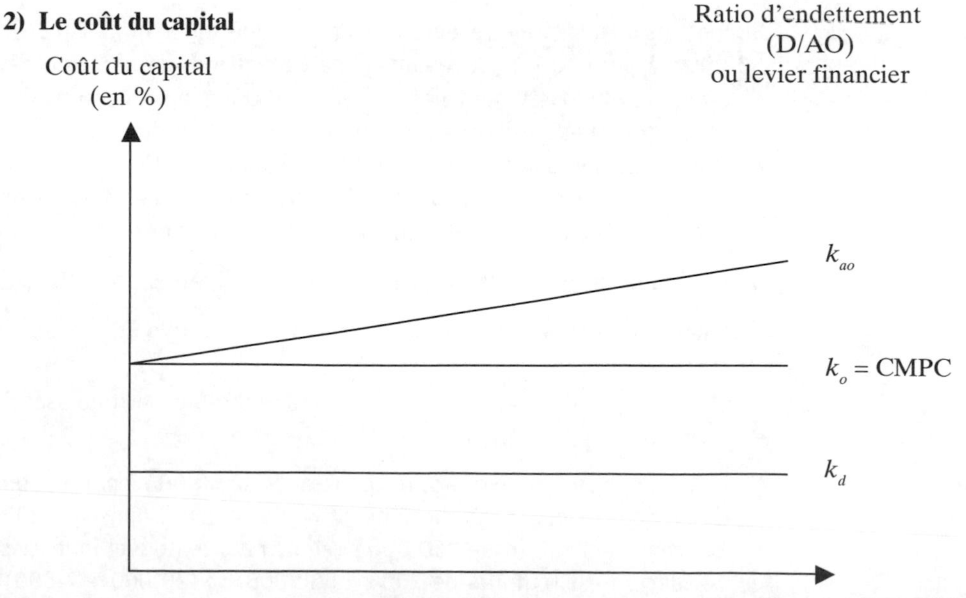

Le coût k_{ao} des actions ordinaires d'une firme endettée est égal à celui des actions d'une firme non endettée, majoré d'une prime additionnelle, destinée à rémunérer le risque financier. Les actionnaires exigeront un taux de rendement r_{ao} d'autant plus élevé que le risque financier de la firme s'accroît avec le ratio d'endettement. L'accroissement du coût des actions ordinaires se fait de sorte à maintenir inchangé le coût moyen pondéré du capital k_o. Dans ce cas, la valeur marchande de l'entreprise reste constante, tel que le montre la figure 14.3. La structure du capital n'affecte pas la valeur de l'entreprise ou celle de ses actions en l'absence d'impôt dans un marché parfait, car la baisse du coût du capital, résultant d'un accroissement de la dette, est exactement neutralisée par l'accroissement du coût des actionnaires. C'est pour cette raison fondamentale que le coût du capital et la valeur de l'entreprise ne dépendent en aucune façon, en l'absence d'impôt, de sa structure de capital. En réalité, le bénéfice par action augmente avec l'augmentation de la dette dans le respect des hypothèses de base de MM. Le taux d'actualisation des bénéfices augmente aussi avec l'augmentation du risque financier résultant d'une dette plus élevée et à compenser exactement l'accroissement du bénéfice par action prévu. Ceci explique pourquoi le prix de l'action reste inchangé.

Si l'accroissement du bénéfice par action (BPA) n'influence pas le cours des actions ordinaires, c'est parce que le BPA est actualisé à un taux plus élevé.

EXEMPLE

Illustration des propositions 1 et 2 de MM

Supposons qu'une firme recevrait des flux monétaires annuels (BAII) constants de 50 000 $ à perpétuité, provenant d'une capacité de production déjà existante et d'un nouvel investissement nécessitant 150 000 $ de fonds nouveaux. Le capital-actions ordinaires, qui constitue la seule modalité de financement de la firme, est formé, à l'heure actuelle, de 25 000 actions dont le prix de l'unité est de 20 $. Le taux de rendement requis par les investisseurs sur ces actions ordinaires est de r_{ao} = 7,692 %. Deux modes de financement sont retenus :

a) Le financement par de nouvelles actions ordinaires pour 150 000 $

Valeur de la firme après le financement de 150 000 $:

$$\text{AO} = \frac{\text{BAII}}{r_{ao}} = \frac{50\,000\,\$}{0{,}076\,92} = 650\,006\,\$ \text{ en arrondissant.}$$

Notons que les flux monétaires constants de 50 000 $ par an sont distribués en dividendes et que 7 500 actions nouvelles ont été émises à 20 $ chacune, afin d'obtenir le montant de 150 000 $ requis pour le nouvel investissement. Le prix de l'action est toujours de 20 $ [= 650 006 $ / (25 000 + 7 500)].

b) Le financement par dette pour 150 000 $

Une dette de 150 000 $ est émise à 6 % de taux de coupon. Les revenus disponibles aux actionnaires sont désormais de :

BAII	50 000 $
Moins : Intérêts (150 000 $)(0,06)	9 000
Bénéfice avant impôt	41 000
Moins : Impôt (non applicable)	-
	41 000 $

Le financement par dette plutôt que par capital-actions ordinaires accroît le risque financier de la firme selon MM. Le taux de rendement requis sur les actions ordinaires r_{ao} augmente de sorte à laisser inchangé à 20 $ le prix de l'action :

$$\text{Nouveau } r_{ao} = \frac{\text{Revenu disponible aux actionnaires}}{\text{Valeur marchande des actions}}$$

$$= \frac{41\,000\,\$}{(25\,000\,\$)(20\,\$)}$$

$$= 0{,}082 \text{ ou } 8{,}2\,\%$$

L'utilisation de la dette en l'absence d'impôt ne comporte ni gain ni perte à l'actionnaire ordinaire, laissant la valeur de la firme inchangée. Le taux de rendement requis par les actionnaires augmente de 7,692 % à 8,2 % avec l'accroissement du risque financier et neutralise l'avantage que le financement moins coûteux par dette aurait pu exercer sur le prix de l'action et sur la valeur de l'entreprise.

On aurait pu calculer r_{ao} de la façon suivante :

$$k_{ao} = k_{ond} + \left(k_{ond} - r_d\right)\left(\frac{\text{D}}{\text{AO}}\right)$$

$$= 7{,}692\,\% + \left(7{,}692\,\% - 6\,\%\right) \times \frac{150\,000}{500\,000}$$

$$= 7{,}692 + \left(1{,}692 \times 0{,}3\right)$$

$$= 8{,}199\,6\,\% \approx 8{,}20\,\%$$

où :

r_{ao} = taux de rendement exigé par les actionnaires ordinaires de la firme endettée ;

k_{ond} = coût du capital en l'absence de dettes ; il est égal dans ce cas à r_{ao} qui est le taux de rendement exigé par les actions, sur le marché en l'absence de dettes ;

r_d = taux de rendement exigé sur la dette.

Lorsque le ratio d'endettement D/AO, utilisé par MM, augmente (de 0/650 000$ à 150 000$/500 000$), la firme remplace un certain montant de la valeur nette par un même montant de dette qui est moins coûteux comme source de financement. Comme le risque financier s'accroît avec l'augmentation du ratio d'endettement D/AO, le coût k_{ao} de la valeur nette augmente et neutralise entièrement les avantages du financement moins coûteux de la dette.

C'est ainsi que s'explique la constance du coût moyen pondéré du capital k_o malgré l'accroissement du risque financier. On peut présenter la relation suivante en s'inspirant de celle de la ligne d'équilibre des titres :

$$r_{ao} = k_{ond} + \left(k_{ond} - r_d \right) \left(\frac{D}{AO} \right)$$

devient :

$$r_{ao} = r_f + \left[E(r_m) - r_f \right] \beta_{ao} \qquad (14.10)$$

On suppose, pour simplifier, que r_f est le taux sans risque, que la dette de l'entreprise est exempte de risque, et que β_{ao} (bêta des actions ordinaires) représente le risque du marché (le risque systématique) de la valeur nette. Le niveau du bêta des actions s'accroît avec la dette, ce qui a pour conséquence un taux de rendement requis plus élevé de la part des actionnaires. Notons que le bêta de l'actif (β_a) est une moyenne pondérée des bêtas de la dette et des actions :

$$\beta_a = \beta_d \left(\frac{D}{V} \right) + \beta_{ao} \left(\frac{AO}{V} \right) \qquad (14.11)$$

où :

β_a = bêta de l'actif ;
β_d = bêta de la dette ;
β_{ao} = bêta des actions ordinaires.

Ou aussi :

$$\beta_{ao} = \beta_a + \left(\frac{D}{AO} \right) (\beta_a - \beta_d)$$

Cette relation indique bien que le risque de l'action ordinaire augmente avec le ratio d'endettement D/AO et que, par conséquent, le taux de rendement exigé sur l'action augmente pour rémunérer adéquatement un risque financier plus élevé. Dans le cas où l'entreprise est totalement financée par les fonds propres, le coût moyen pondéré de l'entreprise non endettée devient :

$$r_{ao} = k_{ond} = \text{CMPC} = r_f + \left[\text{E}\left(r_m\right) - r_f\right] \beta_{nd} \quad (14.12)$$

Le risque systématique β_{nd} des actions de l'entreprise non endettée est aussi le risque systématique de son actif, c'est-à-dire de ses opérations d'exploitation. Nous savons, en effet, que le coût moyen pondéré du capital est égal, en l'absence d'impôt, à :

$$k_{ond} = \text{CMPC} = \frac{\text{BAII}}{\text{V}_{nd}} \quad (14.13)$$

La notion de bénéfice avant intérêts et impôts (BAII) demeure centrale dans l'analyse de la structure du capital. En effet, le BAII est calculé à partir des seules opérations d'exploitation et renseigne le décideur sur l'aptitude de la firme à générer des fonds, abstraction faite de la structure de financement et de la réglementation fiscale lorsque cette dernière sera intégrée ci-après, sous 14.4.2, à l'analyse de la structure du capital. La notion de BAII présente l'avantage de séparer l'apport de l'investissement de celui du financement et de la taxation à la valeur de l'entreprise. En d'autres termes, les variations du BAII ne sont pas affectées par le degré d'endettement de la firme ou par l'environnement fiscal. C'est pour ces différentes raisons que le BAII est le flux financier le plus utilisé dans l'analyse de la structure du capital ainsi qu'en matière d'évaluation d'entreprise, de fusion et d'acquisition.

14.4.2. La contribution de MM, compte tenu de l'impôt sur le bénéfice des corporations (1963)

Les marchés sont en réalité imparfaits, car marqués par la présence de l'impôt, par des entreprises saines financièrement et par d'autres éprouvant des difficultés financières, et par certaines qui tombent en faillite. Plusieurs auteurs, dont MM en 1963, ont tenu compte des imperfections du marché afin d'améliorer leurs propositions initiales 1 et 2 formulées en 1958 pour des marchés parfaits. C'est surtout l'intégration de l'incidence fiscale de la déductibilité des intérêts de la dette sur le bénéfice des sociétés que l'on retiendra à propos des modifications apportées par MM à leurs deux propositions déjà mentionnées.

14.4.2.1. Amélioration de la proposition 1 par MM

La valeur marchande d'une entreprise endettée V_d est égale à la valeur d'une entreprise non endettée V_{nd}, plus la valeur actuelle des économies d'impôt résultant de la déductibilité des intérêts de l'assiette fiscale. Précisons que MM retiennent l'hypothèse d'une dette renouvelée jusqu'à l'infini, que le montant annuel de l'intérêt dû sur cette dette constitue une perpétuité et que le taux d'actualisation des économies d'impôt est le taux de la dette :

$$V_d = V_{nd} + (T_c)(D) \quad (14.14)$$

La relation suivante permet de déterminer la valeur marchande de l'entreprise non endettée V_{nd}:

$$V_{nd} = \frac{BAII\,(1 - T_c)}{r_{ao}} = \frac{BAII\,(1 - T_c)}{k_{ond}} \quad (14.15)$$

La valeur marchande de l'entreprise endettée se calcule de la façon suivante:

$$V_d = \frac{BAII\,(1 - T_c)}{r_{aond}} + \frac{(r_d)(T_c)(D)}{r_d}$$

$$= \frac{BAII\,(1 - T_c)}{r_{aond}} + (T_c)(D)$$

et:

$$V_d = \underbrace{\frac{BAII(1 - T_c)}{k_{ond}}}_{\text{Valeur actuelle des économies d'opération}} + \underbrace{(T_c)(D)}_{\text{Valeur actuelle des économies d'impôt sur intérêts}} \quad (14.16)$$

où:

T_c = taux d'impôt sur le bénéfice des corporations;

k_{nod} = coût du capital d'une entreprise financée totalement par la valeur nette, donc non endettée;

D = montant de la dette contractée par l'entreprise;

r_{aond} = taux de rendement exigé sur les actions ordinaires d'une entreprise non endettée et qui se confond dans ce cas avec son coût de capital k_{ond}.

La valeur de la firme augmente en remplaçant les fonds propres par la dette. L'avantage de l'endettement se trouve non seulement dans l'effet de levier positif, lorsqu'il existe, mais aussi dans la déductibilité des intérêts. Notons que l'effet de levier est positif lorsque l'accroissement de l'endettement améliore la rentabilité de la valeur nette. Il y a une condition indispensable à l'amélioration du taux de rendement des actions ordinaires, à savoir que:

$$\frac{BAII}{Actif}\,\% \rangle \text{ Coût de la dette}$$

L'importance de la structure de capital réside dans le fait que l'augmentation du ratio d'endettement D/AO, substituant l'emprunt à la valeur nette, a pour effet de réduire le montant de l'impôt sur les sociétés qu'une entreprise doit payer et, de ce fait, toutes choses égales, d'augmenter ses flux monétaires et sa valeur marchande. Cette dernière s'accroît de la valeur actuelle des économies d'impôt sur les intérêts de la dette additionnelle, ΔVd, soit :

$$\Delta Vd = \frac{(r_d)\ (\Delta D)\ (T_c)}{r_d} = (\Delta D)\ (T_c)$$

où :

ΔD = variation ou augmentation de la dette ;
ΔV_d = variation de la valeur marchande de l'entreprise.

14.4.2.2. Amélioration de la proposition 2 de MM

Le taux de rendement exigé par les actionnaires d'une entreprise endettée est égal au coût des actions d'une entreprise non endettée, augmenté d'une prime de risque qui dépend du degré d'endettement et du taux d'impôt sur les bénéfices des sociétés.

Un simple rappel de la relation fondamentale de la proposition 2 de 1958 permet de mieux situer l'amélioration de cette proposition par MM en 1963.

La proposition 2 initiale se résume dans la relation suivante :

$$\begin{aligned} r_{ao} &= k_{ond} + \text{Prime de risque} = r_{aond} + \text{Prime de risque} \\ &= k_{ond} + (k_{ond} - r_d)\left(\frac{D}{AO}\right) \end{aligned} \tag{14.16}$$

La proposition 2 améliorée tient compte du taux d'imposition et s'énonce de la façon suivante :

$$r_{ao} = k_{ond} + (k_{ond} - r_d)\left(\frac{D}{AO}\right)(1 - T_c) \tag{14.17}$$

Le coût du capital continuerait de baisser, selon MM, dans le cas d'une substitution de la dette à la valeur nette, même si théoriquement l'on augmentait la proportion du financement par dette graduellement jusqu'à 100 %, tel que l'indique la figure 14.4. Or, il existe un obstacle majeur à une baisse continuelle du coût du capital, à savoir qu'à partir d'une certaine limite de l'endettement, le risque financier et le risque de faillite augmentent sensiblement, avec pour résultat l'accroissement du coût du capital et une baisse de la valeur de l'entreprise. La proposition 1, rectifiée par MM, doit donc être nuancée en tenant compte des limites à l'endettement résultant du risque financier et du risque de faillite.

La figure 14.5 indique bien les conséquences d'un ratio de dette exagéré, à savoir qu'une partie des économies d'impôt réalisées est annulée par les coûts liés au risque financier.

EXEMPLE

La firme C est totalement financée par l'avoir des actionnaires depuis plusieurs années. Son BAII annuel est constant; il s'élève à 5 000 000 $ et constitue une perpétuité. La firme C distribue tous ses revenus en dividendes et le taux d'imposition des bénéfices des sociétés est de 40 %.

Le taux de la dette s'élève à 10 %. On suppose que la firme C peut emprunter autant que nécessaire pour remplacer en tout ou en partie l'avoir des actionnaires sans subir une majoration du coût de la dette. Le taux de rendement exigé par les actionnaires de C, en l'absence de dette, est de $r_{aond} = 12\,\%$.

La valeur de la firme C non endettée est de:

$$V_{nd} = \frac{\text{BAII}\,(1 - T_c)}{r_{aond}} = \frac{\text{BAII}\,(1 - T_c)}{k_{ond}}$$

$$= \frac{5\,000\,000\,(0{,}6)}{0{,}12} = 25\text{ M\$}$$

Supposons que la firme emprunte 10 M$, afin de remplacer un même montant d'avoir des actionnaires; sa valeur devient:

$$V_d = V_{nd} + (D)\,(T_C) = 25 + 10(0{,}4)$$
$$= 29\text{ M\$}$$

Les conséquences de l'endettement sont les suivantes:

a) la valeur de la firme C s'apprécie de 4 M$;

b) la valeur des actions de C s'élève maintenant à:

$$29 - 10 = 19\text{ M\$};$$

c) le taux de rendement exigé sur l'action ordinaire de la firme endettée devient:

$$\begin{aligned} r_{ao} &= k_{ond} + (k_{ond} - r_d)\,(D/AO)\,(1 - T_c) \\ &= 12\,\% + (12\,\% - 10\,\%)\,(0{,}6) \cdot (10/19) \\ &= 12\,\% + 0{,}632\,\% = 12{,}632\,\% \end{aligned}$$

d) le coût de capital de la firme endettée s'établit à:

$$\begin{aligned} k_o &= \text{BAII}(1 - T_c)/V_d \\ &= (5\text{ M\$})(0{,}6)/2{,}9\text{ M\$} \\ &= 10{,}35\,\% \end{aligned}$$

Figure 14.4

La valeur de la firme et le coût du capital en présence de l'impôt, selon MM

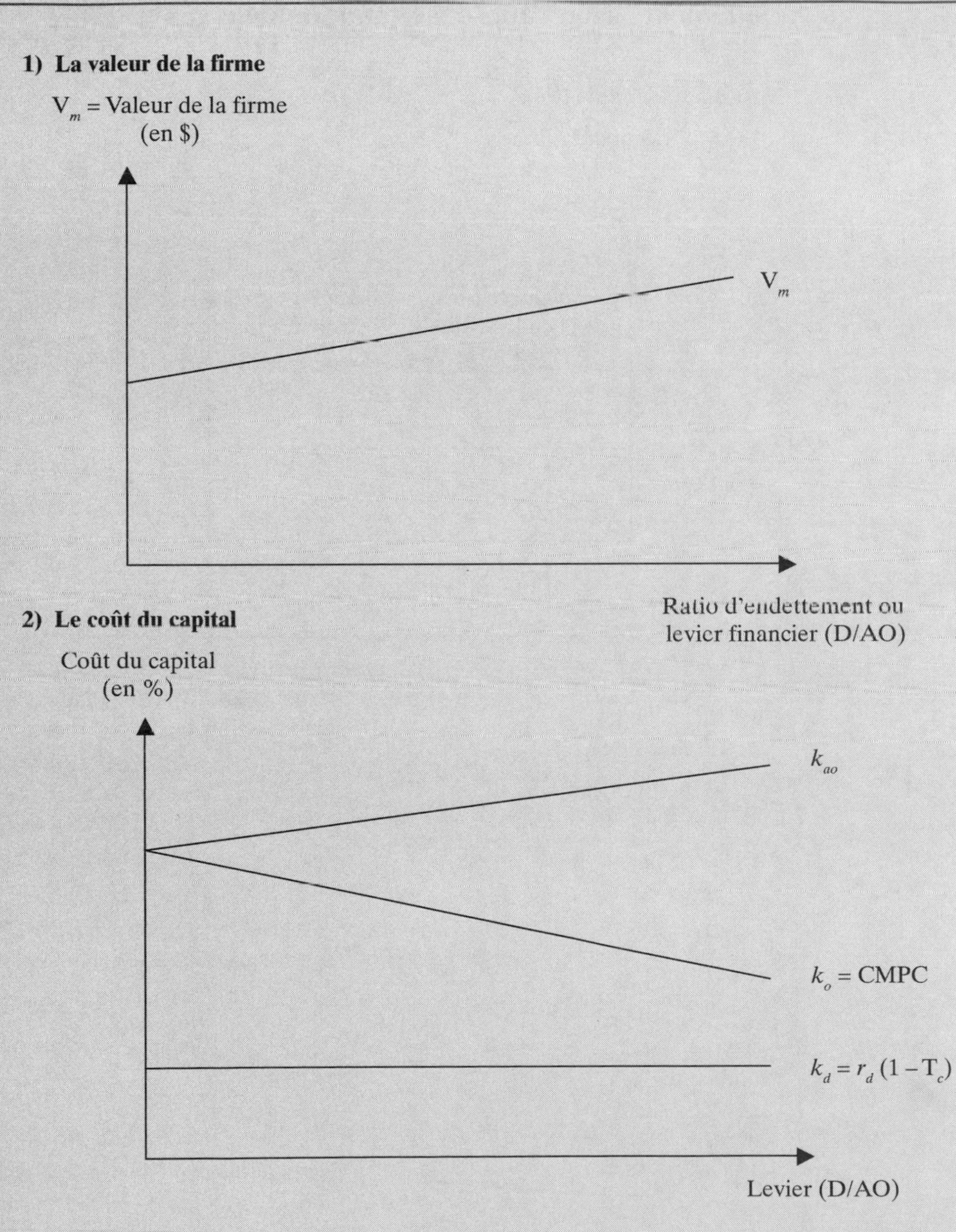

Figure 14.5

La valeur de la firme et le coût du capital en fonction du ratio d'endettement, selon l'approche traditionnelle et actuelle

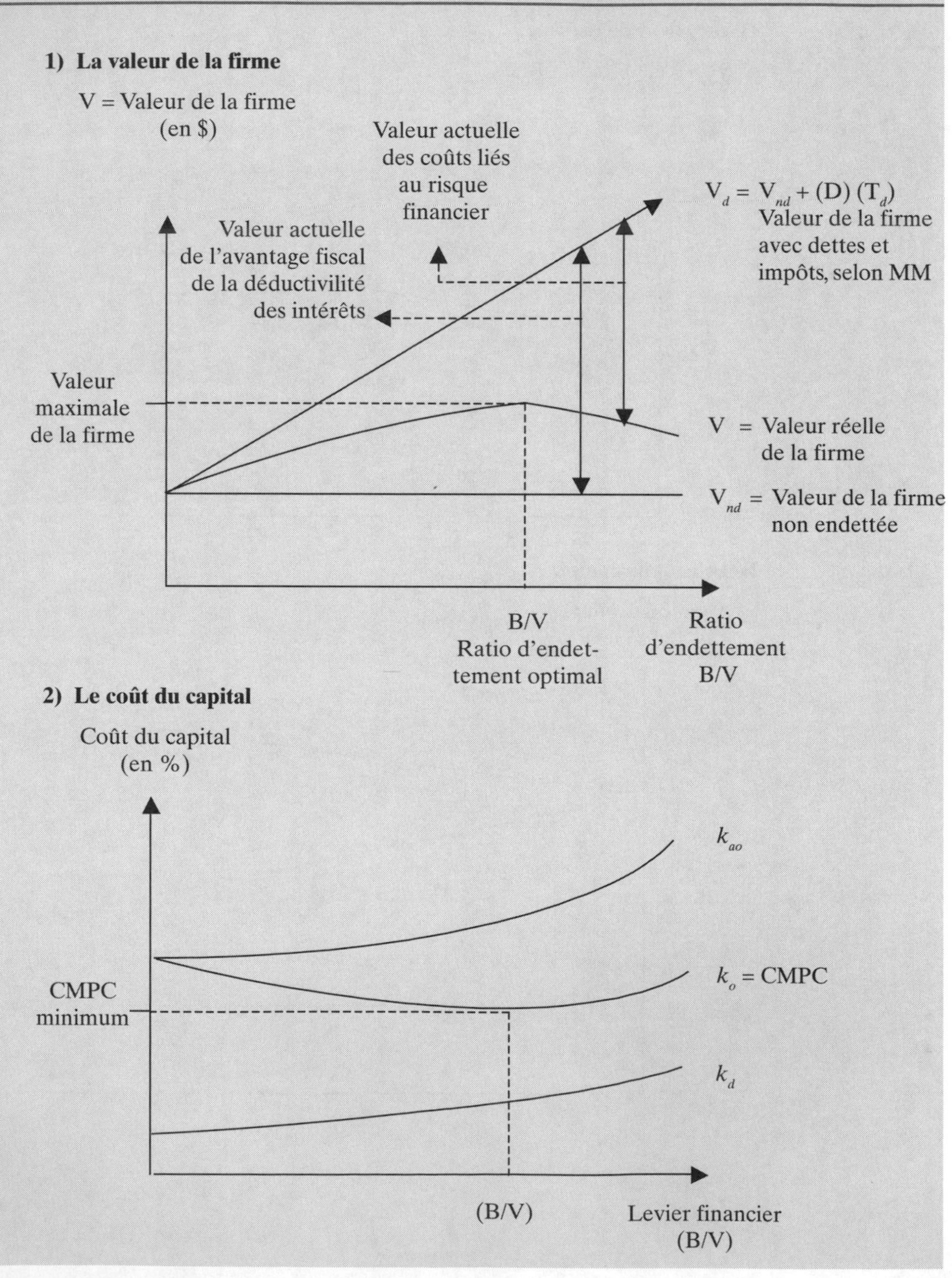

On peut aussi calculer le coût du capital de la façon suivante :

$$k_o = (D/V)(r_d)(1 - T_c) + (AO/V)(r_{ao})$$
$$= (10/29)(10\,\%)(0{,}6) + (19/29)(12{,}632\,\%) = 2{,}069\,\% + 8{,}276\,\%$$
$$= 10{,}35\,\%$$

Rappelons les symboles utilisés ci-dessous :

r_{aond} = taux de rendement exigé par les actionnaires en l'absence de dettes et qui sera aussi égal au coût du capital k_{ond} de la firme non endettée ;
V_{nd} = valeur marchande de la firme non endettée ;
V_d = valeur marchande de la firme endettée ;
r_d = taux de rendement exigé sur la dette ;
r_{ao} = taux exigé par les actionnaires ordinaires en présence de dettes ;
k_o = coût du capital de la firme endettée ;
D = valeur marchande de la dette ;
AO = valeur marchande des actions ordinaires.

EXEMPLE

La relation entre l'endettement et la valeur de l'entreprise

LA FIRME ATLAS INC.

La firme Atlas inc. est totalement financée par les fonds propres. Elle désire cependant restructurer son financement, afin de s'endetter à raison de 6 000 000 $. Son BAII est de 2 000 000 $ par an jusqu'à l'infini. Le coût de la dette est de 10 % et le taux d'impôt sur les bénéfices des corporations s'élève à 40 %.

Les entreprises qui appartiennent à la même branche d'activité qu'Atlas inc. ont, en l'absence de dettes, un taux de rendement exigé sur la valeur nette de r_{aond} = 20 %.

On demande :

a) de calculer la nouvelle valeur d'Atlas inc., c'est-à-dire quand elle s'endette ;

b) de déterminer le coût du capital d'Atlas inc. endettée, autrement que par la formule du coût moyen pondéré du capital ;

c) d'établir le coût du capital d'Atlas inc. endettée, à partir de la formule du coût moyen pondéré du capital ;

d) de calculer la valeur marchande d'Atlas inc. selon une approche différente de celle utilisée dans la question 1).

Solutions suggérées :

a) La valeur d'Atlas inc. endettée est égale à sa valeur non endettée plus les économies d'impôt sur les intérêts déductibles de l'assiette fiscale :

$$V_d = V_{nd} + (D)\ (T_c)$$

$$= \frac{BAII\ (1 - T_c)}{r_{aond}} + (D)\ (T_c) = \frac{BAII\ (1 - T_c)}{k_{ond}} + (D)\ (T_c)$$

$$= \frac{(2\ 000\ 000\ \$)\ (0{,}60)}{0{,}20} + 6\ 000\ 000\ \$\ (0{,}40)$$

$$= 8\ 400\ 000\ \$$$

b) Le coût du capital k_o de la firme endettée peut être calculé directement à partir de la relation suivante, sans utiliser la formule traditionnelle de calcul du CMPC :

$$V_d = 8\ 400\ 000\ \$ = \frac{(2\ 000\ 000\ \$)\ (0{,}60)}{k_o}$$

et

$$k_o = \frac{(2\ 000\ 000\ \$)\ (0{,}60)}{8\ 400\ 000\ \$}$$

$$k_o = 14{,}28\ \%$$

c) La formule du coût moyen pondéré du capital est la suivante :

$$k_o = (r_d)\ (1 - T_c)\left(\frac{D}{V}\right) + r_{ao}\left(\frac{AO}{V}\right)$$

$$= (10\ \%)\ (1 - 0{,}40)\left(\frac{6}{8{,}4}\right) + r_{ao}\left(\frac{2{,}4}{8{,}4}\right)$$

Le taux de rendement exigé par les actionnaires r_{ao} est la seule inconnue qu'il faut déterminer afin de calculer le coût moyen pondéré du capital k_o.

Or, nous savons que d'après la proposition 2 de MM améliorée en 1963 :

$$\begin{aligned} r_{ao} &= k_{ond} + (k_{ond} - r_d)\left(\frac{D}{AO}\right)(1 - T_c) \\ &= 20\% + (20\% - 10\%)\left(\frac{6}{2,4}\right)(1 - 0,40) \\ &= 20\% + 15\% \\ &= 35\% \end{aligned}$$

d'où le coût du capital d'Atlas inc. s'élève à :

$$\begin{aligned} k_o &= (6\%)\left(\frac{6}{8,4}\right) + (35\%)\left(\frac{2,4}{8,4}\right) \\ &= 4,286\% + 10\% \\ &= 14,286\% \end{aligned}$$

d) Considérons pour la solution de la question 1) une façon différente de calculer la valeur de la firme endettée (V_d) :

$$\begin{aligned} V_d &= \frac{\text{BAII}(1 - T_c)}{k_o} = \frac{\text{BAII}(1 - T_c)}{\text{CMPC}} \\ &= \frac{(2\,000\,000\,\$)(1 - 0,40)}{0,142\,86} = \frac{1\,200\,000\,\$}{0,142\,86} = 8\,400\,000\,\$ \text{ en arrondissant} \end{aligned}$$

14.5. LES CRITIQUES ADRESSÉES À LA THÉORIE DE MM

La théorie de la structure de capital de MM a contribué de façon décisive à établir un lien entre l'endettement et la valeur de l'entreprise, surtout en ce qui concerne les améliorations apportées en 1963, par ces auteurs, par la prise en compte de l'impôt sur les bénéfices des sociétés. Ces améliorations les rapprochent de la réalité des marchés imparfaits.

Cependant, certaines critiques peuvent être formulées à l'endroit de plusieurs hypothèses sur lesquelles repose la théorie de MM lorsqu'elle est appliquée dans un marché parfait. À titre d'exemple, l'efficacité de l'arbitrage quant au rétablissement de l'équilibre des prix est en réalité assez limitée. Elle entraîne des coûts supplémentaires et une baisse du prix de l'action. Les coûts de transaction limitent l'accroissement de la valeur de la firme et réduisent les possibilités d'arbitrage.

D'autres critiques mettent en évidence le fait que la dette personnelle, utilisée dans la démonstration de MM afin de remplacer la dette corporative, est beaucoup plus dangereuse et risquée pour l'investisseur. Ce dernier souscrit, en effet, à un montant additionnel de fonds empruntés (c'est-à-dire à un alourdissement de sa dette personnelle), paie en général des taux d'intérêt plus élevés que ceux que verse la firme et non pas le même taux que la firme comme le laissent entendre MM. Notons aussi que la dette personnelle comporte des conditions plus rigoureuses que celles imposées à une firme qui s'endette.

En outre, l'absence de l'impôt des particuliers de l'analyse de MM est attribuable aux conditions des marchés parfaits et non à celles des marchés réels, qui sont imparfaits et dont l'une des caractéristiques essentielles est la présence de l'impôt.

L'hypothèse de MM, relative à un accroissement illimité de la dette sans accroissement du coût du financement de la firme, ne semble pas réaliste. En effet, il est établi que le coût du capital s'accroît au-delà du ratio d'endettement optimal, entraînant une baisse de la valeur de la firme. Ensuite, la constance du BAII est remise en question dans le cas d'une dette trop lourde. Le BAII peut diminuer de façon indirecte lors d'une dette trop élevée, affectant la valeur de la firme de façon défavorable. Les retards ou difficultés éventuelles du service de cette dette peuvent mobiliser outre mesure l'attention et l'énergie des dirigeants d'une entreprise et les détourner, en partie, de la gestion des opérations d'exploitation avec pour résultat une efficacité opérationnelle réduite et un BAII plus faible.

14.6. PRISE EN CONSIDÉRATION DE DIFFÉRENTS COÛTS IGNORÉS PAR MM

La littérature financière met en évidence la prise en compte de certains coûts ignorés par la théorie de MM avec pour conséquence des problèmes de liquidité, des difficultés financières, une baisse de la valeur de la firme et, éventuellement, la faillite.

a) Les coûts de faillite ont des conséquences défavorables sur la valeur d'une firme endettée, dont les suivantes :

1. la vente forcée d'équipements à bas prix, la liquidation de stocks et, éventuellement, la vente d'immeuble à bas prix ;
2. les frais légaux et de tribunaux élevés ;
3. la perte de clients importants quand apparaît une perspective de faillite.

Les coûts de faillite sont d'autant plus probables que le ratio d'endettement est élevé. La somme d'intérêts périodiques à verser s'élève avec l'accroissement de l'endettement et réduit les résultats de l'entreprise. La probabilité de perte de valeur de la firme et d'augmentation du coût du capital s'accroît, de même que le risque de faillite.

b) Le taux d'intérêt r_d sur la dette augmente au-delà d'un certain seuil

Le taux d'intérêt r_d sur la dette augmente au-delà d'un certain seuil plutôt que de rester constant comme le considéraient MM. L'accroissement de r_d résultant d'un endettement additionnel entraîne l'augmentation du taux r_{ao} (le coût de l'avoir des actionnaires) et de k_o (le coût du capital), avec des conséquences défavorables sur le prix de l'action ordinaire.

c) Le BAII

Le BAII est, jusqu'à un certain degré d'endettement, insensible à la structure de capital comme le postulaient MM. Cependant, un endettement important et exagéré rend plus difficile l'accès au financement à court terme nécessaire au développement des opérations de l'exploitation de la firme, surtout lorsque les conditions économiques générales sont mauvaises et le crédit cher et rare. Un financement insuffisant des clients ou des stocks peut limiter le volume de la production et des ventes et affecter de façon défavorable le BAII d'une part, et trop occuper les responsables de la firme à trouver des fonds au détriment de la gestion de ses opérations, d'autre part, tel que mentionné à la section 14.5.

d) Les coûts d'agence

Les coûts d'agence peuvent se manifester dans le cas des précautions légales accordées aux détenteurs d'obligations. Ces mesures ont pour but de protéger les obligataires contre l'attitude et le comportement des gestionnaires qui favoriseraient les actionnaires à leurs dépens.

La valeur d'une entreprise endettée, telle que formulée par MM, peut être modifiée de la façon suivante pour tenir compte des effets de la probabilité des coûts de faillite, de charges financières plus élevées, de coûts d'agence ainsi que d'autres coûts (voir la figure 14.5):

$$\begin{aligned} V_d = {} & V_{nd} + (D)\,(T_c) \\ & - [\text{VA des coûts attendus de la faillite}] \\ & - [\text{Charges financières plus élevées résultant d'une dette plus élevée}] \\ & - [\text{Coûts d'agence}] \\ & - [\text{Réduction de la valeur de l'entreprise due à un BAII moins élevé}] \end{aligned} \qquad (14.18)$$

14.7. DÉCISION DE LA FIRME ET STRUCTURE DU CAPITAL (LA RELATION BPA – BAII)

La dette comporte deux aspects importants reliés aux conséquences de l'effet de levier. Le premier effet se rapporte à la relation qui existe entre le bénéfice par action (BPA) et le BAII pour une structure de capital donnée. On établit dans une première étape le BAII* d'indifférence qui correspond à un même BPA, quelle que soit la structure de financement choisie par l'entreprise. Nous retiendrons, pour simplifier, le choix entre un nouveau financement par actions ordinaires et un nouveau financement par dettes. Le BAII* d'indifférence départage le choix du financement entre celui par dettes et celui par actions ordinaircs, selon que le BAII projeté est respectivement supérieur ou inférieur au BAII* d'indifférence. Un BAII supérieur au BAII* d'indifférence a pour résultat un BPA supérieur avec le financement par dettes comparativement au BPA obtenu par un financement par actions ordinaires et vice versa.

Le BAII* d'indifférence est un instrument précieux de gestion du financement de l'entreprise, d'où l'importance d'une détermination précise de ce point de démarcation pour toute prise de décision de financement nouveau.

La marche à suivre afin de déterminer le BAII* d'indifférence est la suivante :

Il s'agit de déterminer le niveau des revenus de l'exploitation (BAII) pour un même bénéfice par actions (BPA) qui laisse la firme indifférente quant au choix de la structure de financement entre dettes et actions ordinaires.

Nous savons que :

BAII = Ventes – F (coûts fixes) – CV (coûts variables)
et que, en l'absence d'actions privilégiées :

$$\text{BPA} = \frac{(\text{BAII} - \text{I})\ (1 - \text{T}_c)}{n\ \text{(nombre d'actions ordinaires en circulation)}}$$

où I = montant d'intérêts annuel en dollars ;
n = nombre d'actions ordinaires en circulation.

La comparaison de deux structures de capital différentes, 1 et 2 pour un même BAII (lequel n'est pas affecté par le choix de l'une ou l'autre de ces deux structures de financement), fournit les données suivantes :

- deux montants différents de charges d'intérêts (I_1 et $I_1 + I_2$) ;
- deux nombres différents d'actions en circulation ($n_1 + n_2$ et n_1) ;
- deux niveaux de bénéfices par action (BPA_1 et BPA_2).

Nous pourrions donc poser que :

$$\text{BPA}_1 = \frac{(\text{BAII} - \text{I}_1)(1 - \text{T}_c)}{n_1 + n_2} \tag{14.19}$$

et

$$\text{BPA}_2 = \frac{(\text{BAII} - \text{I}_1 - \text{I}_2)(1 - \text{T}_c)}{n_1} \tag{14.20}$$

Le point d'indifférence recherché s'obtient en rendant égaux les deux BPA ci-dessus et en trouvant, en l'isolant, le BAII d'indifférence.

$$\frac{(\text{BAII} - \text{I}_1)\,(1 - \text{T}_c)}{n_1 + n_2} = \frac{(\text{BAII} - \text{I}_1 - \text{I}_2)\,(1 - \text{T}_c)}{n_1}$$

Par ailleurs, on peut aussi déterminer le point mort ou seuil de rentabilité en trouvant le niveau du BAII tel que le BPA correspondant soit nul :

$$\frac{(\text{BAII} - \text{I}_1)\,(1 - \text{T}_c)}{n_1 + n_2} = 0$$

et BAII = I_1 = Intérêt

Le BAII du point mort coïncide avec le montant des charges financières lesquelles, réglées à un tel niveau de BAII, font que le BPA soit nul.

Notons que dans le cas où la structure de financement de l'entreprise comprend en outre des actions privilégiées, il faudrait déduire du numérateur de la relation (14.20) le dividende privilégié D_p.

EXEMPLE

La détermination du BAII d'indifférence (BAII*)

L'entreprise Bombardex a un capital-actions de 2 000 000 d'actions ordinaires complètement libéré, au prix de 10 dollars chacune. Elle a besoin de 12 000 000 $ pour financer une extension de ses activités. Le taux d'impôt sur le bénéfice des corporations est égal à 40 %. Bombardex a établi deux possibilités de financement :

- une émission d'actions ordinaires à 10 dollars chacune ;
- une émission de débentures d'une échéance de 15 ans au taux de coupon de 8 %.

On demande:

a) d'établir, par le calcul et par la représentation graphique, le point d'indifférence et le point mort de ces deux émissions, et d'indiquer selon quelles valeurs du BAII chaque option est la plus favorable;

b) d'expliquer la signification du BAII dans les décisions relatives à l'élaboration d'une structure du capital;

c) dans le cadre d'une émission d'actions privilégiées à 100 $ l'unité qui constitue une autre possibilité de lever le montant requis de 12 000 000 $, de représenter graphiquement cette option dans le graphique précédent.

Solutions proposées:

a) Le point d'indifférence de l'émission d'actions ordinaires et de celle de débentures est établi à partir de l'expression du BPA en fonction du BAII:

- Le BPA dans le cas d'une émission de nouvelles actions ordinaires:

$$\text{BPA} = \frac{\text{BAII}\ \left(1 - T_c\right)}{n_1 + n_2} = \frac{\text{BAII}\ (0{,}6)}{3\ 200\ 000}$$

- Le BPA dans le cas d'une émission de débentures:

$$\text{BPA} = \frac{(\text{BAII} - \text{I})\ \left(1 - T_c\right)}{n_1} = \frac{(\text{BAII} - 960\ 000)\ (0{,}6)}{2\ 000\ 000}$$

On obtient le point d'indifférence en rendant ces deux BPA égaux et en isolant le BAII d'indifférence (exprimé en M$):

$$\frac{\text{BAII}\ (0{,}6)}{3{,}2} = \frac{(\text{BAII}\ -\ 0{,}96)\ (0{,}6)}{2}$$

$$\frac{\text{BAII}}{3{,}2} = \frac{\text{BAII} - 0{,}96}{2}$$

$$3{,}07 = 3{,}2\ \text{BAII} - 2\ \text{BAII}$$

$$3{,}07 = 1{,}2\ \text{BAII}$$

$$\text{BAII}^* = 2{,}56\ \text{M\$}$$

On trouve le BPA d'indifférence en utilisant l'une des deux formules du BPA des deux modes différents de financement:

$$\text{BPA d'indifférence} = \frac{\text{BAII}\ (0{,}6)}{3{,}2} = \frac{(2{,}56)\ (0{,}6)}{3{,}2} = 0{,}48\ \text{M\$}$$

Le graphique suivant illustre le point d'indifférence dont les coordonnées sont le BAII et le BPA d'indifférence respectivement de 2,56 et 0,48 M$:

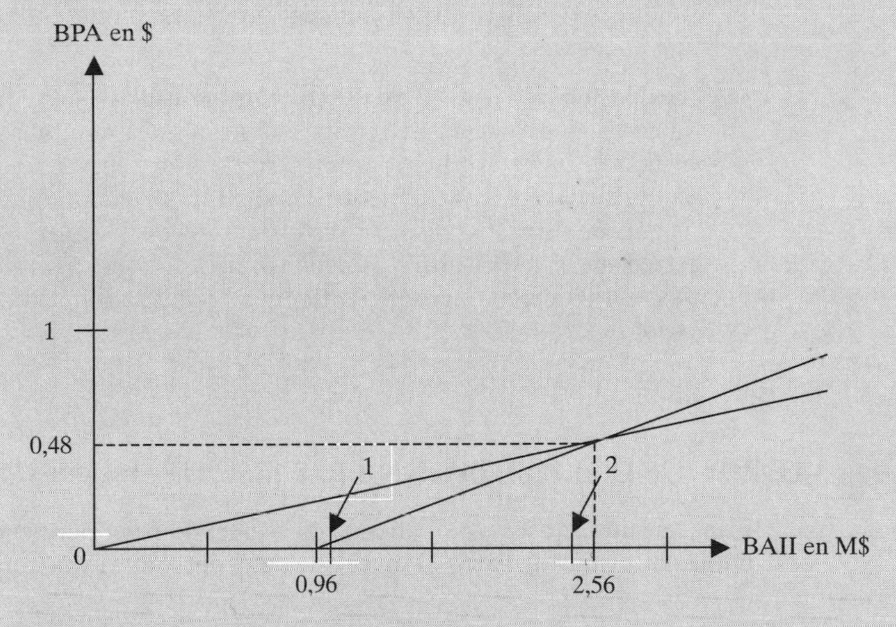

Le point mort s'obtient en rendant le BPA = 0 $:

- dans le cas d'une nouvelle émission d'actions ordinaires:

$$\text{BPA} = \frac{\text{BAII}\ (0,6)}{3,2} = 0$$

$$\text{BAII} = \frac{(3,2)\ (0)}{0,6} = 0$$

- dans le cas d'une nouvelle émission de débentures:

$$\text{BPA} = \frac{(\text{BAII} - 0,96)}{2}\ (0,60) = 0$$

$$\text{BAII} - 0,96 = \frac{(2)\ (0)}{0,6} = 0$$

$$\text{et BAII} = 0,96 \text{ M\$}$$

Le graphique précédent indique bien que le BPA de point mort correspond respectivement à un BAII de zéro et à un BAII de 0,96 M$ dans les cas d'une nouvelle émission d'actions ordinaires et dans le cas d'une émission de nouvelles débentures. Il apparaît aussi que l'émission de nouvelles actions ordinaires est la modalité de financement la plus favorable pour un BAII inférieur à 2,56 M$, tandis que l'émission de nouvelles débentures est plutôt meilleure pour un BAII supérieur à 2,56 M$.

b) L'évaluation de l'impact d'une structure de capital doit être basée sur des éléments indépendants de cette structure. Or, les résultats avant intérêts et impôts (le BAII) expriment la force de l'actif à générer des flux monétaires, abstraction faite de la structure du capital (structure d'endettement) et de l'impôt. On neutralise ainsi les distorsions engendrées par les politiques d'endettement et la fiscalité. Ces deux derniers facteurs peuvent, en effet, être différents d'une entreprise à l'autre, que ce soit sur le plan national ou international.

14.8. LE RISQUE D'EXPLOITATION ET LE RISQUE FINANCIER

L'analyse du risque d'exploitation et du risque financier permet d'établir la contribution du risque de l'actif et du risque de la dette au risque total de l'entreprise.

14.8.1. Le risque d'exploitation (ou risque opérationnel) et l'effet de levier d'exploitation

Les coûts fixes de l'exploitation sont, en général, assez stables à court terme. Les variations des ventes ont, par conséquent, des effets amplificateurs, voire multiplicateurs, sur les revenus de l'exploitation dans la mesure où les coûts fixes restent inchangés. Le coefficient de levier d'exploitation mesure les effets des variations des ventes sur le BAII de l'entreprise ; il exprime la sensibilité du BAII à un changement des ventes. Il dépend de l'importance relative des coûts fixes dans l'ensemble : coûts fixes + coûts variables.

Il est utile de redire comment l'on peut déterminer le BAII à partir de l'état des résultats avant d'établir la relation du coefficient de levier d'exploitation :

Ventes	:	$p \cdot x$
Moins : coûts fixes d'exploitation	:	$-F$
Moins : coûts variables d'exploitation	:	$-v\,x$
Bénéfice avant intérêts et impôts	:	BAII

où:

p = prix de vente par unité;

x = quantités vendues;

F = frais fixes;

v = coût variable unitaire.

L'expression du coefficient de levier d'exploitation (CLE) est la suivante:

$$\text{CLE} = \frac{\text{Taux de variation du bénéfice avant intérêts et impôts}}{\text{Taux de variation des ventes}} \tag{14.21}$$

$$\text{CLE} = \frac{\Delta\text{BAII}/\text{BAII}}{\Delta x/x}$$

$$= \left(\frac{\Delta\text{BAII}}{\Delta x}\right)\left(\frac{x}{\text{BAII}}\right)$$

Or l'on sait, d'après la détermination du BAII à partir de l'état des résultats, que:

$$\text{BAII} = x\,(p - v) - \text{F} \tag{14.22}$$

On peut aussi établir que les variations du BAII à la suite de variations infinitésimales de quantités vendues x sont calculées de la façon suivante:

$$\Delta\text{BAII}/\Delta x = (p - v)$$

D'où le coefficient de levier d'exploitation CLE devient, à un niveau de vente x:

$$\text{CLE} = \frac{x\,(p-v)}{x\,(p-v)-\text{F}} \tag{14.23}$$

et finalement:

$$\text{CLE} = \frac{\text{BAII} + \text{F}}{\text{BAII}} \tag{14.24}$$

EXEMPLE

Si les quantités vendues s'élèvent à 2 000 unités, le prix de vente unitaire à 12 $, le coût variable unitaire à 7 $ et les coûts fixes à 3 300 $, on aura le CLE suivant à un niveau de ventes de 2 000 unités :

$$\text{CLE} = \frac{2\,000\ \ (12\$-7\$)}{2\,000\ \ (12\$-7\$)-3\,300\$} = \frac{10\,000\$}{10\,000\$-3\,300\$}$$

$$= \frac{10\,000}{6\,700} = 1{,}492\,5\ \text{ fois} \simeq 1{,}5 \text{ fois}$$

Le CLE de 1,5 indique que toute variation des ventes, à la hausse comme à la baisse, de 1 % entraîne une variation plus forte du BAII de 1,5 fois. Un CLE supérieur à l'unité, soit dans le cas présent de 1,5, indique la présence d'un effet de levier opérationnel, car le BAII varie plus fortement que les ventes à la suite d'un changement donné des ventes.

Une modification de la proportion des frais fixes dans l'ensemble des frais fixes et frais variables entraîne un changement du CLE, tel que le cas se présente d'une entreprise qui introduit des équipements de technologie récente, destinés à réduire les coûts de main-d'œuvre (coûts variables d'exploitation).

Supposons que la modification des frais fixes soit telle qu'ils s'élèvent à 7 000 $ désormais et que le coût variable baisse à 6 $, tout en maintenant le niveau de ventes initial à 2 000 unités et le prix de vente par unité à 12 $. Le coefficient de levier d'exploitation devient, en maintenant le niveau de vente à 2 000 unités,

$$\text{CLE} = \frac{2\,000\ \ (12-6)}{2\,000\,(12-6)-7\,000} = 2{,}4 \text{ fois}$$

Le BAII fluctue dans ce dernier cas de 2,4 % lorsque les ventes varient de 1 %. Le risque d'exploitation est ainsi plus élevé, car la proportion des coûts fixes dans l'ensemble, coûts fixes + coûts variables, est plus élevée.

Le risque d'exploitation exprime la possibilité que la firme ne puisse couvrir ses coûts d'exploitation. Il est recommandé qu'une entreprise s'assure, dans le cas où elle projette un accroissement sensible de ses coûts fixes d'exploitation, que ses ventes augmentent suffisamment afin d'atteindre et même dépasser le point mort des ventes, qui se déplace à droite et vers le haut. Le BAII de l'entreprise augmente alors à un rythme plus rapide avec l'augmentation des quantités vendues, car les coûts fixes d'exploitation plus élevés, résultant de nouveaux équipements plus efficaces, auront permis une réduction du coût variable unitaire.

La notion de risque d'exploitation doit être l'un des soucis majeurs du décideur, car plus le coefficient de levier d'exploitation est élevé, plus le BAII fluctue aussi bien à la hausse qu'à la baisse à la suite de fluctuations des ventes à la hausse ou à la baisse, respectivement, avec pour résultat un risque plus élevé de l'actif.

Une grande prudence s'impose quant au degré du risque d'exploitation qu'une firme peut accepter. Plus les ventes d'une firme sont stables, telles les sociétés productrices d'électricité ou celles de la téléphonie, ou encore les sociétés industrielles qui ont de larges marchés nationaux et internationaux, plus la firme peut se permettre, toutes choses égales, un degré élevé de risque d'exploitation et vice versa.

14.8.2. Le risque financier et l'effet de levier financier

Les intérêts payés sur la dette de l'entreprise ainsi que les dividendes privilégiés constituent des charges financières fixes qui sont à l'origine du risque financier. Les dépenses fixes d'intérêt se comportent de façon indépendante des résultats de l'exploitation et, de ce fait, ne sont pas liées au bénéfice avant intérêts et impôts. Le coefficient de levier financier traite ou exprime les effets des variations du bénéfice avant intérêts et impôts sur les bénéfices disponibles aux actionnaires, que l'on représentera par le bénéfice par action (BPA).

L'expression du coefficient de levier financier est la suivante :

$$CLF = \frac{\Delta BPA/BPA}{\Delta BAII/BAII} = \frac{\text{\% de variation du BPA}}{\text{\% de variation du BAII}} \tag{14.25}$$

$$CLF = BAII \big/ \left[BAII - \left((r)(D)\right)\right] \tag{14.26}$$

et, en divisant par le BAII :

$$CLF = 1 \big/ \left[1 - (r)\ (D)/BAII\right] \tag{14.27}$$

Cette relation doit être ajustée en présence de dividendes privilégiés :

$$CLF = \frac{BAII}{BAII - (r)\ (D) - D_p\left[1/(1 - T_c)\right]} \tag{14.28}$$

où :

BPA = bénéfice par action ;
r_d = taux d'intérêt sur la dette ;
D = montant de la dette ;
(R)(D) = montant de l'intérêt versé ;
D_p = dividende privilégié ;
T_c = taux d'impôt sur les bénéfices.

Le coefficient de levier financier sera illustré sur la base des données suivantes de la société Pharmix :

BAII espéré pour l'année en cours : 30 000 $

Obligations : valeur nominale de 100 000 $
taux de coupon 6 %

Actions privilégiées : 1 000 $ de valeur nominale

Dividende privilégié : 5 % de la valeur nominale

Actions ordinaires : 2 000 actions

Taux d'impôt sur le profit des corporations : 40 %

Quelles seraient les conséquences d'une variation donnée du BAII (1 % de variation) sur le taux de variation du BPA ?

$$\text{CLF} = \frac{30\,000\,\$}{30\,000\,\$ - (6\%)\ (100\,000\,\$) - (5\%)\ (1\,000\,\$)\left[1/(1-0{,}40)\right]}$$

$$= \frac{30\,000\,\$}{30\,000\,\$ - 6\,000\,\$ - 83{,}33\,\$} = 1{,}254 \text{ fois}$$

Le coefficient de levier financier de 1,254 nous apprend que toute variation de 1 % du bénéfice avant intérêts et impôts (que ce soit à la hausse ou à la baisse) a pour résultat une variation plus forte du bénéfice par action de 1,254 %. Un tel coefficient de levier financier supérieur à l'unité indique la présence d'un effet de levier financier, puisque le bénéfice par action varie plus fortement qu'une variation donnée du bénéfice avant intérêts et impôts.

14.8.3. L'effet de levier combiné

Le coefficient de levier combiné (CLC) met en évidence l'effet de levier total; il est le produit du coefficient de levier d'exploitation et du coefficient de levier financier:

$$CLC = (CLE)\,(CLF)$$

$$CLC = \frac{(BAII + F)}{(BAII)} \times \frac{(BAII)}{\left[BAII - (r)\,(D)\right]} \qquad (14.29)$$

$$CLC = \frac{BAII + F}{\left[BAII - (r)\,(D)\right]}$$

On peut aussi exprimer le CLC par la relation suivante:

$$CLC = \frac{\%\text{ de variation du BPA}}{\%\text{ de variation du BAII}}$$

$$CLC = \frac{\Delta BPA/BPA}{\Delta BAII/BAII} \qquad (14.30)$$

Dans le cas où une variation du BAII de 30 % entraînerait un changement du BPA de 60 %, l'on obtiendrait le coefficient de levier combiné suivant:

$$CLC = \frac{60\,\%}{30\,\%} = 2 \text{ fois}$$

Plus le CLC est élevé, plus les fluctuations du BAII et des ventes ont pour conséquence un risque plus élevé lié à l'effet de levier total mesuré par le CLC. Un levier combiné plus élevé entraîne un risque total plus élevé pour la firme, soit en raison de coûts fixes d'opération plus élevés, soit en raison de charges financières plus élevées ou aussi à la suite d'une combinaison d'augmentation des deux sortes de coûts fixes mentionnés. Un risque total plus élevé peut assurer un taux de rendement plus élevé, à condition que les ventes soient suffisamment élevées pour couvrir les frais fixes d'opération et les charges financières, et assurer un excédent de rentabilité aux actionnaires.

14.9. LA DÉCOMPOSITION DU RISQUE SYSTÉMATIQUE GLOBAL (β) EN RISQUE D'EXPLOITATION (β*) ET EN RISQUE FINANCIER

La formule du MEDAF exprime le taux de rendement espéré d'un titre *i* en fonction de son risque systématique ou risque du marché:

$$E\left(r_i\right) = r_f + (\gamma)\left(\beta_i\right) \qquad (14.31)$$

Notons que γ représente la prime par unité de risque du marché, soit: $[E(r_m) - r_f]$.

Le risque total du marché β se décompose en risque d'exploitation β* et en risque financier de la façon suivante:

Risque total du marché = Risque d'exploitation + Risque financier

$$\beta = \beta^* + \beta^* \left(\frac{D}{AO}\right)\left(1 - T_c\right) \qquad (14.32)$$

et

$$\beta = \beta^* \left[1 + \left(\frac{D}{AO}\right)\left(1 - T_c\right)\right] \qquad (14.33)$$

Il est établi que 21 à 24 % du bêta des actions des sociétés américaines s'explique par le risque financier lié à l'endettement et aux actions privilégiées. Si une augmentation de la dette est souhaitable pour bénéficier de l'effet de levier favorable au rendement de l'avoir des actionnaires, il ne faudrait cependant pas que les gestionnaires utilisent la dette au point d'inquiéter les actionnaires, avec pour conséquence de déprimer le prix de l'action ordinaire.

Précisons que si la firme est financée exclusivement par l'avoir des actionnaires, le risque des actionnaires se confond avec celui de l'actif, c'est-à-dire qu'il est égal au risque d'exploitation β*. L'expression du MEDAF devient dans ce cas:

$$E\left(r_i\right) = r_f + (\gamma)(\beta_i^*) \qquad (14.34)$$

Si cette firme remplace une partie de l'avoir des actionnaires par une dette, l'actionnaire subit en plus du risque d'exploitation le risque financier, tel que l'indique la relation suivante du MEDAF:

$$E\left(r_i\right) = r_f + (\gamma)\left(\beta_i^*\right) + (\gamma)\left(\beta_i^*\right)\left(\frac{D}{AO}\right)\left(1 - T_c\right) \qquad (14.35)$$

Cette relation est une combinaison du MEDAF et du modèle de Modigliani et Miller.

EXEMPLE

La firme Hétroux inc. se caractérise par le bêta de l'exploitation égal à 1,5, par l'avoir des actionnaires qui s'élève à 100 000 $ représentant le financement total de la firme. Les informations suivantes sont fournies par le marché :

- le taux de rendement des bons du Trésor s'élève à 10 % ;
- l'espérance du rendement de l'indice de la Bourse de Toronto est évaluée à 15 % ;
- le taux d'impôt sur le bénéfice des corporations est égal à 50 %.

La firme Hétroux inc. décide de contracter un financement par dette de 20 000 $, montant qu'elle vient de recevoir, destiné à réduire d'autant le financement par l'avoir des actionnaires.

On demande :

a) de calculer l'espérance de rendement de Hétroux inc. en l'absence de dette ;

b) d'établir la valeur d'Hétroux inc. endettée ;

c) de déterminer la valeur marchande des actions ordinaires de Hétroux inc. en présence de dettes ;

d) de calculer l'espérance de rendement de Hétroux inc. endettée ;

e) d'établir la prime de risque financier.

Solutions suggérées :

a) L'espérance de rendement de Hétroux inc. non endettée est $E(r_{aond})$:

$$E\,(r_{aond}) = 10\,\% + (15\,\% - 10\,\%)\,(1{,}5) = 17{,}5\,\%$$

où $E\,(r_{aond})$ = taux de rendement exigé par les actions ordinaires sur une firme non endettée

b) La valeur de Hétroux inc. endettée est égale à :

$V_d = AO + D$ (soit la valeur marchande des actions ordinaires plus la valeur marchande de la dette)

ou aussi :

$$V_d = V_{nd} + (D)(T_c) = 100\,000\,\$ + (20\,000\,\$)\,(0{,}50) = 110\,000\,\$$$

où :

V_{nd} = valeur marchande de Hétroux inc. non endettée.

c) La valeur marchande des actions ordinaires (AO) de Hétroux inc. en présence de dettes est la suivante :

$$\begin{aligned} AO &= V_d - D \\ &= 110\,000\,\$ - 20\,000\,\$ \\ &= 90\,000\,\$ \end{aligned}$$

d) L'espérance de rendement de Hétroux inc. endettée doit tenir compte non seulement du bêta d'exploitation mais aussi du risque financier, selon la relation suivante :

$$E(r_{ao}) = rf + (\gamma)(\beta^*) + (\gamma)(\beta^*)\left(\frac{D}{AO}\right)(1 - T_c)$$

$$E(r_{ao}) = 10\,\% + (5\,\$)(1{,}5) + (5\,\%)\,(1{,}5)\left(\frac{20\,000\,\$}{90\,000\,\$}\right)(1 - 0{,}50)$$

$$= 18{,}33\,\%$$

e) La prime de risque financier s'élève à :

$$\text{Prime de risque financier} = E(r_{ao}) - E(r_{aond}) = 18{,}33\,\% - 17{,}5\,\% = 0{,}833\,\%$$

ou encore à :

$$(5\,\%)\ (1{,}5)\ \left(\frac{20\,000\,\$}{90\,000\,\$}\right)\ (1 - 0{,}50) = 0{,}833\,\%$$

14.9.1. La mesure du risque de l'avoir des actionnaires (actions ordinaires)

Le risque de l'avoir des actionnaires est aussi mesuré par l'écart type du ROE (*return on equity* ou taux de rendement de l'avoir des actionnaires). C'est le risque total σ_{ROE} que subit l'actionnaire et dont une partie peut être éliminée par la diversification. Or, le risque du marché β est fortement corrélé avec σ_{ROE} et tout accroissement du risque financier accroît l'écart type du ROE et, par conséquent, β.

Nous savons que :

$$\begin{aligned} \text{ROE} &= (\text{ROA})\,(\text{L}_f) \\ &= \left(\frac{\text{Bénéfice net}}{\text{Actif}}\right)\left(\frac{\text{Actif}}{\text{Avoir des actionnaires}}\right) \\ &= \frac{\text{Bénéfice net}}{\text{Avoir des actionnaires}} = \frac{\text{BN}}{\text{AA}} \end{aligned} \tag{14.36}$$

où :

ROE = taux de rendement des fonds propres ou avoir des actionnaires ;

ROA = taux de rendement net de l'actif ;

L_f = multiplicateur du levier financier = Actif/AO.

Le produit d'une variation du taux de rendement net de l'actif (ROA) par la variation du levier financier (L_f) est égal à la variation du taux de rendement de l'avoir des actionnaires. Les fluctuations du taux de rendement de l'avoir des actionnaires sont influencées par les fluctuations du taux de rendement de l'actif et par celles du risque financier. En d'autres termes, le risque de l'avoir des actionnaires est fonction du risque d'exploitation et du risque financier. En effet, on peut poser :

$$\Delta\text{ROE} = (\Delta\text{ROA})(\Delta\text{L}_\text{F}) \tag{14.37}$$

On peut en conclure que :

a) l'utilisation de la dette augmente l'espérance de rendement de l'avoir des actionnaires [E(ROE)];

b) dans le cas d'une entreprise non endettée, le risque de l'actif est égal au risque des fonds propres qui les financent totalement :

$$\sigma_{\text{ROA}} = \sigma_{\text{ROE}}$$

c) en présence de dettes, les actionnaires supportent un surcroît de risque qui est le risque financier avec le résultat suivant :

$$\sigma_{\text{ROE}} > \sigma_{\text{ROA}}$$

d) le risque financier = $\sigma_{\text{ROE}} - \sigma_{\text{ROA}}$

14.9.2. La politique de l'endettement ou du financement

L'un des objectifs de la politique de financement est l'utilisation de la dette afin d'accroître l'espérance du rendement des fonds propres [E(ROE)]. Cependant, la dette est une arme à double tranchant :

- d'une part, elle présente l'avantage de contribuer à la baisse du coût moyen pondéré du capital k_o et à l'augmentation du prix de l'action ordinaire ;
- d'autre part, elle se distingue par l'inconvénient d'accroître le risque financier et de déprimer le prix de l'action ordinaire.

D'où l'objectif de la politique de financement, qui consiste à favoriser l'E(ROE), est fonction de l'équilibre que le gestionnaire peut assurer entre les avantages et les inconvénients de la dette, de manière à maximiser en fin de compte le prix de l'action ordinaire.

La structure du capital optimale, qui dépend de facteurs propres à l'entreprise et de caractéristiques propres à l'industrie, assure cet équilibre. Un des moyens qui contribuent à l'efficacité et au succès d'une politique d'endettement consiste à ne pas utiliser toutes les possibilités d'endettement de la firme afin de s'assurer une marge de manœuvre suffisante pour faire face à des distorsions importantes des marchés financiers ou en raison de difficultés financières liées à un cycle économique frappé par la récession.

Par ailleurs, une dette élevée peut faire perdre des avantages fiscaux de déductibilité des intérêts, surtout dans le cas où les amortissements de la firme sont déjà assez élevés. Une dette élevée peut aussi engendrer des problèmes de liquidité et limiter la flexibilité et l'initiative de la firme pour explorer de nouvelles opportunités, avec pour résultat une baisse du prix de l'action ordinaire.

On peut avancer plusieurs autres raisons pour qu'une firme limite ou utilise de façon modérée l'endettement, à savoir essentiellement le cas où les économies d'impôt sont incertaines. Cette dernière situation se présente lorsque le BAII est inférieur au montant des intérêts sur la dette dans le cas d'entreprises cycliques dont le BAII fluctue de façon importante, dans le cas d'entreprises dont les pertes fiscales reportées sont élevées, empêchant pour autant de bénéficier des économies d'impôt sur les intérêts payés et, enfin, dans le cas d'entreprises dont le taux d'impôt sur le bénéfice des sociétés est faible.

La valeur actuelle des économies d'impôt peut donc diminuer en raison des économies d'impôt incertaines. La relation de la valeur de l'entreprise endettée, selon l'approche de MM, est altérée de la façon suivante :

$$V_d = V_{nd} + (D)(T_C) - \text{Valeur actuelle des économies d'impôt incertaines}$$

RÉSUMÉ

La structure du capital est l'un des sujets les plus controversés de la littérature financière. La structure du capital optimale correspond au coût minimum du capital, c'est-à-dire à la valeur marchande maximale de la firme. Il y a en effet des interrelations entre le coût du capital, la structure de financement et la valeur marchande de l'entreprise qui donnent un rôle central à la structure du capital puisqu'elle détermine le coût du capital et, par conséquent, la valeur de l'entreprise. Ni les théories de la structure du capital basées sur le bénéfice net d'exploitation ni l'approche traditionnelle ne fournissent une explication complète de l'effet de la structure du capital sur la valeur de l'entreprise. Les relations entre la structure d'endettement et le taux de rendement de l'avoir des actionnaires présentent un grand intérêt au gestionnaire qui peut décider en connaissance de cause du choix de la structure de capital.

L'apport considérable de MM à la théorie de la structure de capital s'est fait en deux étapes :

- L'une, élaborée en 1958, consistait à considérer un marché parfait, c'est-à-dire en l'absence d'impôt. La structure du capital n'a aucun effet, dans un tel contexte, sur la valeur de l'entreprise.
- La seconde étape fut préparée en 1963, en tenant compte de la réalité imparfaite des marchés, c'est-à-dire en introduisant l'impôt sur les sociétés. La structure du capital influence alors la valeur de l'entreprise.

Les critiques adressées à la théorie de MM ainsi que les différents coûts ignorés par ces deux auteurs donnent une idée plus précise et correcte de la valeur de la firme endettée. On peut citer parmi ces coûts : ceux qui sont attendus de la faillite, les coûts d'agence, les intérêts excessifs dus à une dette plus élevée et la réduction de la valeur de l'entreprise à cause d'un BAII moins élevé.

Notons aussi que la relation qui existe entre le bénéfice par action (BPA) et le bénéfice avant intérêts et impôts (BAII) pour une structure de capital donnée est un outil indispensable de gestion du financement de l'entreprise. L'analyse détaillée du risque d'exploitation et du risque financier permet de calculer et de comprendre les deux sources importantes du risque du marché bêta d'une entreprise donnée.

QUESTIONS

1. Expliquer les caractéristiques des théories de la structure du capital antérieures à la théorie de Modigliani et Miller.
2. Élaborer, dans leurs grandes lignes, les propositions 1 et 2 de Modigliani et Miller (MM) en l'absence d'impôt.
3. En quoi consiste la contribution de MM si l'on tient compte de l'impôt sur le bénéfice des corporations ?
4. Quels sont les aspects peu réalistes de la théorie initiale de MM ?
5. Décrire les différents coûts qui doivent être intégrés dans la détermination d'une entreprise endettée.
6. Expliquer l'utilité de la décision de la firme concernant la structure du capital basée sur la relation bénéfice par action et bénéfice avant intérêts et impôts (la relation BPA-BAII).
7. Comment le risque d'exploitation et le risque financier contribuent-ils à la détermination du risque du marché ?

PROBLÈMES

1. LA FIRME PLANTEX

La firme Plantex a un capital-actions ordinaires formé d'un million d'unités. Elle désire réunir 12 000 000 $ pour financer l'expansion de son activité. Le prix de l'action ordinaire est de 13 $ et le taux d'impôt sur les bénéfices de la société est de 45 %.

La firme envisage d'émettre l'un des instruments financiers suivants :
- 1 200 000 nouvelles actions ordinaires à 10 $ l'unité
- une obligation de 10 ans d'échéance ayant un taux de coupon de 10 %
- des actions privilégiées à 120 $ l'unité et dont le dividende est de 12 %.

- **On demande :**

a) de déterminer le point d'indifférence et le point mort de ces différentes modalités de financement et de les représenter graphiquement. Commenter les résultats obtenus ;

b) d'établir l'effet de levier financier dans le cas du financement par obligations si le bénéfice avant intérêts et impôts de cinq M$ subissait une variation de +15 % ;

c) d'expliquer quelle sorte de risque traduit chacun des leviers suivants:
- l'effet de levier d'opération;
- l'effet de levier financier;
- l'effet de levier combiné.

- **Solutions suggérées:**

a) Le point d'indifférence, le point mort et le graphique:

Avant la nouvelle émission: 1 million d'actions ordinaires sont en circulation et le taux d'impôt T_c = 4,5 %.

- Émission d'actions ordinaires: 1 200 000 à 10 $
- Émission d'obligations: int. 10 %
- Émission d'actions privilégiées: div. 12 %

Le point d'indifférence:

1) avec les obligations et les actions ordinaires:

$$\frac{(\text{BAII})(1-\text{T})}{n_1+n_2}=\frac{(\text{BAII - Int})(1-\text{T})}{n_1}$$

$$\frac{(\text{BAII})(1-45\,\%)}{1\ 000\ 000+1\ 200\ 000}=\frac{(\text{BAII} - 1\ 200\ 000)(1-45\,\%)}{1\ 000\ 000}$$

$$\frac{0,55(\text{BAII})}{2,2}=\frac{(0,55\text{BAII})-660\ 000\,\$}{1}$$

$$0,55(\text{BAII})=1,21\text{BAII} - 1\ 452\ 000\,\$$$

$$0,66(\text{BAII})=1\ 452\ 000\,\$$$

BAII = 2 200 000$ et BPA = 0,55 $ (point d'indifférence A)

2) avec les actions privilégiés et les actions ordinaires:

$$\frac{(\text{BAII})(1-\text{T})}{n_1+n_2}=\frac{(\text{BAII})(1-\text{T})-\text{Div}}{n_1}$$

$$\frac{0,55\text{BAII}}{2,2}=\frac{0,55\text{BAII} - 1\ 440\ 000\,\$}{1}$$

$$0,55\text{BAII} = 1,21\text{BAII} - 3\ 168\ 000\,\$$$

$$0,66\text{BAII} = 3\ 168\ 000\,\$$$

$$\text{BAII} = 4\ 800\ 000\,\$$$

et le BPA au point d'indifférence B = 1,20 $

$$\text{En effet: } \frac{(4\ 800\ 000\,\$)\ 0,55 - 1\ 440\ 000\,\$}{1\ 000\ 000} = 1,20\,\$$$

Le point mort:

- Actions ordinaires: BPA = 0 BAII = 0
- Obligations: BPA = 0 BAII = 1 200 000 $
- Actions privilégiées: BPA = 0 BAII = 2 618 182 $

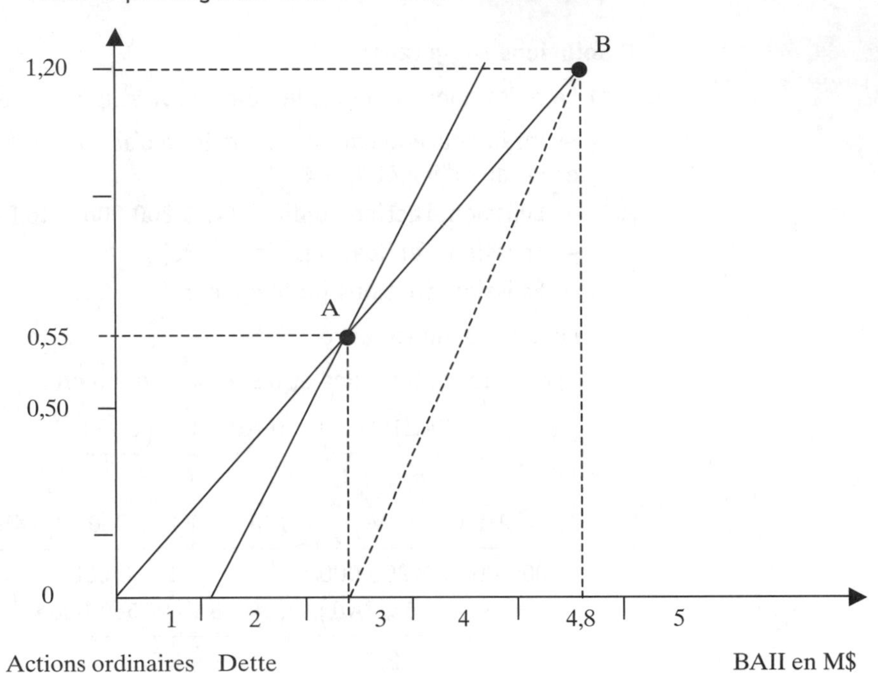

Pour un BAII inférieur à 2,2 M$ l'émission d'actions ordinaires est préférable et, pour un BAII supérieur à 2,2 M$, l'émission d'obligations s'impose.

b) Le levier financier ou LF se calcule de la façon suivante:

$$LF = \frac{(BAII)}{BAII - \text{Frais financiers}}$$; ceci en se basant sur un niveau donné de BAII, soit 5 M$ dans ce cas.

$$\frac{5}{5 - 1,2} = 1,31$$

$$LF = \frac{\%\ BPA}{\%\ BAII}$$

1) Si le BAII est de 5 M$, on a:

$$BPA = \frac{0,55\ (5\ 000\ 000\ \$ - 1\ 200\ 000\ \$)}{1\ M\$}$$

$$BPA = 2,09\ \$$$

2) Si le BAII est de 4,25 M$, on a :

$$\text{BPA} = \frac{0{,}55(4\,250\,000\,\$ - 1\,200\,000\,\$)}{1\text{ M}\$}$$

$$\text{BPA} = 1{,}68\,\$$$

3) Si le BAII est de 5,75 M$, on a :

$$\text{BPA} = \frac{0{,}55\ (\ 5\,750\,000\,\$ - 1\,200\,000\,\$)}{1\text{ M}\$}$$

$$\text{BPA} = 2{,}50\,\$$$

d'où l'on peut établir que :

$$\text{LF} = \frac{\dfrac{1{,}68 - 2{,}09\,\$}{2{,}09\,\$}}{\dfrac{4{,}25 - 5\,\$}{5\,\$}} = 1{,}31$$

ou aussi :

$$\text{LF} = \frac{\dfrac{2{,}50\,\$ - 2{,}09\,\$}{2{,}09\,\$}}{\dfrac{4{,}75 - 5\,\$}{5\,\$}} = 1{,}31$$

c) *Effet de levier d'opération :*

Risque des affaires

Risque découlant du secteur d'activité dans lequel la firme évolue ; dépend de la proportion des coûts fixes dans l'ensemble des coûts fixes et variables d'une firme ; dépend de la sensibilité des ventes aux fluctuations économiques ; dépend de la taille de l'entreprise, de la variabilité du prix de ses intrants et de son aptitude à ajuster le prix de vente. Le coefficient d'effet de levier d'opération s'obtient par le rapport du taux de variation du bénéfice avant intérêts et impôts (BAII) résultant d'un taux donné de variation du nombre d'unités vendues.

Effet de levier financier :

Risque financier

Risque d'écoulant de la contribution de l'endettement au financement total de la firme. Risque supplémentaire encouru par les actionnaires ordinaires dû à l'emploi de l'endettement.

Le coefficient d'effet de levier financier est calculé par le rapport du taux de variation du BPA à un taux de variation donné du BAII.

Effet de levier combiné :

Risque des affaires + Risque financier

2. LA FIRME BEAUDRICOURT INC.

La firme Beaudricourt inc. a une longue expérience du financement exclusif par l'avoir des actionnaires. Ce dernier s'élève à l'heure actuelle à 600 000 $ et constitue la totalité du financement de l'actif. On précise que le bêta de cette firme est, en l'absence de dette, de 1,60. Après plusieurs discussions orageuses entre la vieille garde de Beaudricourt et ses jeunes administrateurs, c'est-à-dire entre les anciens et les nouveaux, il fut décidé de remplacer 100 000 $ de financement de valeur nette par un endettement D du même montant. On sait que le taux de rendement sur les bons du Trésor est de 12 %, que le taux de rendement espéré de la Bourse de Toronto $E(R_m)$ est de 20 % et que le taux d'impôt T_c sur le bénéfice des corporations est de 40 %.

■ On demande :

a) de calculer le taux de rendement r_{aond} requis sur les actions de la firme Beaudricourt inc. lorsqu'elle n'est pas endettée ;

b) de calculer la valeur marchande V_d de Beaudricourt inc. en présence de la dette indiquée ci-haut ;

c) de calculer le taux de rendement r_{ao} exigé sur les actions de Beaudricourt inc. en présence de dette ;

d) de calculer la prime de risque financier de Beaudricourt inc. ainsi que sa prime de risque de l'exploitation ;

e) d'expliquer en détail en quoi consistent les composantes du risque du marché bêta de la firme et d'en préciser la nature ainsi que la relation dans chaque cas.

■ Solutions suggérées :

a) Le taux de rendement requis sur les actions de Beaudricourt inc. non endettée :

$$k_{snd} = r_f + \beta_{nd}\,[E(r_m) - r_f]$$
$$= 12\,\% + 1{,}60(20\,\% - 12\,\%) = 24{,}8\,\%$$

b) La valeur nette AO ou S_d en présence de 100 000 $ de dette est calculée à partir de la valeur de l'entreprise V_d :

$$V_d = V_{nd} + (B)T_c$$
$$= 600\,000\,\$ + (100\,000\,\$)\,(0{,}40)$$
$$= 640\,000\,\$$$

On sait aussi que :

$V_d = B + S_d$ (la valeur marchande de la firme est égale à la valeur marchande de sa dette et à celle de ses actions)

d'où : $S_d = V_d - B$

$= 640\ 000\$ - 100\ 000\$ = 540\ 000\$$

c) Le taux de rendement exigé sur Beaudricourt en présence de dette s'élève à :

$$k_{sd} = r_f + \beta_{nd}\,[E(r_m) - r_f] + \beta_{nd}\,(1 - T)\,(B/S_d)\,[E(r_m) - r_f]$$

$$= 12\,\% + 12{,}8\,\% + (20\,\% - 12\,\%)\,(1{,}60)\left(\frac{100\ 000\$}{540\ 000\$}\right)(0{,}60)$$

$$= 26{,}22\,\%$$

d) 1) La prime de risque financier de Beaudricourt inc. est égale à :

$$\text{Prime} = \beta_{nd}\,(1 - T)\,(B/S_d)\,[E(r_m) - r_f]$$

$$= 1{,}60(0{,}60)\left(\frac{100\ 000\$}{540\ 000\$}\right)(8\,\%) = (0{,}177\ 7)\,(8\,\%) = 1{,}42\,\%$$

2) La prime de risque d'exploitation de Beaudricourt

$$= (1{,}60)\,(8\,\%) = 12{,}8\,\%$$

e) Le risque systématique bêta dépend du risque d'exploitation et du risque financier. Le risque d'exploitation est illustré par le coefficient de levier d'exploitation (CLE), qui indique dans quelle mesure varie le bénéfice avant intérêts et impôts (BAII) à la suite d'une variation donnée des ventes. Le risque d'exploitation dépend du rapport entre les coûts fixes et l'ensemble des coûts fixes et des coûts variables.

$$CLE = \left(\frac{\Delta BAII/BAII}{\Delta Ventes/Ventes}\right)$$

Le coefficient de levier financier (CLF) exprime le risque financier et représente le degré de variation du bénéfice par action (BPA) à la suite d'un taux de variation donné du BAII :

$$CLF = \left(\frac{\Delta BPA/BPA}{\Delta BAII/BAII}\right)$$

Le risque financier dépend du degré d'endettement de la firme.

La politique de dividende

Les dividendes distribués par une entreprise sont prélevés normalement sur le bénéfice net. La différence entre ce dernier et les dividendes de l'année constitue les bénéfices réinvestis et influence les politiques d'investissement et de financement à long terme. Des dividendes trop généreux peuvent obliger l'entreprise, faute de bénéfices non répartis suffisants, à émettre des actions ordinaires et, la plupart du temps, des dettes nouvelles pour satisfaire le besoin de financement de son expansion et de ses investissements.

Ainsi s'explique pourquoi la politique de dividende importe. Elle représente ou illustre un des trois domaines où les décisions les plus importantes de l'entreprise sont arrêtées, les deux autres relevant de la fonction d'investissement et de la décision de financement. Les décisions d'investissement, de financement et de distribution de dividendes sont étroitement liées.

Rappelons que les flux autogénérés de l'exploitation, ou flux monétaires, se répartissent en bénéfice net et en amortissement. Le bénéfice net se subdivise habituellement en deux parties: les dividendes distribués et les bénéfices non répartis. Ces derniers sont réinvestis dans l'expansion des activités de la société.

Le financement par emprunt contribue, avec les bénéfices non répartis, à financer la croissance future de l'entreprise avec des conséquences sur la croissance du dividende et sur le prix de l'action sur le marché.

15.1. LES COMPOSANTES DU RENDEMENT DE L'ACTION ORDINAIRE

Rappelons que le taux de rendement de l'action ordinaire, selon la formule de Gordon[1], se décompose en deux parties :

- le taux de rendement en dividende : (D_{t+1}/P_t) ;
- le taux de rendement en gain de capital provenant de la croissance des bénéfices, de celle de la firme et de leur impact sur le prix de l'action ordinaire : $(= g = DP/P_t)$.

Le dividende détermine ainsi une fraction de la rentabilité de l'action ordinaire pour le détenteur de cette action. D'où l'importance de la politique de dividende. En effet, l'équation suivante permet d'établir la relation du taux de rendement de l'action ordinaire j au temps t si l'on considère un horizon de un an :

$$r_{jt} = \frac{D_{t+1}}{P_t} + \frac{P_{t+1} - P_t}{P_t} \quad (15.1)$$

$$= \frac{D_{t+1}}{P_t} + g$$

où :

r_{jt} = le taux de rendement exigé par le marché sur l'action j au temps t ;

D_{t+1} = le dividende distribué au t emps $t = 1$;

P_t = le prix de l'action au temps t ;

P_{t+1} = le prix de l'action au t emps $t + 1$;

g = le taux de croissance annuel des dividendes, des bénéfices et du prix de l'action.

1. M. Gordon (1962). *The Investment, Financing and Valuation of a Corporation*, Homewood (Ill.), Irwin.

Supposons que l'action *j* est achetée aujourd'hui au temps $t = 0$, ensuite revendue dans un an au temps $t + 1$, et que son détenteur reçoive en même temps un dividende D_{t+1} ou D_1 en fin de période, on aura:

$$r_{jo} = \frac{D_1}{P_o} + g$$

15.2. LA POLITIQUE DE DIVIDENDE: THÉORIES

L'analyse de la décision d'investir et celle de financer ont déjà été traitées de façon détaillée dans de précédents chapitres. Il faut aussi étudier la politique de distribution de dividendes sous ses différents aspects et analyser dans quelle mesure elle peut contribuer à la valeur de l'entreprise, tout en s'interrogeant sur l'existence éventuelle d'une politique de dividende optimale.

La politique de dividende est l'un des sujets les plus controversés en finance. Certains auteurs s'interrogent sur la politique de dividende à suivre ou même à savoir s'il faut ou non verser des dividendes aux actionnaires. Une réponse à de telles questions deviendrait plus facile, selon d'autres auteurs, si l'on pouvait clairement établir l'avantage que représentent les dividendes distribués à l'actionnaire par rapport au coût d'option ou de renonciation des projets rentables sacrifiés appartenant à la même classe de risque.

La théorie de Gordon considère que les gains en capital attendus sur l'action ordinaire sont plus risqués que les dividendes prévus. L'investisseur apprécie davantage, selon le même auteur, les versements périodiques de dividendes aux gains en capital dont l'échelonnement dans le temps est irrégulier. Précisons que le taux de rendement exigé par le marché sur une société à dividendes faibles serait plus élevé, toutes choses égales, que le taux exigé sur les gains en capital risqués, source d'un enrichissement plus substantiel lorsque le taux de rendement attendu sur les bénéfices réinvestis est très élevé. C'est le cas des sociétés américaines IBM dans les années 1960 à 1980 et Cisco dans les années 1990.

Selon Modigliani et Miller (MM)[2], les investisseurs sont indifférents, dans un marché parfait, à ce que leurs revenus soient sous forme de dividendes ou de gains en capital. La valeur des actions ordinaires est, dans un marché parfait, automatiquement réduite de la valeur des dividendes versés. Cependant, précisent-ils, dans un marché réel, imparfait, une modification de la politique du dividende

2. M. Miller et F. Modigliani (1961). «Dividend Policy and the Valuation of Shares», *Journal of Business,* vol. 34, octobre, p. 411 à 433.

a des conséquences sur le prix de l'action ordinaire. Le passage de l'analyse du marché parfait à celle du marché réel se fait en portant l'horizon de l'analyse d'une période à plusieurs périodes sans que la signification des résultats soit fondamentalement affectée. Par ailleurs, en prenant l'hypothèse de l'incertitude pour considérer l'imperfection des marchés, MM considèrent aussi qu'une telle démarche n'affecte pas de façon déterminante la portée de leurs résultats.

L'imperfection des marchés peut influencer les résultats sur deux plans:

- celui de l'effet clientèle: certains actionnaires ont une préférence pour des dividendes stables;
- celui du message ou signal que représentent pour le marché les changements de la politique de dividende:
  - une augmentation sensible des dividendes signifie que l'accroissement des profits de la société est durable;
  - une diminution des dividendes informe l'actionnaire et le marché d'une détérioration durable de la rentabilité future de l'entreprise.

Le prix de l'action ordinaire peut fluctuer de façon sensible en raison de la variation importante du dividende versé aux actionnaires. Les entreprises portent, par voie de conséquence, une attention particulière au contenu informatif des changements de la politique de dividende et consacrent le temps et les efforts nécessaires à la détermination d'une politique de dividende optimale.

15.3. VARIABLES POUVANT INFLUER SUR LA POLITIQUE DE DIVIDENDE

Plusieurs facteurs peuvent influer sur la politique de distribution des dividendes d'une société:

- La protection du capital de l'entreprise: il n'y aura de distribution de dividende que dans la mesure où le capital-actions n'est pas entamé par une telle opération.
- La protection de la liquidité de l'entreprise: il n'y aura de distribution de dividendes que si sa capacité de rembourser ses engagements financiers reste toujours satisfaisante. Parfois, une firme rentable distribuera peu ou pas de dividendes, car la croissance rapide de ses investissements absorbe l'essentiel de ses flux monétaires. Un dividende important peut, dans de telles conditions, sérieusement restreindre et mettre en danger la liquidité d'une telle entreprise.

- Les possibilités de placement des actionnaires ailleurs et leur taux d'impôt marginal sur les dividendes : si les revenus des actionnaires sont déjà élevés, les gains en capital leur sont plus favorables que les dividendes sur le plan fiscal.
- Les préférences des actionnaires entre la consommation courante et la consommation future influent sur la décision de distribuer un dividende.
- Le compromis à assurer entre les besoins de financement de l'entreprise, d'une part, et les préférences des actionnaires entre le revenu courant et les gains en capital, d'autre part, constitue un élément essentiel de la décision de distribuer un dividende :
  - *a*) L'entreprise distribuera des dividendes généreux si les besoins de financement des investissements sont faibles, tandis que les actionnaires préfèrent un revenu courant.
  - *b*) L'entreprise optera pour une distribution modérée de dividendes si ses besoins de financement sont élevés, tandis que les actionnaires préfèrent un revenu courant.
  - *c*) L'entreprise adoptera une politique de distribution modérée de dividendes si ses besoins de financement sont faibles, tandis que ses actionnaires préfèrent les gains en capital.
  - *d*) L'entreprise distribuera peu ou pas de dividendes si ses besoins de financement sont élevés, tandis que ses actionnaires préfèrent les gains en capital.
- La rentabilité des investissements projetés par l'entreprise comparée au coût d'option ou au taux de rendement que l'actionnaire pourrait obtenir ailleurs.
- Les contraintes et la nécessité pour les actionnaires d'avoir un revenu en dividende relativement stable lorsqu'il constitue pour eux une source de revenu importante.
- Le degré de stabilité des revenus de l'entreprise : les gestionnaires doivent s'assurer que l'accroissement du bénéfice net se maintiendra à l'avenir avant d'augmenter les dividendes.

15.4. LA POLITIQUE DE DIVIDENDE RÉSIDUEL

Les tenants de la politique de dividende résiduel partent du fait que le financement interne par les bénéfices réinvestis est moins coûteux que celui qui est assuré par l'émission d'actions ordinaires ou de dettes. La priorité en matière de financement consiste à satisfaire les besoins d'investissement par les bénéfices non répartis. Si ces derniers sont insuffisants ou égaux aux besoins d'investissement, il n'y aura pas de distribution de dividende conformément à la politique de dividende résiduel. Par contre, si les fonds propres générés pendant l'année excèdent les besoins d'investissement, l'entreprise versera des dividendes selon la théorie évoquée ci-haut. D'où la notion de dividende résiduel distribué seulement après que tous les besoins d'investissement de l'entreprise sont satisfaits et à condition qu'un excédent de bénéfices non répartis le permette. La logique et l'expérience financière nous enseignent que si l'entreprise est très profitable, à un point tel que son taux de rendement est bien supérieur à celui qu'obtiendrait l'actionnaire ailleurs, et que les occasions d'investissement de l'entreprise sont considérables, elle distribuera peu de dividendes et réinvestira ses bénéfices. Les sociétés IBM et Cisco en sont des exemples éloquents, comme nous l'avons déjà mentionné.

Nous savons que la valeur d'une firme n'est pas affectée, dans un marché parfait, par une modification de la politique de dividende, toutes choses égales, selon MM. La réalité des marchés financiers est bien différente à cause des imperfections résultant de la présence :

1. du coût des nouvelles émissions de titres,
2. des impôts, car le revenu en dividende peut être taxé différemment des revenus de gains en capital.

Selon la politique de dividende résiduel, la firme ne distribuerait des dividendes qu'après avoir financé ses investissements rentables par les sources les moins coûteuses et dans le respect de la structure du capital optimale. L'approche résiduelle a un double aspect :

1. elle détermine les besoins d'investissement et le financement disponible ;
2. elle établit ensuite le dividende à distribuer.

EXEMPLE

Un exemple numérique permet de comprendre les modalités d'application de la politique de dividende résiduel selon les étapes suivantes :

a) La détermination des fonds provenant des bénéfices nets et de l'accroissement de l'endettement dans le respect de la structure optimale de capital.

Supposons que le ratio d'endettement optimal de la firme soit égal à 0,40. D'où : Dette/Valeur (D/V) de la firme = 0,40. Supposons que le bénéfice net de l'exercice s'élève à 60 000 $. Le respect de la structure optimale de capital de la firme entraîne un accroissement de 40 000 $ de la dette. En effet : Dette/Valeur de la firme = D/V = 0,40, et en posant X = Dette nouvelle, on a :

$$\frac{X}{60\,000 + X} = 0,40 \text{ d'où: } X = 40\,000\,\$$$

Le ratio d'endettement optimal reste ainsi inchangé à 40 % avec l'accroissement total de fonds de 100 000 $ mis à la disposition de la firme.

b) Déterminer si l'accroissement total de fonds de 100 000 $ mis à la disposition de la firme suffit à couvrir les dépenses nécessitées par les nouveaux investissements. Analysons les deux situations auxquelles l'entreprise peut faire face dans ce cas.

b.1 Les nouveaux fonds obtenus par la firme (100 000 $) excèdent les dépenses d'investissement projetées (80 000 $). La différence entre ces deux montants constitue le « résidu » et justifie le paiement d'un dividende qu'il faudra préciser.

Le résidu = 100 000 $ – 80 000 $ = 20 000 $

Le dividende résiduel qui sera distribué aux actionnaires est celui qui laisse inchangé le ratio d'endettement optimal de la firme, soit :

20 000 $ × 0,60 = 12 000 $

La différence entre le résidu de 20 000 $ et le dividende résiduel de 12 000 $ permet de réduire la nouvelle dette de 8 000 $ dans le respect du ratio d'endettement de 0,40.

La dette de 40 000 $ émise sous a) devrait diminuer pour se situer à :

40 000 $ – 8 000 $ = 32 000 $

b.2 Les nouveaux fonds obtenus par la firme (100 000 $) ne suffisent pas à couvrir les nouvelles dépenses d'investissement projetées (150 000 $, par exemple). La différence de 50 000 $ doit être financée à la fois par une nouvelle émission d'actions ordinaires pour 30 000 $ et par une nouvelle dette de 20 000 $, de sorte que le ratio d'endettement optimal demeure toujours inchangé à 40 %.

Il résulte de la politique de dividende résiduel qu'une nouvelle émission d'actions ordinaires ne doit pas servir à payer des dividendes. Une émission nouvelle d'actions ordinaires n'est justifiée que dans la mesure où les fonds disponibles dans la firme ne suffisent pas au financement des projets d'investissement rentables.

Les actionnaires sont indifférents aux modalités de distribution de dividende dans un marché parfait, et une politique de dividende résiduel n'aurait pas d'effet sur le prix de l'action. Par contre, une application intégrale de la politique de dividende résiduel, qui peut résulter en dividendes instables, présentera les inconvénients de fortes fluctuations du prix de l'action sur les marchés imparfaits.

Une politique de dividende résiduel est d'autant plus pertinente lorsqu'elle est atténuée par le souci d'une stabilité du dividende ou d'une stabilité de la croissance du dividende, afin d'éviter que les marchés financiers n'interprètent, à tort, un changement brusque du niveau du dividende, à la baisse ou à la hausse, comme un changement durable des profits à la baisse ou à la hausse. L'entreprise éviterait ainsi les conséquences défavorables qu'une politique de dividende résiduel pure pourrait entraîner comme fluctuations sur le prix de l'action.

La politique de dividende peut influencer la politique de financement, mais elle ne doit pas affecter la politique d'investissement. La valeur marchande des actions d'une société dépend plus de la rentabilité de ses investissements que de sa politique de dividende. Une entreprise décide, en priorité, de ses investissements selon l'enrichissement qu'ils peuvent lui procurer. Elle décide ensuite de sa politique de dividende à la lumière de sa politique de financement, tout en ayant à l'esprit que la stabilité du dividende ou de sa croissance est un facteur non négligeable de la définition d'une politique de dividende optimale.

RÉSUMÉ

La politique de dividende influence les décisions de l'entreprise en matière de distribution de dividendes et constitue, avec l'investissement et le financement, l'une des décisions les plus importantes que doit prendre le gestionnaire. La politique de dividende est définie à la lumière de plusieurs critères, dont celui de l'avantage que constituent les dividendes distribués à l'actionnaire par rapport au coût d'option des projets rentables abandonnés. On peut citer plusieurs autres facteurs qui déterminent la définition de la politique de dividendes, dont la protection du capital et de la liquidité de l'entreprise, la politique d'investissement et la politique de financement. La théorie sur laquelle repose la politique de dividende résiduel considère que le financement interne par les bénéfices non répartis est d'un coût plus faible que celui assuré par l'émission d'actions ordinaires ou de dettes.

Si les bénéfices non répartis de l'année sont inférieurs ou même égaux aux montants ou sommes d'argent requis pour les nouveaux investissements choisis par l'entreprise pour cette même période, il n'y aura pas de distribution de dividende. Il y aura une distribution de dividende pour une année donnée dans la mesure où les bénéfices accumulés dépassent les besoins d'investissement. La théorie du dividende résiduel procède de ces considérations et se résume de la façon suivante: la firme distribuera des dividendes dans le cas où tous ses besoins d'investissement sont déjà satisfaits et à condition qu'un résidu de bénéfices non répartis le permette.

QUESTIONS

1. Expliquer la théorie des dividendes de Gordon ainsi que celle de Modigliani et Miller.
2. Quelles sont les variables susceptibles d'influencer la politique de dividende?
3. En quoi consiste la politique de dividende résiduel? Illustrer par un exemple numérique.
4. Quelle importance représente la politique de dividende pour l'entreprise?

PROBLÈMES

1. LA SOCIÉTÉ DORTINAX INC.

La société Dortinax inc. présente l'avoir des actionnaires qui suit:

Capital-actions:	
300 000 actions ordinaires en circulation, d'une valeur nominale de 10 $:	3 000 000 $
Bénéfices non répartis:	6 000 000
	9 000 000 $

- **On demande:**

a) Un fractionnement d'actions de 3 pour 1 est décidé par Dortinax. Comment se présenterait l'avoir des actionnaires après le fractionnement? Que deviendrait la valeur nominale de l'action ainsi que son prix sur le marché si elle était cotée à 12 $ avant le fractionnement?

b) Supposons que Dortinax ait plutôt envisagé une distribution de dividendes en actions pour 3 M$, correspondant à 100 % des actions ordinaires en circulation. Quel aurait été l'effet de cette décision sur son capital-actions ?

c) Expliquer les conséquences des mesures adoptées sous a) et b) sur le nombre d'actions ordinaires en circulation et sur leur valeur nominale, sur la fortune des actionnaires et sur la part relative de chaque actionnaire dans le capital de la société Dortinax.

- **Solutions suggérées :**

a) Les montants respectifs des composantes de l'avoir des actionnaires demeurent inchangés après le fractionnement, la valeur nominale de l'action est divisée par trois ainsi que sa valeur au marché et le nombre d'actions en circulation est multiplié par trois. L'avoir des actionnaires se présente ainsi après le fractionnement :

Capital-actions :

(300 000) (3) = 900 000 actions ordinaires en circulation, d'une valeur nominale de 3,33 $:	3 000 000 $
Bénéfices non répartis	6 000 000 $
	9 000 000 $

Le prix de l'action sur le marché, après fractionnement, devient égal à :

$$\frac{12}{3} = 4\,\$$$

b) La société Dortinax inc. distribuerait le nombre suivant d'actions ordinaires :

(300 000) (1) = 300 000 actions ordinaires

La valeur nominale de ces 300 000 actions ordinaires est de :

(300 000) (10 $) = 3 000 000 $

Le capital-actions de Dortinax atteint 600 000 actions ordinaires après la distribution de dividendes en actions et l'avoir des actionnaires a désormais la forme suivante :

Capital-actions :

600 000 actions ordinaires à 10 $:	6 000 000 $
Bénéfices non répartis :	3 000 000 $
	9 000 000 $

c) On constate :

c.1 qu'avec un fractionnement d'actions on augmente le nombre d'actions émises selon la proportion du fractionnement (dans notre exemple un fractionnement de 3 pour 1 a pour résultat trois fois plus d'actions en circulation, après le fractionnement) ; qu'il n'y a pas de virement de bénéfices non répartis au capital-actions émis et que la valeur nominale de l'action est divisée par trois, de même que sa valeur au marché, toutes choses égales.

c.2 qu'avec un dividende en actions, on augmente le nombre d'actions en circulation sans en modifier la valeur nominale ; que l'actionnaire ne s'enrichit pas puisque l'avoir des actionnaires demeure le même en raison d'un simple transfert ou virement des bénéfices non répartis au capital-actions émis ; qu'il n'y a pas de modification de la part relative de chacun des actionnaires et que les actions sont distribuées au prorata des actions détenues.

2. LA SOCIÉTÉ TRIFLEX

La Société Triflex présente l'avoir des actionnaires suivant :

Capital-actions :

400 000 actions ordinaires en circulation, d'une valeur nominale de 10 $:	4 000 000 $
Bénéfices non répartis :	6 000 000 $
	10 000 000 $

- **On demande :**

a) Un fractionnement d'actions de 2 pour 1 est décidé par Triflex. Comment se présenteraient les composantes de l'avoir des actionnaires après le fractionnement ? Que deviendrait la valeur nominale de l'action ainsi que son prix sur le marché si elle était cotée à 16 $ avant le fractionnement ?

b) Expliquer, dans le cas où la firme Triflex procéderait plutôt à une distribution des dividendes en actions de 50 %, l'effet de cette décision sur son capital-actions.

c) Commenter.

- **Solutions suggérées :**

a) Les montants respectifs des composantes de l'avoir des actionnaires demeurent inchangés après le fractionnement, la valeur nominale de l'action est divisée par deux ainsi que sa valeur au marché. Le nombre d'actions en circulation est multiplié par deux. L'avoir des actionnaires se présente ainsi après le fractionnement.

Capital-actions :

(400 000) (2) = 800 000 actions ordinaires en circulation, d'une valeur nominale de 5 $:	4 000 000 $
Bénéfices non répartis :	6 000 000 $
	10 000 000 $

Le prix de l'action sur le marché, après fractionnement, devient égal à :

$$8\,\$\left(=\frac{16\,\$}{2}\right)$$

b) La firme Triflex distribuerait le nombre suivant d'actions ordinaires :

(400 000) (0,50) = 200 000 actions ordinaires

La valeur nominale de ces 200 000 actions ordinaires est de :

(200 000) (10 $) = 2 000 000 $

D'où le capital-actions de la firme est désormais formé de 600 000 actions ordinaires après la distribution de dividendes en actions.

L'avoir des actionnaires se présente alors de la façon suivante :

Capital-actions :

600 000 actions ordinaires à 10 $:	6 000 000 $
Bénéfices non répartis :	4 000 000 $
	10 000 000 $

c) On constate donc :

c.1 qu'avec un fractionnement d'actions, on augmente le nombre d'actions émises selon la proportion du fractionnement (dans notre exemple un fractionnement de 2 pour 1 a pour résultat deux fois plus d'actions en circulation, après le fractionnement) ; qu'il n'y a pas de virement de bénéfices non répartis au capital-actions émis et que la valeur nominale de l'action est divisée par deux, de même que sa valeur au marché, toutes choses égales par ailleurs ;

c.2 qu'avec un dividende en actions, on augmente le nombre d'actions en circulation sans en modifier la valeur nominale ; que l'actionnaire ne s'enrichit pas puisque l'avoir des actionnaires demeure le même en raison d'un simple transfert ou virement des bénéfices non répartis au capital-actions émis ; qu'il n'y a pas de modification de la part relative de chacun des actionnaires et que les actions sont distribuées au prorata des actions détenues.

BIBLIOGRAPHIE

Black, F. et M. Scholes (1974). « The Effects of Dividend Yield and Dividend Policy on Common Stock Prices and Returns », *Journal of Financial Economics,* mai, p. 1-22.

Gagnon, J.-M. et J.-M. Suret (1983). « Canadian Income Tax and Financial Policy », document de travail, Université Laval.

Gordon, M. (1962). *The Investment, Financing and Valuation of a Corporation,* Homewood (Ill.), Irwin.

Miller, M.H. (1986). « Behavioral Rationality in Finance : The Case of Dividends », *Journal of Business,* vol. 59, octobre, p. S451-S468.

Miller, M. et F. Modigliani (1961). « Dividend Policy and the Valuation of Shares », *Journal of Business,* vol. 34, octobre, p. 411-433.

Morgan, I.G. (1980). « Dividends and Stock Price Behaviour in Canada », *Journal of Business Administration,* vol. 12, automne.

LES PRODUITS DÉRIVÉS TRANSIGÉS EN BOURSE ET HORS COTE

Les instruments financiers modernes de protection contre le risque de taux d'intérêt transigés en Bourse

Les produits dérivés sont des instruments financiers modernes destinés à neutraliser ou à modifier l'exposition au risque de taux d'intérêt. Dans ce chapitre, nous traitons les produits dérivés transigés sur des bourses organisées. À titre d'exemple, nous abordons le marché à terme de taux d'intérêt dont les contrats sont normalisés. Ces contrats tirent leur valeur d'un titre sous-jacent faisant l'objet de transactions sur un marché au comptant. Les contrats à terme négociables en Bourse sont, dans leur écrasante majorité, liquidés ou annulés avant l'échéance une fois que l'objectif de couverture, établi par le trésorier d'entreprise ou par l'investisseur, est atteint.

Les produits dérivés ont modifié les méthodes de gestion financière du risque de portefeuille de titres en accordant aux gestionnaires plus de latitude et plus de souplesse afin de protéger les résultats de leurs activités. Ces gestionnaires pourront ainsi modifier rapidement et à un coût faible les caractéristiques de risque et les relations entre l'actif et le passif de même que la sensibilité d'un portefeuille d'obligations, par exemple, aux variations de taux d'intérêt.

La contribution des produits dérivés à la gestion de la trésorerie des entreprises et à celle des portefeuilles consiste à assurer non seulement une meilleure protection contre le risque, mais aussi de meilleures combinaisons de risque et de rendement qui n'étaient pas disponibles sur le marché ou qui, lorsqu'elles existaient, étaient fort onéreuses.

16.1. POSITION DU PROBLÈME

Les trésoriers d'entreprises commerciales et industrielles, les investisseurs individuels et les institutions financières font face au risque du marché quant aux revenus qu'ils perçoivent et à leur fonds propres. La protection du revenu net et de la valeur nette peut prendre plusieurs formes, soit par la couverture ou *hedging*, soit par un procédé qui s'apparente à l'assurance, ou encore par la diversification. La protection contre le risque de taux d'intérêt sera d'autant plus efficace que ses caractéristiques sont bien établies, c'est-à-dire la nature de l'exposition à ce risque bien identifiée et son ampleur mesurée de façon précise, le tout couronné par l'utilisation des instruments financiers de protection les plus appropriés.

Le transfert du risque à une autre entité s'opère par le moyen de la couverture procurée par le marché à terme, qui consiste à protéger une position donnée de l'investisseur sur le marché au comptant contre une perte éventuelle tout en renonçant à la possibilité de réaliser des gains. Cette caractéristique importante distingue les marchés à terme de taux d'intérêt du marché des options. En adoptant sur le marché à terme des taux d'intérêt une position contraire à celle déjà détenue sur le marché au comptant, on neutralise les pertes subies sur ce dernier à la suite de variations défavorables de taux d'intérêt ou de prix tout en annulant l'espoir de plus-values correspondant à un contexte favorable de changement de taux d'intérêt ou de prix.

Le procédé de l'assurance illustré par un contrat d'option consiste à verser une prime pour se protéger contre une perte éventuelle lorsque se concrétise le risque en exerçant l'option. L'investisseur bénéficie de gains, si le risque ne se manifeste pas, en n'exerçant pas l'option. La possibilité de réaliser des gains distingue le contrat d'option de celui des marchés à terme de taux d'intérêt, où l'investisseur abandonne toute possibilité de profits.

L'objectif poursuivi dans ce chapitre consiste à expliquer et à comprendre les conséquences des différentes composantes du risque du marché sur le résultat net et sur la valeur nette, à savoir :

- le risque de taux d'intérêt;
- le risque de change;
- le risque-prix ou risque de négociation.

Les caractéristiques des instruments de mesure du risque sont analysées par la relation de l'écart de sensibilité et le concept de la durée. La mesure de la volatilité joue un rôle central dans la détermination du genre de produit dérivé susceptible d'assurer la meilleure gestion possible du risque de trésorerie ou de marché.

16.2. L'OBJECTIF ET LA CARACTÉRISTIQUE FONDAMENTALE DE LA COUVERTURE CONTRE LE RISQUE

Le gestionnaire doit être en mesure de reconnaître les différentes catégories de risque de trésorerie, afin d'utiliser la stratégie de couverture la plus efficace, y compris le choix du produit dérivé le plus approprié. Le gestionnaire doit savoir mesurer le risque, car c'est le degré ou l'importance de ce dernier qui justifie le recours à la couverture ou à son abandon. La gestion du risque de trésorerie présente des coûts et des avantages qu'il faut établir de façon précise avant toute décision de gestion dans ce domaine.

Les institutions financières et les bourses de marchés à terme et d'options de taux d'intérêt permettent aux entreprises et à tout autre agent économique de gérer le risque aussi bien sur le plan intérieur que sur le plan international.

L'objectif poursuivi par la gestion du risque de taux d'intérêt consiste:

- à protéger un résultat tel que le revenu net d'intérêt d'une institution financière;
- à protéger la valeur nette ou le capital d'une entreprise;
- à déterminer et à se garantir dès aujourd'hui le prix ou le taux d'intérêt qu'un investisseur voudrait spécifier pour une transaction future qu'il désire conclure dans un ou deux ans ou dans toute autre période future. On peut, par exemple, fixer d'avance le revenu d'un placement.

La couverture accorde une protection d'autant plus grande que la corrélation est forte entre l'évolution des prix des produits dérivés et celle des prix des instruments transigés au comptant ou pour toute autre transaction au comptant.

Les prix à terme des contrats à terme des obligations fédérales canadiennes évoluent de façon très étroite avec les prix des obligations au comptant du gouvernement fédéral. Les prix à terme des acceptations bancaires affichent une corrélation très forte avec ceux des bons du Trésor fédéral, quoique à un degré légèrement inférieur. Il s'agit en effet dans ce dernier cas d'une couverture dite croisée, car les instruments à terme (les contrats sur acceptations bancaires à terme) et les instruments au comptant (les bons du Trésor fédéral) ne sont pas de même nature. Par contre, les contrats à terme sur les obligations du gouvernement fédéral et les obligations au comptant des obligations du gouvernement fédéral sont de même nature.

Le principe fondamental de la couverture à l'aide du marché des produits dérivés consiste à y adopter une position contraire à celle que l'investisseur détient déjà sur le marché au comptant, de manière à neutraliser le risque auquel il s'expose sur ce dernier marché. Les flux monétaires du marché à terme de taux d'intérêt annulent, dans le cas d'une couverture parfaite, les flux monétaires défavorables du marché au comptant, et protègent de la sorte le capital ou le portefeuille d'obligations détenu sur ce marché.

16.3. QUELQUES EXEMPLES DE COUVERTURE PAR LES MARCHÉS À TERME DE TAUX D'INTÉRÊT

16.3.1. Les opérations de couverture par anticipation (*long hedge*)

L'investisseur Paul reçoit dans trois mois, soit le 30 septembre, 4 M$, et il ne détient aucune autre position sur le marché au comptant, c'est-à-dire qu'il ne possède pas dans son propre portefeuille (position au comptant) d'obligations du gouvernement fédéral canadien, par exemple. L'investisseur en question entend placer le montant de 4 M$ à recevoir le 30 septembre, dans des obligations du gouvernement fédéral, mais il redoute entre-temps une baisse des taux d'intérêt qui lui serait défavorable. En effet, une baisse des taux d'intérêt entraînerait une hausse du prix des obligations fédérales en septembre. Dans ce cas, l'investisseur Paul devra acheter ces obligations lors de la réception du montant de 4 M$ à un prix plus élevé que celui d'aujourd'hui ou à un taux d'intérêt plus faible. L'analyse de la couverture adéquate est faite, pour fins de simplification de calculs, en ignorant les coûts de transaction du contrat à terme ainsi que le coût d'opportunité de la marge que l'investisseur doit déposer pour ce genre de transaction. On fait aussi abstraction des ratios de couverture, des coefficients de corrélation des variations des prix au comptant et des prix à terme, des valeurs marchandes et des échéances respectives des instruments considérés.

La couverture consistera en l'achat de 40 contrats à terme d'une valeur nominale de 100 000$ chacun (contrats CGB) au 30 juin. Analysons la situation en date du 30 septembre à la lumière des données fournies dans le tableau suivant:

Prix par 100 $ de valeur nominale

	Marché au comptant	Marché à terme
30 juin	75,5	76,6
30 septembre	83,4	85,0
Variation	7,9	8,4

L'investisseur Paul prend les mesures suivantes le 30 septembre:

1. Il vend ses 40 contrats à terme CGB, afin de dénouer sa position sur le marché à terme, en réalisant un gain de:

   (85$ – 76,6$) (40 000$) =
   (8,4$) (40 000$) = 336 000$

   Notons que le gain est de 8,4$ par 100$, d'où la nécessité de diviser la valeur nominale de 4 M$ par 100 (= 40 000$).

2. Il reçoit les entrées de fonds attendues depuis 3 mois d'un montant de 4 M$ et achète au comptant 40 contrats d'obligations du gouvernement fédéral, à raison de 83,4$ par 100$ de valeur nominale, en réalisant une perte (par rapport au prix de 75,5$ prévalant le 30 juin) de:

   (83,4 – 75,5) (40 000$) = 316 000$

L'investisseur Paul s'est couvert contre le risque de taux d'intérêt (dans ce cas précis une baisse de taux ou une augmentation de prix). Il réalise un gain net de 20 000$, mais il aurait pu tout aussi bien faire une perte nette limitée. De toute façon, quel que soit le résultat net, soit une perte nette ou un gain net, il est relativement faible comparativement à la perte de 316 000$ que l'investisseur aurait subie s'il n'avait pas protégé par anticipation une position au comptant future. C'est la corrélation très forte entre l'évolution des prix au comptant et celle des prix à terme qui explique un gain ou une perte nette faible dans le cas d'une protection par les produits dérivés comme ceux des marchés à terme de taux d'intérêt.

16.3.2. Les opérations de protection à découvert (*short hedge*)

L'investisseur détient une position au comptant, à savoir qu'il possède un portefeuille d'obligations du gouvernement fédéral d'une valeur nominale de 10 M$. Il désire, pour l'instant, garder ses obligations, tout en étant conscient que son portefeuille est exposé au risque de taux d'intérêt représenté par une hausse des taux d'intérêt ou une baisse des prix.

L'investisseur choisit de se protéger pour deux mois, soit du 1er mars 2006 au 1er mai 2006, en vendant 100 contrats à terme d'obligations CGB soit 10 M$/100 000 $, le 1er mars 2006. L'investisseur doit dénouer sa position le 1er mai 2006 et vendre ses obligations au comptant. Il constate que les taux d'intérêt ont effectivement augmenté. Il effectue le 1er mai les deux opérations suivantes, à la lumière du tableau ci-dessous dressé le 1er mai 2006 :

Prix par 100 $ de valeur nominale

	Marché au comptant	Marché à terme
1er mars 2006	82,40	80,20
1er mai 2006	79,10	77,20
Variation	–3,30	–3,00

L'investisseur effectue les deux opérations suivantes le 1er mai 2006 :

1re opération : L'investisseur achète 100 contrats CGB sur le marché à terme de taux d'intérêt afin de dénouer sa position en réalisant un gain de :

$$(80{,}20 - 77{,}20)\ (100\,000\,\$) = \underline{\underline{300\,000}}\,\$$$

2e opération : L'investisseur vend les obligations détenues au comptant et enregistre une perte par rapport au prix du marché du 1er mars 2006 :

$$(82{,}40 - 79{,}10)\ (100\,000\,\$) = \underline{\underline{330\,000}}\,\$$$

Les deux exemples précédents de couverture par anticipation et de protection à découvert indiquent une couverture légèrement imparfaite (une perte nette de 30 000 $) par rapport aux pertes potentielles d'exposition au risque de taux d'intérêt.

La couverture n'est pas parfaite, que l'on enregistre un gain net de 20 000 $ dans l'exemple sous 16.3.1 ou une perte nette de 30 000 $ dans l'exemple sous 16.3.2, car la base s'est élargie dans le premier cas et s'est rétrécie dans le second. La base d'un contrat à terme est la différence entre le prix au comptant et le prix à terme à une date donnée. L'exemple donné ci-haut sur la protection à découvert indique que la base du contrat à terme se chiffrait, le 1er mars 2006, à 82,40$ – 80,20$ = +2,20$.

Au 1er mai 2006, la base de ce contrat s'élevait à 79,10$ – 77,20$ – 1,90$.

La base s'est effectivement rétrécie de 0,30$ (= 2,20$ – 1,90$) entre les dates du 1er mars et du 1er mai 2006, avec pour conséquence une protection imparfaite. La couverture eût été parfaite (aucune perte nette) si la base était restée la même aux deux dates spécifiées ci-dessus, c'est-à-dire inchangée au 1er mai 2006 comparativement au 1er mars. La base change lorsque les prix sur le marché au comptant et sur le marché à terme ne varient pas de la même façon entre deux dates. La variation de la base représente le risque de base.

Notons que les variations de la base sont en général moins prononcées que les variations des prix sur les marchés. Les variations de la base existent même si la corrélation entre prix au comptant et prix à terme est très forte en raison de variations de l'offre et de la demande (demande secondaire forte d'obligations canadiennes par les institutions financières japonaises, par exemple) ou encore en raison de distorsions sur le marché. Notons que dans de telles conditions d'anomalies de marché, les opérations de couverture peuvent neutraliser les risques du marché, à l'exclusion du risque de base.

16.3.3. La protection contre le risque de taux d'intérêt à l'aide d'une couverture croisée

Dans le cas d'une couverture croisée, les instruments de couverture utilisés sur le marché à terme comme, par exemple, les contrats à terme sur les acceptations bancaires (BAX) d'une échéance de trois mois, sont de nature différente de celle des instruments financiers formant la position au comptant comme, par exemple, les bons du Trésor du gouvernement fédéral. On utilise une couverture croisée, car il n'existe pas de contrats à terme sur les bons du Trésor canadiens pour se protéger par anticipation contre le risque de taux d'intérêt. En effet, un investisseur redoute une baisse des taux d'intérêt lorsqu'il s'attend à recevoir une certaine somme d'argent dans les prochains mois, avec pour objectif le placement de ces sommes dans des bons du Trésor. Des exemples sont utilisés ultérieurement pour illustrer ce genre de situation.

16.3.4. Remarque importante

Notons que les produits dérivés tels que les contrats à terme de taux d'intérêt sont utilisés aussi bien pour les fins de spéculation que pour les fins de protection contre le risque de taux d'intérêt. L'objectif consiste, dans ce dernier cas, à couvrir une position au comptant ou à stabiliser une marge bénéficiaire. La stratégie est celle de l'adoption d'une position sur le marché à terme opposée à celle qui existe sur le marché au comptant. Si le risque de taux d'intérêt se concrétise, le profit obtenu sur le marché à terme annulera en grande partie, sinon totalement, la perte subie sur le marché au comptant. Le spéculateur, par contre, utilise le marché à terme des taux d'intérêt afin d'accentuer son exposition au risque de taux d'intérêt dans le but de maximiser son profit ou son taux de rendement en fonction de ses prévisions de l'évolution des taux d'intérêt. Si les prévisions du spéculateur se concrétisent, il multiplie ses profits. Par contre, s'il se trompe quant aux variations futures des taux d'intérêt, il multiplie ses pertes. La multiplication des profits ou des pertes s'explique par le fait que le spéculateur adopte, sur le marché à terme, une position similaire à celle qu'il détient déjà sur le marché au comptant. Il en résulte que les flux monétaires obtenus sur les deux marchés au comptant et à terme varient dans le même sens, ce qui accroît d'autant plus les résultats positifs que les résultats négatifs selon que l'évolution des taux d'intérêt est respectivement favorable ou défavorable au spéculateur.

16.4. LES DIFFÉRENTES CATÉGORIES DE RISQUE DE TRÉSORERIE

Il a déjà été précisé que le risque de trésorerie comprenait le risque de taux d'intérêt, le risque de change et le risque-prix.

16.4.1. Le risque de taux d'intérêt

Le risque de taux d'intérêt résulte d'une variation inattendue du taux d'intérêt et de ses conséquences défavorables sur le bénéfice net et sur la valeur nette d'une société, car il affecte simultanément la valeur de ses actifs et celle de ses passifs.

16.4.2. Le risque de capital ou risque-prix

Certains gestionnaires mettent en évidence le risque de résultat ou risque de bénéfice net provenant du risque de taux d'intérêt, d'autres privilégient l'analyse du risque de capital ou risque-prix, tandis que les institutions financières analysent, calculent et publient l'impact du risque de taux d'intérêt à la fois sur le résultat net et sur la valeur nette.

Le risque-prix s'explique, par exemple, par les fluctuations de la valeur d'une obligation (ou, de façon plus générale, d'un instrument financier à revenu fixe) à la suite de variations du taux d'intérêt.

Supposons qu'un investisseur possède aujourd'hui un million de dollars qu'il projette de faire fructifier pendant une période de trois ans à l'issue de laquelle les sommes de principal et d'intérêt, accumulées à l'abri du risque du taux d'intérêt, seront affectées à l'agrandissement de son usine. L'objectif de l'investisseur est de protéger la valeur du montant final, au bout de trois ans, calculé dès aujourd'hui en fonction du taux de rendement exigé par le marché sur cette obligation.

La meilleure stratégie pour obtenir un montant final prédéterminé, au bout de trois ans, qui soit donc connu à l'avance, et ce, dès aujourd'hui, consiste à acquérir une obligation d'une durée de trois ans (dans un tel cas, l'échéance de l'obligation est supérieure à trois ans, sauf dans le cas particulier d'une obligation à coupon zéro). L'analyse du concept de la durée est effectuée à la section 16.5, qui traite de la mesure du risque. Cette stratégie est supérieure à celle d'acquisition de bons du Trésor, d'une échéance de trois mois, dont le taux est renouvelé et probablement modifié chaque trimestre jusqu'à la fin de l'horizon de trois ans. Ce dernier placement de l'investisseur est exposé au risque-revenu, car le taux d'intérêt peut changer à chaque échéance de trois mois.

La stratégie Horizon = Durée présente un avantage supplémentaire : elle est aussi supérieure à celle qui consiste à placer des fonds dans une obligation du gouvernement fédéral, d'une échéance de trois ans, exposée aussi au risque-revenu en raison de l'incertitude qui caractérise le taux de réinvestissement des coupons. La stratégie Horizon = Durée est garante d'une meilleure protection contre le risque-prix résultant d'une variation défavorable du taux d'intérêt comparativement à celle qui consisterait, par exemple, à acquérir une obligation de six ans d'échéance afin de la revendre dans trois ans, à la fin de la période d'investissement planifié. Le risque-prix correspond à la probabilité de perte en capital, d'autant plus élevée que l'augmentation du taux de rendement exigé est importante par rapport au taux de rendement promis le jour de son acquisition.

16.4.3. Le risque de change

Le risque de change découle de la variabilité du taux de change du dollar canadien pour un exportateur canadien qui a vendu du matériel à un client français pour 2 millions d'euros (règlement dans trois mois) au moment où le taux de change était de :

1 euro = 1,50 $CDA : soit l'équivalent de (2 000 000 euros)(1,50) = 3 000 000 $,
montant à recevoir par l'exportateur canadien selon le taux de :
1 euro = 1,50 $CDA, dans trois mois si le taux de change demeure inchangé.

Supposons que le dollar canadien s'apprécie d'ici le règlement du montant de 2 millions d'euros dans trois mois de la façon suivante :

1 euro = 1,40 $CDA

On constate le résultat suivant: (2 millions d'euros) (1,50 – 1,40) = 200 000 $: soit une perte de change de 200 000 $ que subit l'exportateur canadien.

16.4.4. Le risque-prix ou risque de négociation des marchandises

La valeur des opérations d'exploitation d'une entreprise peut être affectée de façon défavorable par le risque du prix des marchandises, de façon directe (les variations de prix des intrants de la production de l'entreprise) ou indirecte (l'augmentation du prix de l'essence pour une société qui transporte et livre les produits de l'entreprise). Les conséquences du risque-prix sont d'accroître les coûts d'exploitation.

16.5. LES INSTRUMENTS DE MESURE DU RISQUE

16.5.1. La durée

16.5.1.1. Calcul de la durée

L'investisseur qui désire établir le taux de variation du prix d'un actif donné, comme l'obligation, à la suite de variations de taux d'intérêt, peut recourir à la durée.

La durée mesure la vie moyenne d'une obligation. Elle mesure le temps nécessaire pour qu'un investisseur accumule une somme d'argent donnée dans *n* années en plaçant aujourd'hui la valeur actuelle de ce montant en fonction du taux de rendement du marché.

On calcule la durée d'une obligation en faisant la somme pondérée des échéances des différents flux monétaires (soit les intérêts et le principal). La pondération de chacune de ces échéances est la valeur actuelle du flux monétaire correspondant à chaque échéance en proportion du prix de l'obligation. La formule suivante est celle de la durée :

$$\text{DUR} = \frac{\sum_{t=1}^{n} \frac{\text{FM}_t}{(1+r)^t}(t)}{\sum_{t=1}^{n} \frac{\text{FM}_t}{(1+r)^t}} \qquad (16.1)$$

où :

FM_t = montant d'intérêt perçu au semestre t ou principal reçu à l'échéance ;

n = nombre de périodes considérées ;

r = taux de rendement à l'échéance de l'obligation ;

t = échéance d'un flux monétaire donné.

EXEMPLE

Calculer la durée de l'obligation A de deux ans d'échéance dont le taux de coupon est de 8 %, la valeur nominale de 1 000 $ et le taux de rendement exigé par le marché de 12 %. On fera, pour les fins de simplification, le calcul sur une base annuelle plutôt que semestrielle.

$$DUR = \frac{\frac{80}{1,12}(1)}{P_o} + \frac{\left(\frac{1\,080}{(1,12)^2}\right)(2)}{P_o}$$

$$= \frac{\frac{80}{1,12}(1) + \frac{1\,080}{(1,12)^2}(2)}{\frac{80}{1,12} + \frac{1\,080}{(1,12)^2}} = \frac{71,42 + 1\,721,94}{71,42 + 860,97}$$

$$= \frac{1\,793,36}{932,39} = 1,92 \text{ année}$$

L'obligation A d'une échéance de deux ans a une durée de 1,92 année. La durée est toujours inférieure à l'échéance, sauf pour les obligations à coupon zéro ou les titres à court terme vendus à escompte comme les bons du Trésor de six mois d'échéance, par exemple, où la durée est égale à l'échéance.

16.5.1.2. L'utilisation de la durée

La relation suivante indique que le taux de variation du prix d'une obligation varie, de façon approximative, proportionnellement à sa durée quand les taux d'intérêt varient :

$$\frac{\Delta P}{P} = -\left(\frac{D}{1+r}\right)(\Delta r) \qquad (16.2)$$

où :

P = valeur marchande de l'obligation ;

D = durée de l'obligation ;

ΔP = variation du prix de l'obligation en dollars à la suite d'une variation donnée du taux d'intérêt ;

Δr = variation du taux d'intérêt ;

$\frac{\Delta P}{P}$ = taux de variation du prix ou sa fluctuation ou volatilité.

EXEMPLE

Calculer le taux de variation en pourcentage, et ensuite en dollars de l'obligation A étudiée ci-haut dans le cas où les taux d'intérêt du marché, d'une part, augmentent à 14 % et, d'autre part, baissent à 9 %. Faire les mêmes calculs avec une durée de 4,5 années.

1. Cas où les taux augmentent de 12 à 14 %, donc de 2 %. Nous pouvons calculer rapidement, de façon approximative, le prix de l'obligation considérée ci-haut de durée égale à 1,92 année, soit de 932,39 $ au taux d'intérêt du marché de 12 %, et ensuite déterminer la variation de ce prix à la suite de la variation de 2 % du taux d'intérêt. D'où :

$$\frac{\Delta P}{P} = \left(\frac{-1,92}{1,12}\right) \times (2\,\%) = \underline{-3,428\,\%}$$

$$\text{et } \Delta P = (932,39\,\$)\,(-3,428\,\%) = \underline{-31,96\,\$}$$

Le taux de variation du prix est de –3,428 % et le prix baisse d'un montant de 31,96 $.

2. Les taux baissent de 12 % à 9 %, c'est-à-dire de 3 %.

$$\frac{\Delta P}{P} = \left(\frac{-1,92}{1,12}\right) \times (-3\,\%) = (-1,714)\,(-3\,\%) = \underline{5,14\,\%}$$

$$\Delta P = (932,39\,\$)\,(+5,14\,\%) = \underline{47,92\,\$}$$

Le taux de variation du prix est de 5,14% et le prix de l'obligation augmente de 47,92$.

3. Une durée de 2,5 années et des taux d'intérêt qui augmentent de 12% à 14% donnent le résultat suivant:

$$\frac{\Delta P}{P} = \left(\frac{-2,5}{1,12}\right) \times (2\%) = \underline{-4,464\,3\%}$$

$$\text{et } \Delta P = (932,39\$)(-4,464\,3\%) = \underline{-41,625\$}$$

4. Une durée de 2,5 années et des taux d'intérêt qui baissent de 12 à 9% donnent les résultats suivants:

$$\frac{\Delta P}{P} = \left(\frac{-2,5}{1,12}\right) \times (-3\%) = \underline{+6,696\%}$$

$$\text{et } \Delta P = (932,39\$)\ (6,696\%) = \underline{+62,43\$}$$

On constate que plus la durée est élevée, toutes choses égales, plus les fluctuations de prix ou la volatilité, c'est-à-dire le risque de l'obligation, sont grandes. la durée renseigne donc sur le risque d'une obligation.

Remarque:

Notons que lorsque les taux d'intérêt du marché varient, la durée de l'obligation change. Cependant, il n'en n'a pas été tenu compte ci-haut afin de simplifier les calculs.

16.5.1.3. La couverture d'une exposition au risque de taux d'intérêt par l'utilisation de la durée

La détermination du risque de la position adoptée sur le marché au comptant est établie à l'aide de la durée, qui permet de calculer la variation du prix d'une obligation à la suite d'un changement donné du taux d'intérêt. Considérons une obligation du gouvernement fédéral, détenue sur le marché au comptant, d'une durée de 7 années et dont le prix égale 106$ par 100$ de valeur nominale, et le taux de rendement du marché égal à 6%.

EXEMPLE

Supposons qu'une institution financière détienne 30 M$ de valeur nominale de cette obligation du gouvernement fédéral, dont la valeur marchande est de 32 M$. Supposons que cette institution financière prévoie correctement l'évolution des taux d'intérêt et qu'elle s'attende à une augmentation de 100 points de base d'ici trois mois. La variation prévue de la valeur marchande de la position au comptant est, conformément à la relation (16.2), approximativement de :

$$\Delta P \text{ en } \$ = (-D)(P)\left(\frac{\Delta r}{1+r}\right)$$

$$D\Delta \text{ en } \$ = (-7)\ (32)\left(\frac{1\,\%}{1{,}06}\right)$$

$$= -2\,113\,207\,\$ \text{ ou} - 2{,}11 \text{ M\$ approximativement}$$

L'institution financière en question va tenter de neutraliser, par le recours au marché à terme, la perte de 2,11 M$ qu'elle prévoit subir sur le marché au comptant,

$$\left[=\left(\frac{21\,132\,207\,\$}{30\,000\,000\,\$}\right)(100)\right] = 7{,}04\ \$$$

soit 7,04 $ par 100 $ de valeur nominale ou 7 044 $ par contrat à terme. La valeur marchande du contrat à terme (dont la valeur nominale est de 100 000 $) baisserait, dans le cas d'une augmentation de 100 PB des taux d'intérêt, de 106 000 $ à 98 956 $ (= 106 000 $ – 7 044 $).

Elle va couvrir son exposition au risque de taux d'intérêt en adoptant une position à découvert sur le marché à terme, contraire à celle détenue sur le marché au comptant.

Il s'agit de vendre 300 contrats à terme de valeur nominale de 100 000 $ chacun. En effet :

$$\frac{2\,113\,207\,\$}{98\,956\,\$ - 106\,000\,\$} = -300 \text{ contrats à terme de taux d'intérêt}$$

Le signe négatif indique bien que la couverture adéquate consiste à vendre 100 contrats à terme.

16.5.2. L'analyse de l'écart de sensibilité aux variations des taux d'intérêt

L'écart de sensibilité mesure l'impact du risque de taux d'intérêt sur les résultats financiers de l'entreprise. L'écart est calculé par la différence entre les actifs à taux variables et les passifs à taux variables sur un horizon donné, de un an par exemple.

On considère comme actifs ou passifs à taux variables, c'est-à-dire sensibles aux taux d'intérêt, ceux dont les taux d'intérêt sont renégociés ou renouvelés durant l'horizon choisi de un an dans notre exemple. L'écart de sensibilité devient :

$$\text{ÉCART} = \text{Actifs sensibles aux taux d'intérêt} - \text{Passifs sensibles aux taux d'intérêt}$$

$$\text{ÉCART} = \text{AST} - \text{PST} \quad (16.3)$$

EXEMPLE

Une banque dont les actifs sensibles aux taux d'intérêt s'élèvent à 12,65 G$ et dont les passifs sensibles aux taux d'intérêt se chiffrent à 10,15 G$, en considérant un horizon d'un an, a un écart de sensibilité de :

$$\text{ÉCART} = 12{,}65 - 10{,}15 = +2{,}5 \text{ G\$}$$

L'impact d'une augmentation des taux d'intérêt de 2 %, par exemple, à l'actif et au passif sur toute une année, sur le revenu net d'intérêt de cette banque (revenus créditeurs nets), est calculé de la façon suivante :

$$\Delta\text{RNI} = (\text{ÉCART})\ (\Delta r) \quad (16.4)$$

où :

ΔRNI = changement du revenu net d'intérêt en dollars ;

Δr = variation du taux d'intérêt ;

ΔRNI = (+2,5) (+2 %) = +0,05 G$ ou + 50 millions de $.

Il importe de noter que l'on a supposé que les taux d'intérêt augmentaient de 2 % aussi bien sur les actifs que sur les passifs sensibles aux taux d'intérêt durant l'année en question.

On constate que le revenu net d'intérêt s'accroît si l'écart de sensibilité est positif et que les taux d'intérêt augmentent, car cette banque a 2,5 G$ de plus d'actifs sensibles aux taux d'intérêt que de passifs sensibles aux taux d'intérêt. Les intérêts gagnés à l'actif augmentent d'un montant supérieur à l'accroissement des intérêts chargés au passif lorsque l'écart est positif et que les taux d'intérêt augmentent.

Le tableau suivant indique la relation et le signe entre le revenu net d'intérêt d'une part, et l'écart et une variation donnée du taux d'intérêt d'autre part, pour différentes possibilités d'écart de sensibilité et de taux d'intérêt :

(Écart)	·	(Variation du taux d'intérêt)	=	(Variation du revenu net d'intérêt)
(+)	·	(+)	=	(+)
(+)	·	(–)	=	(–)
(–)	·	(+)	=	(–)
(–)	·	(–)	=	(+)

RÉSUMÉ

Les produits dérivés que sont les options et les contrats à terme des taux d'intérêt permettent la modification de l'exposition au risque d'un actif. Ces instruments financiers modernes sont transigés en Bourse. Ils ont considérablement augmenté la flexibilité en matière de gestion du risque de portefeuille de titres, car la modification du risque se fait rapidement et à un coût modeste. Les gestionnaires d'une institution financière ou d'une entreprise industrielle ou commerciale doivent comprendre les conséquences des différentes composantes du risque du marché sur le résultat net et sur la valeur nette, à savoir :

- le risque de taux d'intérêt ;
- le risque de change ;
- le risque-prix des actions ou le risque de négociation des marchandises.

Tout investisseur devrait pouvoir reconnaître et mesurer les différentes catégories de risque de trésorerie afin de recourir, en connaissance de cause, à la stratégie de couverture la plus efficace.

Le gestionnaire ou l'investisseur qui utilise les produits dérivés poursuit les objectifs de protection de revenu net, de protection de la valeur nette ou du capital d'une entreprise ou désire aussi s'assurer, dès aujourd'hui, du prix ou du taux d'intérêt concernant une transaction future.

Les instruments de mesure du risque de taux d'intérêt sont nombreux. On peut citer la durée qui mesure la vie moyenne d'un instrument financier ou le temps nécessaire pour qu'un investisseur accumule une somme d'argent donnée dans n années en fonction du taux d'intérêt du marché. Par ailleurs, l'analyse de l'écart de sensibilité au taux d'intérêt permet de mesurer les conséquences du risque de taux d'intérêt sur les résultats de l'entreprise.

QUESTIONS

1. Pourquoi les trésoriers d'entreprises doivent-ils recourir aux produits dérivés ? Quel est l'objectif poursuivi ?
2. En quoi consiste une opération de couverture par anticipation ?
3. Décrire une opération de protection à découvert.
4. Expliquer les caractéristiques du risque de taux d'intérêt et du risque-prix.
5. Expliquer le concept de durée ainsi que son utilité pour couvrir une exposition au risque de taux d'intérêt.
6. Décrire l'écart de sensibilité au taux d'intérêt ainsi que l'importance qu'il représente dans la détermination de la variation du revenu net d'intérêt.

PROBLÈMES

1. LA DURÉE

La durée se distingue par le calcul de la variation approximative du prix d'une obligation consécutive à une modification donnée des taux d'intérêt. Considérons une institution financière qui détient pour 10 M$ de valeur nominale d'une obligation du gouvernement fédéral. La durée de cette obligation est de 5,4 années et son prix de 102, et le taux de rendement du marché, pour cette obligation est de 5,6 %. La valeur marchande de ces obligations est de 10,2 M$. Supposons que l'institution financière en question s'attende, avec une très forte probabilité, à une augmentation de 50 points de base des taux d'intérêt.

- **On demande** d'établir la stratégie que doit adopter cette institution financière en utilisant le marché à terme des taux d'intérêt, en précisant :

  a) la variation prévue de la valeur marchande de la position au comptant en obligations du gouvernement fédéral détenues par l'investisseur, pour un changement de 50 PB des taux d'intérêt;

b) le nombre de contrats à terme de taux d'intérêt requis pour couvrir l'exposition de l'institution financière au risque de taux d'intérêt.

- **Solutions suggérées :**

a) La valeur du portefeuille d'obligations que possède l'institution financière changera, pour une variation de +50 points de base, de :

$$\begin{aligned}\Delta P \text{ en } \$ &= (-D)(P)\left(\frac{\Delta r}{1+r}\right)\\ &= (-5{,}4)(10{,}2 \text{ M\$})\left(\frac{0{,}5\,\%}{1{,}056}\right)\\ &= -260\,800\,\$ = -0{,}2608 \text{ M\$}\end{aligned}$$

b) La perte d'un montant de 0,2608 M$ pour 10 M$ de valeur nominale correspond à 2 608 $ par 100 $ de valeur nominale ou 2 608 $ par contrat à terme de taux d'intérêt sur les obligations du gouvernement fédéral (dont la valeur nominale est de 100 000 $). La valeur marchande du contrat à terme passerait, dans le cas d'une hausse de taux d'intérêt de 50 PB, de 102 000 $ à 99 392 $. La couverture d'une position au comptant, comme celle que nous traitons dans ce problème, se fait à l'aide d'une opération de protection à découvert (*short hedge*) sur le marché à terme, dont la nature est contraire à la position que l'institution financière a sur le marché au comptant. La stratégie à suivre consiste à vendre le nombre suivant de contrats à terme :

$$\frac{260\,800\,\$}{99\,392\,\$ - 102\,000\,\$} = -100 \text{ contrats à terme de taux d'intérêt.}$$

Le signe négatif qui précède le nombre de contrats à terme signifie que la couverture qui convient au risque auquel est exposée l'institution financière est celle d'une vente de 100 contrats à terme.

2. LA BANQUE X

La Banque X présente le bilan simplifié de fin de période, en valeurs marchandes, qui suit :

(en G$)

Actif	Passif
A = 150	L = 135
	E = 15
150	150

où :

A = actif ;
L = passif ;
E = *equity* ou fonds propres.

Supposons que les taux d'intérêt augmentent de 10 à 12 %. La durée de l'actif est de 6 ans et celle du passif, de 4 ans.

■ **On demande :**

a) de calculer la variation des fonds propres en dollars et leur niveau après le changement de taux d'intérêt ;

b) de déterminer la variation de l'actif ainsi que le montant de l'actif total après le changement de taux d'intérêt ;

c) de calculer le niveau du passif à la suite des variations des taux d'intérêt et d'établir le nouveau bilan ;

d) de calculer le ratio de suffisance de capital (CA) avant et après le changement de taux d'intérêt ;

e) d'expliquer si la banque est devenue insolvable après le changement de taux d'intérêt ;

f) d'indiquer les stratégies susceptibles de neutraliser l'effet défavorable des variations de taux d'intérêt sur la valeur nette ou fonds propres ;

g) d'établir de quelle façon l'écart de sensibilité et la durée mesurent le risque de taux d'intérêt.

■ **Solutions suggérées :**

a) La détermination de la variation des fonds propres (ΔE) et de leur niveau après le changement des taux d'intérêt.

$$\Delta E = -\left[E_D\right]\frac{\left(\Delta_r\right)}{\left(1+r\right)}\left(A\right)$$

$$= -\left[6-3,6\right]\left(\frac{2\,\%}{1,10}\right)\left(150\right)$$

$$= -\,6,545\,4 \text{ G\$}$$

Le montant des fonds propres s'élève, après l'augmentation des taux d'intérêt, à :

$$E = 15 - 6,545\,4$$

$$= 8,454\,5 \text{ G\$}$$

b) Le calcul de la variation de l'actif (ΔA) et de son niveau après l'augmentation des taux d'intérêt.

$$\Delta A = (-D_A)\left(\frac{\Delta_r}{1+r}\right)(A)$$
$$= (-6)\left(\frac{2\,\%}{1{,}10}\right)(150)$$
$$= -16{,}363\,6 \text{ G\$}$$

L'actif total devient, après l'augmentation des taux d'intérêt, égal à :

$$A = 150 - 16{,}363\,6 = 133{,}636\,3 \text{ G\$}$$

c) Le nouveau montant du passif et nouveau bilan après le changement des taux d'intérêt.

$$\text{Passif ou } L = A - E$$
$$= 133{,}636\,3 - 8{,}454\,5$$
$$= 125{,}181\,8 \text{ G\$}$$

Bilan après la variation des taux d'intérêt (en G$) :

A= 133,636 3	L = 125,181 8 E = 8,454 5
133,636 3 $	133,636 3 $

d) Suffisance de capital (CA).

- Avant l'augmentation des taux d'intérêt :

$$CA = \frac{15}{150} = 10\,\%$$

- Après l'augmentation des taux d'intérêt :

$$CA = \frac{8{,}454\,5}{133{,}636\,3}$$
$$= 6{,}33\,\$$$

e) La Banque X est toujours solvable.

f) L'écart de durée (E_D) devrait tendre vers zéro de façon substantielle ou y être égal par les stratégies suivantes :

- réduire la durée de l'actif en abrégeant l'échéance des prêts accordés ;

- augmenter la durée du passif en allongeant l'échéance des dépôts, des certificats de dépôts et autres emprunts;
- augmenter le ratio d'endettement.

g) La mesure du risque de taux d'intérêt se fait de la façon suivante:

- par l'écart de la sensibilité:
  - qui utilise des valeurs aux livres,
  - qui mesure l'impact du risque de taux d'intérêt sur la rentabilité,
  - qui se limite à utiliser les actifs à taux sensibles et les passifs à taux sensibles et non la totalité du bilan.
- par la «durée»:
  - qui utilise des valeurs marchandes,
  - qui mesure l'impact du risque de taux d'intérêt sur la valeur nette de la banque,
  - qui considère et traite la totalité du bilan.

3. L'INVESTISSEUR PAUL

L'investisseur Paul possède, fin septembre 200X, un portefeuille d'obligations de 25 M$ qu'il ne peut vendre que dans deux mois. Il désire protéger son portefeuille contre le risque de taux d'intérêt d'ici le 30 novembre 200X. On vous fournit, dans le tableau suivant, les cotes du marché au comptant et du marché à terme de taux d'intérêt par 100 $ de valeur nominale:

	Marché au comptant	Marché à terme
30 septembre 200X	80	78
30 novembre 200X	76	73,7
Variation	4	4,3

On demande:

a) d'indiquer l'évolution des taux d'intérêt entre le 30 septembre et le 30 novembre 200X;

b) de préciser la stratégie que l'investisseur doit adopter sur le marché à terme afin de couvrir adéquatement son portefeuille d'obligations;

c) d'expliquer et de calculer les résultats obtenus sur le marché au comptant et sur le marché à terme;

d) d'expliquer le résultat net obtenu par l'investisseur ainsi que la raison de l'imperfection de la couverture effectuée par l'investisseur Paul.

■ **Solutions suggérées :**

a) Les taux ont augmenté, entraînant une baisse des prix des obligations gouvernementales.

b) La stratégie suivante sera adoptée :

La vente à découvert sur les marchés à terme de taux d'intérêt, soit :

$$\frac{25\,000\,000\,\$}{100\,000\,\$} = 250 \text{ contrats à terme}$$

c) Les résultats obtenus :

c.1 Sur le marché au comptant :

$$\text{Perte} = (76\,\$ - 80\,\$)\,(250\,000\,\$) = 1\,000\,000\,\$$$

c.2 Sur le marché à terme de taux d'intérêt :

$$\text{Gain} = (78\,\$ - 73{,}70\,\$)\,(250\,000\,\$) = 1\,075\,000\,\$$$

d) La protection est imparfaite en raison du risque de base. Ce dernier résulte d'une différence de variations de prix d'un marché à l'autre.

4. LE FONDS DE PENSION LE DYNAMIQUE

Le fonds de pension Le Dynamique s'attend aujourd'hui le 20 janvier à une entrée de fonds de 30 M$ pour le 25 mars. L'objectif de cette institution financière est de placer ces fonds dans des obligations gouvernementales fédérales ; cependant, elle redoute de subir de façon défavorable le risque de taux d'intérêt entre le 20 janvier et le 25 mars et désire protéger le rendement de ses obligations au niveau d'aujourd'hui. Le tableau suivant fournit des informations sur l'évolution du marché au comptant et du marché à terme des taux d'intérêt entre les deux dates mentionnées ci-haut par 100 $ de valeur nominale :

	Marché au comptant	Marché à terme
20 janvier 200X	85	86
25 mars 200X	91,5	91
Variation	6,5	6

■ **On demande :**

a) de préciser, à la lumière du tableau ci-haut, l'évolution des taux d'intérêt entre le 20 janvier et le 25 mars 200X ;

b) d'expliquer la stratégie que le fonds de pension doit suivre pour stabiliser le taux de rendement sur obligations conformément au taux d'intérêt actuel et de déterminer par conséquent les transactions qu'il doit effectuer sur le marché à terme le 20 janvier;

c) d'expliquer les opérations que le fonds de pension exécutera le 25 mars sur les marchés au comptant et à terme ainsi que les résultats respectifs obtenus de même que le résultat net;

d) de déterminer le nombre de contrats à terme qui aurait dû être transigé le 20 janvier afin de se retrouver avec une couverture parfaite. Expliquer pourquoi le nombre de contrats à terme achetés en janvier aurait dû être ajusté pour obtenir une protection parfaite;

e) d'expliquer, dans le cas où les taux d'intérêt auraient évolué favorablement, si le fonds de pension aurait dû regretter d'avoir utilisé la couverture procurée par le marché à terme.

■ **Solutions suggérées:**

a) L'augmentation des prix des obligations gouvernementales indique une baisse de leur taux de rendement, c'est-à-dire une baisse des taux d'intérêt sur le marché.

b) Une stratégie de couverture par anticipation permet de neutraliser le risque de taux d'intérêt. Il s'agit d'acheter 300 contrats à terme de taux d'intérêt le 20 janvier:

$$\frac{30\ 000\ 000\,\$}{100\ 000\,\$} = 300 \text{ contrats à terme}$$

c) Les résultats obtenus le 25 mars:

c.1 Sur le marché au comptant:

Perte = (85 $ –91,50 $) (300 000 $)
= 1 950 000 $

c.2 Sur le marché à terme de taux d'intérêt:

Gain = (91 $ – 86 $) (300 000 $)
= 1 500 000 $

c.3 Perte nette:

= 1 950 000 $ – 1 500 000 $
= 450 000 $

d) Nombre de contrats requis pour une protection optimale :

$$(N\,F)(\Delta F) = (N\,S)(\Delta S)$$

$$N\,F = \frac{(N\,S)(\Delta S)}{\Delta F}$$

$$N\,F = \left[(300)(6,5)\right]/5$$

$$= 390 \text{ contrats}$$

En effet :

Gain = (390 000 $) (91 $ – 86 $)
= 1 950 000 $

La perte d'un montant de 1 950 000 $ sur le marché au comptant est ainsi totalement annulée.

e) L'objectif du fonds de pension « Le Dynamique » est de se protéger contre le risque de taux d'intérêt et non de spéculer. Il ne doit donc pas regretter de recourir à la couverture du marché à terme si l'évolution des taux d'intérêt devait, par la suite, lui être favorable.

5. LE FONDS COMMUN DE PLACEMENTS L'EXCELLENCE

Le fonds commun de placements L'Excellence possède des obligations dont la valeur nominale est de 20 M$. Ce fonds veut protéger son portefeuille d'obligations entre aujourd'hui le 20 juin et le 30 juillet 200X contre des variations imprévues de taux d'intérêt. Son courtier lui recommande d'utiliser le marché des options sur contrats à terme de taux d'intérêt et lui fournit les chiffres suivants pour l'aider dans sa décision de couverture :

	22 juin 200X	31 juillet 200X
Obligations 200Y	97,00 $	94,50 $
Prix de l'option de vente sur 200Y	260,00 $	630,00 $
Portefeuille à couvrir	20 000 000,00 $	

L'option de vente est créée sur une obligation de valeur nominale de 25 000 $ avec un taux de coupon de 7 % d'échéance 200Y.

- **On demande :**

a) d'expliquer la stratégie de protection contre le risque de taux d'intérêt que devrait adopter l'investisseur en utilisant le marché des options et de déterminer le nombre d'options nécessaires à cette protection ainsi que le coût d'achat de ces options ;

b) de déterminer les résultats obtenus par l'investisseur sur son portefeuille d'obligations et sur le marché des options le 30 juillet 200X, et de donner votre appréciation sur le résultat final de l'opération de couverture;

c) de proposer les mesures susceptibles d'assurer une meilleure protection que celle fournie sous b);

- **Solutions suggérées:**

a) Le risque de taux d'intérêt pour le fonds commun de placements L'Excellence est celui d'une augmentation des taux d'intérêt ou d'une baisse des prix. La stratégie à suivre est celle de l'achat d'options de vente sur des contrats à terme de taux d'intérêt, soit:

$$\frac{20\,000\,000\,\$}{25\,000\,\$} = \text{800 contrats d'options de vente achetés sur des contrats à terme de taux d'intérêt.}$$

b) Les résultats obtenus au 30 juillet:

b.1 Sur le marché des options:

$$\text{Gain} = (630\,\$ - 260\,\$)\left(\frac{20\,000\,000\,\$}{25\,000\,\$}\right)$$
$$= 296\,000\,\$$$

b.2 Sur le marché au comptant:

Perte $= (97\,\$ - 94{,}50\,\$)\ (200\,000\,\$)$
$= 500\,000\,\$$

b.3 Perte nette:

$= 500\,000\,\$ - 296\,000\,\$$
$= 204\,000\,\$$

Une perte nette relativement élevée requiert l'amélioration de la stratégie de couverture adoptée.

c) Mesures additionnelles requises pour une meilleure protection contre le risque de taux d'intérêt, à l'aide du ratio de couverture.

Le ratio de couverture est égal à:

$$\frac{630 / 25\,000\,\$ / 100}{260 / 25\,000\,\$ / 100} = \frac{2{,}52}{1{,}04}$$
$$= 1{,}69$$

D'où la protection optimale contre le risque de taux d'intérêt consiste à acheter un plus grand nombre d'options de vente sur contrats à terme de taux d'intérêt pour un total de:

(800) (1,69) = 1 352 de contrats d'options de vente à acheter.

En effet:

Gain = (630 $ – 260 $) (1 352)
= 500 240 $

Ce dernier montant neutralise la perte de 500 000 $ encourue sur le marché au comptant.

Les instruments financiers modernes hors cote de protection contre le risque de taux d'intérêt

Le chapitre précédent a traité des contrats à terme financiers négociés en Bourse. D'autres marchés de protection contre l'exposition au risque de taux d'intérêt sont hors cote, c'est-à-dire qu'ils font l'objet de transactions ailleurs que sur les marchés organisés que sont les Bourses. Quatre types d'instruments financiers font l'objet de ce chapitre, à savoir :

- les contrats *swaps* ou d'échange de taux d'intérêt ;
- les contrats à terme de taux d'intérêt de gré à gré ;
- les plafonds ou *caps* de taux d'intérêt ;
- les *swaptions* ou options sur les contrats de *swaps* de taux d'intérêt.

17.1. LA COUVERTURE PAR LES *SWAPS* OU ÉCHANGES DE TAUX D'INTÉRÊT SUR LES MARCHÉS HORS COTE

17.1.1. L'économie du *swap*

Un contrat de *swap* ou d'échange de taux d'intérêt consiste en un échange de versements de taux d'intérêt entre deux entités. Chaque partie demeure totalement responsable du principal et du service de la dette correspondante. Une partie B prend en charge le versement d'un taux fixe en cédant l'obligation du versement d'un taux variable à la partie A. Cette dernière s'engage à assurer, dans le cadre du contrat *swap*, le versement à taux variable et cède l'obligation du versement à taux fixe à la partie A.

Un *swap* de taux d'intérêt modifie la nature du bilan en changeant les caractéristiques des flux monétaires d'intérêt sur dettes, afin d'assurer un meilleur appariement entre actifs et passifs.

Les avantages que retirent les deux parties contractantes (deux entreprises ou une entreprise et une banque) sont nombreux :

- une réduction du coût du financement ;
- une protection contre l'exposition au risque de taux d'intérêt ;
- un accès plus facile aux marchés nationaux et internationaux de capitaux ;
- la réduction ou l'extension d'échéances de dette ;
- la modification du risque d'une transaction ;
- l'amélioration du taux de rendement ;
- la modification de la sensibilité des actifs au taux d'intérêt ;
- la gestion des actifs et des passifs ;
- l'assurance de coûts de financement stables pour l'avenir.

Pour les investisseurs institutionnels comme les sociétés d'assurance, les fiducies et les fonds de pension, le *swap* de taux d'intérêt est un moyen rapide de modifier la nature des actifs et des passifs, à l'aide d'échanges d'obligations financières entre les deux parties contractantes, sans que le bilan en tant que tel soit modifié dans aucune de ses parties.

Un contrat d'échange de taux d'intérêt peut s'étendre sur 15 ans. C'est un ensemble de contrats à terme qui présentent des avantages souvent supérieurs à ceux des options et des contrats à terme transigés en Bourse et de ceux négociés de gré à gré analysés dans la section suivante. En effet :

- Les échéances d'un *swap* de taux d'intérêt sont plus longues.
- Les transactions de *swap* de taux d'intérêt sont plus efficaces, car une seule transaction sur *swap* donne les mêmes résultats qu'un ensemble de transactions sur contrat à terme, par exemple.
- Les contrats de *swap* de taux d'intérêt sont plus liquides et se caractérisent par une plus grande flexibilité qu'un ensemble de contrats à terme de taux d'intérêt de gré à gré, même si ces derniers peuvent produire les mêmes caractéristiques de risque-rendement.

L'analyse de l'exposition au risque de taux d'intérêt du bilan simplifié d'une banque commerciale X permet de décrire la nature d'un contrat de *swap* de taux d'intérêt.

Bilan simplifié – Banque X, fin 200X (en M$)

Actif à taux variables (ATV)	50 $	Passif à taux variables (PTV)	75 $
Actif à taux fixes (ATF)	145	Passif à taux fixes (PTF)	100
		Fonds propres	20
Actif total	195 $	Passif et fonds propres	195 $

La banque X a un écart de sensibilité négatif de:

$$\text{ÉCART} = 50 - 75 = -25 \text{ M\$}$$

Elle est donc exposée au risque d'augmentation de taux d'intérêt qui a pour conséquence, lorsqu'il se concrétise par une même augmentation du taux d'intérêt à l'actif et au passif à taux variables, d'entraîner un accroissement des coûts de financement du passif à taux variables supérieur à l'accroissement des revenus à taux variables à l'actif. Un contrat de taux d'intérêt entre la banque X et une société d'assurance Y, par exemple, est établi afin de neutraliser les conséquences défavorables sur la rentabilité dues à un écart négatif dans le cas d'une augmentation des taux d'intérêt.

L'écart de 25 M$ est le capital dit notionnel de référence du contrat de *swap* de taux d'intérêt:

- La banque X versera un taux d'intérêt fixe sur ce capital notionnel de 25 M$ à la société d'assurance Y.
- La banque X recevra un taux d'intérêt variable sur ce capital notionnel de 25 M$ de la part de la société d'assurance Y.

La banque X a ainsi créé, sans aucune modification du bilan, à l'aide de ce *swap* de taux d'intérêt, une sorte d'actif fictif à taux variable de 25 M$ destiné à neutraliser l'écart négatif initial du même montant.

La banque X s'est créé, en contrepartie, un passif fictif de 25 M$ de longue échéance.

La situation nouvelle créée par le *swap* de taux d'intérêt entraîne une modification fictive du profil du bilan de la banque X. Les caractéristiques du bilan sont modifiées :

- comme si l'actif à taux variable avait augmenté de 25 M$;
- comme si le passif à taux fixe avait augmenté de 25 M$.

Le bilan de la banque X se caractérise par la situation fictive suivante :

Situation fictive du bilan de la banque X, fin 200X

ATV	75 M$	PTV	75 M$
ATF	145 M$	PTF	125 M$
		Fonds propres	20 M$
	220 M$		220 M$

Le *swap* de taux d'intérêt ne constitue pas une activité du bilan. Il ne figure pas au bilan en tant que tel. Il est classé parmi les activités hors bilan.

17.1.2. Un exemple simplifié de *swap* de taux d'intérêt

Considérons les bilans de deux sociétés, A et B, dont les expositions au risque de taux d'intérêt sont de sens opposés. Précisons que la société B a une cote de crédit BB, tandis que celle de la société A est de AA.

Structures simplifiées des bilans des deux sociétés A et B fin 200X

AST : 100 M$ (actif sensible aux taux)	100 M$ obligations à 5 ans à 10,8 %	AIT : 100 M$ (actif insensible aux taux)	Dette à court terme : 100 M$ LIBOR + 75 PB

Les deux sociétés A et B font face au risque de taux d'intérêt, et ce, dans le cas où les taux d'intérêt baissent de façon imprévue pour la société A, résultant en une baisse des revenus de l'actif, et dans le cas où les taux augmentent de façon imprévue pour la société B, avec pour conséquence une augmentation des coûts de financement.

La banque Banco prépare un accord de *swap* qui porte sur un montant de 100 M$ et dont les clauses principales sont les suivantes :

1. La société B, qui recherchait un financement à taux fixe pour éliminer son risque de taux d'intérêt, verse à la banque 11 % comme taux fixe annuel sur cinq ans. Un financement par émission d'obligations sur les marchés financiers lui aurait coûté 12 % étant donné sa cote de crédit insuffisante (BB).
2. La société A verse à la banque le taux d'intérêt à court terme LIBOR au lieu de payer le LIBOR + 25 PB si elle s'adressait directement au marché monétaire pour éliminer son risque de taux d'intérêt.
3. La banque verse un taux d'intérêt annuel fixe de 10,9 % à la société A et le LIBOR à la société B ; elle garde donc par-devers elle 0,01 % ou 10 points de base comme commission de rémunération.

Les conséquences de l'accord *swap* de taux d'intérêt sont les suivantes :

1. Pour la société B :

– Elle verse 11 % de taux fixe (au lieu de 12 % si elle devait émettre des obligations à long terme sur le marché) et économise ainsi : 12 % – 11 % = 1 %	100 PB
– Elle verse le LIBOR + 75 PB mais ne reçoit que LIBOR de la part de la société A, donc un désavantage de :	– 75 PB
Économie totale :	+ 25 PB

2. Pour la société A :

– Elle verse 10,8 % sur son obligation à long terme de 5 ans et reçoit 10,9 % de la banque. Elle réalise donc un gain de :	+ 10 PB
– Elle verse seulement le LIBOR lorsqu'elle aurait dû verser le LIBOR + 25 PB sur le marché monétaire pour se protéger contre le risque de taux d'intérêt, donc un gain de :	+ 25 PB
Économie totale :	35 PB

3. La banque reçoit une rémunération de 11 % – 10,9 % = 0,1 % ou 10 PB — 10 PB

L'économie totale réalisée est de :

$$25 + 35 + 10 = 70 \text{ PB annuellement,}$$
$$\text{soit } (100 \text{ M\$})\ (0{,}7\ \%) = 0{,}7 \text{ M\$ ou } 700\,000\,\$ \text{ par année.}$$

dont :

1. 250 000 $ économisés par B, (= 100 M$) (0,25 %)
2. 350 000 $ économisés par A, (= 100 M$) (0,35 %)
3. et une commission de 100 000 $ pour la banque, (= 100 M$) (0,1 %)

Le *swap* de taux d'intérêt présente ainsi deux avantages considérables, à savoir :

1. la protection contre le risque de taux d'intérêt,
2. des réductions ou économies de coût de financement appréciables aux parties contractantes.

Notons que l'économie totale de 0,7 %, réalisée par l'accord de *swap*, est calculée par l'écart entre la différence des taux longs (12 % – 10,8 %) et la différence des taux courts :

$$(12\ \% - 10{,}8\ \%) - [(\text{LIBOR} + 0{,}75) - (\text{LIBOR} + 0{,}25)] =$$
$$12\ \% - 10{,}8\ \% - 0{,}75 + 0{,}25 = 1{,}2\ \% - 0{,}50\ \% = 0{,}7\ \% \text{ ou } 70 \text{ PB}$$

17.2. LES CONTRATS À TERME DE TAUX D'INTÉRÊT DE GRÉ À GRÉ (*FORWARD RATE AGREEMENTS* OU FRA)

17.2.1. Objectif

Il s'agit de protéger une partie signataire du FRA contre une augmentation des taux d'intérêt et l'autre partie contre une baisse des taux d'intérêt. L'emprunteur achète un FRA pour se prémunir contre une hausse des taux d'intérêt, tandis que le prêteur vend un FRA pour se couvrir contre une baisse des taux d'intérêt.

Un contrat FRA stabilise le coût de financement de l'emprunteur de même qu'il stabilise le taux de rendement d'un gestionnaire de portefeuille qui dispose de liquidités excessives pour une certaine période.

Un contrat à terme de gré à gré est un contrat non négociable auquel il ne peut être mis un terme avant l'échéance. Le coût de l'emprunt d'une entreprise qui acquiert le FRA est fixé pour une période déterminée. Ce coût ne peut être modifié pour faire bénéficier l'entreprise d'une éventuelle baisse de taux.

Un FRA ne stipule pas d'échange de capital ou de montant notionnel. Ce dernier sert de référence pour la couverture et pour le calcul des versements éventuels des différences de taux d'intérêt.

Le FRA se distingue par des échéances d'un mois, trois mois, six mois et un an. L'échéance est le temps couvert par le contrat et se situe entre deux dates futures. Le règlement s'effectue, en général, au début de la période couverte par le contrat nécessitant la détermination de la valeur actuelle du montant du règlement.

Le montant du règlement de différence de taux d'intérêt varie donc quelque peu avec la date du règlement. Si le règlement s'effectue à la fin de la période couverte par le FRA, c'est le montant de différence d'intérêt en tant que tel qui est versé. Par contre, si le règlement intervient en début de période, c'est la valeur actuelle de la différence d'intérêt qui fait l'objet du règlement.

Notons que si la différence de taux d'intérêt est négative, l'acquéreur du FRA doit verser le montant de différence d'intérêt au vendeur du FRA. Par ailleurs, si cette différence est positive, c'est le vendeur du FRA qui doit la verser à l'acheteur du FRA.

17.2.2. Les conditions d'un FRA entre une entreprise (acheteuse du FRA) et une banque (vendeuse du FRA)

1. Supposons qu'au moment du règlement du contrat, le taux de rendement ou d'intérêt du marché (r_m) excède le taux maximal (r_{maxi}) ou taux plafond fixé par contrat :

   $$r_m > r_{maxi}$$

   Le FRA stipule que la banque versera à l'entreprise le montant correspondant à l'excédent d'intérêt.

2. Si par contre :

   $$r_m < r_{maxi}$$

   c'est l'entreprise qui doit rembourser la différence d'intérêt.

   La détermination du montant d'intérêt à payer ou à recevoir est égale à :

   $$\frac{\left(r_m - r_{maxi}\right)\ \left(n/365\right)\ \text{VN}}{1+\left[r_m\left(n/365\right)\right]}$$

où :

- VN = valeur nominale ou notionnelle du FRA ;
- le numérateur = soit le montant d'intérêt que l'entreprise recevrait si les taux d'intérêt excédaient le taux plafond, soit le montant d'intérêt que l'entreprise verserait si les taux d'intérêt se situaient en dessous du taux plafond au début de la période couverte par l'accord FRA. Le montant d'intérêt en question doit être actualisé selon le nombre de jours sur lequel s'étend la période du FRA.

17.2.3. Exemple

L'entreprise signe aujourd'hui 30 mars un FRA de 11 %, s'assurant ainsi d'un plafond en matière de coût de financement d'un emprunt de 20 M$ contracté pour la période qui s'étend du 30 juin au 30 septembre.

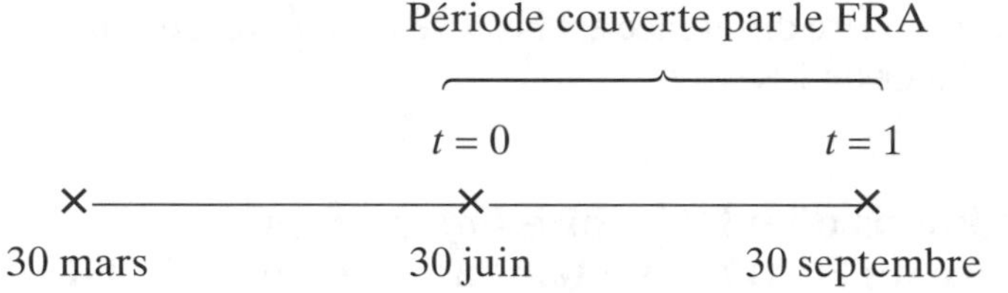

Les termes du FRA précisent qu'à la date du 30 juin :

a) soit la banque versera à son client toute différence d'intérêt correspondant à l'écart entre le taux au comptant supérieur à 11 % et 11 %, qui est le taux maximal, ou plafond de coût de financement ;

b) soit l'entreprise (le client) versera à la banque toute différence entre le taux plafond de 11 % et le taux au comptant, s'il est inférieur à 11 %.

Considérons deux situations différentes de taux d'intérêt au comptant le 30 juin prochain :

a) Le taux du marché est de 12,5 %, soit 1,50 % de plus que le taux plafond de 11 %.

Rappelons que la valeur nominale du FRA, c'est-à-dire du contrat à terme de taux d'intérêt de gré à gré, est de 20 M$.

Il est évident que l'entreprise bénéficie, dans ce cas, de la différence de 1,5 % entre le taux au comptant et le taux du contrat à terme et qu'elle reçoit, par conséquent, le montant suivant :

$$= \frac{(0,125-0,11) \times \frac{91}{365} \times 20\,000\,000}{1+\left[0,125 \times \frac{91}{365}\right]}$$

$$= \frac{74\,794,52\,\$}{1,031\,164\,3} = 72\,534,05\,\$ \text{ en valeur actuelle au 30 juin.}$$

b) Le taux du marché est de 9 %, soit inférieur de 2 % au taux plafond de 11 %.

L'entreprise verse à la banque le montant suivant :

$$= \frac{(0,09-0,11) \times \frac{91}{365} \times 20\,000\,000}{1+\left[0,09 \times \frac{91}{365}\right]}$$

$$= \frac{-99\,726,03}{1,022\,438\,3} = -97\,537,45\,\$ \text{ en valeur actuelle au 30 juin.}$$

17.2.4. Remarque

L'entreprise aurait pu vendre des contrats à terme BAX sur acceptations bancaires plutôt que de contracter un FRA avec une banque. L'entreprise se serait engagée dans une opération de couverture par anticipation conclue en date du 30 mars pour les fins de l'opération d'emprunt, prévue entre le 30 juin et le 30 septembre. Les contrats BAX présentent plusieurs avantages dont celui d'être négociables, mais aussi l'inconvénient d'être normalisés. Par contre, les FRA sont préparés et taillés sur mesure mais ne sont pas négociables, c'est-à-dire qu'ils ne peuvent généralement être revendus avant l'échéance. Notons que l'objectif de l'entreprise, en contractant un FRA, consiste à stabiliser son coût de financement conformément à une couverture complète du risque de taux d'intérêt pour une courte période de temps, comme trois mois par exemple.

On peut aussi utiliser une série de FRA de trois mois chacun pour s'assurer une couverture plus longue d'une année ou plus au-delà de la période actuelle. Un ensemble de FRA constitue une couverture qui s'apparente à celle d'un *swap* de taux d'intérêt.

17.3. LES *CAPS* OU PLAFONDS DE TAUX D'INTÉRÊT

Le *cap* est une option d'achat qui peut être utilisée par l'acquéreur pour fixer une valeur maximale à un taux d'emprunt à taux variable. Le coût de financement est ainsi plafonné au taux d'intérêt d'exercice fixé par contrat. Le vendeur du *cap*, une institution financière par exemple, accepte de fixer une limite supérieure au taux variable facturé sur le prêt accordé et reçoit en contrepartie la prime du *cap*.

Le taux de référence du marché est le LIBOR et le taux préférentiel aux États-Unis et le taux des acceptations bancaires (BA) et le taux préférentiel au Canada. L'entreprise qui détient le *cap* exerce son option d'achat si le taux de référence excède le taux d'intérêt d'exercice afin que son coût de financement soit ramené ou ajusté au *cap*.

Le contrat d'un *cap* comprend les rubriques suivantes :

- le taux d'intérêt d'exercice : 7 % par exemple ;
- l'échéance du contrat : 5 ans ;
- le taux de référence : LIBOR semestriel ;
- la fréquence de renégociation du taux d'intérêt (trimestriellement ou semestriellement) ;
- la prime du *cap* ;
- la structure de l'actif ou du passif faisant l'objet de la couverture : capital remboursé à l'échéance ou réglé sous une forme amortie à intervalles réguliers ;
- la date initiale de mise en vigueur du contrat : soit 3 mois ou 6 mois après la signature de l'accord au temps $t = 0$.

Si l'échéance du contrat *cap* est de cinq ans et que les taux sont renégociés chaque trimestre, il y aura 19 *caplets* ou 19 périodes ou trimestres sur lesquels s'étendent ces options d'achat. Le premier *caplet* s'étend sur trois mois et débute dans trois mois après la date de signature du contrat.

EXEMPLE

La société Brabant inc. achète, le 1er avril, un *cap* dont le taux d'exercice est égal à 9 %, l'échéance étant d'un an, la date de renégociation du taux d'intérêt s'effectuant chaque trimestre et la prime à payer s'élevant à 0,15 %. Le plafond effectif de taux d'intérêt pour Brabant, y compris la prime de l'option de *cap*, devient :

$$9 + 0,15\,\% = 9,15\,\%$$

Supposons que le montant emprunté par Brabant inc. soit de 2 000 000 $ à 7,5 % pour 3 mois. Brabant reçoit donc comme emprunt le montant escompté suivant :

$$2\,000\,000\,\$\left[\frac{1}{1+0,075 \times \dfrac{91}{365}}\right] = 1\,963\,289,18\,\$$$

Le montant de l'intérêt versé par Brabant se chiffre donc à :

$$2\,000\,000\,\$ - 1\,963\,289,18\,\$ = 36\,710,82\,\$$$

Supposons que r_m (taux d'intérêt du marché) augmente à 11 % le 1er juillet, et ce, pour une échéance de trois mois. Comme le taux du marché excède le taux d'exercice du *cap* de 9 % et atteint 11 % le 1er juillet, Brabant inc. recevra une compensation pour le trimestre qui s'étend du 1er juillet au 30 septembre.

L'intérêt payé au taux de 11 % au 1er juillet par Brabant inc. s'élève à :

$$2\,000\,000\,\$ - 2\,000\,000\,\$\left[\frac{1}{1+0,11 \times \dfrac{91}{365}}\right]$$
$$= 2\,000\,000\,\$ - 1\,946\,614,75\,\$ = 53\,385,25\,\$$$

La société Brabant inc. exercera son *cap* le 1er octobre, puisque trois mois auparavant, soit le 1er juillet, elle a emprunté à 11 %, c'est-à-dire à un taux supérieur au taux d'exercice du *cap* de 9 %.

L'exercice du *cap* se traduit par l'avantage financier suivant pour Brabant inc. :

$$2\,000\,000\,\$\,(0,11-0,09)\times\frac{91}{365} = 9\,972,60\,\$$$

Le montant net d'intérêt versé par Brabant inc., pour le trimestre qui s'étend du mois de juillet à septembre, s'élève donc à :

$$53\,385{,}25 - 9\,972{,}60 = 43\,412{,}65\,\$$$

Le coût net du financement exprimé en pourcentage, abstraction faite de la prime du *cap*, s'établit, pour la deuxième période d'emprunt, à :

$$\frac{43\,412{,}65}{2\,000\,000} \times \frac{365}{91} \times 100 = 8{,}71\,\%$$

Or, le taux d'intérêt d'exercice du *cap* est de 9 %. L'exercice du *cap* a bien maintenu 9 % comme limite maximale au coût du financement.

Remarques :

1. Les utilisateurs du *cap* sont :

   a) Les emprunteurs à taux variable qui achètent un *cap* pour se protéger d'une augmentation importante du taux d'intérêt tout en tirant profit (net de la prime du *cap*) d'une éventuelle baisse des taux d'intérêt.

   b) Les investisseurs à taux variable qui vendent un *cap*, afin de recevoir une prime ; ils abandonnent alors une partie de l'accroissement éventuel de leur taux de rendement afin de bénéficier de cette prime. Le taux effectif de rendement de l'investisseur s'améliore en recevant la prime mentionnée, et ce, aux niveaux de taux d'intérêt inférieurs à la somme du taux d'intérêt d'exercice et de la prime du *cap*.

2. L'évaluation du *cap* :

   Le *cap* est constitué d'une série d'options de taux d'intérêt. La valeur marchande du *cap* est ainsi égale à la somme de la valeur des options individuelles ou *caplets*. Si un *cap* de cinq ans n'est plus d'aucune utilité pour son détenteur, après deux ans il peut être vendu. Une baisse de la valeur marchande du *cap* a pour résultat soit une valeur inférieure à son coût initial, soit une valeur nulle. Le *caplet* est une option d'achat européenne qui ne peut être exercée qu'à sa date d'expiration, mais peut être cependant transigée sur le marché secondaire avant sa date d'échéance. Notons que l'option est établie en fonction du taux à terme f_n (taux d'intérêt futur court) plutôt qu'en fonction du taux courant du marché r_m. Si l'on considère σ_n comme mesure de la variation du taux f_n, on peut utiliser, pour un *cap* de fréquence de renégociation t du taux d'intérêt, la relation de Black et Scholes afin de déterminer le prix du *caplet*.

17.4. LES *SWAPTIONS*

Les *swaptions* sont des options sur des *swaps* de taux d'intérêt. L'acheteur d'une *swaption* verse une prime et bénéficie en contrepartie du droit (sans cependant être contraint à aucune obligation) de participer à un *swap* de taux d'intérêt donné à l'expiration de l'option. À ce moment-là, l'acheteur de la *swaption* est confronté à l'une des deux situations suivantes avec les conséquences correspondantes:

1. Si les conditions d'un nouveau *swap* sont, à l'expiration de la *swaption*, moins coûteuses que celles qu'offrirait l'exercice de la *swaption*, cette dernière n'a plus de valeur pour l'acheteur d'une *swaption* payeuse, qui n'a alors qu'à contracter et participer à un nouveau *swap* plus favorable.
2. Par contre, l'acheteur de la *swaption* exerce son option au taux fixé à l'avance si le taux d'intérêt du marché est plus élevé que celui de la *swaption* Il s'agit toujours de l'acquéreur d'une *swaption* payeuse.

Notons que les termes «payeuse» et «receveuse», utilisés dans le cadre de la *swaption,* correspondent à des flux monétaires fixes. L'acquéreur d'une *swaption* payeuse bénéficie du droit de verser un taux fixe selon le taux d'exercice et de recevoir des taux variables.

L'acquéreur d'une *swaption* receveuse bénéficie du droit de recevoir un versement fixe d'intérêt selon le taux d'exercice et de verser des taux variables.

Le vendeur d'une *swaption* payeuse a l'obligation de recevoir des versements fixes et de transmettre des versements à taux variables, tandis que le vendeur d'une *swaption* receveuse a l'obligation de faire des versements à taux fixes et de recevoir des paiements à taux variables.

Le détenteur d'une *swaption* payeuse exercera son option à l'endroit du vendeur de la *swaption* si les taux d'intérêt augmentent, tandis que le détenteur d'une *swaption* receveuse exercera son option si les taux d'intérêt diminuent. La perte du détenteur d'une *swaption* se limite à la prime payée, tandis que la perte d'un vendeur de *swaption* est, en principe, illimitée.

RÉSUMÉ

Les instruments financiers de protection contre le risque de taux d'intérêt font aussi l'objet de transactions hors cote qui s'ajoutent à celles négociées en Bourse. On peut citer les transactions suivantes qui se transigent ailleurs que sur les marchés organisés que sont les Bourses:

- les contrats d'échange de taux d'intérêt ou *swaps,* qui consistent en un échange de versements de taux d'intérêt entre deux entités afin de modifier la nature du bilan par la modification des caractéristiques de ces flux monétaires d'intérêt sur dettes. Il en résulte un meilleur appariement entre actifs et passifs ;
- les contrats à terme de taux d'intérêt de gré à gré dont l'objet est de protéger une des deux entités signataires du contrat contre une augmentation des taux d'intérêt et l'autre partie contre une baisse des taux d'intérêt. Il en résulte une stabilisation du coût de financement pour les parties contractantes. Ce contrat financier de gré à gré ne bénéficie pas de la même souplesse que celle qui caractérise les contrats à terme financiers boursiers, mais il présente l'avantage d'être taillé sur mesure selon les besoins spécifiques du client ;
- le *cap* ou plafond de taux d'intérêt, qui est une option d'achat que l'acquéreur utilise dans le but de fixer une valeur maximale à un taux d'emprunt à taux variable. Les institutions financières vendent des *caps*, acceptant ainsi de fixer une limite supérieure au taux variable facturé sur le prêt accordé. Elle reçoit en contrepartie la prime de l'option que constitue le *cap* ;
- les *swaptions,* qui sont des options sur des *swaps* de taux d'intérêt. Comme dans le cas de toute option le détenteur de la *swaption* aura versé une prime afin d'obtenir le droit de participer à un *swap* de taux d'intérêt. L'acheteur de la *swaption* exercera cette option si le taux d'intérêt du marché s'élève au-dessus de celui de la *swaption*.

QUESTIONS

1. Comparer les instruments financiers de protection contre le risque de taux d'intérêt transigés en Bourse à ceux hors cote.
2. Définir la nature d'un *swap* de taux d'intérêt ainsi que les avantages qu'il présente aux parties contractantes.
3. En quoi consiste un contrat à terme de taux d'intérêt (FRA) et quelles sont ses caractéristiques particulières ?
4. Expliquer l'économie d'un *cap* et ce qui différencie cette option d'un FRA.

PROBLÈMES

1. LES SOCIÉTÉS NORTEX ET BROMONT

Les deux sociétés Nortex et Bromont se distinguent par les deux bilans simplifiés suivants :

Nortex – Bilan fin 200X				Bromont – Bilan fin 200X			
ATV	400 M$	PTV	100 M$	ATV	100 M$	PTV	400 M$
ATF	60 M$	PTF	270 M$	ATF	400 M$	PTF	20 M$
		AA	90 M$			AA	80 M$
	460 M$		460 M$		500 M$		500 M$

L'horizon considéré pour les éléments du bilan à taux variable est d'un an. La dette à long terme de la société Nortex a une échéance de sept ans au taux de coupon de 10 % tandis que la société Bromont a une dette à taux variable dont le taux est le LIBOR + 90 PB.

Si la société Nortex, dont la cote de crédit est excellente, se finançait à taux variable, elle paierait le LIBOR + 25 PB, tandis que Bromont se financerait à long terme à 12,1 % (la cote de crédit de la société Bromont est moyenne).

■ **On demande :**

a) de calculer les conséquences d'une augmentation du taux d'intérêt de 1,5 % (à l'actif et au passif) sur le revenu net de chaque société, respectivement, et d'expliquer ces résultats ;

b) de calculer les effets d'une baisse du taux d'intérêt de 1 % (à l'actif et au passif) sur le revenu net de chaque société, respectivement, et d'expliquer ces résultats.

La Banque République qui finance habituellement les deux sociétés mentionnées, est mise sous contrat par ces dernières afin de résoudre le problème de l'exposition au risque de taux d'intérêt illustré par les réponses aux questions a) et b) ci-dessus.

La Banque République propose aux deux sociétés déjà citées un contrat d'échange (*swap*) de taux d'intérêt qui est le suivant :

- la société Nortex verserait le LIBOR + 10 PB à la société Bromont sur cinq ans ;
- la société Bromont verserait un taux fixe de 10,60 % à la Banque République sur cinq ans ;
- la Banque République verserait un taux fixe de 10,50 % à la société Nortex sur cinq ans.

- **On demande :**

c) de préciser les avantages d'un tel contrat de *swap* de taux d'intérêt pour les deux sociétés citées ;

d) de calculer en points de base et en dollars l'économie du coût du financement pour Nortex et Bromont ainsi que la rémunération de la Banque République ;

e) de faire la preuve que vos calculs d'économie de coûts de financement et de rémunération bancaire sont corrects ;

f) d'expliquer en quoi consiste le risque de crédit pour une banque en matière de *swaps* de taux d'intérêt et des mesures prises par les institutions financières pour limiter ce risque avec un client en particulier ainsi que globalement.

- **Solutions suggérées :**

a) Les conséquences d'une augmentation des taux d'intérêt

a.1 Nortex

La variation du revenu net d'intérêt sur un horizon de un an résultant de l'exposition de Nortex au risque de taux d'intérêt est la suivante :

$$\begin{aligned}\Delta \text{RNI} &= (\text{écart de sensibillité})(\Delta i\,\%)\\ &= (\text{E})(\Delta i)\\ &= (400-100)(1{,}5\,\%)\\ &= +4{,}50\ M\$\end{aligned}$$

Lorsque l'écart de sensibilité est positif en raison d'actifs à taux variables (ATV) supérieurs aux passifs à taux variables (PTV), et que les taux d'intérêt augmentent sur les ATV et sur les PTV, approximativement de la même façon, le revenu net d'intérêt (RNI) augmente. En effet, les revenus sur les ATV augmentent plus que les coûts sur les PTV dans un tel cas.

a.2 Bromont

$$\begin{aligned}\Delta \text{RNI} &= (100\,\$-400\,\$)(1{,}5\,\%)\\ &= -4{,}5\ \text{M\$}\end{aligned}$$

Comme les ATV sont inférieurs aux PTV et que les taux d'intérêt augmentent, la rentabilité (revenu net d'intérêt) diminue.

b) Les effets d'une baisse des taux d'intérêt

b.1 Nortex

$$\begin{aligned}\Delta \text{RNI} &= (400\,\$-100\,\$)(-1\,\%)\\ &= -3\ \text{M\$}\end{aligned}$$

Comme ATV > PTV et que les taux d'intérêt diminuent, le revenu net d'intérêt diminue.

b.2 Bromont

$$\Delta \text{RNI} = (100\,\$ - 400\,\$)(-1\,\%)$$
$$= +3 \text{ M\$}$$

Comme ATV < PVT, c'est-à-dire que l'écart de sensibilité est négatif, et que les taux d'intérêt diminuent, le revenu net d'intérêt augmente.

c) L'avantage d'un contrat *swap* ou d'échange de taux d'intérêt est double :

- une protection contre le risque de taux d'intérêt ;
- une réduction du coût de financement.

d) Le calcul de l'économie du coût du financement

d.1 Nortex :

– Verse 10 % sur sa dette à long terme et reçoit 10,5 % fixe :	+ 50 PB
– Verse le LIBOR + 10 PB au lieu du LIBOR + 25 PB :	+ 15 PB
Total des avantages	= + 65 PB

d.2 Bromont

– Verse 10,6 % fixe au lieu de 12,1 % :	+ 150 PB
– Verse le LIBOR + 90 PB et reçoit le LIBOR + 10 PB	– 80 PB
Total des avantages	= + 70 PB

d.3 La Banque République :

Verse 10,5 % et reçoit 10,6 % : + 10 PB

L'économie totale de coût de financement de cette opération de *swap* de taux d'intérêt s'élève à 65 + 70 + 10 = 145 PB.

e) La preuve

L'économie totale de taux d'intérêt est égale à la différence entre taux longs moins la différence entre taux courts, soit :

$$= (12{,}1\,\% - 10\,\%) - \left[(\text{LIBOR} + 90\text{ PB}) - (\text{LIBOR} + 25\text{ PB})\right]$$
$$= 210\text{ PB} - 65\text{ PB} = 145\text{ PB}$$

f) Le risque de crédit résultant d'un échange de taux d'intérêt

Le risque de crédit d'un contrat de *swap* ou d'échange de taux d'intérêt est limité pour deux raisons :

- Ce risque se mesure et se limite à la seule différence des taux d'intérêt puisque l'échange entre parties contractantes se limite aux seuls flux d'intérêt, à l'exclusion de leurs dettes respectives.

- L'institution financière qui prépare le dit contrat fait une sélection rigoureuse des participants à un contrat de *swap* ou d'échange de taux d'intérêt.

Notons que sur un autre plan, l'institution financière ne doit pas être globalement exposée sur l'ensemble des contrats *swap* ou d'échange de taux d'intérêt préparés par elle-même et en cours d'exécution. Si une exposition nette au risque de taux d'intérêt apparaît à un moment donné, l'institution financière doit la couvrir à l'aide de produits dérivés, comme les contrats à terme de taux d'intérêt, par exemple.

2. LA SOCIÉTÉ KAFKAN ET LE FRA

La société Kafkan (une multinationale) s'entend, aujourd'hui le 30 juin, avec sa banque sur les termes suivants d'un FRA de 3 mois d'échéance :

- le début de la période couverte par le FRA se situe au 30 septembre ;
- le taux plafond est égale à 10 % ;
- la valeur nominale du FRA est de 500 M$.

On considère deux scénarios :

1. le taux d'intérêt du marché s'élève à 8,5 % ;
2. le taux d'intérêt du marché s'établit à 12 %.

▪ On demande :

a) d'expliquer le principe du FRA et de déterminer le montant de différence de taux d'intérêt à verser ou à recevoir par la société Kafkan selon les deux situations de taux d'intérêt indiquées ci-haut à deux dates précises :
   - au 31 décembre,
   - au 30 septembre ;

b) de préciser en quoi consistent les différences entre un FRA et un contrat à terme de taux d'intérêt transigé en Bourse.

▪ Solutions suggérées :

a) On peut représenter graphiquement de la façon suivante les dates importantes qui caractérisent le FRA contracté par la société Kafkan :

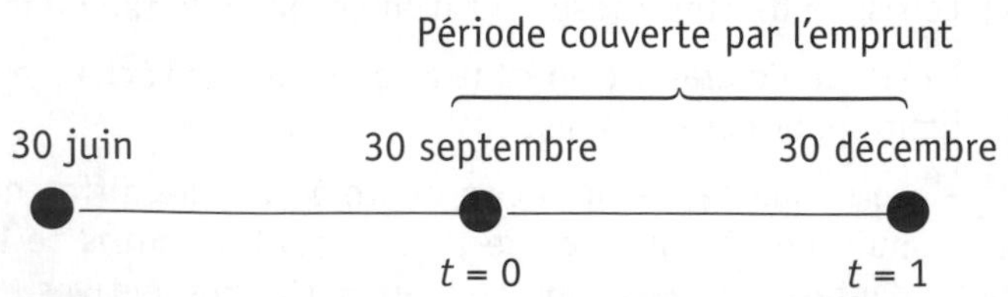

Période couverte par l'emprunt

30 juin — 30 septembre ($t = 0$) — 30 décembre ($t = 1$)

Considérons les deux situations possibles de taux d'intérêt sur le marché au début de la période couverte par le FRA.

a.1. Le taux d'intérêt du marché (r_m) s'élève à 8,5 %, c'est-à-dire qu'il est inférieur au taux plafond (r_{maxi}) de 10 %. La société Kafkan doit dans ce cas verser à la banque, en vertu du FRA, le montant suivant basé sur la valeur nominale (VN) de 500 M$ du FRA :

$$\frac{(r_m - r_{maxi})(n / 365)(VN)}{1+\left[(r_m)(n / 365)\right]}$$

Le numérateur représente le montant d'intérêt que l'entreprise doit verser à sa banque au début de la période couverte par le FRA, soit au 30 septembre, puisque le taux du marché de 8,5 % est inférieur au taux plafond de 10 %. Si le règlement que la société Kafkan doit faire est exécuté à la fin de la période du FRA, soit le 31 décembre, le numérateur de la formule ci-haut représente, en soi, le montant de la différence d'intérêt à payer. Si, par contre, le règlement de différence de taux d'intérêt intervient en début de période, soit le 30 septembre, c'est la valeur actuelle de cette différence d'intérêt qui devient l'objet du règlement. Le dénominateur de la relation ci-haut permet d'effectuer l'opération d'actualisation.

a.1.1. Le montant d'intérêt à payer au 31 décembre s'élève à :

$$(8{,}5\,\% - 10\,\%)(92/365)(500\text{ M\$}) = 1{,}890\ 4\text{ M\$}$$

Comme la différence de taux d'intérêt est négative, l'acquéreur du FRA, soit la société Kafkan, doit verser le montant de cette différence d'intérêt de 1,8094 M$ à la banque qui participe au FRA.

a.1.2. Le montant d'intérêt à payer au 30 septembre s'élève à :

$$= \frac{-1{,}890\ 4\text{ M\$}}{1+\left[(0{,}085)\cdot 92 / 365\right]}$$

$$= \frac{-1{,}890\ 4\text{ M\$}}{1{,}021\ 425}$$

$$= -1{,}850\ 7\text{ M\$}$$

a.2. Le taux du marché (r_m) est de 12 $, soit supérieur au taux plafond (r_{maxi}) de 10 % au 30 septembre, c'est-à-dire au début de la période couverte par le FRA.

Dans ce cas, la banque doit compenser la société Kafkan.

a.2.1. Le montant d'intérêt à verser au 31 décembre s'élève à :

$$(12\,\% - 10\,\%)\cdot(92/365)\cdot 500\text{ M\$} = 2{,}530\ 548\text{ M\$}$$

Ce montant positif indique que c'est le vendeur du FRA, soit la banque, qui doit verser cette différence d'intérêt à la société Kafkan.

a.2.2. Le montant d'intérêt à verser au 30 septembre sera de :

$$\frac{2,520548 \text{ M\$}}{1+\left[(0,12)(92/365)\right]} = 2,446\,548 \text{ M\$}$$

b) Les différences entre un FRA et un contrat à terme de taux d'intérêt transigé en Bourse.

b.1. Un contrat à terme de taux d'intérêt transigé en Bourse présente les caractéristiques suivantes, qui sont les plus importantes :

- Il nécessite de débourser des fonds de la part du client si les taux d'intérêt évoluent de façon défavorable (les appels de marge du courtier).
- Il offre une grande flexibilité, car il permet de se défaire de ce contrat en adoptant tout simplement une position contraire sur le marché à terme.

b.2. Un contrat à terme de taux d'intérêt de gré à gré, hors cote, le FRA, présente les caractéristiques importantes suivantes :

- C'est un contrat taillé sur mesure selon les besoins spécifiques, ce qui n'est pas toujours le cas des contrats à terme normalisés.
- Il ne nécessite pas de déboursés de la part du client en cas de fluctuations défavorables du taux d'intérêt.
- C'est un contrat rigide jusqu'à l'échéance, car le client ne peut, en principe, s'en défaire avant cette date.

3. LA SOCIÉTÉ BONCAP INC.

La société Boncap inc. acquiert le 1er juillet un *cap* d'une échéance de un an dont le taux d'exercice est de 10 %. La renégociation de ce *cap* se fait trimestriellement. La prime à verser pour l'option du *cap* s'élève à 0,14 %. La société Boncap inc. emprunte 10 M$ à 8,75 % pour un terme renouvelable de 3 mois.

Supposons qu'au 1er octobre, le taux d'intérêt du marché, d'une échéance de 3 mois, atteigne 11,5 %.

- **On demande :**

a) de calculer le montant de l'emprunt escompté reçu par la société Boncap le 1er juillet d'une part, et le montant de l'intérêt versé par cette société d'autre part, et ce pour le 1er juillet. Rendre le calcul compatible avec la situation qui prévaut le 1er octobre ;

b) d'expliquer la décision que prendra la société Boncap quant à exercer ou non le *cap*, le 1er janvier suivant, ainsi que les résultats financiers éventuels correspondants ;

c) de faire la preuve qu'en tout état de cause, le coût net de financement exprimé en pourcentage n'excédera pas le taux d'exercice, pour le trimestre qui s'étend du 1er octobre au 1er janvier;

d) de préciser en quoi consiste un *cap* et quels sont les agents économiques qui utilisent le *cap* et d'expliquer pourquoi.

- **Solutions suggérées:**

a) Le montant de l'emprunt escompté reçu par la société Boncap est de:

$$10\ 000\ 000\,\$\left[\frac{1}{1+0{,}0875\left(\frac{91}{365}\right)}\right]=9\ 786\ 506{,}68\,\$$$

L'intérêt versé par cette société pour les trois premiers mois est de:

$$10\ 000\ 000\,\$-9\ 786\ 506{,}68\,\$=213\ 493{,}32\,\$$$

Le montant de l'intérêt payé par Boncap le 1er octobre est de:

$$10\ 000\ 000\,\$-10\ 000\ 000\left[\frac{1}{1+0{,}115\left(\frac{91}{365}\right)}\right]$$

$$=10\ 000\ 000-9\ 721\ 279\,\$=278\ 721\,\$$$

b) La société Boncap exercera son *cap* le 1er janvier qui suit, car elle a emprunté le 1er octobre à 11,5 %, c'est-à-dire à un taux supérieur au taux d'exercice du *cap* de 10 %.

L'exercice du *cap* se traduit par le résultat favorable suivant pour la société Boncap:

$$10\ 000\ 000\,(0{,}115-0{,}10)\left(\frac{91}{365}\right)=37\ 397{,}26\,\$$$

c) Le montant net d'intérêt payé par Boncap inc. pour le trimestre qui s'étend du mois d'octobre à décembre est donc égal à:

$$278\ 721\,\$ - 37\ 397{,}26\,\$ = 241\ 323{,}74\,\$$$

Le coût du financement en pourcentage pour la deuxième période d'emprunt, abstraction faite de la prime du *cap,* s'élève à:

$$\frac{241\ 323{,}74\,\$}{10\ 000\ 000\,\$}\left(\frac{365}{91}\right)100=9{,}68\,\%$$

L'exercice du *cap* permet de maintenir le coût de financement en dessous de la limite maximale de ce coût, représentée par le taux d'exercice du *cap* de 10 %.

Les relations de l'équilibre du marché international des capitaux

Le taux de change exprime le prix d'une devise par rapport à une autre, c'est-à-dire son prix relatif. Le marché international des devises est un vaste marché géré surtout par de grandes banques internationales à l'abri, dans une large mesure, des réglementations nationales. Ce marché d'une grande liquidité est très efficient, et ce, depuis bien avant l'avènement de la mondialisation. L'arbitrage est plutôt limité, s'il existe parfois de façon furtive. Plusieurs relations importantes expliquent les règles d'équilibre du marché international des capitaux. Nous retiendrons six relations importantes, à savoir:

- la théorie monétaire de l'inflation;
- l'effet Fisher domestique;
- la parité des taux d'intérêt;
- la parité des pouvoirs d'achat;
- la relation internationale de Fisher;
- La parité des taux de change à terme.

Ces relations permettent de mieux comprendre les facteurs qui affectent le taux de change d'une devise. Le gestionnaire financier peut analyser de façon plus judicieuse les causes du risque de change dont il tente de limiter les effets défavorables sur la rentabilité de l'entreprise, d'une part, et sur sa valeur nette, d'autre part. L'exposition au risque de change résulte des transactions du bilan consistant à placer des fonds à l'étranger sous différentes formes d'actifs financiers, à faire des investissements directs dans des entreprises non résidentes et à contracter des dettes sous différentes formes de titres. Il faut ajouter qu'une banque est aussi exposée au risque de change par ses activités hors bilan. Le risque de change s'est accru depuis le début des années 1970, quand le système d'étalon change-or de règlements des paiements internationaux, caractérisé par des parités fixes légèrement ajustables, s'est effondré. Le système de taux de change flexibles qui lui a succédé et qui dure toujours se distingue par une volatilité plus grande des taux de change et donc un risque de change plus élevé.

Les différents régimes de taux de change en place successivement depuis les années 1930 seront aussi analysés dans ce chapitre :

- le régime de l'étalon-or,
- le régime de l'étalon change-or,
- le régime des taux de change flexibles.

18.1. LA THÉORIE MONÉTAIRE DE L'INFLATION

L'économiste américain Milton Friedman est l'un des auteurs qui ont le plus contribué à mettre en évidence la relation entre le taux d'accroissement de l'offre monétaire par rapport au taux d'accroissement du produit national brut (PNB) comparé au taux d'inflation. Un taux d'accroissement de la masse monétaire supérieur au taux d'accroissement de la production se traduit, à partir d'une position d'équilibre initiale, par l'inflation des prix. En paraphrasant une formule bien connue, on peut dire que lorsque trop de monnaie est à la recherche de trop peu de biens, l'on a une illustration de la théorie monétaire de l'inflation. Milton Friedman a démontré, à l'aide d'études empiriques portant sur une très longue période aux États-Unis, la pertinence de cette théorie que l'on exprime de façon lapidaire par la relation suivante :

$$\text{Taux d'inflation d'un pays donné} = \text{Taux de croissance de la masse monétaire} - \text{Taux de croissance du PNB}$$

La théorie de Friedman inspire depuis près d'un demi-siècle la conception de la politique de biens de banques centrales soucieuses d'assurer par l'équilibre monétaire une inflation faible, condition indispensable d'une croissance économique durable.

La théorie de l'inflation fait bien ressortir la contribution des prévisions d'inflation à la formation des taux de change. Nous verrons dans les sections qui suivent en quoi les prévisions d'inflation jouent un rôle central dans deux relations importantes qui expliquent l'équilibre du marché international des capitaux. On retrouve les prévisions d'inflation comme variable déterminante de la fixation des taux de change, d'une part dans la signification des relations de parité de taux d'intérêt et, d'autre part, dans celle de la parité des pouvoirs d'achat. Une création monétaire excessive donne lieu à des liquidités abondantes dans l'économie, à des investissements excessifs (*overcapitalization*) et à l'inflation. Les prévisions d'inflation affectent donc les taux de change. C'est pour cette raison que même si le volume des transactions de change des banques centrales est plutôt limité par rapport au total, l'analyse du comportement de ces dernières et la prévision de changements de politique monétaire qu'en font les marchés financiers contribuent à la variation des taux de change.

18.2. L'EFFET FISHER INTÉRIEUR

L'économiste Irving Fisher a établi la relation qui existe dans un pays donné entre, d'une part, le taux réel d'intérêt et le taux d'inflation prévu et, d'autre part, le taux nominal d'intérêt, qui est le taux affiché dans les institutions financières et observé dans les pages financières des quotidiens et des revues économiques. La signification de la relation de Fisher est double:

- Les prêteurs tentent de préserver la valeur réelle de leurs placements en exigeant un taux d'intérêt réel minimum, qui constitue une contrainte qu'il faut respecter. Un taux réel en deçà du minimum requis par l'épargnant décourage la formation de l'épargne et encourage la consommation immédiate au détriment de la consommation future, avec pour résultat une offre insuffisante d'épargne et les conséquences défavorables qu'elle entraîne sur le niveau du crédit et sur celui des investissements, de la production et de l'emploi.
- Les prévisions d'inflation sont intégrées aux taux nominaux d'intérêt du marché. Les prêteurs exigent une compensation pour l'inflation attendue, afin de préserver non seulement la valeur réelle de leurs placements mais aussi la valeur de leur rendement. Ils protègent ainsi le pouvoir d'achat de leur avoir contre une détérioration par l'inflation future. La relation intérieure de Fisher est présentée de façon approximative par la relation suivante:

$$\text{Taux nominal d'intérêt} = \text{Taux de rendement réel} + \text{Taux d'inflation attendu}$$

$$k = r_r + i_a \tag{18.1}$$

La relation intérieure de Fisher est aussi illustrée de façon formelle et plus précise comme suit :

$$(1 + k) = (1 + r_r)\,(1 + i_a) \tag{18.2}$$

EXEMPLE

Considérons le cas où l'épargnant moyen exige 4 % de taux de rendement réel sur son placement de cinq ans d'échéance et que les conjoncturistes prévoient 4 % comme taux d'inflation annuel moyen pour les cinq prochaines années. Quel serait le taux nominal d'intérêt minimum auquel s'attend l'épargnant moyen ?

$$\begin{aligned} \text{Posons : } (1 + k) &= (1 + 0{,}04)\,(1 + 0{,}04) \\ k &= 1{,}081\,6 - 1 \\ &= 0{,}081\,6 \text{ ou } 8{,}16\,\% \end{aligned}$$

Le taux nominal de 8,16 % assure à l'épargnant, en présence d'un taux d'inflation annuel futur de 4 %, le taux de rendement réel de 4 %, garant de la protection de la valeur réelle de son placement.

Il faut tenir compte de l'impôt sur le revenu d'intérêt de l'épargnant pour obtenir un paysage complet de la relation intérieure de Fisher. L'impôt sur le revenu prélève une partie du rendement obtenu par l'épargnant. Le taux de rendement nominal doit donc être calculé avant impôt afin d'assurer à l'épargnant le taux de rendement réel de 4 % :

$$1 + k\left(1 - t\right) = \left(1 + r_r\right)\left(1 + i_a\right) \tag{18.3}$$

Supposons que le taux d'impôt t sur le revenu d'intérêt soit égal à 40 %. On obtient le taux nominal avant impôt qui suit :

$$\begin{aligned} 1 + k\left(1 - 0{,}40\right) &= \left(1{,}04\right)\left(1{,}04\right) \\ k\left(1 - 0{,}40\right) &= \left(1{,}081\,6\right) - 1 \\ k &= \frac{\left(1{,}081\,6\right) - 1}{1 - 0{,}40} \\ k &= 0{,}136\,0 \text{ ou } 13{,}60\,\% \end{aligned}$$

La présence de l'impôt augmente de façon sensible le taux nominal ou courant d'intérêt dans une économie. On peut constater qu'un accroissement du taux de l'impôt est en soi inflationniste. En effet, supposons que, toutes choses égales, le taux d'impôt soi porté à 50 % et déterminons le résultat correspondant en terme de taux nominal d'intérêt :

$$k = \frac{1{,}081\,6 - 1}{0{,}50}$$

$$0{,}163\,2 \text{ ou } 16{,}32\,\%$$

Le taux nominal exigé pour s'assurer d'un taux de rendement réel de 4 % passe de 13,60 % à 16,32 % en raison d'une hausse du taux d'impôt de 40 % à 50 %. Or, le taux d'intérêt est le prix d'un bien d'une grande importance et son augmentation contribue, toutes choses égales, à l'accroissement de l'inflation intérieure.

18.3. LA PARITÉ DES TAUX D'INTÉRÊT

L'égalisation des taux de rendement nominaux sur titres entre différents pays, compte tenu de leurs risques respectifs, met en évidence le théorème de la parité des taux d'intérêt que l'on peut illustrer de la façon suivante :

La prime ou escompte à terme = Différence des taux d'intérêt entre pays

En d'autres termes, la différence entre taux de change à terme et taux de change au comptant devrait être à peu près égale à la différence des taux d'intérêt de deux pays. Supposons que les taux d'intérêt en Australie (r_e) soient de 6 % et au Canada (r_d), de 8 %, sachant que le taux de change au comptant (S_o) aujourd'hui soit de 1,15 \$A (dollar australien) par \$CA (dollar canadien). On détermine le taux de change à terme sur un horizon d'un an de la façon suivante :

$$\frac{F_o}{S_o} = \frac{\text{Taux de change à terme aujourd'hui}}{\text{Taux de change au comptant aujourd'hui}} = \frac{1+r_e}{1+r_d} \quad (18.4)$$

où : r_e = taux d'intérêt étranger ;

r_d = taux d'intérêt intérieur.

d'où :

$$F_o = (1{,}15)\left(\frac{1{,}06}{1{,}08}\right) = 1{,}128\,7 \text{ \$A par \$CA}$$

Le calcul de ces différences de taux de change et des différences de taux d'intérêt permet d'établir ce qui suit :

$$\left(\frac{F_o - S_o}{S_o}\right)(100) = \left(\frac{1{,}128\,7 - 1{,}15}{1{,}15}\right)(100) = -1{,}85\,\%$$

Or nous savons que :

$$r_e - r_d = 6\,\% - 8\,\% = -2\,\%$$

et nous obtenons que la différence des taux de change est approximativement égale à la différence des taux d'intérêt :

$$-1{,}85\,\% \simeq -2\,\%$$

Si l'on croit que des taux d'inflation attendus seraient respectivement en Australie et au Canada de 3 % et de 4 %, les taux réels seraient :

- pour l'Australie : 6 % – 3 % = 3 %
- pour le Canada : 8 % – 4 % = 4 %

Il y a manifestement une possibilité d'arbitrage de sorte que l'on emprunterait en Australie à un taux réel de 3 %, pour placer au Canada au taux réel de 4 %, en réalisant un profit en termes réels de 1 %, abstraction faite des coûts de transaction qui limitent l'efficience des marchés.

Retenons le taux de change au comptant de 1,15 \$A par \$CA considéré plus haut et empruntons 1 M\$A à 6 % pour le placer au Canada à 8 %. On obtient, au taux de 1,15 \$A par \$CA, le montant suivant en dollars canadiens :

$$\frac{1\,000\,000\,\$A}{1{,}15} = 869\,565\,\$CA \text{ en arrondissant}$$

Le résultat du prêt effectué au Canada en dollars, intérêts compris, un an plus tard, est de :

$$(869\,565\,\$CA)\,(1{,}08) = 939\,130\,\$CA$$

Le montant du remboursement effectué en Australie en \$A, un an plus tard, s'élève à : $(1\,000\,000\,\$A)\,(1{,}06) = 1\,060\,000\,\$A$

Cette opération n'est profitable que dans la mesure où l'investisseur a couvert son exposition au risque de change par un contrat à terme de change. Une telle protection contre le risque de change assure un arbitrage sûr, non risqué, et fait bénéficier l'investisseur du différentiel de taux d'intérêt net des commissions et autres frais sur opérations de change.

Les opérations d'arbitrage se répètent tant qu'une possibilité de profit existe, jusqu'au point où les profits d'arbitrage disparaissent lorsque l'on obtient le taux à terme d'équilibre suivant :

$$\frac{939\,130\,\$CA}{F_o} = 1\,060\,000\,\$A$$

et :

$$F_o = \frac{939\,130\,\$CA}{1\,060\,000\,\$A} = 0{,}885\,9\,\$CA \text{ par } \$A$$

où :

$$F_o = \frac{1}{0{,}885\,9} = 1{,}128\,8\,\$A \text{ par } \$CA$$

La couverture de l'arbitrage de taux d'intérêt peut être présentée différemment :

Le taux de change à terme est approximativement égal au taux de change au comptant multiplié par la différence des taux d'intérêt de deux pays. L'ajustement par la différence de taux d'intérêt se fait grâce à l'opération de couverture de l'arbitrage de taux d'intérêt entre deux pays.

Prenons à nouveau le cas où le taux d'intérêt australien de un an d'échéance s'élève à 6 %, et que celui de un an d'échéance, au Canada, se situe à 8 %. Retenons le taux de change au comptant S_o de 1,15 \$A/\$CA.

Un agent économique perçoit une possibilité de profit en empruntant à 6 % en Australie pour un an, en convertissant ce montant en dollars canadiens et en le plaçant au Canada à 8 %. Cependant, l'agent économique est exposé au risque de change, car le dollar canadien peut se déprécier d'ici un an au point d'annuler l'avantage découlant de la différence de taux d'intérêt, voire de résulter en une perte nette. Il protège sa situation risquée par l'achat d'une couverture de son opération d'arbitrage de taux d'intérêt entre l'Australie et le Canada. Cette couverture consiste en l'achat d'un contrat de change à terme lui permettant d'acquérir des dollars australiens dans un an, à un prix donné aujourd'hui de 1,14 \$A/\$CA, afin de rembourser l'emprunt contracté en Australie.

L'agent économique aura enregistré dans un an, par une opération simultanée d'emprunt et de prêt ne nécessitant aucun déboursé de capital de sa part, les résultats suivants :

- l'avantage de la différence d'intérêt de 2 % ;
- la perte sur la conversion des dollars canadiens en dollars australiens dans un an :

$$\left(\frac{1{,}14-1{,}15}{1{,}15}\right)(100) = -0{,}87\%$$

L'agent économique aura réalisé un gain net de :

$$2\% - 0{,}87\% = 1{,}13\%$$

Si la transaction d'arbitrage portait sur 10 M$CA sur un horizon de un an, l'agent économique aurait réalisé un profit de 113 000 $, abstraction faite des coûts de transaction.

Les opérations d'arbitrage vont se poursuivre tant qu'elles génèreront des profits d'arbitrage, c'est-à-dire jusqu'à ce que le taux de change à terme atteigne, à l'équilibre :

$$\begin{aligned} F_o &= (S_o)\left(\frac{1+r_e}{1+r_d}\right) \\ &= 1{,}15\left(\frac{1{,}06}{1{,}08}\right) = 1{,}128\,8\ \$A/\$CA \end{aligned}$$

Le taux à terme d'équilibre se transige à escompte, car la devise canadienne est appelée à se déprécier en raison du taux d'intérêt plus élevé au Canada, impliquant que la devise canadienne s'affaiblit durant cette année par rapport au dollar australien.

18.3.1. L'utilisation de la parité des taux d'intérêt par les banques pour fixer les taux de change à terme

Un exemple permet de montrer comment les banques se basent sur la parité des taux d'intérêt pour offrir à leurs clients les taux de change à terme nécessaires à la couverture de leur exposition au risque de change.

Le taux de change au comptant et les taux d'intérêt prévalant au Canada et en Australie permettent de calculer le taux à terme F_o selon la relation 18.4 déjà mentionnée :

$$\frac{F_o}{S_o} = \frac{1+r_e}{1+r_d}$$

EXEMPLE

Une société canadienne demande à sa banque de lui vendre 12 M$ australiens dans un an, afin de régler un fournisseur d'équipement en Australie. Un contrat à terme de devises est préparé sur la base des taux d'intérêt courants au Canada (8 %) et en Australie (6 %), sachant que le taux de change au comptant du dollar australien par dollar canadien est de 1 $CA = 1,15 $A.

Il a déjà été établi ci-haut que le taux de change à terme F_o est égal, dans ce cas, à 1,128 8 $A/$CA :

$$F_o = (1,15)\left(\frac{1,06}{1,08}\right) = 1,128\,8\,\$A/\$CA$$

La banque va offrir à son client (lui vendre) à 1,118 8 $A par $CA ou 1 $A par 0,893 8 $CA, se réservant ainsi une marge bénéficiaire, abstraction faite des coûts de transaction.

La banque va essayer d'éliminer son exposition au risque de change en achetant 12 M$ australiens à un taux de change à terme, aujourd'hui, de 1,128 8 $A ou 1 $A pour 0,885 9 $CA.

Si la banque ne trouve pas de vendeur à ce taux de change de 1,128 8 $A par $CA, elle va recourir à l'arbitrage (sans risque) des taux d'intérêt pour obtenir son profit. Elle va donc emprunter aujourd'hui en $t = 0$, sur le marché canadien :

$$\frac{12\,000\,000,00\,\$A}{(1,15)\,(1,06)} = 9\,844\,134,53\,\$CA$$

Elle convertit ce montant en $A, afin d'obtenir dans un an :

$$(9\,844\,134,53\,\$CA)\,(1,15)\,(1,06) = 12\,000\,000,00\,\$A$$

Ensuite, la banque les revend à la société canadienne à 1,118 7 $A/$CA pour :

$$12\,000\,000,00\,\$A/1,118\,8 = 10\,726\,736,39\,\$CA$$

Le coût de financement de la banque, au Canada, pour un an est de, par exemple, 8 % (pour les fins de simplification) :

$$(9\ 844\ 134{,}53\ \$CA)\,(1{,}08) = 10\ 631\ 665{,}30\ \$CA$$

D'où le gain net de cette opération pour la banque, abstraction faite des frais de transaction, est de :

$$\begin{aligned} \text{Gain} &= 10\ 726\ 736{,}39\ \$CA - 10\ 631\ 665{,}30\ \$CA \\ &= \underline{95\ 071{,}09\ \$CA} \end{aligned}$$

18.4. LA PARITÉ DES POUVOIRS D'ACHAT

La parité des pouvoirs d'achat stipule que les produits et services similaires ont le même prix, quel que soit le pays ou la devise considérée. Pour un même produit ou service, on obtient, à l'équilibre, le même prix dans des pays différents, compte tenu des frais de transaction. Il en résulte la relation suivante :

Taux de variation du taux de change = Différence de taux d'inflation entre deux pays

On exprime de façon plus formelle cette relation en énonçant que la différence entre taux de change au comptant aujourd'hui (S_o) et demain (S_i) est égale, à l'équilibre, à la différence entre taux d'inflation prévus pour l'étranger et sur le plan intérieur, soit :

$$\frac{S_1}{S_o} = \frac{\text{Taux de change au comptant futur } (t=1)}{\text{Taux de change au comptant aujourd'hui } (t=0)} = \frac{1+i_e}{1+i_d} \qquad (18.5)$$

où :

i_e = taux d'inflation étranger prévu ;

i_d = taux d'inflation intérieur prévu.

Un exemple permet de constater qu'un pays dont le taux d'inflation est plus élevé que celui d'un autre pays subit une détérioration de son taux de change. Prenons l'exemple du Canada et de l'Union européenne, en supposant que le taux d'inflation prévu au Canada soit de 4 % et celui attendu pour l'Union européenne de 1 %, sachant que le taux de change au comptant est de 0,67 euro pour un dollar canadien. L'application de la relation d'équilibre de la parité des pouvoirs d'achat permet d'établir, dans un contexte non risqué, le taux de change au comptant dans un an :

$$\frac{S_1}{0{,}67\,€} = \frac{1+0{,}01}{1+0{,}04}$$

et :

$$S_1 = (0{,}67)\left(\frac{1{,}01}{1{,}04}\right) = 0{,}650\,7\,€\,/\,\$$$

La perte du pouvoir d'achat du dollar canadien sera plus forte que celle de l'euro en raison du taux d'inflation plus élevé prévu au Canada. Il en découle une appréciation de l'euro ou une baisse de valeur du dollar canadien par rapport à l'euro.

La variation du taux de change est de :

$$\left(\frac{0{,}650\,7-0{,}67}{0{,}67}\right)(100) = -2{,}88\,\%$$

Les prix canadiens vont donc augmenter de 2,88 %. Il faudra plus de dollars pour acheter un même bien. Cette variation de taux de change est approximativement égale à la différence des taux d'inflation :

$$i_e - i_d = 1\% - 4\% = -3\%$$

La parité des pouvoirs d'achat est, en général, vérifiée sur une longue période.

18.5. LA PARITÉ DES TAUX DE CHANGE À TERME ET AU COMPTANT FUTUR

Le taux de change à terme est un prédicteur très fiable, dans une situation d'équilibre, du taux au comptant futur.

Cette théorie de prévision des taux de change atteste que le taux de change à terme permet de prévoir de façon non biaisée, c'est-à-dire de façon précise, le taux au comptant attendu :

$$E\left(S_{t+1}\right) = F_t \qquad (18.6)$$

On peut poser, dans le cadre de marchés parfaits, la relation suivante :

$$\frac{F_o}{S_o} = \frac{S_1}{S_o} \qquad (18.7)$$

et:

$$F_o = S_1$$

où:

F_o = taux de change à terme fixé aujourd'hui sur les marchés;

S_o = taux au comptant aujourd'hui;

S_1 = taux au comptant attendu et réalisé au temps $t = 1$.

Le taux de change à terme et le taux de change au comptant attendu divergent, cependant, dans le contexte risqué des marchés imparfaits du monde réel.

18.6. LA RELATION INTERNATIONALE DE FISHER

La relation internationale de Fisher complète sa relation intérieure en considérant que le taux de variation du taux de change est approximativement égal à la différence de taux d'intérêt et à la différence des taux d'inflation entre deux pays. La relation suivante illustre la relation internationale de Fisher:

$$r_e - r_d = i_e - i_d = \left(\frac{F_o - S_o}{S_o} \right)(100) = \left(\frac{S_1 - S_o}{S_o} \right)(100) \qquad (18.8)$$

Cette relation permet d'inférer que dans un marché parfait, les taux d'intérêt réels sont les mêmes d'un pays à l'autre. Cette égalité des taux réels entre pays n'est pas évidente dans la réalité. Il importe de noter, cependant, que les divergences entre taux réels d'un pays à l'autre sont plus faibles que celles entre taux nominaux.

18.7. L'APPRÉCIATION DES RELATIONS DE L'ÉQUILIBRE DU MARCHÉ INTERNATIONAL DES CAPITAUX

La balance commerciale d'un pays exprime la relation entre ses exportations et ses importations de biens et services. Elle constitue une variable significative des taux de change. Les variations de ces derniers ramènent la balance commerciale vers l'équilibre dans le cas de divergences entre exportations et importations.

L'ampleur de la variation des taux de change, nécessaire pour un retour de la balance commerciale à l'équilibre, dépend de l'élasticité-prix de la demande d'importation et de l'élasticité-prix de l'offre d'exportation. La notion d'élasticité exprime la sensibilité de la demande d'un bien à la suite d'un changement de prix, c'est-à-dire la mesure dans laquelle la demande d'un bien varie pour une modification donnée du prix. Si les quantités demandées varient proportionnellement plus que la variation des prix, on dit que la demande est élastique, et l'équilibre de la balance commerciale est rétabli par des changements de taux de change plus modérés que dans le cas où la demande est peu élastique.

Notons que le comportement de la balance commerciale n'est pas le seul facteur de détermination des taux de change. La balance de capital, qui enregistre les entrées et les sorties de fonds à long terme, contribue aussi à la fixation des taux de change. Comparons la balance commerciale du Canada à celle des États-Unis :

Le Canada a traditionnellement une balance commerciale bien excédentaire, tandis que les États-Unis ont une balance commerciale fortement déficitaire depuis plusieurs décennies. Or, depuis la fin des années 1970 jusqu'à l'année 2003, le dollar américain a affiché une tendance marquée à l'appréciation par rapport au dollar canadien. Ce dernier s'est détérioré progressivement jusqu'à près de 40 % pendant plus d'un quart de siècle par rapport au premier depuis 1976. L'explication se trouve du côté de la balance de capital américaine, dont l'excédent est proportionnellement plus fort que celui de la balance en capital canadienne. Comme l'économie américaine est plus productive et compétitive que celle du Canada, elle attire des flux de capitaux considérables des non-résidents à la recherche de la rentabilité la plus élevée pour leurs placements de portefeuille et pour leurs investissements directs en parts d'entreprises industrielles et commerciales.

Ajoutons que les prix des biens et services ne s'ajustent pas rapidement à l'inflation et que la théorie de la parité des pouvoirs d'achat expliquée plus haut est plutôt vérifiée à long terme comme facteur influençant les taux de change. Ce sont surtout les flux des capitaux des non-résidents qui déterminent, à court terme, les taux de change.

Le cas des États-Unis par rapport au Canada indique bien que la théorie monétaire de la détermination des taux de change doit être complétée par celle des mouvements de capitaux à long terme des non-résidents pour les fins de gestion de portefeuille et d'acquisition d'entreprises.

Ce sont cependant les taux d'inflation intérieurs respectifs des pays qui établissent le lien le plus solide entre les relations de parité analysées ci-haut. S'il est vrai qu'en réalité ces relations ne se vérifient pas de façon satisfaisante à court terme, il reste qu'elles le font mieux à long terme et que comparativement aux relations d'équilibre d'il y a cinquante ans, l'on observe aujourd'hui une meilleure convergence de ces relations théoriques avec la réalité. La mondialisation pourrait contribuer à rendre ces relations de parité plus pertinentes. Elle pourrait aplanir les divergences des relations de parité en réduisant les coûts de transaction. Plus les coûts de transactions seront faibles, plus les relations de parité seront valables. Notons que les réductions des tarifs douaniers et des quotas à l'importation de biens et de services, depuis les accords du GATT à la fin de la Deuxième Guerre mondiale, ainsi que les accords commerciaux de l'Organisation mondiale du commerce en 1995, réduisent les coûts de transactions et alignent mieux les prix des produits échangés entre pays. Une réduction encore plus prononcée des barrières commerciales permettra d'atteindre de meilleures relations d'équilibre entre parités à travers différents pays. Les obstacles à la libre circulation des capitaux entre pays ont considérablement diminué, améliorant à leur tour les relations de parité.

La parité des taux d'intérêt est vérifiée dans le contexte de marchés efficients où les imperfections liées aux barrières commerciales, à la libre circulation des capitaux, aux retenues d'impôt à la source et à l'intervention gouvernementale sur les marchés monétaires et sur ceux des changes seront limitées. C'est le cas du marché de devises comme l'euro, la livre anglaise, le franc suisse, le yen, le dollar américain et d'autres devises importantes. Cette relation est plutôt pertinente pour les taux d'intérêt à court terme ; elle l'est moins pour les taux d'intérêt à long terme.

La parité des pouvoirs d'achat sera d'autant mieux vérifiée que l'élasticité-prix des biens importés et exportés sera grande et que les États s'abstiendront d'influencer la valeur de leurs devises respectives sur le marché des changes. Les produits qui font l'objet d'un large commerce international entre pays se prêtent mieux à l'illustration de la relation de la parité des pouvoirs d'achat.

18.8. LES SYSTÈMES DE TAUX DE CHANGE

Trois régimes de taux de change dominent l'organisation du système de paiement et de la fixation de la valeur des devises entre pays depuis près d'un siècle, à savoir le système de l'étalon-or, celui de l'étalon de change-or ou de Bretton Woods et celui des taux de change flexibles.

18.8.1. Le système de l'étalon-or

La valeur d'une devise est définie par rapport à l'or. Le taux de change est fixé par rapport à l'or en vertu d'accords internationaux. Le cadre de l'étalon-or détermine et maintient la valeur des devises. Le volume de la masse monétaire d'un pays, c'est-à-dire des liquidités disponibles à l'économie, dépend du stock d'or détenu par la Banque Centrale. Un pays qui importe plus qu'il n'exporte doit régler ses paiements en or afin de faire obstacle à une baisse de la valeur de sa devise.

Les conséquences d'une réduction importante du stock d'or peuvent être très brutales et dévastatrices pour l'activité économique, car la réduction automatique de l'encours de la masse monétaire qu'elle entraîne se traduit par une baisse de l'ensemble des transactions dans l'économie en question et une diminution du niveau réel de la production et des revenus. L'équilibre des échanges avec l'extérieur est rétabli par une diminution des importations tout en maintenant la valeur de la devise inchangée. L'inconvénient majeur d'un tel processus de retour à l'équilibre est qu'il est obtenu au prix d'une récession économique et de pertes d'emplois, de revenus et de production. C'est donc payer un prix fort élevé pour favoriser le commerce international dans un environnement dominé par la crédibilité que confère la stabilité de la valeur des devises. Le dilemme énoncé par l'économiste Robert Triffin consiste à réaliser un compromis fort laborieux entre l'avantage de fiabilité de la valeur des devises assurée par l'étalon-or et son inconvénient majeur de ralentissement de l'activité économique, parfois brutal dans le cas d'un déficit des échanges extérieurs.

18.8.2. Le système de l'étalon change-or ou de Bretton Woods (1944-1970)

La déstabilisation de l'activité économique nationale résultant du processus d'ajustement automatique mais brutal des échanges extérieurs, d'une part, ainsi que la désorganisation des relations économiques et commerciales internationales par le fait que les pays en déficit avaient tendance à se replier sur eux-mêmes, érigeant des barrières douanières et provoquant ainsi des mesures de rétorsion de la part d'autres pays, d'autre part, conduisent à l'abandon de ce système et à son remplacement en 1944 par l'étalon change-or. C'est dès la Conférence de Gênes, en 1922, que ce système monétaire fut envisagé. Les taux de change fixes mais ajustables furent introduits dans le but de stabiliser la valeur relative des devises et d'empêcher la pratique de dévaluation compétitive. Ce régime des changes reposait sur la fixation de la valeur de la devise américaine par rapport à l'or, soit 35 dollars américains par once d'or, et par la fixation de la valeur des autres devises internationales par rapport au dollar américain. La convertibilité de chaque devise par rapport au dollar américain et celle de ce dernier en or était assurée pour les non-résidents des États-Unis. Le système de l'étalon change-or, dont le but était de promouvoir la croissance économique, présida à une période exceptionnelle d'activité économique et de commerce international de près de 30 ans, dite les « Trente glorieuses ».

L'étalon change-or se distingue par une plus grande souplesse en matière de gestion de la politique monétaire et de régulation de l'activité économique d'un pays tout en favorisant le développement harmonieux des transactions commerciales internationales. Le niveau réel de la production d'un pays ne baisse pas nécessairement à la suite d'un déficit des échanges extérieurs. La valeur d'une devise peut varier légèrement, soit de 1 %, sans faire subir des chocs importants à la production nationale. Les forces du marché jouent un rôle plus important que dans le cas de l'étalon-or pour établir la valeur des taux de change. Le système de l'étalon change-or pouvait fonctionner normalement tant que les échanges extérieurs des États-Unis étaient relativement équilibrés et que la conversion des dollars américains en or auprès du Trésor américain par les non-résidents restait limitée.

À partir des années 1960, l'Europe et le Japon commencent à rattraper les États-Unis en matière de productivité avec pour conséquence une détérioration de la balance commerciale américaine qui ira grandissante, accompagnée par l'accumulation de sommes considérables de dollars américains entre les mains de non-résidents qui exigent de plus en plus leur conversion en or. Le stock d'or américain décline rapidement. Or, l'or est aussi une matière stratégique en plus d'être, à l'époque, un des moyens de paiement privilégiés entre pays. Les États-Unis libèrent le prix de l'or et suspendent, le 15 août 1971, la convertibilité des dollars de non-résidents en or. Cette suspension de la libre convertibilité du dollar américain en or entraîne l'effondrement du système de Bretton Woods au début des années 1970. L'Accord de Smithsonian de décembre 1971 prévoit d'abord le réalignement temporaire des parités de devises ainsi que la possibilité de plus grandes variations de leur valeur (on passe de 1 % à 2,25 %). C'est le flottement des taux de change en vigueur depuis mars 1973 qui annonce la fin du système de l'étalon change-or de Bretton Woods.

Il est utile d'expliquer le paradoxe de Triffin que l'on trouve dans son livre publié dans les années 1960: *L'or et la crise du dollar*. Le système de l'étalon change-or ne pouvait survivre, d'après l'auteur, car il était enfermé dans une contradiction fondamentale:

- ou bien les États-Unis créent des quantités considérables de dollars (pléthore de dollars) et alimentent l'inflation mondiale qui, progressivement, détruit la relation entre le dollar et l'or;
- ou bien ils ne créent pas suffisamment de dollars (pénurie de dollars) avec pour résultat une raréfaction des liquidités internationales et un obstacle au développement du commerce international.

En fait, c'est en 1971, après huit décennies approximativement, que la balance commerciale des États-Unis se distingue par un solde négatif après une détérioration qui durait depuis 1966. Ainsi s'explique la suspension de la convertibilité du dollar en or le 15 août 1971, indiquant que le dollar n'était plus aussi fiable que l'or.

Les principales monnaies flottent à partir du 13 mars 1973, annonçant de grandes turbulences du système monétaire international et de fortes tensions sur les marchés financiers internationaux, après une longue période d'assez grande stabilité.

18.8.3. Le système des taux de change flexibles

Le système des taux de change flexibles fait suite à celui de Bretton Woods en favorisant une souplesse encore plus grande dans la gestion de l'activité économique nationale tout en favorisant les transactions commerciales entre pays.

En effet, ce sont les forces du marché qui déterminent de façon prépondérante la valeur des devises. Ces dernières peuvent fluctuer à la suite de déséquilibres des échanges extérieurs d'un pays sans affecter de façon brutale la production réelle. Le régime des taux de change flottants ne crée pas que des avantages. Plusieurs critiques sont formulées à son endroit; on le rend notamment responsable d'une plus grande volatilité du cours de devises, donc d'un surcroît d'incertitude. Par ailleurs, la discipline économique, monétaire et financière est beaucoup plus faible dans certains pays avancés que ce n'était le cas sous le régime de l'étalon change-or. Les coûts de production intérieurs de plusieurs pays ne sont plus maîtrisés; ils ne sont plus en harmonie avec les coûts du reste du monde, occasionnant une productivité et une monnaie plus faible avec toutes les conséquences défavorables de stagnation, voire de réduction du niveau de vie. Certains pays peuvent être tentés de dévaluer leur devise afin de neutraliser les effets négatifs d'un accroissement des coûts salariaux en particulier et des coûts de production en général sur le volume des exportations.

RÉSUMÉ

On peut faire une récapitulation des relations d'équilibre du marché international des capitaux de la façon suivante: les relations de parité entre taux de change de deux pays expriment que, dans un marché parfait, la différence entre taux d'intérêt est égale à la différence des taux d'inflation attendus, à la différence entre taux à terme et taux au comptant aujourd'hui et, enfin, à la différence entre taux au comptant attendu et taux au comptant aujourd'hui. L'évolution des relations économiques, commerciales et financières entre pays vers une plus grande ouverture des frontières rend ces relations de parité plus pertinentes dans la réalité. Il existe des périodes de turbulence et de distorsions importantes sur les marchés financiers résultant de déséquilibres structurels importants de pays émergents, dont les effets se propagent rapidement sur l'ensemble de l'économie mondiale, en raison d'un système de taux de change flottant réglé par les forces du marché et à cause de l'ouverture des frontières liée à la mondialisation. Depuis les années 1990, la crise mexicaine, la crise brésilienne, la crise russe, la crise résultant de la catastrophe financière de la société de gestion de portefeuille à haut risque (*hedge fund*) Long Term Capital Management (LTCM) et, enfin, celle des pays de l'Asie du Sud-Est ont été autant de détonateurs de crises financières internationales peu propices à la vérification des relations de parité de l'équilibre du marché international des capitaux à court et moyen termes. Ces relations ont plutôt tendance, dans l'ensemble, à être plus pertinentes sur une longue période.

L'équilibre du marché international des capitaux est déterminé par la politique monétaire et l'inflation, par le taux d'intérêt nominal, par la parité des taux d'intérêt et des pouvoirs d'achat et par la parité des taux de change à terme et de comptant futur. L'évolution de la balance commerciale est un des facteurs qui influencent les taux de change. La balance de capital, qui tient compte des entrées et des sorties de fonds à long terme, influence aussi la fixation des taux de change. Les six relations importantes qui expliquent l'équilibre du marché international des capitaux ne se vérifient pas, d'une manière générale, de façon très satisfaisante à court terme. Elles sont cependant mieux vérifiées à long terme et sont aujourd'hui, comparativement aux années 1950, plus proches de la réalité. La mondialisation pourrait améliorer le pouvoir explicatif de ces relations de parité. La concurrence internationale accrue résultant de la mondialisation réduira les coûts de transactions et rendront les relations de parité plus pertinentes. Les accords du GATT, signés après la Deuxième Guerre mondiale, de même que ceux de l'Organisation mondiale du commerce en 1995, réduisent les barrières commerciales entre pays et, par conséquent, les coûts de transactions, permettant ainsi d'obtenir de meilleures relations d'équilibre entre parités de différents pays, toutes choses égales par ailleurs.

QUESTIONS

1. Quelles sont les caractéristiques de la théorie monétaire de l'inflation et quelles en sont les implications ?
2. Pourquoi l'effet Fisher, sur le plan intérieur, représente-t-il une grande signification pour l'investisseur quant aux variables qui l'influencent ?
3. Pourquoi la théorie de la parité des pouvoirs d'achat a-t-elle une grande signification pour l'investisseur et pour une institution financière donnée ?
4. Expliquer en quoi consiste la relation internationale de Fisher.
5. Expliquer les avantages et les limites des relations de l'équilibre du marché international des capitaux.
6. Mettre en évidence les avantages et les inconvénients des trois systèmes d'étalon-or, d'étalon change-or et de taux de change flexibles.

PROBLÈMES

1. LES CONJONCTURISTES ET L'INFLATION

Les conjoncturistes prévoient que le taux d'inflation sera approximativement de 3 % pour chacune des quatre prochaines années. L'impôt sur le revenu d'intérêt des particuliers s'élève à 45 %. L'épargnant exige 3 % de rendement réel pour placer son argent. C'est le taux de rendement minimum requis par l'épargnant pour qu'il accepte de différer une partie de sa consommation immédiate dans le temps.

- **On demande :**

a) de calculer le taux de rendement nominal requis par l'épargnant en fonction des données fournies ci-haut, abstraction faite de l'impôt et ensuite avec impôt – commentez ;

b) de déterminer le taux nominal requis dans le cas où la politique fiscale du gouvernement ayant pour objet de lutter contre l'inflation résulte en une augmentation du taux d'impôt des particuliers de 45 % à 55 % – commentez ces résultats ;

c) d'établir, en supposant que le taux nominal d'intérêt soit de 12 %, le taux d'inflation anticipé de 4 % et le taux d'impôt sur le revenu des particuliers de 40 %, le taux réel d'intérêt reçu par l'épargnant ;

d) d'expliquer la signification du taux réel, du taux subjectif et du taux d'inflation anticipé.

- **Solutions suggérées :**

a) Le taux de rendement nominal requis k par l'épargnant, en l'absence d'impôt est de :

$$(1 + k) = (1 + r_r)(1 + i_a)$$

où :

r_r = taux réel demandé par l'épargnant ;
i_a = taux d'inflation anticipé.

$(1 + k) = (1,03)(1,03) = 1,060\,9$
d'où $k = 1,060\,9 - 1 = 0,060\,9 = 6,09\,\%$

Le taux k devient, en présence d'impôt :

$$1 + k\,(1 - t) = (1 + r_r)\,(1 + i_a)$$
$$1 + k\,(1 - 0{,}45) = (1{,}03)\,(1{,}03)$$

$$k = \frac{(1{,}060\,9) - 1}{1 - 0{,}45} = 0{,}110\,7$$
$$= 11{,}07\,\%$$

On constate que le taux exigé passe de 6,09 % à 11,07 % en présence d'impôt. L'impôt augmente donc le coût de l'argent dans une économie donnée, toutes choses égales.

b) Le taux nominal k devient, compte tenu d'un taux d'impôt de 55 % :

$$k = \frac{1{,}060\,9 - 1}{1 - 0{,}55} = \frac{0{,}060\,9}{0{,}45} = 15{,}33\,\%$$

L'accroissement du taux d'impôt en situation d'inflation augmente le coût de l'argent et contribue à nourrir l'inflation.

c) Le taux réel d'intérêt devient :

$$(1 + r_r) = \frac{1 + k(1 - t)}{1 + i_a}$$
$$1 + r_r = \frac{1 + 0{,}12(1 - 0{,}40)}{1 + 0{,}04}$$
$$r_r = \frac{1{,}072}{1{,}04} - 1 = 1{,}030\,77 - 1$$
$$r_r = 0{,}030\,77 = 3{,}077\,\%$$

d) Le taux subjectif d'intérêt n'est pas un taux observable sur le marché ; il représente pour le consommateur la satisfaction ressentie ou retirée du dernier dollar consommé. Le taux réel exigé sur les fonds placés par l'épargnant doit, en l'absence d'inflation, être au moins égal au taux subjectif pour que le consommateur sacrifie un dollar de consommation en faveur du placement. Le taux d'inflation anticipé a pour objet de compenser l'épargnant pour la perte que l'inflation inflige au capital placé et à l'intérêt reçu. Cette perte de pouvoir d'achat de la monnaie résultant de l'inflation doit être compensée par un taux d'intérêt égal au taux d'inflation anticipé, sinon le taux nominal du marché ne pourra plus assurer le taux réel exigé par l'épargnant. Le consommateur sera moins porté à épargner, avec pour conséquence une diminution des ressources susceptibles d'être investies.

2. LA PARITÉ DES TAUX D'INTÉRÊT

On suppose que les taux d'intérêt sur l'euro soient de 4 % et, au Canada, de 6 %. Me Jacques observe le taux de change au comptant (S_o) aujourd'hui, qui s'établit à 0,625 euro par dollar canadien. Il prévoit que les taux d'inflation attendus seraient, respectivement dans la zone euro et au Canada, de 2 et 3 %. Me Jacques s'attend donc à ce que les taux réels d'intérêt soient, pour l'année à venir :

- pour la zone euro : 4 % – 2 % = 2 %
- pour le Canada : 6 % – 3 % = 3 %

■ **On demande :**

a) de décrire la possibilité d'arbitrage qui existe entre la zone euro et le Canada, abstraction faite des coûts de transaction ;

b) de calculer le taux de change à terme F_o, aujourd'hui, de l'euro par rapport au dollar canadien prévalant sur les marchés de change ;

c) de comparer la différence du taux de change à terme aujourd'hui de l'euro par rapport au dollar et du taux de change au comptant aujourd'hui de l'euro par rapport au dollar à la différence des taux d'intérêt entre la zone euro et le dollar canadien ; commentez.

■ **Solutions suggérées :**

a) Il y a une possibilité d'arbitrage dans le sens que l'on emprunte en euros à un taux réel de 2 % pour placer au Canada au taux réel de 3 %. L'investisseur réalise ainsi un profit en termes réels de 1 %, abstraction faite des coûts de transaction qui réduisent l'efficience des marchés.

b) Le taux de change à terme aujourd'hui F_o, pour un an d'échéance, est égal à :

$$\frac{F_o}{S_o} = \text{Taux de change à terme aujourd'hui} = \frac{1+r_e}{1+r_d}$$

où :

r_e = taux d'intérêt étranger ;

r_d = taux d'intérêt intérieur.

$$\text{d'où : } F_o = 0{,}625 €/\$ \left(\frac{1{,}04}{1{,}06}\right) = 0{,}613\,2 €/\$$$

c) La différence entre le taux de change à terme aujourd'hui €/$ et le taux de change au comptant €/$ aujourd'hui est la suivante :

$$\left[\frac{F_o - S_o}{S_o}\right] \times 100 = \left(\frac{0{,}613\,2 - 0{,}625}{0{,}625}\right) \times 100$$
$$= -0{,}018\,9 = -1{,}89\,\%$$

Or, la différence de taux d'intérêt est de :

$$r_e - r_d = 4\,\% - 6\,\% = -2\,\%$$

Il s'ensuit que la différence entre le taux de change à terme et le taux de change au comptant est approximativement égale (en valeur absolue) à la différence des taux d'intérêt entre la zone euro et le Canada.

3. LA BANQUE MERCANTILE ET L'UTILISATION DE LA PARITE DES TAUX D'INTÉRÊT

Me Jacques doit régler une facture de 20 millions d'euros, dans un an, à un fournisseur de machines-outils en France. La banque Mercantile prépare un contrat de change à terme basé sur les taux d'intérêt courants au Canada de 6 % et en zone euro de 4 %. Le marché des changes indique que le taux de change au comptant de l'euro par rapport au dollar canadien est de 0,625 €/$.

La banque Mercantile peut effectuer les transactions de deux façons différentes selon les conditions offertes par le marché.

1. La banque Mercantile vend à Me Jacques 20 millions d'euros dans un an à 0,61 €/$ ou 1,639 3 $/€ ; elle se réserve ainsi une marge de profit (abstraction faite des coûts de transaction). En effet, elle rachète 20 millions d'euros à F_o = 0,613 2 €/$ (le taux de change à terme de un an transigé aujourd'hui sur le marché des changes). Le taux de change à terme de 0,613 2 €/$ correspond à 1,630 8 $/€.
2. Supposons que la banque Mercantile ne puisse acquérir 20 millions d'euros au taux de change à terme de 0,613 2 €/$. Elle effectuera, dans ce cas, une opération d'arbitrage non risquée des taux d'intérêt. En d'autres termes, la banque va exécuter un ensemble de transactions qui sont les suivantes :
   - emprunter aujourd'hui une somme d'argent sur le marché des dollars canadiens destinée à être convertie en euros afin de procurer à Me Jacques, dans un an, une somme de 20 millions d'euros destinée à payer son fournisseur de machines-outils en France ;

- revendre à Me Jacques en dollars canadiens le montant de 20 millions d'euros au taux de change de 0,61 €/$ indiqué ci-haut. Le coût de financement, pour la banque Mercantile, de l'emprunt en dollars canadiens qu'elle contracte au Canada doit être comparé au montant de la revente facturé à Me Jacques à 0,61 €/$.

■ **On demande:**

a) d'établir le profit réalisé par la banque Mercantile dans l'exécution de la transaction décrite ci-haut, abstraction faite des frais de transaction.

b) de calculer le gain net réalisé par la banque Mercantile, abstraction faite des frais de transaction.

■ **Solutions suggérées:**

a) Le produit de la vente par la banque Mercantile à Me Jacques de 20 millions d'euros, dans un an à 0,61 €/$, s'élève, en dollars canadiens, à:

2 000 000 € ÷ 0,61 = 32 786 885,25 $

La banque Mercantile achète des dollars canadiens équivalant à 20 millions d'euros au taux de change à terme F_o, sur un an de 0,613 2 €/$. Le montant total du coût de cette acquisition est de:

20 millions d'euros ÷ 0,613 2 = 32 615 786,04 $

La banque réalise un profit de:

32 786 885,25 $ – 32 615 786,04 $ = 171 099 $
abstraction faite des frais de transactions.

b) La banque Mercantile va emprunter aujourd'hui sur le marché canadien la somme suivante, qu'elle convertira en euros par la suite:

$$\frac{20\,000\,000\,€}{(0{,}625)(1{,}04)} = 30\,769\,230{,}77\,\$$$

Ce montant est converti aujourd'hui en euros au taux de change au comptant de 0,625 et placé pendant un an à 4 % en zone euro. Il sera disponible dans un an pour que Me Jacques puisse régler sa facture de 20 millions d'euros à son fournisseur:

Le résultat est de:

(30 769 230,77 $) (0,625) (1,04) = 20 millions d'euros

Ce montant de 20 millions d'euros est vendu en dollars canadiens à Me Jacques au taux de 0,61 €/$ pour une somme de 20 000 000 ÷ 0,61 = 32 786 885,25 $

Le coût de financement à 6 % de l'emprunt en dollars canadiens, effectué par la banque Mercantile au Canada pour un montant de 30 769 230,77 $, sera de :

(30 769 230,77 $) (1,06) = 32 615 384,62 $

Le gain net obtenu par la banque, abstraction faite des frais de transaction, sera de :

32 786 855,25 $ – 32 615 384,62 $ = 171 099 $

4. LE GESTIONNAIRE DE PORTEFEUILLE

Vous êtes un gestionnaire de portefeuille qui placez 100 000 $ pour un client pendant quatre ans et recevez 150 000 $ à la fin de cet horizon de 4 ans. Le taux d'inflation pour les années 1, 2, 3 et 4 a été respectivement de 3 %, 5 %, 7 % et 4 %.

- **On demande :**

a) de calculer le taux de rendement nominal obtenu ;

b) de déterminer le taux de rendement réel de votre placement.

- **Solutions suggérées :**

a) Le taux de rendement nominal *k* est obtenu de la façon suivante :

$$100\,000\,\$\left(1+k\right)^4 = 150\,000\,\$$$

$$\left(1+k\right)^4 = \frac{150\,000\,\$}{100\,000\,\$} = 1,5$$

$$\left(1+k\right) = \left(1,5\right)^{1/4} = 1,106\,7\,\%$$

$$\text{et } k = 0,106\,7 \text{ ou } 10,67\,\%.$$

b) Le taux de rendement réel est ainsi calculé :

b.1 Détermination en termes réels du montant de 150 000 $ accumulé à la fin de l'année 4 :

150 000 $/(1,03) (1,05) (1,07) (1,04) = 124 637 $

b.2 Détermination du taux de rendement réel :

$$(1 + r_d)^4 = 124\,637\,\$/100\,000\,\$ = 1,246\,37$$

$$\left(1+r_d\right) = \left(1,246\,37\right)^{1/4}$$

$$= 1,056\,7$$

$$r_d = 1,056\,7 - 1$$

$$= 0,056\,7 \text{ ou } 5,67\,\%$$

Annexes

Table A-1

Valeur capitalisée (accumulée) de 1 $ à la fin de *n* années

Nombre d'années *n*	2 %	3 %	4 %	5 %	6 %	7 %	8 %	9 %	10 %	12 %	14 %	15 %	16 %	18 %	20 %	22 %	24 %	26 %
1	1,020	1,030	1,040	1,050	1,060	1,070	1,080	1,090	1,100	1,120	1,140	1,150	1,160	1,180	1,200	1,220	1,240	1,260
2	1,040	1,061	1,082	1,103	1,124	1,145	1,166	1,188	1,210	1,254	1,300	1,323	1,346	1,392	1,440	1,488	1,538	1,588
3	1,061	1,093	1,125	1,158	1,191	1,225	1,260	1,295	1,331	1,405	1,482	1,521	1,561	1,643	1,728	1,816	1,907	2,000
4	1,082	1,126	1,170	1,216	1,262	1,311	1,360	1,412	1,464	1,574	1,689	1,749	1,811	1,939	2,074	2,215	2,364	2,520
5	1,104	1,159	1,217	1,276	1,338	1,403	1,469	1,539	1,611	1,762	1,925	2,011	2,100	2,288	2,488	2,703	2,931	3,176
6	1,126	1,194	1,265	1,340	1,419	1,501	1,587	1,677	1,772	1,974	2,195	2,313	2,436	2,700	2,986	3,297	3,635	4,002
7	1,149	1,230	1,316	1,407	1,504	1,606	1,714	1,828	1,949	2,211	2,502	2,660	2,826	3,185	3,583	4,023	4,508	5,042
8	1,172	1,267	1,369	1,477	1,594	1,718	1,851	1,993	2,144	2,476	2,853	3,059	3,278	3,759	4,300	4,908	5,590	6,353
9	1,195	1,305	1,423	1,551	1,689	1,838	1,999	2,172	2,358	2,773	3,252	3,518	3,803	4,435	5,160	5,987	6,931	8,005
10	1,219	1,344	1,480	1,629	1,791	1,967	2,159	2,367	2,594	3,106	3,707	4,046	4,411	5,234	6,192	7,305	8,594	10,086
11	1,243	1,384	1,539	1,710	1,898	2,105	2,332	2,580	2,853	3,479	4,226	4,652	5,117	6,176	7,430	8,912	10,657	12,708
12	1,268	1,426	1,601	1,796	2,012	2,252	2,518	2,813	3,138	3,896	4,818	5,350	5,936	7,288	8,916	10,872	13,215	16,012
13	1,294	1,469	1,665	1,886	2,133	2,410	2,720	3,066	3,452	4,363	5,492	6,153	6,886	8,599	10,699	13,264	16,386	20,175
14	1,319	1,513	1,732	1,980	2,261	2,579	2,937	3,342	3,797	4,887	6,261	7,076	7,988	10,147	12,839	16,182	20,319	25,421
15	1,346	1,558	1,801	2,079	2,397	2,759	3,172	3,642	4,177	5,474	7,138	8,137	9,266	11,974	15,407	19,742	25,196	32,030
16	1,373	1,605	1,873	2,183	2,540	2,952	3,426	3,970	4,595	6,130	8,137	9,358	10,748	14,129	18,488	24,086	31,243	40,358
17	1,400	1,653	1,948	2,292	2,693	3,159	3,700	4,328	5,054	6,866	9,276	10,761	12,468	16,672	22,186	29,384	38,741	50,851
18	1,428	1,702	2,026	2,407	2,854	3,380	3,996	4,717	5,560	7,690	10,575	12,375	14,463	19,673	26,623	35,849	48,039	64,072
19	1,457	1,754	2,107	2,527	3,026	3,617	4,316	5,142	6,116	8,613	12,056	14,232	16,777	23,214	31,948	43,736	59,568	80,731
20	1,486	1,806	2,191	2,653	3,207	3,870	4,661	5,604	6,727	9,646	13,743	16,367	19,461	27,393	38,338	53,358	73,864	101,721
22	1,546	1,916	2,370	2,925	3,604	4,430	5,437	6,659	8,140	12,100	17,861	21,645	26,186	38,142	55,206	79,418	113,574	161,492
24	1,608	2,033	2,563	3,225	4,049	5,072	6,341	7,911	9,850	15,179	23,212	28,625	35,236	53,109	79,497	118,205	174,631	256,385
26	1,673	2,157	2,772	3,556	4,549	5,807	7,396	9,399	11,918	19,040	30,167	37,857	47,414	73,949	114,475	175,936	268,512	407,037
28	1,741	2,288	2,999	3,920	5,112	6,649	8,627	11,167	14,421	23,884	39,204	50,066	63,800	102,967	164,845	261,864	412,864	646,212
30	1,811	2,427	3,243	4,322	5,743	7,612	10,063	13,268	17,449	29,960	50,950	66,212	85,850	143,371	237,376	389,758	634,820	1 025,927
35	2,000	2,814	3,946	5,516	7,686	10,677	14,785	20,414	28,102	52,800	98,100	133,176	180,314	327,997	590,668	1 053,402	1 861,054	3 258,135
40	2,208	3,262	4,801	7,040	10,286	14,974	21,725	31,409	45,259	93,051	188,884	267,864	378,721	750,378	1 469,772	2 847,038	5 455,913	10 347,175

Table A-2

Valeur actualisée de 1 $ touché à la fin de *n* années

Nombre d'années *n*	2 %	3 %	4 %	5 %	6 %	7 %	8 %	9 %	10 %	12 %	14 %	15 %	16 %	18 %	20 %	22 %	24 %	26 %	28 %	30 %
1	0,980	0,971	0,961	0,952	0,943	0,935	0,926	0,917	0,909	0,893	0,877	0,870	0,862	0,847	0,833	0,820	0,807	0,794	0,781	0,769
2	0,961	0,943	0,925	0,907	0,890	0,873	0,857	0,842	0,826	0,797	0,769	0,756	0,743	0,718	0,694	0,672	0,650	0,630	0,610	0,592
3	0,942	0,915	0,889	0,864	0,840	0,816	0,794	0,772	0,751	0,712	0,675	0,658	0,641	0,609	0,579	0,551	0,524	0,500	0,477	0,455
4	0,924	0,888	0,855	0,823	0,792	0,763	0,735	0,708	0,683	0,636	0,592	0,572	0,552	0,516	0,482	0,451	0,423	0,397	0,373	0,350
5	0,906	0,863	0,822	0,784	0,747	0,713	0,681	0,650	0,621	0,567	0,519	0,497	0,476	0,437	0,402	0,370	0,341	0,315	0,291	0,269
6	0,888	0,837	0,790	0,746	0,705	0,666	0,630	0,596	0,564	0,507	0,456	0,432	0,410	0,370	0,335	0,303	0,275	0,250	0,227	0,207
7	0,871	0,813	0,760	0,711	0,665	0,623	0,583	0,547	0,513	0,452	0,400	0,376	0,354	0,314	0,279	0,249	0,222	0,198	0,178	0,159
8	0,853	0,789	0,731	0,677	0,627	0,582	0,540	0,502	0,467	0,404	0,351	0,327	0,305	0,266	0,233	0,204	0,179	0,157	0,139	0,123
9	0,817	0,766	0,703	0,645	0,592	0,544	0,500	0,460	0,424	0,361	0,308	0,284	0,263	0,225	0,194	0,167	0,144	0,125	0,108	0,094
10	0,820	0,744	0,676	0,614	0,558	0,508	0,463	0,422	0,386	0,322	0,270	0,247	0,227	0,191	0,162	0,137	0,116	0,099	0,085	0,073
11	0,804	0,722	0,650	0,585	0,527	0,475	0,429	0,387	0,350	0,287	0,237	0,215	0,195	0,162	0,135	0,112	0,094	0,079	0,066	0,056
12	0,788	0,701	0,625	0,557	0,497	0,444	0,397	0,356	0,319	0,257	0,208	0,187	0,168	0,137	0,112	0,092	0,076	0,062	0,052	0,043
13	0,773	0,681	0,601	0,530	0,469	0,415	0,368	0,326	0,290	0,229	0,182	0,163	0,145	0,116	0,093	0,075	0,061	0,050	0,040	0,033
14	0,758	0,661	0,577	0,505	0,442	0,388	0,340	0,299	0,263	0,205	0,160	0,141	0,125	0,099	0,078	0,062	0,049	0,039	0,032	0,025
15	0,743	0,642	0,555	0,481	0,417	0,362	0,315	0,275	0,239	0,183	0,140	0,123	0,108	0,083	0,065	0,051	0,040	0,031	0,025	0,020
16	0,728	0,623	0,534	0,458	0,394	0,339	0,292	0,252	0,218	0,163	0,123	0,107	0,093	0,071	0,054	0,042	0,032	0,025	0,019	0,015
17	0,714	0,605	0,513	0,436	0,371	0,317	0,270	0,231	0,198	0,146	0,108	0,093	0,080	0,060	0,045	0,034	0,026	0,020	0,015	0,012
18	0,700	0,587	0,494	0,416	0,350	0,296	0,250	0,212	0,180	0,130	0,095	0,081	0,069	0,051	0,038	0,028	0,021	0,016	0,012	0,009
19	0,686	0,570	0,475	0,396	0,331	0,277	0,232	0,194	0,164	0,116	0,083	0,070	0,060	0,043	0,031	0,023	0,017	0,012	0,010	0,007
20	0,673	0,554	0,456	0,377	0,312	0,258	0,215	0,178	0,149	0,104	0,073	0,061	0,051	0,037	0,026	0,019	0,014	0,010	0,008	0,005
22	0,647	0,522	0,422	0,342	0,278	0,226	0,184	0,150	0,123	0,083	0,056	0,046	0,038	0,026	0,018	0,013	0,009	0,006	0,004	0,003
24	0,622	0,492	0,390	0,310	0,247	0,197	0,158	0,126	0,102	0,066	0,043	0,035	0,028	0,019	0,013	0,008	0,006	0,004	0,003	0,002
26	0,598	0,464	0,361	0,281	0,220	0,172	0,135	0,106	0,084	0,053	0,033	0,026	0,021	0,014	0,009	0,006	0,004	0,002	0,002	0,001
28	0,574	0,437	0,333	0,255	0,196	0,150	0,116	0,090	0,069	0,042	0,026	0,020	0,016	0,010	0,006	0,004	0,002	0,002	0,091	0,001
30	0,552	0,412	0,308	0,231	0,174	0,131	0,099	0,075	0,057	0,033	0,020	0,015	0,012	0,007	0,004	0,003	0,002	0,001	0,001	—
35	0,500	0,355	0,253	0,181	0,130	0,094	0,068	0,049	0,036	0,019	0,010	0,008	0,006	0,003	0,002	0,001	0,001	—	—	—
40	0,453	0,307	0,208	0,142	0,097	0,067	0,046	0,032	0,022	0,011	0,005	0,004	0,003	0,001	0,001	—	—	—	—	—

TABLE A-3

Valeur actualisée d'une annuité de 1 $ touchée à la fin de chaque année

Nombre d'années *n*	2 %	3 %	4 %	5 %	6 %	7 %	8 %	9 %	10 %	12 %	14 %	15 %	16 %	18 %	20 %	22 %	24 %	26 %	28 %	30 %
1	0,980	0,971	0,962	0,952	0,943	0,935	0,926	0,917	0,909	0,893	0,877	0,870	0,862	0,847	0,833	0,820	0,807	0,793	0,781	0,769
2	1,942	1,913	1,886	1,859	1,833	1,808	1,783	1,759	1,736	1,690	1,647	1,626	1,605	1,566	1,528	1,492	1,457	1,424	1,392	1,361
3	2,884	2,829	2,775	2,723	2,673	2,624	2,577	2,531	2,487	2,402	2,322	2,283	2,246	2,174	2,106	2,042	1,981	1,923	1,868	1,816
4	3,808	3,717	3,630	3,546	3,465	3,387	3,312	3,240	3,170	3,037	2,914	2,855	2,798	2,690	2,589	2,494	2,404	2,320	2,241	2,166
5	4,713	4,580	4,452	4,329	4,212	4,100	3,993	3,890	3,791	3,605	3,433	3,352	3,274	3,127	2,991	2,864	2,745	2,635	2,532	2,436
6	5,601	5,417	5,242	5,076	4,917	4,767	4,623	4,486	4,355	4,111	3,889	3,784	3,685	3,498	3,326	3,167	3,020	2,885	2,759	2,643
7	6,472	6,230	6,002	5,786	5,582	5,389	5,206	5,033	4,868	4,564	4,288	4,160	4,039	3,812	3,605	3,416	3,242	3,083	2,937	2,802
8	7,325	7,020	6,733	6,463	6,210	5,971	5,747	5,535	5,335	4,968	4,639	4,487	4,344	4,078	3,837	3,619	3,421	3,241	3,076	2,925
9	8,162	7,786	7,435	7,108	6,802	6,515	6,247	5,996	5,759	5,328	4,946	4,772	4,607	4,303	4,031	3,786	3,566	3,366	3,184	3,019
10	8,983	8,530	8,111	7,722	7,360	7,024	6,710	6,418	6,145	5,650	5,216	5,019	4,833	4,494	4,192	3,923	3,682	3,465	3,269	3,092
11	9,787	9,253	8,760	8,306	7,887	7,499	7,139	6,805	6,495	5,938	5,453	5,234	5,029	4,656	4,327	4,035	3,776	3,543	3,335	3,147
12	10,575	9,954	9,385	8,863	8,384	7,943	7,536	7,161	6,814	6,194	5,660	5,421	5,197	4,793	4,439	4,127	3,851	3,606	3,388	3,190
13	11,348	10,635	9,986	9,394	8,853	8,358	7,904	7,487	7,103	6,424	5,842	5,583	5,342	4,910	4,533	4,203	3,912	3,656	3,427	3,223
14	12,106	11,296	10,563	9,899	9,295	8,745	8,244	7,786	7,367	6,628	6,002	5,724	5,468	5,009	4,611	4,265	3,962	3,695	3,459	3,249
15	12,849	11,938	11,118	10,380	9,712	9,108	8,559	8,061	7,607	6,811	6,142	5,847	5,575	5,092	4,675	4,315	4,001	3,726	3,483	3,268
16	13,578	12,561	11,652	10,838	10,106	9,447	8,851	8,313	7,824	6,974	6,265	5,954	5,668	5,162	4,730	4,357	4,033	3,751	3,503	3,283
17	14,292	13,166	12,166	11,274	10,477	9,763	9,122	8,544	8,022	7,120	6,373	6,047	5,749	5,222	4,775	4,391	4,059	3,771	3,518	3,295
18	14,992	13,754	12,659	11,690	10,828	10,059	9,372	8,756	8,201	7,250	6,467	6,128	5,818	5,273	4,812	4,419	4,080	3,786	3,529	3,304
19	15,678	14,324	13,134	12,085	11,158	10,336	9,604	8,950	8,365	7,366	6,550	6,198	5,877	5,316	4,843	4,442	4,097	3,799	3,539	3,311
20	16,351	14,877	13,590	12,462	11,470	10,594	9,818	9,129	8,514	7,469	6,623	6,259	5,929	5,353	4,870	4,460	4,110	3,808	3,546	3,316
22	17,658	15,937	14,451	13,163	12,042	11,061	10,201	9,442	8,772	7,645	6,743	6,359	6,011	5,410	4,909	4,488	4,130	3,822	3,556	3,323
24	18,914	16,936	15,247	13,799	12,550	11,469	10,529	9,707	8,985	7,784	6,835	6,434	6,073	5,451	4,937	4,507	4,143	3,831	3,562	3,327
26	20,121	17,877	15,983	14,375	13,003	11,826	10,810	9,929	9,161	7,896	6,906	6,491	6,118	5,480	4,956	4,520	4,151	3,837	3,566	3,330
28	21,281	18,764	16,663	14,898	13,406	12,137	11,051	10,116	9,307	7,984	6,961	6,534	6,152	5,502	4,970	4,528	4,157	3,840	3,568	3,331
30	22,396	19,600	17,292	15,372	13,765	12,409	11,258	10,274	9,427	8,055	7,003	6,566	6,177	5,517	4,980	4,534	4,160	3,842	3,569	3,332
35	25,999	21,487	18,665	16,374	14,498	12,948	11,655	10,567	9,644	8,176	7,070	6,617	6,215	5,539	4,992	4,541	4,164	3,845	3,571	3,333
40	27,355	23,115	19,793	17,159	15,046	13,332	11,925	10,757	9,779	8,244	7,105	6,642	6,233	5,548	4,997	4,544	4,166	3,846	3,571	3,333

Table A-4

Valeur capitalisée (accumulée) d'une annuité de 1 $ versée à la fin de chaque année

Nombre d'années *n*	2 %	3 %	4 %	5 %	6 %	7 %	8 %	9 %	10 %	12 %	14 %	15 %	16 %	18 %	20 %	22 %	24 %	26 %
1	1,000	1,000	1,000	1,000	1,000	1,000	1,000	1,000	1,000	1,000	1,000	1,000	1,000	1,000	1,000	1,000	1,000	1,000
2	2,020	2,030	2,040	2,050	2,060	2,070	2,080	2,090	2,100	2,120	2,140	2,150	2,160	2,180	2,200	2,220	2,240	2,260
3	3,060	3,091	3,122	3,153	3,184	3,215	3,246	3,278	3,310	3,374	3,440	3,473	3,506	3,572	3,640	3,708	3,778	3,848
4	4,122	4,184	4,246	4,310	4,375	4,440	4,506	4,573	4,641	4,770	4,921	4,993	5,066	5,215	5,368	5,524	5,684	5,848
5	5,204	5,309	5,416	5,526	5,637	5,751	5,867	5,985	6,105	6,353	6,610	6,742	6,877	7,154	7,442	7,740	8,048	8,368
6	6,308	6,468	6,633	6,802	6,975	7,153	7,336	7,523	7,716	8,115	8,536	8,754	8,977	9,442	9,930	10,442	10,980	11,544
7	7,434	7,662	7,898	8,142	8,394	8,654	8,923	9,200	9,487	10,089	10,730	11,067	11,414	12,142	12,916	13,740	14,615	15,546
8	8,583	8,892	9,214	9,549	9,897	10,260	10,637	11,028	11,436	12,300	13,233	13,727	14,240	15,327	16,499	17,762	19,123	20,588
9	9,755	10,159	10,583	11,027	11,491	11,978	12,488	13,021	13,579	14,776	16,085	16,786	17,519	19,086	20,799	22,670	24,712	26,940
10	10,950	11,464	12,006	12,578	13,181	13,816	14,487	15,193	15,937	17,549	19,337	20,304	21,321	23,521	25,959	28,657	31,643	34,945
11	12,169	12,808	13,486	14,207	14,972	15,784	16,646	17,560	18,531	20,655	23,045	24,349	25,733	28,755	32,150	35,962	40,238	45,031
12	13,412	14,192	15,026	15,917	16,870	17,888	18,977	20,141	21,384	24,133	27,271	29,002	30,850	34,931	39,581	44,874	50,985	57,739
13	14,680	15,618	16,627	17,713	18,882	20,141	21,495	22,953	24,523	28,029	32,089	34,352	36,786	42,219	48,497	55,746	64,110	73,751
14	15,974	17,086	18,292	19,599	21,051	22,550	24,215	26,019	27,975	32,393	37,581	40,505	43,672	50,818	59,196	69,010	80,496	93,926
15	17,293	18,599	20,024	21,579	23,276	25,129	27,152	29,361	31,772	37,280	43,842	47,580	51,660	60,965	72,035	85,192	100,815	119,347
16	18,639	20,157	21,824	23,657	25,673	27,888	30,324	33,003	35,950	42,753	50,980	55,717	60,925	72,939	87,442	104,935	126,011	151,377
17	20,012	21,762	23,698	25,840	28,213	30,840	33,750	36,974	40,545	48,884	59,118	65,075	71,673	87,068	105,931	129,020	157,253	191,735
18	21,412	23,414	25,645	28,132	30,906	33,999	37,450	41,301	45,599	55,750	68,394	75,836	84,141	103,740	128,117	158,405	195,994	242,585
19	22,841	25,117	27,671	30,539	33,760	37,379	41,446	46,018	51,159	63,440	78,969	88,212	98,603	123,414	154,740	194,254	244,033	306,658
20	24,297	26,870	29,778	33,066	36,786	40,995	45,762	51,150	57,275	72,052	91,025	102,444	115,380	146,628	186,688	237,989	303,601	387,389
22	27,299	30,537	34,248	38,505	43,392	49,006	55,457	62,873	71,403	92,503	120,436	137,632	157,415	206,345	271,031	356,443	469,056	617,278
24	30,422	34,426	39,083	44,502	50,816	58,177	66,765	76,790	88,497	118,155	158,659	184,168	213,978	289,495	392,484	532,750	723,461	982,251
26	33,671	38,553	44,312	51,113	59,156	68,676	79,954	93,324	109,182	150,334	208,333	245,712	290,088	405,272	567,377	795,165	1 114,634	1 561,682
28	37,051	42,931	49,968	58,403	68,528	80,698	95,339	112,968	134,210	190,699	272,889	327,104	392,503	566,481	819,223	1 185,744	1 716,101	2 481,586
30	40,568	47,575	56,085	66,439	79,058	94,461	113,283	136,308	164,494	241,333	356,787	434,745	530,312	790,948	1 181,882	1 767,081	2 640,916	3 942,026
35	49,994	60,462	73,652	90,320	111,435	138,237	172,317	215,711	271,024	431,663	693,573	881,170	1 120,713	1 816,652	2 948,341	4 783,645	7 750,225	12 527,442
40	60,402	75,401	95,026	120,800	154,762	199,635	259,057	337,882	442,592	767,091	1 342,025	1 779,090	2 360,757	4 163,213	7 343,858	12 936,535	22 728,803	39 792,982

TABLE A-5

Table de la distribution normale centrée réduite cumulée

Probabilité [$U \geq z$] = 1 − Probabilité [$U < z$]
où z est l'éloignement du centre exprimé en écarts types

z	*00*	*01*	*02*	*03*	*04*	*05*	*06*	*07*	*08*	*09*
0,0	0,500	0,496	0,492	0,488	0,484	0,480	0,476	0,472	0,468	0,464
0,1	0,460	0,456	0,452	0,448	0,444	0,440	0,436	0,433	0,429	0,425
0,2	0,421	0,417	0,413	0,409	0,405	0,401	0,397	0,394	0,390	0,386
0,3	0,382	0,378	0,375	0,371	0,367	0,363	0,359	0,356	0,352	0,348
0,4	0,345	0,341	0,337	0,334	0,330	0,326	0,323	0,319	0,316	0,312
0,5	0,309	0,305	0,302	0,298	0,295	0,291	0,288	0,284	0,281	0,278
0,6	0,274	0,271	0,268	0,264	0,261	0,258	0,255	0,251	0,248	0,245
0,7	0,242	0,239	0,236	0,233	0,230	0,227	0,224	0,221	0,218	0,215
0,8	0,212	0,209	0,206	0,203	0,201	0,198	0,195	0,192	0,189	0,187
0,9	0,184	0,181	0,179	0,176	0,174	0,171	0,169	0,166	0,164	0,161
1,0	0,159	0,156	0,154	0,152	0,149	0,147	0,145	0,142	0,140	0,138
1,1	0,136	0,134	0,131	0,129	0,127	0,125	0,123	0,121	0,119	0,117
1,2	0,115	0,113	0,111	0,109	0,108	0,106	0,104	0,102	0,100	0,099
1,3	0,097	0,095	0,093	0,092	0,090	0,089	0,087	0,085	0,084	0,082
1,4	0,081	0,079	0,078	0,076	0,075	0,074	0,072	0,071	0,069	0,068
1,5	0,067	0,066	0,064	0,063	0,062	0,061	0,059	0,058	0,057	0,056
1,6	0,055	0,054	0,053	0,052	0,051	0,049	0,048	0,047	0,046	0,046
1,7	0,045	0,044	0,043	0,042	0,041	0,040	0,039	0,038	0,038	0,037
1,8	0,036	0,035	0,034	0,034	0,033	0,032	0,031	0,031	0,030	0,029
1,9	0,029	0,028	0,027	0,027	0,026	0,026	0,025	0,024	0,024	0,023
2,0	0,023	0,022	0,022	0,021	0,021	0,020	0,020	0,019	0,019	0,018
2,1	0,018	0,017	0,017	0,017	0,016	0,016	0,015	0,015	0,015	0,014
2,2	0,014	0,014	0,013	0,013	0,013	0,012	0,012	0,012	0,011	0,011
2,3	0,011	0,010	0,010	0,010	0,010	0,010	0,010	0,009	0,009	0,009
2,4	0,009	0,008	0,008	0,008	0,007	0,007	0,007	0,007	0,007	0,006
2,5	0,006	0,006	0,006	0,006	0,006	0,005	0,005	0,005	0,005	0,005
2,6	0,005	0,005	0,004	0,004	0,004	0,004	0,004	0,004	0,004	0,004
2,7	0,003	0,003	0,003	0,003	0,003	0,003	0,003	0,003	0,003	0,003
2,8	0,003	0,002	0,002	0,002	0,002	0,002	0,002	0,002	0,002	0,002
2,9	0,002	0,002	0,002	0,002	0,002	0,002	0,002	0,001	0,001	0,001
3,0	0,001	0,001	0,001	0,001	0,001	0,001	0,001	0,001	0,001	0,001
3,1	0,001	0,001	0,001	0,001	0,001	0,001	0,001	0,001	0,001	0,001
3,2	0,001	0,001	0,001	0,001	0,001	0,001	0,001	0,001	0,001	0,001

Index

A

achat-emprunt 357, 359, 361, 362, 369, 376, 377, 380, 397

action

- ordinaire 1-3, 9, 13, 89, 90, 95-101, 104, 105, 110, 118, 135, 140, 150, 151, 181, 244, 321-333, 335-355, 383, 386, 389-392, 398, 401-406, 412, 413, 416-422, 425, 427, 428, 434, 438, 440-442, 444, 446, 449, 453-457, 464-468, 470-472, 477-481, 483-488
- privilégiée 1-3, 89, 97, 104, 181, 200, 321, 328-330, 335, 337, 342-345, 369, 372, 373, 383, 395, 396, 398, 401-403, 413, 416, 418, 420, 425, 454-456, 464, 470, 471

allocation du coût en capital 222, 228, 229, 235, 246, 247, 249, 360, 364, 368, 369, 375, 378

analyse

- du risque d'un projet 116, 271
- marginale 8, 11, 174, 179, 192

annuité équivalente 174, 183, 193, 195, 212, 213, 215, 218, 245

Arbitrage Pricing Theory 89, 114

arbre de décision 255, 297, 306, 310, 311, 315, 317

aspect fiscal de la location 368

avantages de la location 358

B

bénéfice par action 321, 335, 345, 346, 426, 440, 454, 461, 462, 469, 475
bilan 7, 359, 369, 387, 431, 438, 510-512, 519-521, 531, 532, 541
bon de souscription 3, 10, 321, 322, 328-335, 342-346, 350, 351-353

C

calcul du prix d'une action
ordinaire 96
privilégiée 418, 420
clause protectrice des titres convertibles 341, 345
coefficient
bêta 9, 101, 102, 140, 150, 261, 391
de levier d'exploitation 458, 459, 460, 462, 475
de levier financier 461, 462, 475
de variation 132, 133, 154, 169, 170, 258, 259, 261, 303, 310, 316, 318
contrat à terme
de gré à gré 524
de taux d'intérêt 10, 499, 509, 515, 516, 517, 518, 520, 525, 531, 535, 537
corrélation 75, 76, 114, 124, 127, 128, 131, 132, 134, 135, 138-140, 154, 155, 169, 170, 258-260, 279, 281, 306, 495-497, 499
cote de crédit 521, 522, 532
coût
d'agence 175, 453
d'option 11, 12, 13, 212, 260, 392, 479, 481, 484
de faillite 437, 452, 453
de renonciation 11, 12, 13, 212, 260, 392, 479, 481, 484
des actions ordinaires 387, 390, 391, 411, 415, 418, 422, 435, 440
des actions privilégiées 395, 404, 414, 417, 420
des bénéfices non répartis 392, 393, 404, 411, 422
des obligations 414, 417
fixe 282, 299, 454, 458, 459, 460, 463, 473, 475
moyen pondéré du capital 12, 175, 179, 181, 194, 243, 261, 262, 388, 396, 401, 407, 409, 411, 412, 413, 415, 419, 422, 423, 424, 426, 427, 431, 434, 439, 440, 442, 443, 449, 450, 467
variable 454, 458-460, 475
coût du capital 3, 4, 11-13, 180-182, 184, 191, 199, 200, 203, 205, 209, 211-215, 228, 230, 245, 248, 259-261, 263, 282, 285, 300, 360, 364-366, 374, 378, 383-389, 396, 398-402, 406, 409, 411, 416, 423, 425, 434-436, 438-441, 445, 447-453, 468
origine de cette notion 384
couverture 82, 335, 336, 340-342, 344, 346, 347, 359, 387, 388, 399, 400, 406, 416, 426, 428, 431, 438, 440, 442, 444, 446, 448, 452, 453, 482, 483, 493-499, 505, 506, 508, 510, 512-517, 524, 526, 527, 546, 547
croisée 499
covariance 75, 81, 85, 102, 110, 114, 124-127, 131, 134, 141, 144, 154, 155, 166, 167, 169, 170
critiques des théories de Modigliani et Miller 451, 452, 469
cycle économique 1, 114, 117, 124, 125, 136, 468

D

débenture 338, 369-371, 373, 380, 381, 383, 455-458
délai
de récupération 174, 186-188, 191-193, 195, 197, 198, 256
actualisé 187, 198
dépréciation 189, 239, 246
détermination des conditions 322-324

dilution du profit 322, 338
disposition d'actifs à la fin de l'investissement
gain en capital 90, 98, 222-224, 234, 235, 321, 329, 337, 345, 367, 379, 390
perte en capital 235, 501
perte terminale 235, 236, 247
récupération d'amortissement 223, 224, 235, 247
distribution de probabilités continue 119
diversification 8, 9, 75, 76, 104, 114, 124, 128, 129, 135, 136, 138, 140, 151, 154, 155, 306, 466, 494
effet de 114, 137, 138, 140, 155
dividende 3, 4, 8, 13, 57, 90, 92, 96-101, 156, 159, 330, 333, 337, 338, 341, 343, 344, 369, 372, 386, 389, 390, 392, 393, 395, 396, 398, 402, 412, 416, 418, 420-422, 426, 436, 440, 446, 455, 461, 470, 477-488
droit de souscription 3, 321-328, 341, 343-345, 348-350, 353, 355, 356
durée 31, 141, 151, 180, 183, 186, 195, 200, 201, 205, 210, 212-214, 218, 222, 234, 237, 238, 245, 248, 257, 269, 272, 282, 285, 290, 293, 298, 299, 316, 361, 363, 365, 368, 369, 408, 495, 501-505, 508-512

E

écart type 73-76, 85, 113, 114, 116, 120, 123-125, 127, 131-135, 137, 138, 146, 162, 166-170, 188, 257, 259, 270-274, 277, 279-281, 285, 287-294, 297, 298, 303, 305, 310, 314, 316
échange de taux d'intérêt 4, 518-521, 531, 532, 534, 535
effet
de diversification 114, 137, 138, 140, 155
Fisher 539, 557
équilibre financier fondamental 12
équivalent certain (méthode) 68, 71, 285, 311
étalon
-or 541, 553-555, 557
change-or 541, 554-557
évaluation
d'une action ordinaire 95, 150
d'une action privilégiée 97
d'une obligation 89
du risque 298
arbres de décision 255, 297, 306
méthode du taux ajusté au risque 269, 286
simulation 255, 297, 298, 300, 303, 305, 306, 315

F

fiscalité 3, 174, 221, 224, 247, 393, 458
disposition d'actifs à la fin de l'investissement
gain en capital 90, 98, 222-224, 234, 235, 321, 329, 337, 345, 367, 379, 390
perte en capital 235, 501
perte terminale 235, 236, 247
récupération d'amortissement 223, 224, 235, 247
sortie de fonds
en cours de projet 232
évitée 225, 231, 232
initiale 224, 225
flux monétaire net 1-3, 31, 33, 66, 121, 174-177, 179-182, 184-189, 191, 192, 195, 196, 199, 200, 205, 213, 224, 226-228, 237, 241-243, 247, 249, 250, 256, 257, 259, 260, 264, 265, 271-273, 285, 293, 298, 307, 310, 314-316, 317
frontière efficace 20, 145, 146

G-I

gain en capital 90, 98, 222-224, 234, 235, 321, 329, 337, 345, 367, 379, 390
incertitude 3, 9, 66, 73, 116, 118, 122, 155, 279, 285, 299, 306, 480, 501, 556
inconvénients de la location 368, 373

inflation 9, 114, 129, 152, 174, 213, 237-242, 247, 340, 369, 402, 541-545, 549-552, 555-560, 563
théorie monétaire de l' 539, 541

L

levier financier 461, 462, 466, 467, 470, 472, 473
ligne caractéristique 141-144, 156, 157
ligne d'équilibre
des titres 103, 104, 150, 156, 158, 160, 163-165, 409, 421, 442
du marché 147, 149, 167, 168
locateur 357-361, 366, 369
location 3, 176, 357-363, 365-369, 373, 375-380, 397, 411
aspect fiscal 368
avantages 358
inconvénients 368, 373

M

marché
financier 9, 10, 39, 57, 59, 74, 115, 401, 468, 482, 484, 522, 542, 555, 556
secondaire 74, 529
MEDAF *Voir* modèle d'évaluation des actifs financiers
modèle
de Gordon 104, 105, 159, 478, 485, 488
du marché 114, 140, 141, 155
d'évaluation des actifs financiers (MEDAF) 9, 89, 101, 103-105, 114, 149-153, 155, 159, 261, 265, 389, 391-393, 409-411, 420, 422, 463, 464
Modigliani et Miller 426, 434, 436-438, 440-443, 445, 447, 451-453, 464, 468, 469, 479, 482, 485
critiques des théories 451, 452, 469
première proposition 438
moyenne arithmétique 2, 3, 9, 11-13, 30, 33, 34, 43, 52, 54, 55, 59, 73-75, 79, 81, 85, 89-110, 113-118, 124, 125, 127-131, 134-136, 138-168, 170, 173-176, 179-181, 184, 185, 188-197, 199-202, 205, 207, 210-215, 228, 237, 238, 240-245, 247, 250, 259-263, 265, 266, 269, 271, 283, 285-287, 293, 298, 300, 302, 303, 315, 329, 337-340, 346, 347, 374, 383-387, 389-395, 397-399, 402, 405, 406, 408-410, 412-414, 416, 418-422, 428, 431-435, 437, 438, 440-442, 444-446, 449, 450, 463-468, 474, 475, 478, 479, 481, 482, 500-503, 505, 509, 514, 519, 523, 524, 529, 543, 544, 558, 563

O

obligation convertible 335-342, 344-348, 351, 353
corrélation 75, 76, 114, 124, 127, 128, 131, 132, 134, 135, 138-140, 154, 155, 169, 170, 258-260, 279, 281, 306, 495-497, 499
diversification 8, 9, 75, 76, 104, 114, 124, 128, 129, 135, 136, 138, 140, 151, 154, 155, 306, 466, 494
effet de 114, 137, 138, 140, 155
écart type 73-76, 113, 114, 116, 120, 123-125, 127, 132-134, 146, 162, 166-170, 188, 257, 270-274, 277, 279-281, 285, 287-294, 297, 298, 303, 305, 310, 314, 316
prime de conversion 337, 341, 346, 347
ratio de conversion 335, 336, 340-342, 344, 346, 347
valeur de conversion 336-338, 340, 341, 344, 346-348
valeur marchande 94, 141, 151, 181, 248, 250, 325, 326, 329, 330, 333, 334, 336-338, 340, 341, 344, 345, 347, 348, 353, 354, 368, 383, 385, 387, 388, 396, 398, 399, 401, 406, 409, 411, 413, 415, 416, 419, 422-425, 427, 428, 431, 434, 435, 437, 438, 440, 443-445, 449, 465, 468, 474, 484, 496, 505, 506, 509, 510, 512, 529

obligation non garantie 338, 369, 370, 371, 373, 380, 381, 383, 455-458
offre de droits de souscription 322-324
opération de protection à découvert 498
option
sur échange de taux d'intérêt 530
sur *swaps* 530

P

parité
des taux de change 539, 557
des taux d'intérêt 539, 544, 547, 553
perte
en capital 235, 501
terminale 235, 236, 247
plafond de taux d'intérêt 518, 531
prime de conversion 337, 341, 346, 347
prix
d'exercice 329-335, 343, 350, 351
d'une action ordinaire 96
d'une action privilégiée 418, 420

R

ratio 82, 335, 336, 340-342, 344, 346, 347, 359, 387, 388, 399, 400, 406, 416, 426, 428, 431, 438, 440, 442, 444, 446, 448, 452, 453, 482, 483, 493-499, 505, 506, 508, 510, 512-517, 524, 526, 527, 546, 547
de conversion 335, 336, 340-342, 344, 346, 347
récupération d'amortissement 223, 224, 235, 247
relation internationale de Fisher 539, 551, 557
risque
du marché 2, 4, 9, 103, 104, 113, 114, 129, 135-137, 140-142, 149, 151-154, 156, 159, 166, 167, 391, 409, 418, 419, 421, 442, 443, 463, 466, 469, 470, 474, 475, 494, 499, 508
du portefeuille 75, 76, 85, 86, 114, 124, 134, 135, 137, 138, 140, 147, 148
financier 8, 361, 369, 416, 428, 431, 440-442, 445, 446, 458, 461, 464-467, 469, 470, 473-475
non systématique 9, 104, 113, 128, 129, 135, 136, 151, 154
spécifique 9, 104, 113, 128, 129, 135, 136, 151, 154
systématique 2, 4, 9, 103, 104, 113, 114, 129, 135-137, 140-142, 149, 151-154, 156, 159, 166, 167, 391, 409, 418, 419, 421, 442, 443, 463, 466, 469, 470, 474, 475, 494, 499, 508
total 9, 103, 104, 131, 135, 137, 151, 458, 463, 464, 466

S

simulation 255, 297, 298, 300, 303, 305, 306, 315
sortie de fonds
en cours de projet 232
évitée 225, 231, 232
initiale 224, 225
structure de capital 1, 3, 400, 413, 425, 426, 431, 434, 436-438, 440, 443, 468, 469
approche traditionnelle 428, 430, 431, 448, 468
optimale 384, 389, 398, 400, 401, 406, 407, 412, 416, 428, 467, 468
swaption 518

T

taux
à terme 529, 546-548, 556
ajusté au risque 267, 269, 298
au comptant 525, 526, 550, 556
constant sur le solde dégressif 189, 239, 246
taux de change flexibles 541, 553, 556, 557
taux de rendement
à l'échéance 94, 95, 104-110, 338-340, 346, 347, 393, 394, 402, 414, 419, 420, 503

comptable 174, 189-193, 196
espéré 9, 74, 92, 93, 102, 103, 110, 114, 118, 134, 135, 139, 147, 149, 150, 152-154, 159, 160, 163-168, 262, 263, 463, 474
exempt de risque 79, 103, 150, 265, 266, 287
interne 94, 110, 174, 179, 184, 185, 188, 191-195, 197, 199-202, 205, 210, 212-215, 237, 238, 240-242, 244, 245, 247, 259, 266, 271, 298, 300, 302, 303, 315, 386, 394, 397, 409, 412
réalisé 92, 105-107, 109, 110, 113
taux d'inflation anticipé 238, 239, 248, 338, 558, 559
taux d'intérêt
nominal 94, 109, 238
réel 238, 542, 551
théorie de l'utilité 69, 255, 297, 310, 311, 315
théorie monétaire de l'inflation 539, 541

V

valeur
de conversion 336-338, 340, 341, 344, 346-348
de la firme 11, 399, 425, 426, 436, 439, 441, 444, 446-448, 451-453, 469
marchande 94, 141, 151, 181, 248, 250, 325, 326, 329, 330, 333, 334, 336-338, 340, 341, 344, 345, 347, 348, 353, 354, 368, 383, 385, 387, 388, 396, 398, 399, 401, 406, 409, 411, 413, 415, 416, 419, 422-425, 427, 428, 431, 434, 435, 437, 438, 440, 443-445, 449, 465, 468, 474, 484, 496, 505, 506, 509, 510, 512, 529
valeur actuelle 114, 117, 121-123, 125-127, 169, 174, 179-184, 188, 191-195, 197, 199-202, 205, 210, 211, 213, 214, 221, 237-240, 243-245, 249-251, 255-259, 261, 265-267, 270, 272-283, 285-291, 293, 295, 298, 300, 305, 310, 315-318, 361, 362, 365, 369, 371, 372, 376, 378, 379, 388, 409
du coût net de location 3, 176, 357-363, 365-369, 373, 375-380, 397, 411
du coût net d'achat 357, 359, 361, 362, 369, 376, 377, 380, 397
variance 92, 113, 122, 123, 127, 132, 133, 141, 146, 152, 162, 270-272, 274, 279